Aus Freude am Lesen

Jackson, Mississippi, 1962: Skeeter ist frustriert. Nach dem Studium verbringt sie die Tage auf der elterlichen Baumwollfarm, als einzige ihrer Freundinnen ohne einen Ring am Finger. Sehr zum Missfallen der Mutter. Skeeter wünscht sich nur eins: Sie will weg aus dem engen Jackson und als Journalistin in New York leben. Und um diesem Ziel näher zu kommen, verbündet sie sich mit zwei schwarzen Dienstmädchen, die ebenso wie sie unzufrieden sind: Aibileen zieht die Kinder ihrer Arbeitgeber auf und bringt ihnen bei, sich selbst zu lieben – das Tafelsilber darf sie aber nicht anfassen. Und Minny ist auf der Suche nach einer neuen Stelle. Sie ist bekannt für ihre Kochkünste, aber sie ist auch gefürchtet: Denn Minny trägt das Herz auf der Zunge. Und gemeinsam beschließen die drei außergewöhnlichen Frauen, gegen die Konventionen ihrer Zeit zu verstoßen und etwas Unglaubliches zu wagen …

KATHRYN STOCKETT ist in Jackson, Mississippi, aufgewachsen, wo ihr Roman spielt. Nach dem Studium der Englischen Literatur zog sie nach New York, wo sie bei Zeitschriftenverlagen arbeitete. Sie lebt mit ihrem Mann und ihrer Tochter in Atlanta. »Gute Geister« ist ihr erster Roman, der gleich zu einem phänomenalen Erfolg wurde. Er stand über 100 Wochen auf den ersten Rängen der New York Times Bestsellerliste und wurde in 40 Sprachen übersetzt. Die Verfilmung »The Help« war für vier Oscars nominiert; Octavia Spencer wurde für ihre Rolle als Minny mit dem Oscar für die beste Nebendarstellerin ausgezeichnet.

Kathryn Stockett

Gute Geister

Roman

Deutsch von
Cornelia Holfelder-von der Tann

btb

Die amerikanische Originalausgabe erschien 2009 unter dem
Titel »The Help« bei Amy Einhorn Books / Putnam, New York.

MIX
Papier aus verantwor-
tungsvollen Quellen
FSC® C083411
www.fsc.org

Verlagsgruppe Random House FSC-DEU-0100
Das für dieses Buch verwendete FSC®-zertifizierte Papier
Lux Cream liefert Stora Enso, Finnland.

1. Auflage
Genehmigte Taschenbuchausgabe Oktober 2012
Copyright © der Originalausgabe 2009 by Kathryn Stockett
This edition published by arrangement with Amy Einhorn Books,
a member of Penguin Group (USA) Inc.
Copyright © der deutschsprachigen Ausgabe 2010/ 2011 by btb
Verlag in der Verlagsgruppe Random House GmbH, München
Umschlaggestaltung: semper smile, München
artwork: © DreamWorks Pictures
Druck und Einband: CPI – Clausen & Bosse, Leck
UB · Herstellung: BB
Printed in Germany
ISBN 978-3-442-74508-1

www.btb-verlag.de
Besuchen Sie auch unseren LiteraturBlog www.transatlantik.de.

Für Grandaddy Stockett,
den allerbesten Geschichtenerzähler.

Aibileen

KAPITEL 1

AUGUST 1962

Mae Mobley ist im August 1960 geboren, an einem Sonntag in der Früh. Ein Kirchzeitkind, wie wir sagen. Weiße Babys zu versorgen ist meine Arbeit, mitsamt dem ganzen Kochen und Putzen. Siebzehn Kinder hab ich in meinem Leben aufgezogen. Ich weiß, wie man's macht, dass die Kleinen einschlafen, nimmer weinen und aufs Klo gehen lernen, eh ihre Mamas am Morgen auch nur aus dem Bett kommen.

Aber noch nie hab ich ein Baby so schreien sehen wie Mae Mobley Leefolt. Am ersten Tag komm ich zur Tür rein, und da ist sie, puterrot, schreit vor Bauchweh und wehrt sich gegen die Flasche, wie wenn's eine faulige Rübe wär. Und Miss Leefolt, die guckt, wie wenn sie Panik vor ihrem eigenen Kind hätt. »Was mache ich falsch? Warum hört das nicht auf?«

Das? Da hab ich zum ersten Mal gedacht, irgendwas stimmt hier nicht.

Also hab ich das rote, schreiende Baby in die Arme genommen. Hab die Kleine bisschen auf meiner Hüfte geschuckelt, damit die Luft abgeht, und es hat keine zwei Minuten gedauert, bis sie mit Weinen aufgehört und mich angelächelt hat, so wie sie's seither immer macht. Aber Miss Leefolt, die hat ihr eigenes Baby den ganzen Tag kein einziges Mal hochgenommen. Ich hab ja schon viele Frauen gesehen, die nach der Geburt den Babyblues gekriegt haben. Ich hab wohl gedacht, dass es das war.

Das Problem mit Miss Leefolt ist: Sie macht nicht nur die ganze Zeit ein finsteres Gesicht, sie ist auch noch klapperdürr. Ihre Beine sind so dünn, wie wenn sie ihr erst letzte Woche gewachsen wären. Dreiundzwanzig ist sie und so schlaksig wie ein vierzehnjähriger Bub. Sogar ihr Haar ist dünn, braun, aber man kann regelrecht durchgucken. Sie versucht's mit Toupieren, aber davon sieht's nur noch dünner aus. Ihr Gesicht hat genau die Form wie das von dem roten Teufel auf der Packung mit den scharfen Zimtbonbons, das gleiche spitze Kinn und überhaupt. Und ihr ganzer Körper hat so viele Ecken und Spitzen, kein Wunder, dass sie das Baby nicht beruhigen kann. Babys mögen es dick und weich. Sie mögen es, sich zum Einschlafen richtig in eine weiche Armbeuge zu kuscheln. Und dicke, fette Beine mögen sie auch. Davon kann ich ein Lied singen.

Wie sie ein Jahr alt war, ist mir May Mobley auf Schritt und Tritt hinterhergekrabbelt. Wenn's dann fünf Uhr war, hat sie an meinem Dr.-Scholl-Schuh gehangen, sich über den Boden schleifen lassen und geheult, wie wenn ich nie mehr wiederkommen würd. Und Miss Leefolt hat mich mit schmalen Augen angeguckt, wie wenn ich was falsch gemacht hätt, und die weinende Kleine von meinem Fuß abgepflückt. Das ist wohl das Risiko, wenn man seine Kinder von jemand anderm aufziehen lässt.

Jetzt ist Mae Mobley zwei. Sie hat große, braune Augen und honigfarbene Locken. Aber der kahle Fleck hinten am Kopf wirft das Bild bisschen über den Haufen. Wenn ihr was nicht passt, hat sie die gleiche Falte zwischen den Augenbrauen wie ihre Mama. Sie sehen sich schon ähnlich, nur dass Mae Mobley so dick ist. Schönheitskönigin wird sie bestimmt nie. Ich glaub, Miss Leefolt macht das was aus, aber ich hab Mae Mobley richtig gern.

Meinen Sohn Treelore hab ich verloren, kurz bevor ich bei Miss Leefolt angefangen hab. Er war vierundzwanzig. Die beste Zeit im Leben. Er konnt nur nicht lang genug auf dieser Welt bleiben.

Er hatte seine eigne kleine Wohnung drüben in der Foley Street. War mit einem netten Mädchen namens Frances zusammen, und ich denk, sie wollten irgendwann heiraten, aber in so was war er langsam. Nicht weil er auf der Suche nach was Besserem war, das nicht, er war einfach nur von der Sorte, die viel denkt. Hatte eine dicke Brille und war immer am Lesen. Hat sogar angefangen, selbst ein Buch zu schreiben, über einen Farbigen, der in Mississippi lebt und arbeitet. Gott, war ich da stolz. Aber dann, eines Abends, war er noch bis spät in der Scanlon-Taylor-Sägemühle arbeiten, Kanthölzer zum Laster schleppen, splittriges Zeug, das sich durch die Handschuhe bohrt. Für die Art Arbeit war er zu klein und zu schmächtig, aber er brauchte den Job. Er war müd. Es war am Regnen. Er ist auf der Laderampe ausgerutscht und runtergefallen, direkt vor die Räder. Der Fahrer von der Zugmaschine hat ihn nicht gesehen und ihm die Lunge zerquetscht, eh er sich rühren konnt. Wie ich's erfahren hab, war er schon tot.

An dem Tag wurd meine ganze Welt schwarz. Die Luft sah schwarz aus, die Sonne sah schwarz aus. Ich bin im Bett liegen geblieben und hab auf die schwarzen Wände von meinem Haus gestarrt. Minny ist jeden Tag gekommen, gucken, ob ich noch atme, mich mit Essen füttern, damit ich am Leben bleib. Drei Monate hat's gedauert, bis ich auch nur aus dem Fenster geschaut hab, ob's die Welt noch gab. Ich war überrascht, dass die Welt nicht zusammen mit meinem Jungen verschwunden war.

Fünf Monate nach der Beerdigung hab ich mich aus dem Bett gehievt. Ich hab meine weiße Dienstmädchenuniform angezogen und mir mein kleines Goldkreuz um den Hals gehängt und bin zu Miss Leefolt gegangen, weil die grad ihr kleines Mädchen gekriegt hatte. Aber ziemlich bald hab ich gemerkt, dass in mir was anders geworden war. Ein bittrer Samen war da in mir aufgegangen. Und ich konnt einfach nicht mehr alles so geduldig hinnehmen.

»Sehen Sie zu, dass im Haus alles tipptopp ist, und machen Sie dann den Hühnersalat«, sagt Miss Leefolt.

Es ist Bridgekränzchen-Tag. Immer der vierte Mittwoch im Monat. Natürlich hab ich alles vorbereitet – den Hühnersalat schon am Morgen gemacht, die Tischtücher gestern gebügelt. Und Miss Leefolt hat mich dabei gesehen. Sie ist grade mal dreiundzwanzig und hört sich gern kommandieren.

Sie hat schon das blaue Kleid an, das ich heute Morgen gebügelt hab, das mit den *fünfundsechzig* Plisseefalten, die so winzig sind, dass ich beim Bügeln die Augen hinter der Brille zusammenkneifen muss. Es gibt nicht viel, was ich auf der Welt hasse, aber das Kleid und ich, wir mögen uns gar nicht.

»Und sorgen Sie dafür, dass Mae Mobley nicht zu uns reinkommt. Ich kann Ihnen sagen, ich habe die Nase voll von ihr – sie hat mein gutes Briefpapier in tausend Fetzchen zerrissen, und ich muss fünfzehn Dankesbriefe für die Junior League schreiben ...«

Ich richt alles für ihre Freundinnen her. Nehm die guten Kristallgläser raus und das Silberbesteck. Miss Leefolt stellt nicht einfach einen ollen Spieltisch auf wie die anderen Ladys. Wir nehmen den Esszimmertisch. Legen ein Tischtuch drüber, um den großen L-förmigen Riss zu verdecken, tun den roten Blumenschmuck rüber aufs Sideboard, damit man das verkratzte Holz nicht sieht. Miss Leefolt hat's gern fein, wenn sie einen Luncheon gibt. Vielleicht will sie ja wettmachen, dass ihr Haus so klein ist. Die Leefolts sind keine reichen Leute, so viel weiß ich. Reiche Leute bemühen sich nicht so.

Ich bin's ja gewöhnt, bei jungen Ehepaaren beschäftigt zu sein, aber ich würd doch sagen, das hier ist das kleinste Haus, in dem ich je gearbeitet hab. Es hat nur das eine Stockwerk. Ihr und Mister Leefolts Zimmer hintenraus ist ja ganz ordentlich, aber das von der Kleinen ist winzig. Das Esszimmer und das normale Wohnzimmer gehen ineinander über. Bäder gibt's nur zwei, und da bin ich froh drüber, weil ich schon in Häusern gearbeitet hab, wo fünf oder sechs waren. Da braucht man einen ganzen Tag, allein um die Klos zu putzen. Miss Leefolt zahlt nur fünfundneunzig Cent die Stunde, da hab ich jahrelang mehr gekriegt. Aber nach Treelores Tod hab ich genommen, was ich kriegen konnte. Der Vermieter hätt nimmer viel länger gewartet. Und wenn das Haus auch klein ist, tut Miss Leefolt doch, was sie kann, um's hübsch herzurichten. An der Nähmaschine ist sie ziemlich gut. Für alles, was sie nicht durch was Neues ersetzen kann, kauft sie einfach blauen Stoff und näht einen Überzug draus.

Es klingelt, und ich geh aufmachen.

»Hey, Aibileen«, sagt Miss Skeeter, weil sie eine ist, die mit Dienstmädchen redet. »Wie geht's?«

»Hey, Miss Skeeter. Mir geht's gut. Gott im Himmel, heiß da draußen.«

Miss Skeeter ist ganz groß und dünn. Ihr Haar ist gelb und so geschnitten, dass es nicht mal bis auf die Schultern geht, weil es sich das ganze Jahr über kraust. Sie ist auch dreiundzwanzig oder so, wie Miss Leefolt und die anderen. Sie stellt ihre Handtasche auf einen Stuhl und macht erst mal komische Bewegungen, wie wenn ihre Kleider sie jucken. Sie hat eine weiße Spitzenbluse an, bis oben zugeknöpft wie bei einer Nonne, und flache Schuh, wahrscheinlich, damit sie nicht noch größer wirkt. Ihr blauer Rock steht in der Taille ab. Miss Skeeter sieht immer aus, wie wenn ihr jemand anders sagen würd, was sie anziehen soll.

Ich hör Miss Hilly und ihre Mama, Miss Walters, draußen vorfahren und hupen. Miss Hilly wohnt drei Meter weiter, kommt aber immer mit dem Auto rüber. Ich lass sie rein. Sie marschiert einfach nur an mir vorbei, und ich sag mir, dass es

ein guter Moment ist, Mae Mobley vom Mittagsschlaf hoch-
zunehmen.

Wie ich ins Kinderzimmer komm, lächelt Mae Mobley mich
an und streckt ihre dicken Ärmchen nach mir aus.

»Du bist schon wach, Baby Girl? Warum hast du mich nicht
gerufen?«

Sie lacht und tanzt einen kleinen Jig, wartet, dass ich sie
rausheb. Ich drück sie fest. Ich schätz mal, sie wird nicht häufig so gedrückt, wenn ich am Abend gegangen bin. Oft komm
ich morgens zur Arbeit und find sie heulend in ihrem Gitterbett. Und Miss Leefolt sitzt an der Nähmaschine und verdreht
die Augen, wie wenn's eine streunende Katze wär, die in der
Fliegentür klemmt und schreit. Miss Leefolt zieht sich jeden
Tag hübsch an. Ist immer geschminkt, hat einen Carport und
einen Doppelkühlschrank mit eingebautem Eisfach. Wenn
man sie im Jitney 14 einkaufen sieht, würd man nie denken,
dass sie ihre Kleine einfach heulend im Gitterbettchen lässt.
Aber das Dienstmädchen weiß alles.

Heut ist allerdings ein guter Tag. Die Kleine grinst über
beide Backen.

Ich sag: »Aibileen.«

Sie sagt: »Ai-bee.«

Ich sag: »Liebt.«

Sie sagt: »Liep.«

Ich sag: »Mae Mobley.«

Sie sagt: »Ai-bee.« Und lacht und lacht. Sie ist ganz aus dem
Häuschen, weil sie jetzt spricht, und ich muss sagen, es wird
auch Zeit. Treelore hat auch nichts gesagt, bis er zwei war. Aber
wie er in der dritten Klasse war, hat er besser geredet wie der
Präsident der Vereinigten Staaten, ist heimgekommen und hat
Wörter benutzt wie *Konjugation* und *parlamentarisch*. Und wie
er dann auf der Junior High war, haben wir immer so ein Spiel
gespielt, wo ich ein normales Wort gesagt hab, und er musst
dann ein hochvornehmes dafür finden. Ich sag *Hauskatze*, er

sagt *domestizierte Felide,* ich sag Mixer, und er sagt *motorisier-te Rotunde.* Eines Tags sag ich *Crisco.* Er kratzt sich am Kopf. Kann's nicht fassen, dass ich mit so was Simplem wie *Crisco-*Pflanzenfett gewonnen hab. Das war von da an so eine Art Geheimwitz zwischen uns, ein Wort für was, was man nicht vornehmer machen kann, als es ist, auch wenn man sich noch so viel Müh gibt. Wir nannten seinen Daddy *Crisco,* weil man's nicht schönreden kann, wenn ein Mann einfach seine Familie sitzen lässt. Und er außerdem der nichtsnutzigste Schmierlappen ist, den die Welt je gesehen hat.

Ich trag Mae Mobley in die Küche, setz sie in ihren Hochstuhl und denk an die beiden Sachen, die ich heut noch machen muss, eh Miss Leefolt einen Anfall kriegt: von den Servietten die aussortieren, die langsam durchgewetzt sind, und das Silber im Schrank richtig ordnen. Gott im Himmel, ich muss das wohl machen, während die Ladys da sind.

Ich bring das Tablett mit Teufelseiern ins Esszimmer raus. Miss Leefolt sitzt oben am Tisch, und links von ihr sitzen Miss Hilly Holbrook und Miss Hillys Mama, Miss Walters, die von Miss Hilly gar nicht respektvoll behandelt wird. Und rechts von Miss Leefolt sitzt Miss Skeeter.

Ich geh mit den Eiern rum, fang bei Miss Walters an, weil sie die Älteste ist. Es ist warm hier drin, aber sie hat eine dicke braune Strickjacke umgehängt. Sie nimmt ein Ei auf den Löffel und lässt es ums Haar fallen, weil sie allmählich tattrig wird. Dann geh ich weiter zu Miss Hilly, und die lächelt und nimmt sich zwei. Miss Hilly hat ein rundes Gesicht und eine dunkelbraune Bienenkorbfrisur. Ihre Haut ist olivfarben, mit Sommersprossen und Muttermalen. Sie trägt gern rotes Schottenkaro. Und sie kriegt langsam einen dicken Hintern. Heut, wo es so heiß ist, hat sie ein ärmelloses rotes Kleid ohne Taille an. Sie ist eine von den erwachsenen Frauen, die sich immer noch wie kleine Mädchen anziehn, mit großen Schleifen und dazu passenden Hüten und so. Ich kann sie nicht besonders leiden.

Ich geh auf die andere Seite zu Miss Skeeter, aber die rümpft die Nase und sagt »Nein, danke«, weil sie keine Eier isst. Ich erinner Miss Leefolt jedes Mal dran, wenn das Bridgekränzchen bei ihr stattfindet, aber sie will trotzdem, dass ich die Eier mach. Sie hat Angst, dass Miss Hilly sonst enttäuscht ist.

Schließlich bedien ich Miss Leefolt. Sie ist die Gastgeberin, also kriegt sie ihre Eier zuletzt. Kaum dass ich fertig bin, ruft Miss Hilly »Ich darf doch« und schnappt sich noch zwei Eier, was mich nicht weiter überrascht.

»Ratet mal, wen ich im Schönheitssalon getroffen habe«, sagt Miss Hilly zu den anderen Ladys.

»Wen?«, will Miss Leefolt wissen.

»Celia Foote. Und wisst ihr, was sie mich gefragt hat? Ob sie dieses Jahr beim Wohltätigkeitsball mithelfen könnte.«

»Gut«, sagt Miss Skeeter. »Wir können Hilfe brauchen.«

»So dringend nicht. Ich habe es ihr gesagt. ›Celia‹, habe ich gesagt, ›um mitzumachen muss man League-Mitglied oder Förderin sein.‹ Was glaubt sie, was die Jackson-League ist? Ein offener Club?«

»Nehmen wir dieses Jahr nicht auch Nichtmitglieder? Weil der Wohltätigkeitsball so groß geworden ist?«, fragt Miss Skeeter.

»Na ja, schon«, murmelt Miss Hilly. »Aber das werde ich *ihr* doch nicht sagen.«

»Ich kann's nicht fassen, dass Johnny so ein ungehobeltes Ding geheiratet hat«, sagt Miss Leefolt, und Miss Hilly nickt. Sie fängt an, die Bridgekarten zu geben.

Ich servier grad den eisgekühlten Salat und die Schinkensandwiches und kann nicht anders, wie ihr Geplapper mitanzuhören. Gibt nur drei Sachen, über die diese Ladys sprechen: ihre Kinder, ihre Kleider und ihre Bekannten. Ich hör das Wort *Kennedy*. Ich weiß, sie reden nicht über Politik. Sie reden drüber, was Miss Jackie im Fernsehen angehabt hat.

Wie ich zu Miss Walters komm, nimmt sie sich nur ein halbes Sandwich.

»Mama«, schreit Miss Hilly Miss Walters an. »Nimm dir noch ein Sandwich! Du bist dürr wie ein Telefonmast.« Miss Hilly guckt in die Runde. »Ich sage ihr immer wieder, wenn diese Minny nicht kochen kann, muss sie sie eben feuern.«

Ich spitz die Ohren. Sie reden vom Dienstmädchen. Minny ist meine beste Freundin.

»Minny kann kochen«, sagt die alte Miss Walters. »Ich habe nur nicht mehr so viel Hunger wie früher.«

Minny ist wohl die beste Köchin von Hinds County, wenn nicht von ganz Mississippi. Sie müsst das gefragteste Dienstmädchen weit und breit sein. Aber das Problem ist, Minny ist nicht auf den Mund gefallen. Sie gibt immer Widerworte. Mal legt sie sich mit dem weißen Filialleiter vom Jitney-Jungle-Supermarkt an, mal mit ihrem Mann und immerzu mit der weißen Lady, bei der sie arbeitet. Dass sie schon so lang bei Miss Walters ist, liegt nur da dran, dass Miss Walters stocktaub ist.

»Ich finde, du bist unterernährt, Mama!«, schreit Miss Hilly. »Diese Minny gibt dir nichts zu essen, damit sie die letzten Erbstücke stehlen kann, die mir noch bleiben.« Miss Hilly steht schnaubend auf. »Ich gehe mir mal die Nase pudern. Passt auf sie auf, für den Fall, dass sie vor Hunger tot umfällt.«

Wie Miss Hilly draußen ist, sagt Miss Walters ganz leis: »Das käme dir gerade recht.« Alle tun, wie wenn sie nichts gehört hätten. Ich ruf Minny wohl besser heut Abend an und erzähl ihr, was Miss Hilly behauptet hat.

In der Küche sitzt die Kleine in ihrem Hochstuhl, roten Saft im ganzen Gesicht. Sowie ich reinkomm, strahlt sie. Sie bleibt ganz brav da sitzen, aber ich lass sie nicht gern zu lang allein. Ich weiß, sie starrt ganz still auf die Tür, bis ich wiederkomm.

Ich tätschel ihr weiches Köpfchen und geh wieder raus, Eistee einschenken. Miss Hilly ist zurück auf ihrem Platz und scheint jetzt wegen irgendwas andrem unter Dampf zu stehen.

»Oh, Hilly, es wäre mir lieber, ihr würdet das Gästebad benutzen«, sagt Miss Leefolt, während sie ihre Karten ordnet. »Das hintere Bad putzt Aibileen erst nach dem Mittagessen.«

Hilly reckt das Kinn vor. Macht dann eins von ihren *Äh-hemms*. Sie hat so eine Art, sich zu räuspern, dass alle horchen, was sie sagen will, ohne zu wissen, wie sie sie dazu gebracht hat.

»Aber das Gästebad benutzt doch das Mädchen«, erwidert Miss Hilly.

Einen Moment sagt keine was. Dann nickt Miss Walters, wie wenn sie's allen erklären wollt. »Sie ist besorgt, weil die Negerin die Innentoilette benutzt und wir auch.«

Guter Gott, nicht wieder der Zirkus. Sie gucken alle zu mir rüber, wie ich das Silberbesteck in der Sideboardschublade ordentlich einräum, und ich weiß, ich verschwind jetzt besser. Doch eh ich den letzten Löffel drin hab, guckt mich Miss Leefolt streng an und sagt: »Gehen Sie neuen Tee holen, Aibileen.«

Ich tu wie mir geheißen, obwohl ihre Tassen noch randvoll sind.

Ich steh kurz in der Küche rum, aber da hab ich nichts mehr zu tun. Ich muss ins Esszimmer, damit ich das Silber fertig ordnen kann. Und ich muss auch noch die Servietten durchsortieren, aber die sind im Schrank im Flur, gleich vor dem Zimmer, wo sie sitzen. Ich will heut nicht länger bleiben, nur weil Miss Leefolt Karten spielt.

Ich wart noch paar Minuten, wisch eine Arbeitsplatte. Geb der Kleinen von dem Schinken, und sie verdrückt ihn bis aufs letzte Fitzelchen. Schließlich schleich ich mich raus in den Flur und bet, dass mich niemand sieht.

Alle vier haben eine Zigarette in der einen Hand und die Karten in der andern. »Elizabeth, wenn du die Wahl hättest«, hör ich Miss Hilly sagen, »würdest du nicht auch wollen, dass sie ihre Geschäfte draußen verrichten?«

Ganz leis zieh ich die Serviettenschublade auf, mehr damit

beschäftigt, dass sie mich ja nicht bemerken, wie mit dem, was sie reden. Das ist für mich nichts Neues. Überall in der Stadt gibt's Extra-Klos für Farbige und in den meisten Häusern auch. Aber dann guck ich rüber und seh, wie mich Miss Skeeter beobachtet, und ich werd ganz starr vor Schreck und denk, jetzt gibt's Ärger.

»Ich biete ein Herz«, sagt Miss Walters.

»Ich weiß nicht«, sagt Miss Leefolt und guckt mit gerunzelter Stirn auf ihre Karten. »Jetzt, wo Raleigh sich gerade selbständig macht und die Steuersaison noch ein halbes Jahr hin ist … Im Moment ist es bei uns finanziell wirklich eng.«

Miss Hilly spricht langsam, wie wenn sie Spritzgusstupfer auf einer Torte verteilt. »Sag Raleigh einfach, jeden Penny, den er für die Toilette ausgibt, kriegt er wieder, wenn ihr das Haus verkauft.« Sie nickt, wie wenn sie sich selbst zustimmt. »Die ganzen Häuser, die ohne Dienstboteneinrichtungen gebaut werden? Das ist schlichtweg gefährlich. Jeder weiß doch, dass diese Leute andere Krankheitserreger in sich tragen als wir. Ich verdopple.«

Ich nehm einen Stapel Servietten raus. Ich weiß nicht warum, aber plötzlich will ich hören, was Miss Leefolt da drauf sagt. Sie ist meine Arbeitgeberin. Jeder will doch wohl wissen, was sein Arbeitgeber über ihn denkt.

»Es wäre schon schön«, sagt Miss Leefolt und zieht kurz an ihrer Zigarette, »wenn sie nicht die Toilette im Haus benutzen würde. Ich biete drei Pik.«

»Ebendarum habe ich die Initiative für Hauspersonalsanitäranlagen ins Leben gerufen«, erklärt Miss Hilly. »Als Krankheitsvorbeugungsmaßnahme.«

Ich bin überrascht, wie eng meine Kehle wird. Das ist die Scham, die ich vor langer Zeit runterzuschlucken gelernt hab.

Miss Skeeter guckt ganz verwirrt. »Für Haus… was?«

»Für ein Gesetz, dass jeder weiße Haushalt eine separate Toilette für die farbigen Dienstboten haben muss. Ich habe mich sogar schon an den Leiter der Gesundheitsbehörde von Mississippi gewandt, ob er das Anliegen unterstützt. Ich passe.«

Miss Skeeter schaut Miss Hilly stirnrunzelnd an. Sie legt ihre Karten offen hin und sagt ganz sachlich: »Vielleicht sollten wir einfach dir draußen eine Toilette bauen, Hilly.«

Herrjesses, ist es auf einmal still in dem Zimmer!

Dann zischt Miss Hilly: »Ich glaube nicht, dass du Witze über das Farbigenproblem machen solltest. Nicht wenn du Herausgeberin des League-Newsletters bleiben willst, Skeeter Phelan.«

Miss Skeeter gibt so eine Art Lachen von sich, aber ich merk, dass sie's nicht komisch findet. »Willst du sagen, du ... würdest mich rausschmeißen? Weil ich nicht deiner Meinung bin?«

Miss Hilly zieht eine Augenbraue hoch. »Ich werde tun, was ich tun muss, um unsere Stadt zu schützen. Du sagst an, Mama.«

Ich geh in die Küche und komm erst wieder raus, wie ich die Tür hinter Miss Hillys Hinterteil zufallen hör.

Wie ich weiß, Miss Hilly ist weg, setz ich Mae Mobley in ihren Laufstall und schlepp die Mülltonne raus an die Straße, weil heut die Müllabfuhr kommt. Am oberen Ende von der Einfahrt fahren mich Miss Hilly und ihre verrückte Mama beinah im Rückwärtsgang über den Haufen und rufen dann ganz freundlich aus dem Wagen raus, wie leid's ihnen tut. Ich geh wieder ins Haus, froh, dass ich nicht zwei frisch gebrochene Beine hab.

Wie ich in die Küche komm, ist da Miss Skeeter. Sie lehnt an der Arbeitsplatte und macht ein ganz ernstes Gesicht, noch ernster wie sonst. »Hey, Miss Skeeter. Möchten Sie irgendwas?«

Sie guckt raus auf die Einfahrt, wo Miss Leefolt durchs Autofenster mit Miss Hilly redet. »Nein, ich ... warte nur.«

Ich trockne eine Servierplatte ab. Wie ich verstohlen rüberguck, starrt sie immer noch ernst durchs Fenster. Sie sieht nicht aus wie die anderen Ladys, weil sie so groß ist. Sie hat ganz hohe Wangenknochen. Blaue Augen, die meistens auf den Boden gucken, was ihr was Schüchternes gibt. Es ist still, bis auf das kleine Radio auf der Arbeitsplatte, in dem der Gospelsender läuft. Ich wollte, sie würd gehen.

»Ist das Prediger Green da im Radio?«, fragt sie.

»Ja, Ma'am, ist es.«

Miss Skeeter lächelt halb. »Das erinnert mich so an unser Mädchen, als ich ein Kind war.«

»Oh, ich hab Constantine gekannt«, sag ich.

Jetzt guckt mich Miss Skeeter an. »Sie hat mich großgezogen, wussten Sie das?«

Ich nick, bereu, dass ich überhaupt was gesagt hab. Ich weiß zu viel da drüber.

»Ich habe versucht, die Adresse ihrer Verwandten in Chicago herauszukriegen«, setzt sie hinzu. »Aber niemand kann mir irgendetwas sagen.«

»Ich hab sie auch nicht, Ma'am.«

Miss Skeeter schaut wieder zum Fenster raus, auf Miss Hillys Buick. Sie schüttelt ganz leicht den Kopf. »Aibileen, das Gerede dort drinnen ... Hillys Gerede meine ich ...«

Ich nehm eine Kaffeetasse und trockne sie mehr wie ordentlich ab.

»Wünschen Sie sich manchmal, Sie könnten ... die Dinge ändern?«, fragt sie.

Und da kann ich nicht anders, ich guck ihr direkt ins Gesicht. Weil das wohl die dümmste Frage ist, die ich je gehört hab. Ihr Gesicht ist verwirrt und angewidert, wie wenn sie sich grad Salz statt Zucker in den Kaffee getan hätt.

Ich wend mich wieder zur Spüle hin, damit sie nicht sieht, wie ich die Augen verdreh. »Oh, nein, Ma'am, es ist alles gut so.«

»Aber das Gerede da eben, über die *Toilette* ...«, und genau bei dem Wort kommt Miss Leefolt in die Küche marschiert.

»Ach, da bist du, Skeeter.« Sie guckt uns bisschen komisch an. »Entschuldigung, habe ich … euch bei irgendetwas unterbrochen?« Wir stehen beide da und fragen uns, was sie wohl gehört hat.

»Ich muss los«, sagt Miss Skeeter. »Bis morgen, Elizabeth.« Sie macht die Hintertür auf, ruft: »Danke für das Essen, Aibileen«, und weg ist sie.

Ich geh ins Esszimmer und fang an, den Bridgetisch abzuräumen. Und wie ich schon befürchtet hab, kommt Miss Leefolt hinter mir her und hat ihr nervöses Lächeln im Gesicht. Sie reckt den Hals vor, wie wenn sie dran arbeitet, mich was zu fragen. Sie mag's nicht, dass ich mit ihren Freundinnen red, wenn sie nicht dabei ist. Will immer wissen, was wir reden. Ich geh einfach an ihr vorbei in die Küche. Ich setz die Kleine in den Hochstuhl und mach mich dran, den Backofen zu putzen.

Miss Leefolt kommt wieder hinter mir her, nimmt eine Dose Crisco und beäugt sie, stellt sie dann wieder hin. Die Kleine reckt die Ärmchen nach ihrer Mama, aber Miss Leefolt macht einen Küchenschrank auf und tut, wie wenn sie's nicht sieht. Dann knallt sie den Schrank wieder zu und macht einen anderen auf. Schließlich steht sie einfach nur da. Ich kauer auf allen vieren. Steck meinen Kopf so tief in den Backofen, dass es ausschaut, als wollt ich mich grad mit Gas umbringen.

»Miss Skeeter und Sie gerade eben, das sah ja wie eine furchtbar ernste Unterhaltung aus.«

»Nein, Ma'am, sie wollt nur … wissen, ob ich paar alte Kleider will«, sag ich, und es klingt, als wär ich in einem Brunnenloch. Meine Arme sind schon ganz fettig. Riecht wie Achselhöhlen hier drin. Im Nu rinnt mir Schweiß die Nase runter, und jedes Mal, wenn ich mich kratz, hinterlass ich schmierigen Dreck auf meinem Gesicht. Ist wohl der schlimmste Platz auf der Welt, in so einem Backofen. Man ist entweder zum Putzen drin oder weil man gebraten wird. Heut Nacht, das weiß ich, werd ich wieder diesen Traum träumen, dass ich hier feststeck und jemand das Gas aufdreht. Aber ich lass den Kopf in dem grässlichen Loch, weil alles besser ist, wie Miss Leefolt zu erzählen, was mir Miss Skeeter hat sagen wollen. Dass sie mich gefragt hat, ob ich die Dinge *ändern* will.

Nach einer Weile schnaubt Miss Leefolt und stapft raus zum Carport. Ich nehm an, sie guckt, wo sie mein neues Farbigen-klo bauen will.

KAPITEL 2

Man würd's nicht meinen, wenn man hier wohnt, aber Jackson, Mississippi, ist vollgestopft mit zweihunderttausend Menschen. Ich hab die Zahl in der Zeitung gelesen und frag mich, wo leben die alle? Unter der Erde? Ich kenn doch so ziemlich jeden auf meiner Seite von der Brücke und auch einen Haufen weiße Familien, und das gibt mit Sicherheit zusammen keine zweihunderttausend Leute.

Sechs Tage die Woche nehm ich den Bus über die Woodrow-Wilson-Brücke, dahin, wo Miss Leefolt und ihre ganzen weißen Freundinnen wohnen, Belhaven heißt das Viertel. Gleich neben Belhaven sind das Stadtzentrum und das Regierungsviertel. Das Kapitol ist riesengroß und sieht von außen schön aus, aber drin war ich noch nie. Ich frag mich immer, was die wohl fürs Putzen zahlen.

Wenn man von Belhaven weiterfährt, kommt das Weißenviertel Woodland Hills und dann Sherwood Forest, da sind meilenweit nur Eichen mit Moosfäden dran. Wohnen tut da noch keiner, aber es ist dafür da, dass die Weißen hinkönnen, wenn sie mal wieder wo Neues hinziehen wollen. Dahinter kommt man raus aufs Land, wo Miss Skeeter auf der Longleaf-Baumwollplantage wohnt. Sie weiß es nicht, aber ich hab da mal Baumwolle gepflückt, 1931, in der Großen Depression, wie wir nichts zu essen hatten außer Regierungskäse.

Jackson hat also ein Weißenviertel am andern, und an der

Straße schießen immer noch neue aus dem Boden. Aber der Farbigenteil, wo wir wohnen, ist ein einziger riesiger Ameisenhaufen, eingequetscht zwischen dem ganzen Staatsland, das nicht zu verkaufen ist. Wenn wir immer mehr werden, können wir nirgends hin. Unser Teil wird einfach nur immer voller.

An dem Nachmittag steig ich in den Bus von Belhaven zur Farish Street. Heut sind da nur Dienstmädchen in ihren weißen Uniformen, auf dem Weg heim. Wir lächeln uns alle an und schwatzen, wie wenn uns der Bus gehört, nicht weil's uns was ausmachen würd, wenn Weiße mitfahren, dank Miss Parks sitzen wir ja jetzt, wo wir wollen. Es ist einfach nur so eine freundliche Stimmung.

Ich seh Minny ganz hinten in der Mitte. Minny ist klein und kräftig, mit glänzenden schwarzen Locken. Sie sitzt breitbeinig da, die Arme verschränkt. Sie ist siebzehn Jahre jünger wie ich. Minny könnt wahrscheinlich den ganzen Bus hochstemmen, wenn ihr danach wär. Eine alte Frau wie ich kann von Glück sagen, dass ich sie zur Freundin hab.

Ich setz mich auf den Sitz vor ihr, dreh mich um und hör zu. Minny hören alle gern zu.

»... also sag ich, Miss Walters, sag ich, die Welt will Ihren nackten weißen Hintern auch nicht lieber sehen wie meinen schwarzen. Sie gehen jetzt da rein und ziehen sich Unterhosen und Kleider an.«

»Auf der Eingangsveranda? Nackt?«, fragt Kiki Brown.

»Wenn ich's doch sag, und der Hintern schlackert ihr bis in die Kniekehlen.«

Alles lacht und schüttelt den Kopf.

»Herr im Himmel, die spinnt wirklich, die Frau«, sagt Kiki. »Weiß nicht, wie du immer an die Verrückten gerätst, Minny.«

»Ach, und deine Miss Patterson? Spinnt die vielleicht nicht?«, sagt Minny zu Kiki. »Geh mir weg, die ist doch die Oberverrückte.« Jetzt lacht der ganze Bus, weil Minny nicht will, dass jemand anders wie sie schlecht über ihre weiße Lady redet. Es ist ihr Job, also steht's auch nur ihr zu.

Der Bus fährt über die Brücke und hält an der ersten Haltestelle im Farbigenteil. So ungefähr ein Dutzend Dienstmädchen steigen aus. Ich setz mich jetzt auf den freien Platz neben Minny. Sie lächelt und stößt mir zur Begrüßung den Ellbogen in die Rippen. Dann lehnt sie sich in ihrem Sitz zurück, weil sie für mich keine Show zu machen braucht.

»Wie geht's? Hast du heut Morgen Plisseefalten bügeln müssen?«

Ich lach und nick. »Anderthalb Stunden hab ich gebraucht.«

»Was hast du Miss Walters heut beim Bridgekränzchen zu essen gegeben? Den ganzen Vormittag hab ich mich abgemüht, der Alten eine Karamelltorte zu machen, und dann wollt sie keinen Krümel essen.«

Das erinnert mich dran, was Miss Hilly heut am Bridgetisch gesagt hat. Wenn's irgendeine andere weiße Lady wär, würd ja kein Hahn danach krähen, aber bei Miss Hilly – wenn die dich auf dem Kieker hat, willst du's schon lieber wissen. Ich hab bloß keine Ahnung, wie ich's sagen soll.

Ich guck aus dem Fenster, aufs Farbigenkrankenhaus und den Obststand. »Ich glaub, ich hab Miss Hilly so was sagen hören, dass ihre Mama immer magerer wird.« Ich drück's so vorsichtig aus, wie ich kann. »Sie meint, sie wär vielleicht unterernährt.«

Minny schaut mich an. »Ach, meint sie?« Schon bei dem bloßen Namen werden ihre Augen Schlitze. »Was hat Miss Hilly noch gesagt?«

Ich spuck's wohl besser einfach aus. »Ich glaub, sie hat dich auf dem Kieker, Minny. Ich mein … pass einfach auf, wenn sie in der Näh ist.«

»Miss Hilly soll lieber aufpassen, wenn *ich* in der Näh bin. Was hat sie gesagt? Dass ich nicht kochen kann? Hat sie gesagt, das alte Klappergestell isst nichts, weil ich ihr nichts

Ordentliches zu essen mach?« Minny steht auf und fährt mit dem Arm durch die Henkel von ihrer Handtasche.

»Tut mir leid, Minny, ich hab's dir nur erzählt, damit du aufpasst …«

»Das soll die *ein* Mal zu mir sagen, dann kriegt sie zu Mittag eine Ladung Minny zwischen die Zähne.« Wütend steigt sie die Busstufen runter.

Ich guck ihr durchs Fenster nach, seh, wie sie nach Haus stapft. Mit Miss Hilly legt man sich besser nicht an. Gott, vielleicht hätt ich's doch für mich behalten sollen.

Zwei Tage drauf steig ich morgens aus dem Bus und geh zu Fuß den Block bis zu Miss Leefolts Haus. Vor dem Haus steht ein alter Laster. Drin sind zwei farbige Männer, der eine trinkt grad Kaffee, der andre schläft im Sitzen. Ich geh dran vorbei und rein in die Küche.

Mister Raleigh Leefolt ist noch zu Haus, was selten passiert. Wenn er mal hier ist, sieht er immer aus, wie wenn er die Minuten zählt, bis er wieder in sein Steuerbüro kann. Sogar samstags. Aber heut schimpft er wegen irgendwas rum.

»Das hier ist mein gottverdammtes Haus, und ich bestimme, was hier gemacht wird, weil ich verdammt noch mal dafür zahle!«, brüllt Mister Leefolt.

Miss Leefolt läuft hinter ihm her, und ihr Lächeln sagt, dass sie gar nicht glücklich ist. Ich versteck mich in der Waschküche. Die Klosache ist jetzt zwei Tage her, und ich hab schon gehofft, es wär wieder vergessen. Mister Leefolt macht die Hintertür auf, guckt auf den Laster, der draußen parkt, und knallt die Tür wieder zu. »Ich sage ja nichts wegen der neuen Kleider und der ganzen verflixten New-Orleans-Trips mit deinen Verbindungsschwestern, aber das schlägt dem Fass den Boden aus.«

»Aber es steigert den Wert des Hauses, meint Hilly!« Ich bin immer noch in der Waschküche, hör aber regelrecht, wie Miss Leefolt sich anstrengt, weiter zu lächeln.

»Wir können es uns nicht leisten! Und von den Holbrooks lassen wir uns gar nichts sagen!«

Einen Augenblick ist es ganz still. Dann hör ich das *Tapp-Tapp* von kleinen Schlafanzugfüßen.

»Dad-diii?«

Ich schlüpf in die Küche, weil Mae Mobley meine Sache ist. Mister Leefolt hockt sich schon vor sie hin, mit einem Lächeln wie aus Gummi. »Soll ich dir was verraten, Schätzchen?«

Sie strahlt ihn an. Wartet auf eine schöne Überraschung.

»Du wirst nicht aufs College gehen können, weil Mamas Freundinnen nicht dieselbe Toilette benutzen wollen wie das Dienstmädchen.«

Er stapft davon und knallt die Tür so laut zu, dass die Kleine zusammenfährt.

Miss Leefolt schaut auf sie runter und wedelt mit dem Zeigefinger. »Mae Mobley, du weißt doch, du darfst nicht aus deinem Bett klettern!«

Die Kleine guckt auf die Tür, die ihr Daddy zugeknallt hat, guckt dann ihre strenge Mama an. Und mein Baby Girl schluckt es runter, schluckt ganz fest, wie wenn sie sich alle Mühe gibt, nicht zu weinen.

Ich renn an Miss Leefolt vorbei, nehm die Kleine hoch. Flüster: »Komm, wir zwei gehen ins Wohnzimmer und spielen mit dem Esel, der sprechen kann. Wie sagt der Esel?«

»Sie steht immer wieder auf. Ich habe sie heute Morgen schon dreimal wieder ins Bett gesetzt.«

»Weil da jemand eine frische Windel braucht. Uii-jeee.«

Miss Leefolt macht *Tss* und sagt: »Mir war nicht klar …«, starrt dabei aber durchs Fenster zu dem Laster raus.

Ich stampf regelrecht nach hinten, so wütend bin ich. Die Kleine war seit acht Uhr abends in diesem Bett, natürlich muss sie gewickelt werden! Miss Leefolt soll mal versuchen, in ihren Geschäften von zwölf Stunden zu sitzen und nicht aufzustehen!

Ich leg die Kleine auf den Wickeltisch, versuch, meine Wut drinnen zu halten. Die Kleine guckt mich an, während ich ihr die Windel abmach. Dann streckt sie ihr Händchen aus. Berührt mich ganz sacht am Mund.

»Mae Mo wa bös«, sagt sie.

»Nein, Baby, du warst nicht bös«, sag ich und streich ihr das Haar zurück. »Du warst brav. Ganz brav.«

Ich wohn an der Gessum Avenue, zur Miete, schon seit 1942. Man kann wohl sagen, die Gessum hat Charakter. Die Häuser sind alle klein, aber jeder Vorgarten ist anders. Manche sind voll Gestrüpp, und sonst ist der Boden kahl wie ein alter Glatzkopf, andere haben Azaleen und Rosen und dichtes grünes Gras. Mein Garten ist irgendwo dazwischen, würd ich sagen.

Ich hab ein paar rote Kameliensträucher vorm Haus. Mein Gras ist bisschen räudig, und da ist immer noch ein großer gelber Fleck, wo Treelores Pick-up nach dem Unfall drei Monate lang gestanden hat. Aber der hintere Garten, also der sieht aus wie der Garten Eden. Dort hat meine Nachbarin Ida Peek ihr Gemüsebeet.

Ida hat nämlich in ihrem Garten keinen Platz, wegen dem ganzen Gerümpel von ihrem Mann – Automotoren, alte Kühlschränke und Reifen. Alles Zeug, das er angeblich irgendwann reparieren oder gebrauchen will, aber er tut's nie. Also hab ich Ida gesagt, sie kann ihre Sachen bei mir hinten pflanzen. Auf die Art muss ich nicht mähen, und ich darf mir nehmen, was ich brauch, das spart mir jede Woche zwei, drei Dollar. Was wir nicht essen, macht sie ein, und ich krieg dann Gläser für den Winter. Leckere Rübenblätter, Eierfrüchte, büschelweis Okra, alle möglichen Kürbisse. Ich weiß nicht, wie sie's macht, dass kein Ungeziefer an ihre Tomaten geht, aber sie schafft es. Und gut sind die!

An dem Abend regnet es draußen mächtig. Ich nehm ein

Glas von Ida Peeks Kohl mit Tomaten raus, ess dazu meine letzte Scheibe Maisbrot. Dann setz ich mich hin, um mir meine Finanzen vorzunehmen, weil nämlich zwei Sachen passiert sind: Der Bus ist pro Fahrt fünfzehn Cent teurer geworden, und meine Miete ist auf neunundzwanzig Dollar im Monat raufgegangen. Ich arbeit bei Miss Leefolt von acht bis vier, sechs Tage die Woche, nur samstags nicht. Ich krieg jeden Freitag dreiundvierzig Dollar, macht im Monat hundertzweiundsiebzig Dollar. Das heißt, wenn ich Strom, Wasser, Gas und Telefon bezahlt hab, bleiben mir noch dreizehn Dollar und fünfzig Cent die Woche für Lebensmittel, Kleidung, Friseur und die Kollekte in der Kirche. Mal ganz davon abgesehen, dass das Porto für die Schecks, mit denen ich die Rechnungen zahl, auf fünf Cent aufgeschlagen hat. Und meine Arbeitsschuh sind schon so dünn, sehen aus, wie wenn sie am Verhungern wären. Ein neues Paar kostet aber sieben Dollar, was heißt, ich werd von Kohl mit Tomaten leben, bis ich zum Karnickel werd. Dem Herrn sei Dank für Ida Peek, sonst hätt ich gar nichts zu essen.

Ich fahr zusammen, weil mein Telefon klingelt. Eh ich auch nur hallo sagen kann, hör ich schon Minny. Sie arbeitet heut länger.

»Miss Hilly steckt Miss Walters ins Altenheim. Ich brauch einen neuen Job. Und weißt du, wann sie ins Heim kommt? Nächste *Woche*.«

»O *nein*.«

»Ich hab schon gesucht, zehn Ladys hab ich heut angerufen. Kein Funken Interesse.«

Kann leider nicht sagen, dass mich das wundert. »Ich frag Miss Leefolt gleich morgen früh, ob sie jemand kennt, der jemand sucht.«

»Wart mal kurz«, meint Minny. Ich hör die alte Miss Walters reden, und Minny sagt: »Was glauben Sie, was ich bin? Ihr Chauffeur? Ich fahr Sie bei dem Regen in keinen Country Club.«

Außer Stehlen ist das Schlimmste, was man als Dienstmädchen machen kann, ein vorlautes Mundwerk haben. Andrerseits kocht sie so gut, dass es das manchmal rausreißt.

»Mach dir nichts draus, Minny. Wir finden dir eine, die genauso stocktaub ist wie Miss Walters.«

»Miss Hilly hat durchblicken lassen, ich könnt ja bei ihr arbeiten.«

»Was?« So streng ich kann, sag ich: »Hör mal zu, Minny, eher unterstütz *ich* dich, wie dass ich dich für diesen Drachen arbeiten lass.«

»Wofür hältst du mich, Aibileen? Für eine dumme Gans? Da könnt ich gleich für den Ku-Klux-Klan arbeiten. Und außerdem weißt du doch, ich würd nie Yule May ihren Job wegnehmen.«

»'tschuldigung.« Ich werd einfach so nervös, wenn's um Miss Hilly geht. »Ich ruf Miss Caroline in der Honeysuckle an, frag, ob sie jemand weiß. Und Miss Ruth auch, die ist so nett, dass es einem richtig ans Herz geht. Hat jeden Morgen selbst aufgeräumt und geputzt, dass mir nichts mehr zu tun blieb, wie ihr Gesellschaft zu leisten. Ihr Mann ist am Scharlachfieber gestorben, mm-hmmm.«

»Danke, Aibee. Ach, Miss Walters, jetzt essen Sie doch ein grünes Böhnchen – mir zulieb.« Minny sagt Wiedersehen und hängt ein.

Am nächsten Morgen steht der alte grüne Laster wieder da. Ich hör schon Gehämmer, aber Mister Leefolt stapft heut nicht im Haus rum. Ich schätz mal, er weiß, dass er verloren hat, noch eh's richtig losgeht.

Miss Leefolt sitzt in ihrem blauen Steppmorgenrock am Küchentisch und telefoniert. Die Kleine hat das ganze Gesicht voll mit was Rotem, Klebrigem und hängt am Knie von ihrer Mama, versucht sie dazu zu bringen, dass sie sie anguckt.

»Morgen, Baby Girl«, sag ich.

»Mama! Mama!«, ruft sie und versucht, auf Miss Leefolts Schoß zu klettern.

»Nein, Mae Mobley.« Miss Leefolt schubst sie runter. »Mama ist am Telefon. Lass Mama in Ruhe reden.«

»Hoch, Mama«, jammert Mae Mobley und streckt die Ärmchen zu ihrer Mama rauf. »Hoch.«

»Psst«, zischt Miss Leefolt leis.

Ich heb die Kleine schnell hoch und nehm sie mit an die Spüle, aber sie dreht die ganze Zeit den Kopf und jammert: »Mama! *Mama!*«

»Genauso, wie du mir's geraten hast.« Miss Leefolt nickt ins Telefon. »Wenn wir eines Tages ausziehen, wird es den Wert des Hauses steigern.«

»Komm schon, Baby Girl. Streck die Hände dahin, unters Wasser.«

Aber die Kleine zappelt und wehrt sich. Ich versuch, ihr die Finger einzuseifen, doch sie windet sich mir aus dem Arm. Sie rennt gradewegs zu ihrer Mama, reckt das Kinn vor und zieht dann, so fest sie kann, an der Telefonschnur. Der Hörer fällt Miss Leefolt aus der Hand und knallt auf den Fußboden.

»Mae Mobley!«, sag ich. Ich renn hin, um sie zu holen, aber Miss Leefolt ist schneller. Sie lächelt, wie wenn sie die Zähne fletscht, und klatscht der Kleinen mit der flachen Hand hinten auf die nackten Schenkel, so fest, dass ich zusammenzuck.

Dann packt Miss Leefolt Mae Mobleys Arm und reißt bei jedem Wort dran. »Du rührst dieses Telefon nie wieder an, Mae Mobley!«, ruft sie. »Aibileen, wie oft muss ich Ihnen sagen, Sie sollen sie von mir fernhalten, wenn ich telefoniere!«

»Entschuldigung«, sag ich, nehm Mae Mobley hoch und versuch sie an mich zu drücken, aber sie brüllt und ist rot im Gesicht und wehrt sich gegen mich.

»Komm, Baby Girl, ist ja gut, ist ja alles …«

Mae Mobley guckt mich grimmig an, beugt sich zurück und *Wamm!* boxt mich genau aufs Ohr.

Miss Leefolt zeigt auf die Küchentür und schreit: »Aibileen, *raus,* alle beide!«

Ich trag Mae Mobley in die Küche. Ich bin so wütend auf Miss Leefolt, dass ich mir auf die Zunge beißen muss. Wenn diese dumme Frau ihr Kind mal beachten würd, dann würd so was nicht passieren! Wie wir in Mae Mobleys Zimmer sind, setz ich mich in den Schaukelstuhl. Sie schluchzt an meiner Schulter, und ich streichel ihr den Rücken, froh, dass sie mein zorniges Gesicht nicht sieht. Ich will nicht, dass sie denkt, ich bin wütend auf sie.

»Okay, Baby Girl?«, flüster ich. Mein Ohr tut weh von ihrer kleinen Faust. Ich bin so froh, dass sie mich geschlagen hat statt ihrer Mama, weil ich nicht weiß, was die Frau mit ihr gemacht hätt. Ich guck runter und seh rote Striemen hinten auf ihren Beinen.

»Ich bin ja hier, Baby Girl, Aibee ist hier.« Ich wieg sie und streichel sie und tröst sie.

Aber die Kleine heult und heult.

Um die Mittagszeit, wie meine Geschichten im Fernsehen kommen, wird es draußen im Carport still. Mae Mobley sitzt auf meinem Schoß und hilft mir, die Bohnen putzen. Sie ist immer noch durcheinander von heut Morgen. Ich wohl auch, aber ich hab's weggeschoben, irgendwohin, wo ich mich nicht damit rumplagen muss.

Wir gehen in die Küche, und ich mach ihr ein Wurstsandwich. Draußen sitzen die Arbeiter in ihrem Laster und essen ihren mitgebrachten Lunch. Ich bin dankbar für die Ruh. Ich lächel die Kleine an und geb ihr eine Erdbeere, froh, dass ich bei der Sache mit ihrer Mama hier war. Ich mag gar nicht dran denken, was passiert wär, wenn ich nicht bei ihr gewesen wär. Sie stopft sich die Erdbeere in den Mund und lächelt zurück. Ich glaub, vom Gefühl her weiß sie's auch.

Miss Leefolt ist nicht da, also überleg ich, ob ich Minny bei

Miss Walters anruf, um zu hören, ob sie schon Arbeit gefunden hat. Aber eh ich dazu komm, klopft's an der Hintertür. Ich mach auf, und da steht einer von den Arbeitern. Ein alter Mann. Er hat einen Overall an, über einem weißen Hemd.

»Tag, Ma'am. Dürft ich um bisschen Wasser bitten?«, fragt er. Ich kenn ihn nicht. Muss irgendwo im Süden der Stadt wohnen.

»Klar«, sag ich.

Ich hol einen Pappbecher aus dem Schrank. Er ist von Mae Mobleys zweitem Geburtstag, mit Luftballons drauf. Ich weiß, Miss Leefolt will nicht, dass ich ihm eins von den Gläsern geb.

Er trinkt das Wasser in einem Zug aus und gibt mir den Becher wieder. Sein Gesicht ist ganz müd. Er hat so was Einsames in den Augen.

»Wie läuft's?«, frag ich.

»Ist Arbeit«, sagt er. »Ist noch kein Wasseranschluss da. Wir werden wohl ein Rohr von der Straße runterlegen.«

»Möcht der andere auch was trinken?«, frag ich.

»Wär sehr nett.« Er nickt, und ich nehm für seinen Kumpel auch einen lustigen Becher raus und füll ihn an der Spüle.

Er bringt ihn nicht gleich dem anderen.

»Entschuldigung«, sagt er, »aber wo ...« Er steht einen Augenblick da und schaut auf seine Schuh. »Wo könnt ich Wasser lassen?«

Er guckt mich an, und ich guck ihn an, und eine Weile stehen wir beide nur da und gucken uns an. Ich mein, das ist doch wirklich komisch. Nicht zum Lachen komisch, sondern auf die Art komisch, dass man denkt: Das gibt's doch nicht. Da haben wir zwei Klos im Haus und noch eins, das grad gebaut wird, und trotzdem kann der Mann nirgends hin, um sich zu erleichtern.

»Ähmm ...« In der Situation war ich noch nie. Der Junge, Robert, der alle zwei Wochen den Garten macht, geht wohl, bevor er herkommt. Aber der hier ist ein alter Mann. Hat ganz runzlige Hände. Und in sein Gesicht haben siebzig Jahre Sorgen so viele Falten gegraben, dass er aussieht wie eine Straßenkarte.

»Sie müssen wohl in die Büsche hinterm Haus gehen«, hör ich mich sagen, aber ich wollt, das wär nicht ich. »Der Hund ist dahinten, aber der tut Ihnen nichts.«

»Okay«, sagt er. »Dank auch.«

Ich seh ihm nach, wie er ganz langsam wieder zurückgeht, mit dem Wasser für seinen Kollegen.

Der Baulärm geht den Nachmittag über weiter.

Den ganzen nächsten Tag wird im Vorgarten gehämmert und gegraben. Ich frag Miss Leefolt nicht danach, und sie erklärt mir nichts. Sie guckt nur jede Stunde zur Tür raus, was da passiert.

Um drei hört der Lärm auf, und die Männer klettern in ihren Laster und fahren weg. Miss Leefolt sieht ihnen nach und seufzt erleichtert. Dann steigt sie in ihr Auto und fährt los, tun, was sie so tut, wenn sie nicht gerade nervös ist, weil sich zwei farbige Männer vor ihrem Haus rumtreiben.

Nach einer Weile klingelt das Telefon.

»Bei Miss Lee…«

»Sie erzählt in der ganzen Stadt rum, dass ich stehl! Darum krieg ich keine Arbeit! Diese Hexe stellt mich als das freche diebische Monster von Hinds County hin!«

»Halt, Minny, hol erst mal Luft …«

»Heut Morgen vor der Arbeit geh ich zu den Renfroes drüben in der Sycamore, und Miss Renfroe jagt mich gradezu vom Grundstück. Sagt, Miss Hilly hätt ihr alles über mich erzählt, jeder wüsst, dass ich Miss Walters einen Silberleuchter gestohlen hätt!«

Ich hör, dass sie den Telefonhörer beinah zerquetscht. Und ich hör Kindra irgendwas rufen und frag mich, warum Minny schon zu Haus ist. Normal geht sie nie vor vier.

»Ich hab nichts getan, wie dieser alten Frau gutes Essen zu kochen und mich um sie zu kümmern!«

»Minny, ich weiß, dass du ehrlich bist. Das bist du bei Gott.« Ihre Stimme schlüpft regelrecht ins Telefon wie eine Biene in eine Honigwabe. »Wie ich zu Miss Walters reinkomm, ist da Miss Hilly und will mir zwanzig Dollar aufdrängen. Sie sagt: ›Nehmen Sie es. Ich weiß, Sie brauchen es‹, und ich hätt ihr ums Haar ins Gesicht gespuckt. Hab ich aber nicht. O nein.« Sie atmet schnell. »Was ich gemacht hab, war *schlimmer.*«

»Was hast du gemacht?«

»Sag ich nicht. Ich sag keinem was von dem Kuchen. Aber sie hat gekriegt, was sie verdient hat!« Ihre Stimme hat jetzt so was Jammeriges, und ich bekomm's richtig mit der Angst zu tun. Es ist kein Spiel, sich mit Miss Hilly anzulegen. »Ich krieg nie wieder Arbeit, Leroy bringt mich um …«

Im Hintergrund fängt Kindra an zu weinen. Minny hängt ein, ohne auch nur Wiederhören zu sagen. Ich hab keine Ahnung, was sie mit dem Kuchen meint. Aber, guter Gott, wie ich Minny kenn, kann's nichts Gutes gewesen sein.

An dem Abend pflück ich mir Kermesbeerblätter und eine Tomate aus Idas Garten. Ich brat mir bisschen Schinken, mach mir Soße für mein Maisbrötchen. Mein Haar ist ausgebürstet und aufgedreht, ich hab meine rosa Lockenwickler drin und schon das Good Nuff draufgesprüht. Den ganzen Nachmittag hab ich mir Sorgen um Minny gemacht. Jetzt muss ich das aus meinem Kopf kriegen, wenn ich heut Nacht ein Auge zutun will.

Ich setz mich zum Essen hin, mach das Küchenradio an. Little Stevie Wonder singt grad »Fingertips«. Für den Jungen ist Farbigsein kein großes Ding. Zwölf Jahre alt, blind, und hat einen Hit im Radio. Wie er ausgesungen hat, dreh ich den Knopf über Prediger Green weg und mach bei WBLA Halt. Da kommt Juke Joint Blues.

Ich hab gern so rauchige Kneipenmusik, wenn's dunkel wird. Da hab ich das Gefühl, mein ganzes Haus ist voll mit Leuten. Ich seh sie regelrecht in meiner Küche zum Blues tanzen. Wenn ich dann das Licht ausmach, stell ich mir vor, wir sind im *Raven*. Da sind kleine Tische mit roten Lichtern drauf. Es ist Mai oder Juni und warm. Mein Clyde lächelt mich mit seinen weißen Zähnen an und sagt: *Was trinken, Honey?* Und ich sag: *Black Mary ohne Eis,* und dann muss ich über mich lachen, weil ich hier in meiner Küche sitz und so vor mich hinträum, denn das Schickste, was ich je trink, ist Nehi-Traubenlimonade.

Jetzt singt Memphis Minny im Radio vom mageren Fleisch, das nicht brutzelt, wo's drum geht, dass die Liebe nicht hält. Manchmal denk ich, ich find vielleicht nochmal einen Mann, einen aus meiner Kirche. Das Problem ist: Sosehr ich den Herrn lieb, steh ich doch nicht auf Männer, die in die Kirche gehen. Die Männer, die mir gefallen, sind nicht von der Sorte, die dableibt, wenn sie erst mal dein ganzes Geld auf den Kopf gehauen hat. Den Fehler hab ich vor zwanzig Jahren gemacht. Wie mein Clyde mich dann für dieses nichtsnutzige Flittchen aus der Farish Street verlassen hat, diese Cocoa, da hab ich mir gesagt, das Kapitel sollt ich wohl endgültig für beendet erklären.

Draußen schreit eine Katze, und das Geräusch holt mich wieder in meine kalte Küche zurück. Ich mach das Radio aus und das Licht wieder an und kram mein Gebetsheft aus meiner Handtasche. Mein Gebetsheft ist nur ein blaues Schreibheft, das ich im Benjamin-Franklin-Kaufhaus erstanden hab. Ich benutz einen Bleistift, damit ich's wieder ausradieren kann, bis es richtig ist. Ich schreib meine Gebete auf, seit ich auf der Junior High war. Wie ich in der Siebten meiner Lehrerin gesagt hab, ich kann nicht weiter in die Schule gehen, weil ich meiner Mama helfen muss, da hat Miss Ross fast geweint.

»Du bist die Gescheiteste in der Klasse, Aibileen«, hat sie gesagt. »Und die einzige Möglichkeit, deinen Kopf auf Trab zu halten, ist jeden Tag zu lesen und *zu schreiben*.«

Also hab ich angefangen, meine Gebete aufzuschreiben, statt sie zu sagen. Aber seither hat mich niemand mehr gescheit genannt.

Ich blätter in meinem Gebetsheft, um zu gucken, wer heut dran ist. Die Woche hab ich paarmal überlegt, Miss Skeeter auf meine Liste zu setzen. Warum weiß ich nicht genau. Sie ist immer nett, wenn sie kommt. Es macht mich nervös, aber ich kann nicht anders, ich denk immer wieder drüber nach, was sie mich da in Miss Leefolts Küche hat fragen wollen, von wegen, ob ich die Dinge ändern will. Und dann noch das mit der Adresse von Constantine, dem Dienstmädchen, das sie aufgezogen hat. Ich weiß, was zwischen Constantine und Miss Skeeters Mama passiert ist, und das werd ich ihr nie und nimmer erzählen.

Das Problem ist, mir ist klar, wenn ich anfang, für Miss Skeeter zu beten, geht das Gespräch weiter, wenn ich sie das nächste Mal seh. Und auch beim übernächsten Mal und beim überübernächsten. Weil's das ist, was Beten bewirkt. Es ist wie Elektrizität, hält Sachen in Gang. Und die Klosache ist wirklich nichts, wo ich drüber reden will.

Ich überflieg meine Gebetsliste. Meine Mae Mobley steht natürlich ganz oben, dann kommt Fanny Lou aus der Kirche, weil sie so schlimm Rheuma hat. Meine Schwestern Inez und Mable in Port Gibson, die zusammen achtzehn Kinder haben, davon sechs mit Grippe. Wenn sich die Liste ausdünnt, nehm ich diesen stinkenden, alten Weißen mit rein, der hinter der Futtermittelhandlung wohnt und von dem flüssigen Schuhputzzeug, das er trinkt, den Verstand verloren hat. Aber heut Abend ist die Liste ganz schön voll.

Und wen hab ich da noch auf die Liste gesetzt? Bertrina Bessemer, ausgerechnet die! Wo doch jeder weiß, dass Bertrina und ich uns nimmer grün sind, seit sie mich vor weiß der

Himmel wie viel Jahren eine Niggeridiotin genannt hat, weil ich damals Clyde geheiratet hab.

»Minny«, hab ich letzten Sonntag gesagt, »warum will Bertrina, dass *ich* für sie bet?«

Wir sind auf dem Heimweg vom Ein-Uhr-Gottesdienst. Minny sagt: »Es geht das Gerücht rum, du hättst einen besondren Draht beim Beten, würdst mehr bewirken wie normale Gebete.«

»Wieso?«

»Eudora Green. Wie die sich die Hüfte gebrochen hat, hast du sie auf deine Liste gesetzt, und nach einer Woche ist sie wieder gelaufen. Isaiah. Fällt vom Baumwolllaster, kommt noch an dem Abend auf deine Liste und ist am nächsten Tag wieder bei der Arbeit.«

Wie sie das sagt, muss ich dran denken, dass ich bei Treelore gar keine Chance gehabt hab, für ihn zu beten. Vielleicht hat Gott ihn ja darum so schnell zu sich genommen. Wollt sich nicht mit mir rumstreiten müssen.

»Snuff Washington«, sagt Minny. »Lolly Jackson – das reinste Wunder. Lolly kommt auf deine Liste, und zwei Tage drauf hüpft sie aus ihrem Rollstuhl, wie wenn sie Jesus berührt hätt. Jeder in Hinds County hat das gehört.«

»Aber das bin nicht ich«, sag ich. »Das ist einfach nur das Beten.«

»Aber Bertrina ...« Minny fängt an zu lachen und sagt: »Du kennst doch Cocoa, die, mit der Clyde auf und davon ist?«

»Pfff. Wie könnt ich die vergessen?«

»Ich hab gehört, eine Woche, nachdem Clyde dich hat sitzen lassen, ist diese Cocoa aufgewacht, und ihre Pussi hat gesuppt wie eine vergammelte Auster. Drei Monate wollt's nicht besser werden. Bertrina ist gut mit Cocoa befreundet. Sie *weiß,* dass deine Gebete wirken.«

Mir bleibt der Mund offen stehen. Warum hat sie mir das

noch nie erzählt? »Willst du sagen, die Leute glauben, ich mach schwarze Magie?«

»Ich hab gewusst, du regst dich auf, wenn ich's dir sag. Sie glauben einfach nur, du hast einen besseren Draht wie die meisten. Wir haben ja alle eine Gemeinschaftsleitung zu Gott, aber du, du sitzt direkt in seinem Ohr.«

Mein Teekessel auf dem Herd fängt an zu sirren und holt mich wieder in die Wirklichkeit zurück. Gott, ich glaub, ich werd Miss Skeeter einfach auf meine Liste setzen, aber warum weiß ich nicht. Das erinnert mich an das, wo ich nicht dran denken will: Miss Leefolt, die mir ein Klo baut, weil sie meint, ich hab Krankheiten in mir. Und Miss Skeeter, die mich fragt, ob ich die Dinge ändern will, wie wenn man Jackson, Mississippi, so einfach ändern könnt, als würd man eine Glühbirne auswechseln.

Ich putz grad Bohnen in Miss Leefolts Küche, da klingelt das Telefon. Ich hoff, dass es Minny ist, die mir sagen will, dass sie was gefunden hat. Ich hab alle angerufen, wo ich je gearbeitet hab, und alle haben mir dasselbe gesagt: »Wir brauchen keine Haushaltshilfe.« Aber eigentlich meinen sie: »Wir brauchen keine *Minny*.«

Obwohl Minnys letzter Arbeitstag schon vor drei Tagen war, hat Miss Walters sie gestern Abend heimlich angerufen und gefragt, ob sie nicht heut noch mal kommen könnt, weil sich das Haus so leer anfühlt, wo Miss Hilly ja schon die meisten Möbel weggeschafft hat. Ich weiß immer noch nicht, was zwischen Minny und Miss Hilly vorgefallen ist. Und ich glaub, ich will's auch gar nicht wissen.

»Bei Leefolt.«

»Äh, hallo. Hier ist ...« Die Lady räuspert sich. »Guten Tag, könnte ich ... könnte ich bitte Elizabeth Leer-folt sprechen?«

»Miss Leefolt ist grad nicht daheim. Kann ich was ausrichten?«

»Oh«, sagt sie, wie wenn sie wegen nichts ganz aufgedreht
wär.

»Darf ich fragen, wer da ist?«

»Hier ist ... Celia Foote. Mein Mann hat mir diese Nummer gegeben, und ich kenne Elizabeth nicht, aber ... na ja, er
sagt, sie weiß Bescheid über den Wohltätigkeitsball für die armen Kinder und die Ladies League.« Der Name kommt mir
irgendwie bekannt vor, aber ich komm nicht drauf. Die Frau
redet, wie wenn sie von so weit draußen auf dem Land wär,
dass ihr Mais in den Schuhen wächst. Aber ihre Stimme klingt
hübsch, so hoch. Trotzdem, wie die Ladys von hier hört sie
sich nicht an.

»Ich richt's ihr aus«, sag ich. »Wie ist Ihre Nummer?«

»Ich bin noch ziemlich neu, na ja, stimmt nicht, ich bin
schon eine ganze Weile hier, Gott, über ein Jahr schon. Ich
kenne nur so gut wie niemanden. Ich ... komme nicht viel
unter Leute.«

Sie räuspert sich wieder, und ich frag mich, warum sie mir
das alles erzählt. Ich bin das Dienstmädchen. Davon, dass sie
mit mir redet, findet sie auch keine Freunde.

»Ich dachte, vielleicht könnte ich ja von zu Hause aus etwas
für den Wohltätigkeitsball beitragen«, sagt sie.

Jetzt fällt mir wieder ein, wer sie ist. Sie ist die, über die Miss
Hilly und Miss Leefolt immer herziehen, weil sie Miss Hillys
Exfreund geheiratet hat.

»Ich bestell's ihr. Wie war noch mal Ihre Nummer?«

»Oh, aber ich bin gerade auf dem Sprung, eben schnell einkaufen zu fahren. Aber vielleicht sollte ich ja hierbleiben und
warten.«

»Wenn sie Sie nicht erreicht, sagt sie Ihrem Dienstmädchen,
was es Ihnen ausrichten soll.«

»Ich habe kein Mädchen. Das wollte ich sie eigentlich auch
fragen, ob sie mir jemanden empfehlen kann.«

»Sie suchen ein Dienstmädchen?«

»Es ist schwer, eine zu finden, die den ganzen Weg bis Madison County rauskommt.«

Ach ja? »Ich kenn jemand richtig Gutes. Sie ist berühmt dafür, wie lecker sie kocht, und auf Ihre Kinder passt sie auch auf. Sie hat sogar ein eigenes Auto, um zu Ihnen rauszufahren.«

»Ach … ich würde es trotzdem gern mit Elizabeth besprechen. Habe ich Ihnen meine Nummer schon gegeben?«

»Nein, Ma'am.« Ich seufz. »Ich hör.« Miss Leefolt wird Minny nie empfehlen, nicht nach Miss Hillys ganzen Lügen.

Sie sagt: »Der Name ist Missus Johnny Foote, und die Nummer ist Emerson zwo-sechs-sechs-null-neun.«

Nur für den Fall sag ich trotzdem: »Und sie heißt Minny, und ihre Nummer ist Lakewood acht-vier-vier-drei-zwo. Haben Sie's?«

Die Kleine zupft an meinem Rock, ruft »Bauch aua« und reibt sich mit der Hand darüber.

Mir kommt eine Idee. Ich sag: »Augenblick, was meinen Sie, Miss Leefolt? Okay, ich richt's ihr aus.« Ich halt den Hörer wieder an den Mund: »Miss Celia, Miss Leefolt ist grad reingekommen und sagt, sie fühlt sich nicht wohl, aber Sie sollen Minny anrufen. Sie sagt, sie meldet sich bei Ihnen, wenn sie wegen dem Wohltätigkeitsball Hilfe braucht.«

»Oh! Sagen Sie ihr vielen Dank. Und ich hoffe, es geht ihr bald wieder besser. Und sie kann mich jederzeit anrufen.«

»Also, Minny Jackson, Lakewood acht-vier-vier-drei-zwo. Augenblick, wie bitte?« Ich nehm einen Keks raus und geb ihn Mae Mobley. Ich fühl nichts wie Stolz auf den Teufel in mir. Ich lüg, und es macht mir nicht mal was aus.

Ich erklär Miss Celia Foote: »Sie sagt, Sie sollen niemand von dem Tipp wegen Minny erzählen, weil ihre Freundinnen Minny auch alle wollen und sich ärgern würden, wenn sie wüssten, dass sie sie Ihnen vermittelt hat.«

»Ich werde ihr Geheimnis nicht verraten, wenn sie meins

nicht verrät. Mein Mann soll nämlich nicht wissen, dass ich eine Haushaltshilfe einstelle.«

Na, wenn das nicht perfekt ist, was dann?

Als wir eingehängt haben, will ich so schnell wie möglich Minny anrufen. Doch wie ich grad die Nummer wähl, kommt Miss Leefolt zur Tür rein.

Das ist jetzt wirklich haarig. Ich hab dieser Miss Celia Minnys Nummer daheim gegeben, aber Minny arbeitet ja heut, weil Miss Walters einsam ist. Wenn sie also anruft, ist Leroy garantiert so dumm und gibt ihr die Nummer von Miss Walters. Und wenn Miss Celia dort anruft und Miss Walters drangeht, ist alles geplatzt. Miss Walters erzählt der Frau bestimmt haarklein, was Miss Hilly über Minny verbreitet. Ich muss Minny oder Leroy erreichen, eh das passiert.

Miss Leefolt geht in ihr Schlafzimmer, und wie ich schon befürchtet hab, hängt sie sich erst mal ans Telefon und besetzt die Leitung. Zuerst ruft sie Miss Hilly an. Dann den Frisiersalon. Dann ruft sie das Kaufhaus an, wegen einem Geschenk für eine Hochzeit, und redet und redet. Sowie sie aufgelegt hat, kommt sie raus und fragt, was es die Woche zum Abendessen gibt. Ich hol mein Notizbuch raus und geh die Liste durch. Nein, Schweinskoteletts will sie nicht. Sie versucht ihren Mann dazu zu kriegen, dass er abnimmt. Sie will Steaks aus der Grillpfanne und grünen Salat. Und was ich eigentlich glaube, wie viele Kalorien diese Baiserdinger haben? Und ich soll Mae Mobley keine Kekse mehr geben, weil sie zu dick ist, und und und ...

Herr im Himmel! Für eine, die nie was zu mir gesagt hat außer *Machen Sie das* und *Benutzen Sie diese Toilette,* redet sie plötzlich mit mir, wie wenn ich ihre beste Freundin wär. Mae Mobley hopst und zappelt rum, damit ihre Mama sie bemerkt. Grad denk ich, Miss Leefolt beugt sich ausnahmsweise mal zu ihr runter – schwupp, rennt sie zur Tür raus, weil sie vergessen hat, dass sie noch was erledigen muss, und schon wieder eine geschlagene Stunde rum ist.

Ich kann die Wählscheibe gar nicht schnell genug drehen.

»Minny! Ich hab Arbeit für dich in Aussicht. Aber du musst ans Telefon …«

»Sie hat schon angerufen.« Minnys Stimme ist matt. »Leroy hat ihr die Nummer gegeben.«

»Und Miss Walters ist drangegangen«, sag ich.

»Taub wie ein Holzklotz, die Alte, und plötzlich, wie durch ein Gotteswunder, hört sie das Telefon klingeln. Ich geh zur Küchentür raus und rein und acht nicht weiter auf das, was sie sagt, aber ganz zum Schluss hör ich meinen Namen. Dann hat Leroy angerufen, und da hab ich gewusst, dass es das war.« Minny klingt ganz kraftlos, und dabei ist sie eine, die nie müd wird.

»Na ja, vielleicht hat Miss Walters ihr ja nicht die Lügen weitererzählt, die Miss Hilly in die Welt setzt. Man weiß doch nie.« Aber nicht mal ich bin so blöd, das zu glauben.

»Selbst wenn – Miss Walters weiß, wie ich mich an Miss Hilly gerächt hab. Du hast ja keine Ahnung, was ich fürchterlich Schlimmes getan hab. Und ich will auch nicht, dass du's jemals erfährst. Miss Walters hat dieser Frau garantiert gesagt, dass ich der leibhaftige Teufel bin.« Ihre Stimme klingt unheimlich. Wie ein Plattenspieler, der zu langsam läuft.

»Tut mir leid. Wenn ich dich nur früher hätt anrufen können, damit du ans Telefon gegangen wärst.«

»Du hast getan, was du konntest. Jetzt kann niemand mehr was für mich tun.«

»Ich werd für dich beten.«

»Danke«, sagt sie, und dann bleibt ihr fast die Stimme weg. »Und danke auch, dass du mir helfen wolltest.«

Wir hängen ein, und ich geh dran, die Böden zu wischen. Es macht mir Angst, wie Minnys Stimme geklungen hat.

Sie war immer so eine starke Frau, eine Kämpferin. Wie Treelore gestorben war, hat sie mir drei Monate lang jeden Abend Essen gebracht. Und jeden Abend hat sie gesagt: »Na-ah, du lässt mich nicht ohne dich auf dieser jämmerlichen Welt zurück.« Aber ich gesteh's, dran gedacht hab ich.

Ich hab den Strick schon geknüpft gehabt, wie ihn Minny gefunden hat. Er war von Treelore, von dem Experiment mit den Flaschenzügen, das sie in der Schule gemacht hatten. Ich weiß nicht, ob ich ihn wirklich benutzt hätt, weil's ja eine Sünde gegen Gott ist, aber ich war nun mal nicht bei Verstand. Minny hat nichts gefragt, hat den Strick einfach nur unterm Bett vorgezogen, in die Mülltonne gesteckt und an die Straße rausgebracht. Wie sie wieder reinkam, hat sie eine Hand an der anderen abgewischt, wie wenn sie nur ganz normal saubergemacht hätt. So ist sie, die Minny, immer praktisch und sachlich. Aber jetzt klingt sie gar nicht gut. Ich hab das Gefühl, ich sollt heut Abend unter ihr Bett gucken.

Ich stell den Eimer mit dem Sunshine-Reiniger ab, der die Frauen im Fernsehen immer so zum Strahlen bringt. Ich muss mich hinsetzen. Mae Mobley kommt her, hält sich den Bauch und sagt: »Aua wegmachen.«

Sie legt das Gesicht auf mein Bein. Ich streich ihr immer wieder übers Haar, bis sie regelrecht schnurrt, weil sie die Liebe in meiner Hand fühlt. Und ich denk an all meine Freundinnen, da dran, was sie für mich getan haben. Was sie tagtäglich für die weißen Ladys tun, bei denen sie arbeiten. Den Schmerz in Minnys Stimme. Treelore tot in der Erde. Ich guck auf die Kleine runter und weiß tief drinnen, ich kann's nicht verhindern, dass sie wird wie ihre Mama. Und das alles miteinander schlägt über mir zusammen. Ich mach die Augen zu, sag im Stillen das Vaterunser. Aber davon geht's mir auch nicht besser.

Gott steh mir bei, aber irgendwas muss passieren.

Die Kleine hängt den ganzen Nachmittag an meinen Beinen, dass ich paarmal fast hinfall. Macht aber nichts. Miss Leefolt hat seit heut Morgen nimmer mit uns beiden geredet. Hat nur an der Nähmaschine in ihrem Zimmer gesessen. Will wieder irgendwas im Haus verdecken, was ihr ein Dorn im Aug ist.

Nach einer Weile gehen Mae Mobley und ich ins Wohnzimmer. Ich hab einen Haufen Hemden von Mister Leefolt zu bügeln, und danach muss ich einen Schmorbraten ansetzen. Ich hab schon das Bad und die Gästetoilette geputzt, die Bettwäsche gewechselt und die Teppiche gesaugt. Ich versuch immer, früher fertig zu sein, damit die Kleine und ich noch zusammensitzen und spielen können.

Miss Leefolt kommt rein und beobachtet mich beim Bügeln. Das macht sie manchmal. Sie runzelt die Stirn und guckt. Und wie ich aufschau, lächelt sie schnell. Fasst sich an den Hinterkopf und versucht, ihr Haar aufzubauschen, damit es dicker aussieht.

»Aibileen, ich habe eine Überraschung für Sie.«

Jetzt lächelt sie ganz breit. Ohne dass man Zähne sieht, nur mit den Lippen, die Art Lächeln, wo man auf der Hut sein muss. »Mister Leefolt und ich haben beschlossen, Ihnen eine eigene Toilette zu bauen, nur für Sie.« Sie klatscht in die Hände und zeigt mit dem Kinn auf mich. »Sie ist gleich draußen in der Garage.«

»Ja, Ma'am.« Was glaubt sie, wo ich die ganze Zeit war?

»Also können Sie von jetzt an statt der Gästetoilette Ihre eigene dort draußen benutzen. Ist das nicht schön?«

»Ja, Ma'am.« Ich bügel weiter. Der Fernseher läuft, und meine Sendung fängt gleich an. Aber sie steht immer noch da und schaut mich an.

»Sie benutzten also ab jetzt die Toilette draußen in der Garage, verstehen Sie?«

Ich guck sie an. Ich will ja kein Problem draus machen, aber jetzt reicht's wirklich.

»Möchten Sie sich nicht Toilettenpapier mitnehmen und sie mal ausprobieren?«

»Miss Leefolt, jetzt grad muss ich wirklich nicht.«

Mae Mobley zeigt aus dem Laufstall mit dem Finger auf mich und ruft: »Mae Mo Saft?«

»Ich hol dir Saft, Baby«, sag ich.

»Oh.« Miss Leefolt fährt sich paarmal mit der Zunge über die Lippen. »Aber wenn Sie müssen, dann gehen Sie raus und benutzen diese Toilette, ich meine ... nur diese, ja?«

Miss Leefolt hat eine Menge Make-up auf dem Gesicht, eine dicke Schmiere. Das gelbliche Zeug geht bis über die Lippen, man sieht kaum, dass sie einen Mund hat. Ich weiß, was sie hören will, und sag es: »Ich benutz von jetzt ab meine Farbigentoilette. Und ich putz die Weißentoilette noch mal ganz gründlich mit Clorox.«

»Das eilt nicht. Irgendwann heute reicht.«

So wie sie dasteht und an ihrem Ehering rumfingert, meint sie in Wirklichkeit, ich soll's jetzt sofort machen.

Ich stell das Bügeleisen ganz langsam ab, fühl, wie der bittere Sämling in meiner Brust wächst, der, der seit Treelores Tod da sitzt. Mein Gesicht wird heiß, meine Zunge zuckt. Ich weiß nicht, was ich ihr sagen soll. Ich weiß nur, ich sag's lieber nicht. Und ich weiß, sie sagt auch nicht, was sie eigentlich sagen will, und es ist komisch, weil keine von uns was sagt und wir trotzdem ein Gespräch zustande bringen.

Minny

KAPITEL 3

Wie ich auf der Hinterveranda von der weißen Lady steh, sag ich mir: *Kneif's weg, Minny.* Kneif den Mund zu, damit nichts rauskommt, was nicht rauskommen soll, und kneif auch deinen Hintern zusammen. Sieh gefälligst aus wie ein Dienstmädchen, das macht, was man ihm sagt. Tatsache ist, ich bin so nervös, ich würd nie mehr Widerworte geben, wenn ich dafür nur diesen Job krieg.

Ich zieh meine Strümpfe hoch, damit die Falten um meine Fußgelenke weggehen – das Problem von allen kleinen, dicken Frauen auf der Welt. Dann prob ich noch mal, was ich sagen und was ich für mich behalten werd. Ich drück auf die Klingel.

Die Klingel macht ein langes *Ding-Dong,* fein und schick für so ein Riesenhaus auf dem Land. Wie ein Schloss sieht es aus, hohe graue Mauern nach beiden Seiten. Um den Rasen rum ist überall Wald. Wenn das hier aus einem Märchenbuch wär, gäb's in dem Wald Hexen. Die Sorte, die Kinder frisst.

Die Hintertür geht auf, und da steht Miss Marilyn Monroe. Oder jedenfalls jemand, der ihr sehr ähnlich sieht.

»Hallo, Sie sind ja pünktlich. Ich bin Celia. Celia Rae Foote.«

Die weiße Lady streckt mir die Hand hin, aber ich guck sie mir erst mal genau an. Sie hat ja vielleicht eine Figur wie Marilyn Monroe, aber zu Probeaufnahmen kann sie so nicht. Da ist Mehl in ihrer gelben Haarfrisur. Mehl auf ihren angeklebten

Wimpern. Und Mehl auf dem ganzen bonbonrosa Hosenanzug. In einer Mehlwolke steht sie da, und der Hosenanzug ist so eng, dass ich mich frag, wie sie Luft kriegt.

»Ja, Ma'am. Ich bin Minny Jackson.« Ich streich meine weiße Dienstmädchenuniform glatt, statt ihr die Hand zu geben. Ich will das Zeug nicht an mir. »Sie sind grad am Backen?«

»Einen von diesen gestürzten Kuchen aus dem Rezeptteil.« Sie seufzt. »Es klappt nicht so besonders.«

Ich folg ihr nach drinnen und seh, dass Miss Celia Rae Foote bei der Mehlkatastrophe nur leicht erwischt worden ist. Den Hauptschaden hat die Küche abgekriegt. Die Arbeitsplatten, der Doppelkühlschrank, der Kitchen-Aid-Mixer, alles ist mit Mehl verschneit. Die Bescherung treibt mich schier in den Wahnsinn. Ich hab den Job noch gar nicht, aber ich guck mich schon an der Spüle nach einem Schwamm um.

Miss Celia sagt: »Ich habe wohl noch einiges zu lernen.«

»Sieht allerdings so aus«, sag ich. Aber ich beiß mir fest auf die Zunge. *Sag ja keine frechen Sachen zu dieser weißen Lady, so wie zu der anderen, die dein freches Mundwerk am End ins Altenheim gebracht hat.*

Aber Miss Celia lächelt nur und wäscht sich über der Spüle, die voll mit dreckigem Geschirr ist, den Mehlpapp von den Händen. Ich frag mich, ob ich wieder eine gefunden hab, die taub ist, so wie Miss Walters. *Hoffentlich,* denk ich.

»Ich kriege den Bogen mit der Kocherei einfach nicht raus«, sagt sie, und trotz ihrer flüstrigen Marilyn-Stimme hör ich sofort, dass sie vom Land kommt, aus irgendeinem hinterletzten Winkel. Ich guck runter und seh, dass das närrische Ding keine Schuh anhat, wie wenn sie weißer Abschaum wär. Anständige weiße Ladys laufen nicht barfuß rum.

Sie ist wohl zehn, fünfzehn Jahre jünger wie ich, so zwei-, dreiundzwanzig, schätz ich, und sie ist wirklich hübsch, aber warum kleistert sie sich das ganze Zeug aufs Gesicht? Sie hat bestimmt doppelt so viel Make-up drauf wie die anderen weißen Ladys. Und sie hat auch viel mehr Busen. Sie ist sogar obenrum fast so füllig wie ich, nur dass sie an all den anderen Stellen dünn ist, wo ich's nicht bin. Ich hoff nur, sie ist eine gute Esserin. Weil ich nämlich eine gute Köchin bin und mich die Leute deswegen einstellen.

»Möchten Sie etwas Kaltes trinken?«, fragt sie. »Setzen Sie sich, ich hole Ihnen was.«

Und da merk ich: Irgendwas ist hier komisch.

»Sie muss verrückt sein, Leroy«, hab ich gesagt, wie sie mich vor drei Tagen angerufen und gefragt hat, ob ich zu einem Vorstellungsgespräch kommen würd. »Weil doch alle in der Stadt glauben, ich hätt Miss Walters' Silber gestohlen. Und ich weiß, sie denkt auch, dass ich's getan hab, weil ich dabei war, wie sie mit Miss Walters telefoniert hat.«

»Weiße sind komisch«, hat Leroy gesagt. »Wer weiß, vielleicht hat die Alte ja ein gutes Wort für dich eingelegt.«

Ich muster Miss Celia Rae Foote. In meinem ganzen Leben hat mir noch keine weiße Frau gesagt, ich soll mich hinsetzen, damit sie mir was Kaltes zu trinken bringen kann. Verflixt! Ich frag mich, ob dieses närrische Ding überhaupt ein Dienstmädchen sucht, oder ob sie mich nur zum Spaß den ganzen Weg hier raus gelockt hat.

»Vielleicht sollten wir erst mal das Haus angucken, Ma'am.«

Sie lächelt, wie wenn ihr unter ihrer Haarsprayfrisur gar nie die Idee gekommen wär, mir das Haus zu zeigen, das ich putzen soll.

»Oh, ja, klar. Kommen Sie mit da rüber, Maxie. Ich zeige Ihnen erst mal das gute Esszimmer.«

»Minny«, sag ich. »Ich heiß Minny.«

Vielleicht ist sie ja weder taub noch verrückt. Vielleicht ist sie einfach nur dumm. Jetzt hab ich doch wieder ein Fünkchen Hoffnung.

Sie geht durch das hergerichtete alte Haus und redet und redet, und ich geh mit. Unten sind zehn Zimmer und eins mit einem ausgestopften Grizzlybär, der aussieht, wie wenn er das letzte Dienstmädchen gefressen hätt und jetzt aufs nächste wartet. Eine angekokelte Konföderiertenfahne hängt in einem Rahmen an der Wand, und auf dem Tisch liegt eine alte silberne Pistole. In die Pistole ist eingraviert: »General der Konföderiertenarmee John Foote«. Ich wett, Urgroßpapa Foote hat mit dem Ding ein paar Sklaven mächtig Angst eingejagt.

Wir gehen weiter, und jetzt sieht's aus wie jedes hübsche Weißenhaus, nur dass es das größte ist, das ich je gesehen hab, und voll mit dreckigen Fußböden und staubigen Teppichen, solchen, wo Leute, die's nicht besser wissen, sagen würden, sie sind abgewetzt, aber ich versteh was von Antiquitäten. Ich hab in vornehmen Häusern gearbeitet. Ich hoff nur, sie ist nicht so weit draußen vom Land, dass sie keinen Staubsauger hat.

»Johnnys Mama wollte mich hier nichts einrichten lassen. Wenn es nach mir gegangen wäre, hätten wir weißen Teppichboden und alles mit Gold abgesetzt und nichts von diesem alten Krempel.«

»Wo wohnt Ihre Familie?«, frag ich.

»Ich bin aus … Sugar Ditch.« Ihre Stimme wird bisschen leiser. Sugar Ditch ist so ziemlich das Armseligste in ganz Mississippi, wenn nicht in den ganzen Vereinigten Staaten. Es liegt droben in Tunica County, fast bei Memphis. Ich hab mal Fotos in der Zeitung gesehen, von solchen Pächterhütten. Selbst die weißen Kinder haben ausgesehen, wie wenn sie seit einer Woche nichts mehr gegessen hätten.

Miss Celia versucht zu lächeln und sagt: »Das ist das erste Mal, dass ich ein Dienstmädchen einstelle.«

»Na ja, brauchen tun Sie mit Sicherheit eins.« *Brems dich, Minny …*

»Ich war ja so froh über die Empfehlung von Miss Walters. Sie hat mir alles über Sie erzählt. Ihr Essen, hat sie gesagt, ist das beste in der ganzen Stadt.«

Jetzt versteh ich gar nichts mehr. Nach dem, was ich mit Miss Hilly gemacht hab, direkt vor den Augen von Miss Walters? »Hat sie ... sonst noch was über mich gesagt?«

Aber Miss Celia steigt schon eine große, geschwungene Treppe rauf. Ich folg ihr nach oben, in einen langen Flur, wo Sonne durch die Fenster reinfällt. Da sind zwar zwei gelbe Zimmer für Mädchen und ein blaues und ein grünes für Buben, aber es ist klar, dass es hier keine Kinder gibt. Nur Staub.

»Wir haben fünf Schlafzimmer und fünf Bäder hier im Haupthaus.« Sie zeigt zum Fenster raus, und ich seh einen großen, blauen Swimmingpool und dahinter *noch* ein Haus. Mein Herz pocht.

»Und dann ist da noch das Poolhaus dort drüben«, sagt sie seufzend.

Ich würd ja im Moment jeden Job annehmen, aber so ein großes Haus müsst eine ganze Menge Geld bringen. Und dass da viel zu tun ist, macht mir nichts aus. Arbeit schreckt mich nicht. »Wann wollen Sie denn Kinder kriegen, damit die ganzen Betten mal voll werden?« Ich bemüh mich zu lächeln und freundlich zu gucken.

»Oh, wir werden Kinder haben.« Sie räuspert sich, fummelt an ihren Händen rum. »Ich meine, Kinder sind doch der Sinn des Lebens.« Sie schaut auf ihre Füße. Eine Sekunde stehen wir still da, eh sie wieder zur Treppe geht. Ich geh hinterher, seh, wie sie sich auf dem ganzen Weg runter am Geländer festklammert, wie wenn sie Angst hätt, dass sie sonst fällt.

Wie wir wieder im Esszimmer sind, schüttelt Miss Celia den Kopf. »Es ist schrecklich viel Arbeit«, jammert sie. »Die ganzen Schlafzimmer und die Böden.«

»Ja, Ma'am, es ist schon groß«, sag ich und denk, wenn sie mein Haus sehen würd, mit einem Kinderbett im Flur und einem Klo für sechs Hintern, würd sie wahrscheinlich wegrennen. »Aber ich hab viel Kraft.«

»... und dann noch das ganze Silber zu putzen.«

Sie macht einen Silberschrank auf, der so groß ist wie mein Wohnzimmer. Sie richtet eine Kerze, die schief auf einem Leuchter sitzt, und jetzt versteh ich, warum sie so zweifelnd guckt.

Nachdem Miss Hillys Lügen in der ganzen Stadt rum waren, haben drei Ladys hintereinander aufgelegt, sowie ich meinen Namen gesagt hab. Ich mach mich auf den Schlag gefasst. *Sagen Sie's schon, Lady. Sagen Sie, was Sie denken, wegen mir und Ihrem Silber.* Mir ist zum Heulen, wenn ich mir vorstell, wie gut dieser Job für mich wär und wie Miss Hilly verhindert hat, dass ich ihn krieg. Ich starr aufs Fenster und hoff und bet, dass das nicht das Ende vom Vorstellungsgespräch ist.

»Ich weiß, die Fenster sind schrecklich hoch. Ich habe noch nie versucht, sie zu putzen.«

Ich lass den Atem raus. Fenster sind für mich ein tausendmal besseres Thema wie Silber. »Fenster schrecken mich nicht. Ich hab die von Miss Walters alle vier Wochen von oben bis unten geputzt.«

»Hatte sie nur ein Stockwerk oder zwei?«

»Na ja, eins ... aber da gehört alles Mögliche dazu. So alte Häuser haben ja jede Menge Ecken und Winkel.«

Schließlich gehen wir wieder in die Küche. Wir starren beide auf den Tisch, aber keine von uns setzt sich hin. Ich werd so fickrig, dass ich am Kopf schwitz.

»Sie haben ein schönes großes Haus«, sag ich. »So weit draußen auf dem Land. Eine Menge zu tun.«

Sie fummelt wieder an ihrem Ehering rum. »Bei Miss Walters war es sicher einfacher, als es hier wäre. Ich meine, jetzt sind wir ja nur zu zweit, aber wenn wir mal Kinder haben ...«

»Gibt's, äh, noch andre Dienstmädchen, die für Sie in Frage kommen?«

Sie seufzt. »Es waren einige hier. Ich habe nur noch nicht ... die Richtige gefunden.« Sie kaut an den Fingernägeln, guckt weg.

Ich wart, dass sie sagt, ich bin auch nicht die Richtige, aber wir stehen einfach nur da und atmen das Mehl ein. Schließlich spiel ich meine letzte Karte aus, flüster regelrecht, weil es das Einzige ist, was ich noch in der Hand hab.

»Ich bin ja von Miss Walters nur weg, weil sie ins Altenheim gekommen ist. Sie hat mich nicht gefeuert.«

Aber sie starrt nur auf ihre bloßen Füße. Ihre Fußsohlen sind schwarz, weil ihre Böden nimmer geschrubbt worden sind, seit sie in dieses große, dreckige Haus gezogen ist. Und es ist klar: Diese Lady will mich nicht.

»Tja«, sagt sie, »ich weiß es zu schätzen, dass Sie den ganzen Weg hier herausgefahren sind. Kann ich Ihnen wenigstens das Benzingeld geben?«

Ich nehm meine Handtasche und klemm sie untern Arm. Die Lady setzt ein fröhliches Lächeln auf, das ich ihr grad vom Gesicht klatschen könnt. Der Teufel hol Hilly Holbrook.

»Nein, Ma'am, können Sie nicht.«

»Ich wusste ja, es würde schwer sein, jemanden zu finden, aber ...«

Ich steh da und hör mir an, wie sie tut, wie wenn's ihr wer weiß wie leid tät, aber ich denk nur: *Spucken Sie's schon aus, Lady, damit ich Leroy sagen kann, wir müssen an den Nordpol ziehen, ins Nachbarhaus vom Weihnachtsmann, wo niemand Hillys Lügen über mich gehört hat.*

»... und an Ihrer Stelle würde ich dieses große Haus auch nicht putzen wollen.«

Ich guck ihr ins Gesicht. Das ist jetzt bisschen viel, so zu tun, wie wenn Minny den Job nicht kriegt, weil Minny den Job nicht *will.*

»Wann hab ich gesagt, dass ich das Haus hier nicht putzen will?«

»Ist ja verständlich, fünf Mädchen haben mir schon erklärt, es sei zu viel Arbeit.«

Ich guck an meinen eins zweiundfünfzig großen fünfundsiebzig Kilo runter, die beinah aus meiner Dienstmädchenkleidung platzen. »Zu viel? Für mich?«

Sie blinzelt mich ungläubig an. »Sie ... Sie würden es machen?«

»Was denken Sie, warum ich den ganzen Weg hier raus kutschiert bin? Nur um Benzin zu verbrauchen?« Ich beiß die Zähne zusammen. *Mach jetzt bloß nicht alles kaputt, sie bietet dir einen Jot-O-Be.* »Miss Celia, ich würd gern bei Ihnen arbeiten.«

Sie lacht, und dann will mir diese Verrückte doch tatsächlich um den Hals fallen, aber ich tret einen Schritt zurück, um ihr klarzumachen, dass das nicht meine Art ist.

»Augenblick, erst müssen wir noch paar Sachen besprechen. Sie müssen mir sagen, an welchen Tagen ich kommen soll und ... so.« *Was Sie zahlen zum Beispiel.*

»Ich ... äh ... wann es Ihnen passt«, murmelt sie.

»Bei Miss Walters war ich von Sonntag bis Freitag.«

Miss Celia kaut wieder auf dem pinkfarbenen Nagel von ihrem kleinen Finger. »Am Wochenende können Sie nicht hier sein.«

»Na gut.« Ich brauch die Tage, aber vielleicht lässt sie mich ja später bei Partys servieren oder so was. »Dann eben Montag bis Freitag. Und wann soll ich morgens da sein?«

»Wann möchten Sie denn kommen?«

Die Wahl hatt ich noch nie. Ich fühl, wie meine Augen schmale Schlitze werden. »Wie wär's um acht? Da hab ich bei Miss Walters immer angefangen.«

»Gut, acht ist sehr gut.« Jetzt steht sie wieder da, wie wenn sie drauf wartet, dass ich den nächsten Damestein zieh.

»Jetzt müssen Sie mir sagen, um wie viel Uhr ich wieder geh.«

»Wann denn?«, fragt Celia.

Ich verdreh die Augen. »Das müssen Sie sagen, Miss Celia. So läuft das.«

Sie schluckt, wie wenn sie Mühe hat, das zu verdauen. Ich will, dass wir's hinter uns bringen, eh sie sich's anders überlegt.

»Wie wär's mit vier Uhr?«, frag ich. »Ich arbeit von acht bis vier und krieg mittags eine Pause zum Essen oder was halt so ist.«

»Das ist wunderbar.«

»Und jetzt ... müssen wir über den Lohn reden«, sag ich, und meine Zehen in meinen Schuhen werden ganz zappelig. Viel kann's nicht sein, wenn schon fünf Dienstmädchen nein gesagt haben.

Keine von uns sagt was.

»Also gut, Miss Celia. Was hat Ihr Mann gesagt, wie viel Sie zahlen können?«

Sie guckt auf die Küchenmaschine, von der sie garantiert keine Ahnung hat, wie sie funktioniert. »Johnny weiß nichts davon.«

»Na gut, dann fragen Sie ihn heut Abend, wie viel er zahlen will.«

»Nein, Johnny weiß nicht, dass ich eine Haushaltshilfe anstelle.«

Mir fällt die Kinnlade runter. »Was heißt, er weiß es nicht?«

»Ich *kann* es Johnny nicht sagen.« Ihre blauen Augen sind riesig, wie wenn sie eine Mordsangst vor ihm hätt.

»Und was wird Mister Johnny machen, wenn er heimkommt und eine Farbige in seiner Küche findet?«

»Tut mir leid, ich kann ihm nicht ...«

»Ich sag Ihnen, was er dann macht, er wird die Pistole da drüben nehmen und Minny erschießen, hier auf diesem Kunststoffboden.«

Miss Celia schüttelt den Kopf. »Ich sag's ihm nicht.«

»Dann muss ich jetzt gehen«, sag ich. *Shit. Ich hab ja gewusst, sie ist verrückt, gleich wie ich zur Tür reingekommen bin ...*

»Es ist ja nicht so, dass ich ihn beschwindle. Ich brauche einfach ein Mädchen ...«

»Klar brauchen Sie eins. Das letzte ist erschossen worden.«

»Er kommt tagsüber nie nach Hause. Sie putzen einfach nur das Gröbste und bringen mir bei, Abendessen zu kochen, das dauert ja nur ein paar Monate …«

Der Geruch von was Verbranntem sticht mir in die Nase. Ich seh, wie's aus dem Backofen qualmt. »Und dann? Nach den paar Monaten feuern Sie mich?«

»Dann … sage ich es ihm«, antwortet sie, aber bei dem Gedanken wird ihre Stirn ganz knittrig. »Bitte, er soll glauben, ich könnte es allein. Ich will, dass er denkt, ich bin … es wert.«

»Miss Celia …« Ich schüttel den Kopf, kann's nicht glauben, dass ich mich mit dieser Lady rumstreit, wo ich noch keine zwei Minuten hier arbeit. »Ich glaub, Ihr Kuchen ist verbrannt.«

Sie schnappt sich einen Lappen, rennt zum Ofen und reißt den Kuchen raus. »Aua! Scheibenhonig!«

Ich leg meine Handtasche weg, dräng Miss Celia beiseite. »Sie dürfen für eine heiße Form keinen nassen Lappen nehmen.«

Ich greif mir einen trockenen Lappen, trag den schwarzen Kuchen zur Tür raus und stell ihn auf die Zementstufe.

Miss Celia starrt ihre verbrannte Hand an. »Missus Walters meint, Sie sind eine richtig gute Köchin.«

»Die alte Frau isst grad mal zwei Butterbohnen und sagt dann, sie ist satt. Ich hab nichts in sie reingekriegt.«

»Was hat sie Ihnen gezahlt?«

»Einen Dollar die Stunde«, sag ich und schäm mich regelrecht. Fünf Jahre und noch nicht mal Mindestlohn.

»Dann gebe ich Ihnen zwei.«

Und ich fühl, wie alle Luft aus mir rauszischt.

»Wann geht Mister Johnny morgens aus dem Haus?«, frag ich und mach das Stück Butter weg, das auf der Arbeitsplatte vor sich hin schmilzt, ohne Teller drunter.

»Um sechs. Er kann es nicht leiden, hier noch lange herumzutrödeln. Und so um fünf kommt er dann aus seinem Maklerbüro wieder zurück.«

Ich rechne kurz, und obwohl es weniger Stunden sind, käm mehr dabei rum. Aber ich krieg gar nichts, wenn ich erschossen werd. »Also geh ich um drei. Dann sind's morgens und abends zwei Stunden Abstand, damit ich ihm nicht über den Weg lauf.«

»Gut.« Sie nickt. »Sicher ist sicher.«

Vor der Hintertür steckt Miss Celia den Kuchen in eine große Papiertüte. »Den hier muss ich ganz unten in die Mülltonne verstecken, damit er nicht merkt, dass mir wieder einer verbrannt ist.«

Ich nehm ihr die Tüte aus der Hand. »Mister Johnny wird nichts merken. Ich werf das bei mir zu Haus weg.«

»Oh, *danke.*« Miss Celia schüttelt den Kopf, wie wenn das das Netteste wär, was je jemand für sie getan hat. Sie drückt sich die kleinen Fäuste unters Kinn. Ich geh zu meinem Wagen.

Ich setz mich auf den durchgesessenen Sitz von dem Ford, für den Leroy seinem Boss immer noch zwölf Dollar die Woche zahlt. Erleichterung kommt über mich. Ich hab doch noch einen Job gefunden. Ich muss nicht an den Nordpol ziehen. Da wird der Weihnachtsmann aber enttäuscht sein.

»Setz dich auf dein Hinterteil, Minny, ich erklär dir jetzt die Regeln für die Arbeit bei einer *Weißen Lady.*«

Ich war auf den Tag genau vierzehn. Ich saß an dem kleinen Holztisch in der Küche von meiner Mama und äugte zu der Karamelltorte rüber, die auf dem Kuchengitter drauf wartete, dass sie kühl genug war für die Füllung und die Verzierung. Mein Geburtstag war der einzige Tag im Jahr, an dem ich essen durfte, so viel ich wollte.

Ich war so weit, dass ich demnächst von der Schule abgehen und meine erste richtige Arbeit annehmen sollt. Mama hätt sich gewünscht, dass ich bis zur Neunten auf der Schule geblieben wär – sie wär selbst lieber Schullehrerin geworden, wie in Miss Wondras Haus zu arbeiten. Aber wegen dem Herzfehler von meiner Schwester und meinem nichtsnutzigen, versoffenen Daddy hing alles an mir und Mama. Mit Hausarbeit kannt ich mich aus. Nach der Schule hab ich hauptsächlich geputzt und gekocht. Aber wenn ich im Haus von anderen Leuten gearbeitet hätt, wer hätt sich dann um unser Haus gekümmert?

Mama hat mich an den Schultern gefasst und mich so gedreht, dass ich anstelle von der Torte sie angucken musst. Mama war streng. Sie ließ sich nichts bieten. Sie hat mit dem Zeigefinger so dicht vor meiner Nase gefuchtelt, dass ich anfing zu schielen.

»Regel Nummer eins, wenn du bei einer *Weißen Lady* arbeitest, Minny: Es geht alles keinen was an. Du steckst deine Nase nicht in die Probleme von deiner *Weißen Lady* und jammerst ihr nichts von deinen vor – du kannst die Stromrechnung nicht zahlen? Dir tun die Füße weh? Denk immer dran: Weiße sind nicht deine Freunde. Sie wollen nichts davon hören. Und wenn Miss Weiße Lady ihren Mann mit der Lady von nebenan erwischt, halt du dich da raus, verstanden?

Regel Nummer zwei: Lass dich *nie* von deiner *Weißen Lady* auf ihrer Toilette erwischen. Und wenn du so nötig musst, dass es dir aus den Haarzöpfen kommt. Wenn's kein Dienstbotenklo hinterm Haus gibt, wart, bis sie nicht da ist, und geh auf eine Toilette, die sie nicht benutzt.

Regel Nummer drei …« Mama drehte mein Kinn zu sich, weil mich die Torte wieder verlockt hatte. »Regel Nummer drei: Wenn du für Weiße kochst, probier mit einem Extralöffel. Wenn du den Kochlöffel an deinen Mund hältst, weil du denkst, es sieht ja keiner, und ihn dann wieder in den Topf tust, kannst du das Essen gleich wegschmeißen.

Regel Nummer vier: Du nimmst jeden Tag denselben Becher, dieselbe Gabel und denselben Teller. Du bewahrst dein

Geschirr in einem Extraschrank auf und sagst deiner *Weißen Lady*, dass du von jetzt an die Sachen da drin benutzt.

Regel Nummer fünf: Du isst in der Küche.

Regel Nummer sechs: Du schlägst auf gar keinen Fall ihre Kinder. Weiße versohlen ihre Kinder gern selbst.

Regel Nummer sieben: Das ist die letzte, Minny. Hörst du mich? Kein freches Mundwerk!«

»Mama, ich weiß, wie …«

»Oh, ich hör dich doch, wenn du denkst, ich hör dich nicht. Wie du rummeuterst, wenn du das Ofenrohr saubermachen sollst oder wenn die arme Minny das kleine letzte Stück Huhn kriegt. Wenn du am Morgen einer *Weißen Lady* frech kommst, sitzt du am Mittag mitsamt deinem frechen Mundwerk auf der Straße.«

Ich hab meine Mama gehört, wie Miss Wondra sie mal heimgefahren hat, Ja-Ma'am-Nein-Ma'am-Danke-Ma'am vorn und hinten. *Warum sollt ich so sein? Ich kann mich gegen Leute behaupten.*

»Und jetzt komm her und drück deine Mama zu deinem Geburtstag – Herr im Himmel, du bist schwer wie ein Haus, Minny.«

»Ich hab heut noch nichts nich gegessen, wann krieg ich meinen Kuchen?«

»Sag nicht nichts nich, red anständig. Ich hab dich nicht dafür erzogen, dass du redest wie eine dumme Rotznase.«

Am ersten Tag bei meiner *Weißen Lady* hab ich mein Schinkensandwich in der Küche gegessen und meinen Teller an meinen Platz im Schrank gestellt. Und wie das verzogene kleine Balg meine Handtasche geklaut und im Backofen versteckt hat, hab ich es nicht auf den Hintern geklapst.

Aber dann hat die *Weiße Lady* gesagt: »Jetzt wäschst du die Sachen erst alle von Hand und steckst sie dann anschließend in die Maschine.«

Ich hab gesagt: »Warum muss ich sie mit der Hand waschen,

wenn die Waschmaschine die Arbeit macht? Das ist doch so was von Zeitverschwendung.«

Die *Weiße Lady* lächelte mich an, und fünf Minuten drauf stand ich auf der Straße.

Wenn ich bei Miss Celia arbeit, kann ich meine Kinder am Morgen zur Grundschule losschicken und hab abends noch Zeit für mich. Ich hab mich tagsüber nimmer hingelegt, seit Kindra 1957 zur Welt gekommen ist, aber bei der Arbeitszeit – acht bis drei – könnt ich es jeden Tag tun, wenn das meine Lieblingsbeschäftigung wär. Weil bis zu Miss Celia raus kein Bus fährt, muss ich Leroys Wagen nehmen.

»Du nimmst nicht jeden Tag meinen Wagen, Frau. Was ist, wenn ich Tagschicht hab und ...!«

»Sie zahlt mir jeden Freitag siebzig Dollar bar auf die Hand, Leroy.«

»Vielleicht nehm ich Sugars Rad.«

Am Donnerstag, dem Tag nach dem Vorstellungsgespräch, park ich den Wagen ein Stück von Miss Celias Haus weg, hinter einer Kurve, damit man ihn nicht sieht. Ich geh die leere Straße lang und die Zufahrt rauf. In der ganzen Zeit kommt kein andres Auto vorbei.

»Ich bin da, Miss Celia.« Ich streck an meinem ersten Morgen den Kopf in ihr Schlafzimmer, und da liegt sie auf ihrem Bett, perfekt geschminkt und in ihren engen Wochenendausgehsachen, obwohl doch Dienstag ist, und liest den Schund im *Hollywood-Digest,* wie wenn's die Heilige Schrift wär.

»Guten Morgen, Minny. Wie schön, dass Sie da sind«, sagt sie, und ich fahr alle Stacheln aus, wie ich eine weiße Lady so freundlich reden hör.

Um die Arbeit abzuschätzen, guck ich mich im Zimmer um. Es ist groß, mit einem cremefarbenen Teppich, einem gelben Riesenhimmelbett und zwei fetten gelben Sesseln. Und es ist ordentlich, keine Kleider auf dem Fußboden. Das Bett unter ihr ist gemacht, mitsamt der Tagesdecke. Die Wolldecke liegt sauber gefaltet auf dem Sessel. Aber ich guck mich genau um. Ich spür's. Irgendwas stimmt hier nicht.

»Wann kann unser Kochunterricht losgehen?«, fragt sie. »Heute?«

»In paar Tagen, schätz ich, wenn Sie im Supermarkt waren und alles gekauft haben, was wir brauchen.«

Sie denkt kurz drüber nach, sagt dann: »Vielleicht sollten Sie gehen, Minny, weil Sie doch wissen, was wir brauchen, und überhaupt.«

Ich schau sie an. Die meisten weißen Frauen wollen selbst einkaufen. »Na gut. Dann geh ich morgen früh.«

Ich entdeck einen kleinen rosa Zottelvorleger, den sie vor der Badtür auf den Teppich gelegt hat. So schräg. Ich bin ja keine Innendekorateurin, aber ich weiß doch, dass ein rosa Vorleger nicht in ein gelbes Zimmer passt.

»Miss Celia, eh ich hier anfang, muss ich das wissen. Wann genau wollen Sie Mister Johnny das mit mir sagen?«

Sie guckt auf die Zeitschrift auf ihrem Schoß. »In ein paar Monaten, denke ich. Bis dahin müsste ich's doch gelernt haben, das Kochen und alles.«

»Was meinen Sie mit paar Monaten – zwei?«

Sie nagt an ihrer rot bemalten Unterlippe. »Ich dachte eher an … vier.«

Was? Ich arbeit keine vier Monate wie eine flüchtige Verbrecherin. »Sie wollen's ihm erst 1963 sagen? Nein, Ma'am, *vor* Weihnachten.«

Sie seufzt. »Na gut. Aber erst unmittelbar davor.«

Ich rechen im Kopf. »Das sind hundert und … sechzehn Tage. Sie werden's ihm sagen. In hundertsechzehn Tagen von jetzt an.«

Sie runzelt die Stirn. War wohl nicht drauf gefasst, dass das Dienstmädchen so gut rechnen kann. Schließlich meint sie: »Okay.«

Dann sag ich ihr, dass sie jetzt ins Wohnzimmer gehen muss, damit ich hier meine Arbeit machen kann. Wie sie weg ist, muster ich das Zimmer, das so ordentlich aussieht. Ganz langsam mach ich ihren Wandschrank auf, und wie ich's geahnt hab, fallen mir siebenundsiebzig Sachen auf den Kopf. Dann guck ich unters Bett und find so viele dreckige Anziehsachen, dass ich wetten könnt, sie hat seit Monaten nicht gewaschen.

Jede Schublade ist ein einziges Durcheinander, jeder versteckte Winkel voll mit dreckigen Kleidern und zusammengeknüllten Strümpfen. Ich find fünfzehn verpackte, nagelneue Hemden für Mister Johnny, damit er nicht merkt, dass sie nicht waschen und bügeln kann. Schließlich heb ich diesen komischen Zottelvorleger an. Drunter ist ein großer, tief eingesickerter Fleck. Rostbraun. Mich schaudert's.

An dem Nachmittag machen Miss Celia und ich eine Liste, was wir die Woche kochen wollen, und am nächsten Morgen geh ich einkaufen. Aber ich brauch dazu doppelt so lang, weil ich den ganzen Weg zu dem Weißen-Jitney-Jungle im Zentrum fahren muss, statt zu dem Farbigen-Piggly-Wiggly bei mir in der Näh. Ich sag mir nämlich, dass sie bestimmt nichts aus einem Farbigengeschäft essen will, und ich kann's ihr nicht verdenken, wo die Kartoffeln da alle schon ausgekeimt sind und die Milch fast sauer ist. Wie ich zur Arbeit komm, bin ich drauf eingestellt, mich zu verteidigen und ihr zu sagen, warum ich so spät dran bin, aber Miss Celia liegt auf ihrem Bett und lächelt, wie wenn's grad egal wär. Sie ist wieder ausgehfein, geht aber nirgends hin. Vier Stunden liegt sie da und liest die Illustrierten. Aufstehen seh ich sie nur, um sich ein Glas Milch zu holen oder zu pinkeln. Aber ich frag nichts. Ich bin nur das Dienstmädchen.

Wie ich die Küche fertig hab, geh ich ins gute Wohnzimmer. In der Tür bleib ich stehen und starr dem Grizzly erst mal lang in die Augen. Er ist über zwei Meter groß und fletscht die Zähne. Er hat lange, krumme Krallen wie Hexenfinger. Vor seinen Füßen liegt ein Jagdmesser mit einem Horngriff. Ich geh näher ran und seh, dass das Fell von dem Grizzly ganz verstaubt ist. Zwischen seinen Zähnen hängt eine Spinnwebe.

Zuerst versuch ich, den Staub mit dem Besen rauszuklopfen, aber er sitzt zu tief im Fell. So verteil ich ihn nur noch mehr. Also hol ich einen Lappen und fang an, den Grizzly abzuwischen, aber ich zuck jedes Mal zusammen, wenn das borstige Haar an meine Hand kommt. *Weiße*. Also wirklich, ich hab ja schon alles sauber gemacht, von Kühlschränken bis Hintern, aber wie kommt diese Lady drauf, dass ich weiß, wie man einen verflixten Grizzly putzt?

Ich hol den Staubsauger. Ich saug den Dreck ab, und bis auf paar Stellen, wo ich zu fest gesaugt hab und das Fell ausgegangen ist, find ich, funktioniert es prima.

Wie ich mit dem Bär fertig bin, staub ich die vornehmen Bücher ab, die keiner liest, die Konföderiertenuniformknöpfe, die silberne Pistole. Auf einem Tisch steht ein Goldrahmen mit einem Foto von Miss Celia und Mister Johnny bei ihrer Hochzeit, und ich guck genauer hin, weil ich sehen will, was er für einer ist. Ich hoff, er ist klein und kurzbeinig, für den Fall, dass ich vor ihm wegrennen muss, aber das ist er ganz und gar nicht. Er ist groß und kräftig. Und er ist auch kein Fremder. Gott im Himmel! Er ist der, der mit Miss Hilly gegangen ist, die ganzen ersten Jahre, die ich bei Miss Walters war. Ich hab nie mit ihm geredet, aber ich hab ihn so oft gesehen, dass ich mir sicher bin. Mich friert's, und meine Angst wird dreimal so groß. Das sagt doch schon alles über den Mann.

Um eins kommt Miss Celia in die Küche und meint, sie ist bereit für ihren Kochunterricht. Sie setzt sich auf einen Hocker. Sie hat einen engen roten Pulli und einen roten Rock an und genug Make-up im Gesicht, um eine Nutte auszustechen.

»Was können Sie denn schon kochen?«, frag ich.

Sie überlegt mit gerunzelter Stirn. »Vielleicht sollten wir einfach ganz von vorn anfangen.«

»Irgendwas müssen Sie doch schon können. Was hat Ihre Mama Ihnen beigebracht?«

Sie guckt auf die Netzfüße von ihren Strümpfen und sagt: »Ich kann Maismehlbrot backen.«

Ich kann mir das Lachen nicht verkneifen. »Und was noch außer Maismehlbrot?«

»Ich kann Kartoffeln kochen.« Ihre Stimme wird noch leiser. »Und ich kann Maisgrütze machen. Wir hatten bei uns draußen keinen Strom. Aber jetzt will ich es richtig lernen. Auf einem richtigen Herd.«

Guter Gott. Mir ist noch nie jemand Weißes begegnet, der ärmer dran war wie ich, außer dem verrückten Mister Wally, der hinter der Canton-Futtermittelhandlung lebt und Katzenfutter isst.

»Sie haben Ihrem Mann immer nur Maismehlbrot und Maisgrütze gemacht?«

Miss Celia nickt. »Aber Sie bringen mir doch jetzt bei, wie man richtig kocht?«

»Ich versuch's«, sag ich, obwohl ich noch nie einer Weißen erklärt hab, was sie machen soll, und nicht weiß, wie anfangen. Ich zieh meine Strümpfe hoch und denk drüber nach. Schließlich zeig ich auf die Dose auf der Arbeitsplatte.

»Ich würd sagen, wenn Sie irgendwas übers Kochen wissen müssen, dann über das da.«

»Das ist doch einfach nur Fett, oder?«

»Nein, das ist nicht einfach nur Fett«, sag ich. »Das ist die wichtigste Erfindung für die Küche seit der Fertigmayonnaise.«

»Was ist denn so Besonderes an« – sie mustert es mit gerümpfter Nase – »Schweineschmalz?«

»Das ist nicht vom *Schwein,* es ist aus Pflanzen.« Wer auf dieser Welt weiß nicht, was Crisco ist? »Sie haben ja keine Ahnung, was man damit alles machen kann.«

Sie zuckt die Achseln. »Braten?«

»Es ist nicht nur zum Braten. Wenn Sie mal was Klebriges im Haar haben, Kaugummi zum Beispiel?« Ich klopf mit dem Zeigefinger auf die Dose. »Das hier. Crisco. Und wenn Sie das Crisco einem Baby auf den Po schmieren, wird das Kleine garantiert nie wund.« Ich geb drei Löffel Crisco in die schwarze Grillpfanne. »Ich hab sogar schon Frauen gesehn, die sich's unter die Augen schmieren oder auf die rauen Füße von ihrem Mann.«

»Wie hübsch das aussieht«, sagt sie. »Wie Zuckerguss.«

»Damit können Sie die Klebereste von Preisschildchen wegkriegen und quietschende Türangeln schmieren. Und wenn der Strom ausfällt, stecken Sie einfach einen Docht rein, dann brennt's wie eine Kerze.«

Ich zünd das Gas an, und wir gucken zu, wie das Crisco in der Pfanne schmilzt. »Und zu allem können Sie auch noch Ihr Huhn drin frittieren.«

»Okay«, sagt sie, schwer konzentriert. »Was jetzt?«

»Das Huhn hat eine Weile in der Buttermilch gelegen«, sag ich. »Jetzt heißt's, die trockenen Sachen mischen.« Ich geb Mehl, Salz, noch mehr Salz, Pfeffer, Paprika und ein ganz bisschen Cayenne in eine doppelte Papiertüte.

»Nun die Hühnerstücken da reintun und schütteln.«

Miss Celia wirft einen rohen Hühnerschlegel rein und lässt die Tüte auf der Arbeitsplatte rumhüpfen. »So? Wie bei der Shake-'n-Bake-Werbung im Fernsehen?«

»Genau«, sag ich und fahr mir mit der Zunge über die Zähne – wenn das mit der Fertigmischung keine Beleidigung ist, weiß ich nicht, was eine sein soll. »Grad wie das Shake 'n Bake.« Aber dann erstarr ich plötzlich. Ich hör ein Auto draußen auf der Straße. Ich reg mich nicht, horch nur. Miss Celias Augen sind ganz weit, und sie horcht auch. Wir denken beide dasselbe: Wenn er das ist? Wo versteck ich mich?

Das Autogeräusch verschwindet in die andere Richtung. Wir fangen beide wieder an zu atmen.

»Miss Celia«, sag ich und beherrsch mich, so gut ich kann, »warum können Sie Ihrem Mann nichts von mir erzählen? Wird er denn nichts merken, wenn das Essen auf einmal gut ist?«

»Oh, daran habe ich gar nicht gedacht! Vielleicht sollten wir das Huhn ein bisschen anbrennen lassen.«

Ich schau sie von der Seite an. Ich lass kein Huhn nich anbrennen. Auf die eigentliche Frage hat sie nicht geantwortet, aber ich werd's schon noch aus ihr rauskriegen.

Ganz vorsichtig leg ich das dunkle Fleisch in die Pfanne. Es sirrt wie Musik, und wir gucken zu, wie die Schenkel braun werden. Ich werf einen Blick zu ihr rüber, und Miss Celia guckt mich lächelnd an.

»Was ist? Hab ich was im Gesicht?«

»Nein«, sagt sie, und Tränen steigen ihr in die Augen. Sie legt mir die Hand auf den Arm. »Ich bin nur so dankbar, dass Sie hier sind.«

Ich zieh meinen Arm unter ihrer Hand weg. »Miss Celia, Sie haben doch ganz andere Sachen, um dankbar dafür zu sein.«

»Ich weiß.« Sie guckt ihre schicke Küche an, wie wenn die was wär, was eklig schmeckt. »Ich hätte mir nie träumen lassen, dass ich mal so viel haben würde.«

»Das ist doch ein Glück.«

»Ich war in meinem ganzen Leben noch nie so glücklich.«

Ich lass es dabei. Unter diesem ganzen Glücksgetue kommt sie mir gar nicht glücklich vor.

An dem Abend ruf ich Aibileen an.

»Miss Hilly war gestern bei Miss Leefolt«, sagt Aibileen. »Sie hat gefragt, ob irgendwer weiß, wo du jetzt arbeitest.«

»Gott im Himmel, wenn sie's rauskriegt, macht sie mir alles zuschanden.« Es sind jetzt zwei Wochen seit der fürchterlich schlimmen Sache, die ich mit ihr gemacht hab. Ich weiß, sie würd dafür sorgen, dass ich auf der Stelle gefeuert werd.

»Was hat Leroy gesagt, wie du ihm gesagt hast, du hast den Job?«, fragt Aibileen.

»Ach, er ist in der Küche rumstolziert wie ein Gockel, weil die Kinder dabei waren«, antworte ich. »Hat getan, wie wenn er der wär, der die Familie ernährt, und ich das nur mach, damit ich mich nicht langweil. Aber später dann, im Bett, hab ich gedacht, mein großer alter Bulle von Mann fängt gleich an zu heulen.«

Aibileen lacht. »Leroy hat seinen Stolz.«

»Stimmt. Jetzt muss ich nur aufpassen, dass mich Mister Johnny nicht erwischt.«

»Und sie hat dir nicht gesagt, warum er's nicht wissen darf?«

»Sie sagt nur, er soll denken, sie könnt das mit dem Kochen und Putzen selber. Aber das ist nicht der wahre Grund. Sie verheimlicht ihm irgendwas.«

»Ist es nicht lustig, wie das zusammenpasst? Miss Celia kann keinem was sagen, damit es nicht hintenrum bei Mister Johnny ankommt. Also wird es Miss Hilly nicht rauskriegen, weil Miss Celia es keinem erzählen kann. Besser hätt man's nicht hinkriegen können.«

»Mm-hmm«, sag ich nur. Ich will nicht, dass es klingt, wie wenn ich undankbar wär, weil Aibileen mir ja den Job besorgt hat. Aber ich kann mir nicht helfen, ich hab das Gefühl, dass sich mein Problem verdoppelt hat, mit Miss Hilly *und* Mister Johnny.

»Minny, was ich dich fragen wollt« – Aibileen räuspert sich –, »du kennst doch Miss Skeeter?«

»Die Lange, die immer zu Miss Walters zum Bridge gekommen ist?«

»Ja, was hältst du von der?«

»Keine Ahnung, sie ist weiß wie die anderen. Warum? Was hat sie über mich gesagt?«

»Über dich gar nichts«, erwidert Aibileen. »Sie hat nur … ist schon ein paar Wochen her, weiß nicht, warum ich immer dran denken muss. Sie hat mich was gefragt. Ob ich die Dinge ändern will. Weiße Frauen fragen doch nie …«

Aber in dem Moment kommt Leroy aus dem Schlafzimmer gestolpert, will seinen Kaffee, eh er zur Spätschicht muss.

»Verflixt, er ist wach«, flüster ich. »Sag schnell.«

»Na-ah, macht nichts. Ist nicht wichtig«, sagt Aibileen.

»Was? Was war denn? Was hat die Lady zu dir gesagt?«

»War nur so Gerede. Nur dummes Zeug.«

Kapitel 4

In der ersten Woche bei Miss Celia putz ich das Haus von oben bis unten, bis kein Staubtuch mehr da ist, kein Lappen aus einem alten Bettlaken, ja nicht mal mehr ein laufmaschiger Strumpf zum Wischen. In der zweiten Woche putz ich das Haus noch mal von oben bis unten, weil ich das Gefühl hab, der Dreck ist nachgewachsen. In der dritten Woche bin ich zufrieden und fall in meinen Rhythmus.

Miss Celia guckt immer noch jeden Tag, wie wenn sie nicht glauben könnt, dass ich wieder zur Arbeit gekommen bin. Ich bin das Einzige, was die Stille um sie rum durchbricht. Bei mir zu Haus ist immer alles voll, mit fünf Kindern und Nachbarn und einem Ehemann. Meistens, wenn ich zu Miss Celia komm, bin ich froh über die Ruh.

Ich teil mir die Hausarbeit in jedem Job gleich ein: Am Montag öl ich die Möbel ein. Dienstags wasch und bügel ich die verdammten Bettlaken, den Tag hass ich. Am Mittwoch schrubb ich die Badewanne richtig gründlich, obwohl ich sie jeden Morgen durchwisch. Am Donnerstag werden die Böden gewachst und die Teppiche gesaugt, nur die wertvollen alten mach ich mit dem Handbesen, damit sie keine kahlen Stellen kriegen. Am Freitag kommt die Kocherei fürs Wochenend und was sonst so ist. Und jeden Tag wisch ich die Böden, wasch Wäsche, bügel Hemden, damit sie nicht überhandnehmen, und halt überhaupt alles sauber. Silber und

Fenster putz ich, wenn's nötig ist. Kinder sind ja keine da, also bleibt mir noch massig Zeit für Miss Celias sogenannten Kochunterricht.

Gäste hat Miss Celia nie, darum kochen wir immer nur das, was sie und Mister Johnny am Abend essen: Schweinskoteletts, Huhn, Rindsbraten, Hühnerpastete, Lammkarree, Backschinken, frittierte Tomaten, Kartoffelbrei und Gemüse dazu. Oder besser, ich koch, und sie hantiert aufgeregt rum, mehr wie eine Fünfjährige als wie die Frau, die meine Miete zahlt. Wenn die Lektion vorbei ist, geht sie sich schnell wieder hinlegen. Dass Miss Celia überhaupt mal drei Meter läuft, passiert nur, wenn sie zum Kochunterricht in die Küche kommt oder alle zwei, drei Tage nach oben verschwindet, in diese unheimlichen Zimmer.

Ich kann mir nicht denken, was sie auch nur fünf Minuten im Obergeschoss macht. Mir gefällt's da oben jedenfalls nicht. In den ganzen Zimmern sollten Kinder sein, die lachen und schreien und alles vollmachen. Aber es geht mich nichts an, was Miss Celia mit ihrem Tag anfängt, und ich für mein Teil bin froh, dass sie mir aus dem Weg ist. Ich hab schon Ladys mit dem Besen und dem Mülleimer hinterherlaufen müssen, um den Dreck wegzumachen, den sie auf Schritt und Tritt gemacht haben. Solang wie Miss Celia in ihrem Bett bleibt, hab ich einen Job. Obwohl sie kein einziges Kind hat und den ganzen Tag nichts zu tun braucht, ist sie die faulste Frau, die ich je gesehen hab. *Einschließlich* meiner Schwester Doreena, die bei uns daheim nie einen Finger gerührt hat, wegen dem Herzfehler, der sich später als Fliege auf dem Röntgenapparat entpuppt hat.

Und selbst wenn sie mal nicht im Bett ist, aus dem *Haus* geht Miss Celia nie, außer um sich die Haare bleichen und die Spitzen schneiden zu lassen. Aber das ist, seit ich hier bin, nur einmal vorgekommen. Sechsunddreißig bin ich jetzt, und immer noch hör ich meine Mama sagen: *Es geht alles keinen was an.* Aber ich will wissen, wovor sich diese Lady draußen so fürchtet.

An jedem Zahltag rechen ich's Miss Celia vor. »Noch neunundneunzig Tage, bis Sie Mister Johnny von mir erzählen.«

»Gott, wie schnell die Zeit vergeht«, sagt sie und guckt ganz gehetzt.

»Heut Morgen war die Katze auf der Veranda, hab fast einen Herzschlag gekriegt, weil ich dacht, es ist Mister Johnny.«

Wir werden beide immer nervöser, je näher der Tag rückt. Ich weiß nicht, was dieser Mann macht, wenn sie's ihm sagt. Vielleicht sagt er ihr ja, sie soll mich feuern.

»Hoffentlich reicht die Zeit, Minny. Finden Sie, ich bin im Kochen schon besser geworden?«, fragt sie, und ich schau sie an. Sie hat ein hübsches Lächeln, weiße, grade Zähne, aber sie ist die lausigste Köchin, die ich je gesehen hab.

Also fang ich ganz von vorn an und bring ihr die einfachsten Sachen bei, weil ich will, dass sie's lernt, und zwar schnell. Sie muss ihrem Mann erklären, warum eine Fünfundsiebzig-Kilo-Negerin Schlüssel zu seinem Haus hat. Er muss wissen, warum ich jeden Tag sein Sterlingsilber und Miss Celias dicke Rubinohrringe in der Hand hab. Er *muss* es wissen, eh er noch eines Tages reinkommt und die Polizei ruft. Oder die zehn Cent spart und die Sache selbst erledigt.

»Nehmen Sie die Schweinshaxe raus und sehen Sie zu, dass da genug Wasser drin ist, ja, so ist's recht. Jetzt die Flamme aufdrehen. Sehen Sie das kleine Bläschen da? Das heißt, das Wasser ist jetzt glücklich am Kochen.«

Miss Celia starrt in den Topf, wie wenn sie ihre Zukunft drin lesen würd. »Sind Sie glücklich, Minny?«

»Warum fragen Sie mich so komische Sachen?«

»Sind Sie's?«

»Klar bin ich glücklich. Sie doch auch. Großes Haus, großer Garten, ein Mann, der für Sie sorgt.« Ich guck Miss Celia streng an und sorg dafür, dass sie's auch sieht. Ich mein: Weiße! Grübeln, ob sie glücklich *genug* sind!

Und wenn Miss Celia die Bohnen anbrennen lässt, versuch ich die Selbstbeherrschung aufzubringen, von der meine Mama gesagt hat, ich hätt sie nicht. »Macht nichts«, sag ich durch die Zähne, »wir kochen neue, eh Mister Johnny heimkommt.«

Bei jeder anderen Frau, wo ich je gearbeitet hab, hätt ich sonst was drum gegeben, sie mal eine Stunde rumzukommandieren und zu gucken, wie sie das findet. Aber bei Miss Celia, die mich immer mit so großen Augen anschaut, wie wenn ich das Beste seit der Erfindung von Haarspray wär, da wär's mir fast lieber, sie würd mich rumscheuchen, wie's normal ist. Ich frag mich langsam, ob ihr ewiges Rumliegen was damit zu tun hat, dass sie Mister Johnny nichts von mir erzählt hat.

Wahrscheinlich sieht sie mir an, dass ich mir meine Gedanken drüber mach, denn eines Tags sagt sie aus heiterem Himmel: »Ich habe immer diese Alpträume, dass ich nach Sugar Ditch zurück muss, wieder dort leben. Deswegen lege ich mich tagsüber so oft hin.« Dann nickt sie paarmal schnell, wie wenn sie das Ganze geprobt hätt. »Weil ich nachts nicht gut schlafe.«

Ich lächel sie einfältig an, wie wenn ich ihr das wirklich abnehmen würd, und mach weiter mit Spiegelputzen.

»Machen Sie's nicht zu ordentlich. Lassen Sie ein paar Streifen.«

So geht's immer, Streifen an den Fenstern oder auf den Böden, ein dreckiges Glas in der Spüle oder der volle Mülleimer. »Es muss glaubhaft sein«, sagt sie, und ich ertapp mich hundertmal dabei, wie ich nach dem dreckigen Glas greif, um's abzuwaschen. Ich hab's eben gern sauber und aufgeräumt.

»Ich wollte, ich könnte mich um diese Azalee da draußen kümmern«, sagt Miss Celia eines Tags. Sie hat sich inzwischen angewöhnt, auf dem Sofa zu liegen, wenn meine Geschichten im

Fernsehen laufen, und die ganze Zeit dazwischenzureden. Ich verfolg *The Guiding Light* schon mehr als zwanzig Jahre, seit ich zehn war und es in Mamas Radio gehört hab.

Jetzt kommt grad eine Reklame für Dreft-Waschmittel, und Miss Celia starrt durchs Fenster raus in den Garten, wo der farbige Mann die Blätter zusammenharkt. Sie hat so viele Azaleensträucher, dass ihr Garten im Frühjahr aussehen wird wie in *Vom Winde verweht.* Ich mag keine Azaleen und erst recht nicht diesen Film, wo die Sklaverei wie eine einzige fröhliche Teeparty ist. Wenn ich die Mammy gespielt hätt, hätt ich Scarlett gesagt, sie soll sich die grünen Vorhänge in den Hintern schieben. Sich ihr verflixtes Männerfangkleid selber nähen.

»Und ich weiß, ich könnte diesen Rosenstrauch zum Blühen bringen, wenn ich ihn zurückschneiden würde«, sagt Miss Celia. »Aber zuallererst würde ich den Mimosenbaum dort fällen.«

»Warum? Was ist mit dem Baum?« Ich press das Bügeleisen auf Mister Johnnys Kragenspitze. Ich hab in meinem ganzen Garten nicht mal einen Strauch und schon gar keinen Baum.

»Ich kann diese Blüten nicht leiden.« Sie starrt ins Leere, wie wenn sie nicht ganz da wär. »Die sehen aus wie Babyhaar.«

Ich krieg Gänsehaut, wie ich sie so reden hör. »Sie kennen sich mit Pflanzen aus?«

Sie seufzt. »Ich habe mich in Sugar Ditch gern um meine Blumen gekümmert. Ich habe gelernt, Pflanzen zu ziehen, weil ich dachte, ich könnte die ganze Hässlichkeit ein bisschen verschönern.«

»Dann gehen Sie doch raus«, sag ich und bemüh mich, nicht zu begeistert zu klingen. »Da haben Sie bisschen Bewegung. Und frische Luft.« *Raus hier.*

»Nein«, sagt Miss Celia seufzend. »Ich kann nicht da draußen herumrennen. Ich brauche Ruhe.«

Allmählich macht es mich ganz fuchsig, dass sie nie aus dem Haus geht und immer so lächelt, als wär es das Beste in ihrem

Leben, wenn morgens das Dienstmädchen kommt. Es ist, wie wenn's mich wo juckt. Jeden Tag versuch ich dranzukommen, schaff's aber nicht, mich zu kratzen. Jeden Tag juckt's bisschen stärker. Jeden Tag ist sie *hier*.

»Vielleicht sollten Sie sich paar Freundinnen suchen«, sag ich. »In der Stadt gibt's doch jede Menge Ladys in Ihrem Alter.«

Sie guckt mich düster an. »Ich habe es ja versucht. Ich kann Ihnen gar nicht sagen, wie oft ich diese Frauen angerufen habe, um zu fragen, ob ich bei dem Wohltätigkeitsball für die armen Kinder helfen oder irgendetwas von zu Hause aus beitragen kann. Aber sie rufen mich nie zurück. Keine einzige.«

Ich sag nichts, weil mich das nicht grad wundert. Wenn ihr halber Busen raushängt und ihr Haar in Gold-Nugget leuchtet.

»Dann machen Sie einen Einkaufsbummel. Kaufen Sie sich neue Sachen zum Anziehen. Machen Sie irgendwas, was weiße Frauen so machen, wenn das Dienstmädchen im Haus ist.«

»Nein, ich glaube, ich werde mich etwas ausruhen«, sagt sie, und zwei Minuten drauf hör ich sie oben in den leeren Zimmern rumschleichen.

Der Mimosenast schlägt ans Fenster, und ich fahr zusammen und verbrenn mir den Daumen. Ich kneif die Augen fest zusammen, um mein Herz dazu zu kriegen, dass es wieder langsamer schlägt. Noch vierundneunzig Tage, und ich weiß nicht, wie ich das noch eine einzige Minute aushalten soll.

»Mama, mach mir was zu essen. Ich hab Hunger.« So hat meine Jüngste, Kindra, die jetzt fünf ist, gestern Abend mit mir geredet. Die Hand in die Hüfte gestemmt und einen Fuß vorgestellt.

Ich hab fünf Kinder, und ich bin stolz drauf, dass ich sie *Ja, Ma'am* und *Bitte* gelehrt hab, noch eh sie *Keks* sagen konnten.

Alle außer einer.

»Vor dem Abendessen kriegst du gar nichts«, hab ich zu ihr gesagt.

»Du bist gemein. Ich *hasse* dich!«, hat sie gebrüllt und ist zur Tür rausgerannt.

Ich guck an die Decke, weil das ein Schock ist, an den ich mich nie gewöhnen werd, nicht mal beim fünften Kind. Wenn einem das eigene Kind sagt, dass es einen *hasst*, und die Phase macht jedes Kind durch, fühlt sich's an wie ein Tritt in den Magen.

Aber Kindra, guter Gott. Das ist mehr wie nur eine Phase. Das Mädel wird genau wie ich.

Ich steh in Miss Celias Küche und denk an gestern Abend. Kindra und ihr freches Mundwerk, Benny mit seinem Asthma, Leroy, der letzte Woche zweimal betrunken heimgekommen ist. Er weiß genau, das ist das Einzige, was ich nicht ertrag, nachdem ich mich zehn Jahre um meinen versoffenen Daddy hab kümmern müssen und Mama und ich uns halb totschinden durften, nur damit er seine volle Flasche gehabt hat. Ich müsst mich wegen alldem wahrscheinlich viel mehr aufregen, aber gestern Abend hat Leroy als Entschuldigung eine große Tüte von den ersten Okras mitgebracht. Er weiß, das ist mein Lieblingsessen. Heut Abend werd ich die Schoten in Maismehl frittieren und so viel essen, wie meine Mama mich nie hat essen lassen.

Und das ist nicht die einzige Leckerei heut. Wir haben den ersten Oktober, und hier steh ich und schäl Pfirsiche. Mister Johnnys Mama hat zwei Kisten aus Mexiko mitgebracht, Pfirsiche, so schwer wie Baseballbälle. Sie sind reif und süß und schneiden sich wie Butter. Ich nehm ja keine Wohltaten von weißen Ladys an, weil ich *weiß,* sie wollen nur, dass ich mich in ihrer Schuld fühl. Doch wie Miss Celia gesagt hat, ich soll mir ein Dutzend Pfirsiche mitnehmen, hab ich eine Tüte rausgezogen und gleich zwölf Stück reingetan. Wenn ich heut Abend nach Hause komm, ess ich frittierte Okra und hinterher Pfirsichauflauf.

Ich guck zu, wie sich die langen, samtigen Schalenstreifen

in Miss Celias Spülbecken schlängeln, und horch überhaupt nicht in die Zufahrt raus. Normalerweis, wenn ich an ihrer Spüle steh, plan ich immer, wie ich vor Mister Johnny fliehen kann. Die Küche ist der beste Raum, weil das Fenster zur Straße rausgeht. Durch die hohen Azaleen sieht man mich nicht, aber ich kann durch die Sträucher genug erkennen, dass ich merk, wenn jemand kommt. Wenn er zur Vordertür reinkäm, könnt ich durch die Hintertür in die Garage flüchten. Wenn er hinten reinkäm, könnt ich vorn rausschlüpfen. Außerdem geht noch eine Tür von der Küche in den Garten raus, für alle Fälle. Doch jetzt, wo mir der Pfirsichsaft über die Hände rinnt und ich von dem buttrigen Duft fast betrunken bin, träum ich vor mich hin. Ich krieg gar nicht mit, wie der blaue Pick-up vorfährt.

Wie ich hinguck, ist der Mann schon den halben Fußweg lang. Ich seh ein Stück von einem weißen Hemd, die Sorte, die ich jeden Tag bügel, und das Bein von einer Khakihose, wie ich sie immer in Mister Johnnys Schrank häng. Ich unterdrück einen Schrei. Mein Messer scheppert in die Spüle.

»Miss Celia!« Ich flitz in ihr Zimmer. »Mister Johnny kommt *heim!*«

Miss Celia springt aus dem Bett, so schnell hat sie sich noch nie bewegt. Ich dreh mich wie ein Idiot im Kreis. *Wo soll ich hin? In welche Richtung? Was ist jetzt mit meinem Fluchtplan?* Und dann weiß ich's plötzlich – die Gästetoilette!

Ich schlüpf rein und lass die Tür angelehnt. Ich steig auf die Klobrille, damit er meine Füße nicht unter der Tür durch sieht, duck mich zusammen. Es ist dunkel hier drin und heiß. Ich hab das Gefühl, mein Kopf brennt. Schweiß tropft von meinem Kinn auf den Fußboden. Die Gardenienseife am Waschbecken riecht so stark, dass mir ganz schlecht wird.

Ich hör Schritte. Halt den Atem an.

Die Schritte hören auf. Mein Herz bummert wie eine Katze im Wäschetrockner. Und wenn Miss Celia so tut, wie wenn sie mich nicht kennt, um keinen Ärger zu kriegen? Wenn sie mich als Einbrecherin hinstellt? *Oh, ich hasse sie! Ich hass diese dumme Frau!*

Ich horch, hör aber nur mein eignes Hecheln. Das Bummern in meiner Brust. Meine Fußgelenke knacken und tun weh, weil sie meinen Körper in dieser Stellung halten müssen.

Meine Augen gewöhnen sich an die Dunkelheit. Nach einem Weilchen seh ich mich im Spiegel überm Waschbecken. Seh mich auf der Toilette von einer weißen Lady hocken wie ein Idiot.

Guckt mich an. Guckt, wo es Minny Jackson hingebracht hat, einfach nur ihren Lebensunterhalt verdienen zu wollen.

Miss Skeeter

KAPITEL 5

Ich jage Mutters Cadillac über den Schotterweg nach Hause. Patsy Cline im Radio ist nicht mehr zu hören, weil die Steinchen so laut an den Wagen prasseln. Mutter wäre fuchsteufelswild, aber ich fahre nur noch schneller. Mir geht einfach nicht aus dem Kopf, was Hilly heute beim Bridgekränzchen zu mir gesagt hat.

Hilly, Elizabeth und ich sind seit der Grundschule beste Freundinnen. Auf meinem Lieblingsfoto sitzen wir auf der Footballtribüne der Junior Highschool, dicht beisammen, Schulter an Schulter. Das Tolle an dem Foto ist: Die Tribüne um uns herum ist völlig leer. Wir sitzen so eng zusammen, weil wir so eng befreundet sind.

An der Ole Miss haben Hilly und ich zwei Jahre ein Zimmer geteilt, bis sie abgegangen ist, um zu heiraten, und ich blieb dort, um meinen Abschluss zu machen. Jeden Abend habe ich ihr im Chi-Omega-Haus, dem Wohnheim unserer Studentinnenverbindung, dreizehn Lockenwickler ins Haar gedreht. Und heute hat sie mir angedroht, mich aus der League zu werfen. Nicht dass mir so viel an der Mitgliedschaft läge, aber es verletzt mich, dass meine Freundin mich einfach so fallen lassen würde.

Ich biege in die Zufahrt von Longleaf ein, unserer Baumwollfarm. Der Schotter weicht feinem gelbem Staub, und ich bremse ab, bevor Mutter sieht, wie schnell ich fahre. Ich parke vor dem Haus und steige aus. Mutter sitzt im Schaukelstuhl auf der vorderen Veranda.

»Komm, Schatz, setz dich her«, sagt sie und zeigt auf den Schaukelstuhl neben ihrem. »Pascagoula hat gerade die Böden gewachst. Sie müssen erst noch ein bisschen trocknen.«

»Ist gut, Mama.« Ich küsse sie auf die gepuderte Wange. Aber ich setze mich nicht. Ich lehne mich ans Verandageländer und schaue auf die drei moosbehangenen Eichen im Vorgarten. Obwohl Longleaf nur fünf Minuten außerhalb der Stadt liegt, sind wir hier für die meisten Leute auf dem Land. Um unseren Garten herum erstrecken sich Daddys Baumwollfelder, zehntausend Morgen kräftiger, grüner Baumwollsträucher, die mir bis zur Taille reichen. Vor einem fernen Schuppen sitzen ein paar Farbige und starren in die Hitze. Alle hier warten auf dasselbe: dass die Baumwollkapseln aufspringen.

Ich denke darüber nach, wie anders alles zwischen Hilly und mir ist, seit ich wieder hier bin. Aber wer hat sich geändert, sie oder ich?

»Habe ich's dir schon erzählt?«, sagt Mutter. »Fanny Peatrow hat sich verlobt.«

»Schön für Fanny.«

»Nicht mal einen Monat, nachdem sie am Schalter in der Farmer's Bank angefangen hat.«

»Das ist ja toll.«

»*Ich* weiß«, sagt sie. Ich drehe mich um und sehe, dass sie diesen Blick hat, der Glühbirnen zum Platzen bringen könnte. »Warum gehst du nicht auch zu der Bank und bewirbst dich um einen Schalterjob.«

»Ich will nicht Bankangestellte werden, Mutter.«

Mutter seufzt und blickt streng auf unseren Spaniel Shelby, der sich seine intimen Stellen leckt. Ich schaue zur Eingangstür, bin versucht, die frisch geputzten Böden doch zu ruinieren. Dieses Gespräch haben wir tausendmal geführt.

»Vier Jahre geht meine Tochter aufs College, und was bringt sie mit nach Hause?«

»Ein Abschlussdiplom?«

»Ein Stück Papier«, erwidert Mutter.

»Ich hab's dir doch gesagt. Ich habe niemanden getroffen, den ich heiraten wollte«, erkläre ich.

Mutter steht auf, kommt nah an mich heran, damit ich in ihr hübsches, glattes Gesicht schaue. Sie trägt ein marineblaues Kleid, das ihre schmale Figur eng umschließt. Wie üblich sind ihre Lippen perfekt geschminkt, doch als sie in die helle Nachmittagssonne tritt, sehe ich dunkle, getrocknete Flecken vorn auf ihrem Kleid. Ich kneife die Augen zusammen, um mich zu vergewissern, dass die Flecken keine Einbildung sind. »Mama? Geht es dir nicht gut?«

»Wenn du nur ein bisschen Initiative entwickeln würdest, Eugenia ...«

»Dein Kleid ist vorn ganz fleckig.«

Mutter verschränkt die Arme. »Ich habe mit Fannys Mutter gesprochen, und sie sagt, Fanny konnte sich vor Verehrern kaum retten, seit sie diesen Job hatte.«

Ich lasse das Thema Flecken fallen. Ich werde Mutter nie sagen können, dass ich Schriftstellerin werden möchte. Sie wird daraus nur einen weiteren Makel machen, der mich angeblich am Heiraten hindert. Und ich kann ihr auch nicht von Charles Gray erzählen, meinem Mathe-Lernpartner letztes Frühjahr an der Ole Miss. Der im Abschlussjahr eines Abends betrunken war und mich geküsst und dann meine Hand gedrückt hat, so fest, dass es hätte wehtun müssen, was es aber nicht tat, es fühlte sich einfach nur himmlisch an, wie er mich in den Armen hielt und mir in die Augen sah. Und dann hat er die eins fünfzig kleine Jenny Sprig geheiratet.

Ich hätte mir ein Apartment in der Stadt suchen sollen, in einem dieser Häuser, wo alleinstehende, unscheinbare Frauen wohnen, alte Jungfern, Sekretärinnen, Lehrerinnen. Aber als ich zum ersten und einzigen Mal davon sprach, Geld aus meinem Treuhandfonds zu verbrauchen, fing Mutter an zu weinen – echte Tränen. »Dafür ist das Geld nicht da, Eugenia. Damit du in einer Pension wohnst, wo es nach seltsamen Kochereien riecht und Strümpfe aus den Fenstern hängen. Und wenn das Geld weg ist, was dann? Wovon willst du leben?« Und dann legte sie sich einen kalten Lappen auf die Stirn und zog sich für den Rest des Tages ins Bett zurück.

Und jetzt steht sie da, die Hand am Verandageländer, und wartet, dass ich das tue, was die dicke Fanny Peatrow als letzte Rettung getan hat. Meine Mutter schaut mich an, als wäre ich einfach unfassbar – mein Aussehen, meine Größe, mein Haar. Mein Haar kraus zu nennen, wäre untertrieben. Es ist die reinste Drahtwolle, eher wie Schamhaar denn wie Haupthaar, aber weißblond und so brüchig wie Heu. Meine Haut ist hell, und wenn sie auch manche Leute sahnefarben nennen, kann ich doch schlichtweg bleich aussehen, wenn ich ernst bin, was ich fast immer bin. Außerdem ist da so ein leichter Knorpelhöcker auf meiner Nase. Aber meine Augen sind kornblumenblau wie die von Mutter. Man sagt mir immer, sie seien mein größtes Plus.

»Es geht doch nur darum, dass du dich in eine Situation begibst, wo du mit Männern zusammenkommst, damit …«

»Mama«, sage ich, einfach nur um dieses Gespräch zu beenden, »wäre es denn wirklich so schlimm, wenn ich nie einen Mann fände?«

Mutter umklammert ihre bloßen Arme, als fröre sie. »Nicht, Eugenia, sag so etwas nicht. Jede Woche sehe ich in der Stadt wieder einen Mann, der über eins achtzig groß ist, und denke: *Wenn Eugenia sich doch nur bemühen würde …*« Sie presst sich die Hand auf den Magen, als hätten schon meine bloßen Worte ihre Magengeschwüre verschlimmert.

Ich schlüpfe aus meinen flachen Schuhen und gehe die Verandastufen hinunter, während Mutter mir nachruft, was mir

droht, wenn ich nicht sofort die Schuhe wieder anziehe: Rin-
gelflechte, Moskito-Enzephalitis! Der unausweichliche Tod
durch Schuhlosigkeit. Der Tod durch Mannlosigkeit. Mich
schaudert. Es ist dieses verlorene Gefühl, das ich habe, seit ich
vor drei Monaten mit dem College fertig geworden bin. Ich
bin an einem Ort gelandet, wo ich nicht mehr zu Hause bin.
Ganz sicher nicht hier bei Mutter und Daddy, und vielleicht
noch nicht mal bei Hilly und Elizabeth.

»... du bist jetzt dreiundzwanzig, in dem Alter hatte ich
schon Carlton junior ...«, sagt Mutter.

Ich stehe unter der rosa Kreppmyrte und betrachte Mutter
auf der Veranda. Die Taglilien haben ihre Blüten verloren. Es
ist schon fast September.

Ich war kein niedliches Baby. Als mein älterer Bruder Carlton mich nach meiner Geburt zum ersten Mal sah, erklärte er
dem ganzen Krankenhauszimmer: »Das ist kein Baby, das ist
ein *Skeeter!*« Und weil ich mit meinen zweiundsechzig Zenti-
metern – der Rekord im Baptist Hospital – und meinen dünnen Gliedmaßen tatsächlich wie ein Moskito aussah, blieb der
Name an mir hängen. Später, als ich eine spitze, gekrümmte
Nase bekam, passte er noch besser. Mutter verbrachte mein
ganzes Leben damit, die Leute dazu zu bringen, mich bei
meinem richtigen Namen Eugenia zu nennen.

Mrs Charlotte Boudreau Cantrelle Phelan mag keine Spitz-
namen.

Mit sechzehn war ich nicht nur nicht hübsch, ich war auch
peinlich groß. So groß, dass ich mich für die Klassenfotos in
die letzte Reihe zwischen die Jungen stellen musste. So groß,
dass meine Mutter ihre Abende damit zubrachte, Säume he-
rauszulassen, Pulloverärmel langzuziehen, mir für Schulbälle,
zu denen mich niemand als Begleiterin wollte, das Haar glatt
zu striegeln und mir schließlich auf den Kopf zu drücken, als
ob sie mich in die Zeit zurückschrumpfen könnte, da sie mich

ermahnen musste, gerade zu stehen. Als ich siebzehn war, hätte meine Mutter mich lieber an apoplektischer Diarrhö leiden als gerade stehen sehen. Sie war eins sechzig groß und Vize-Miss-South-Carolina gewesen. Sie befand, dass in einem Fall wie meinem nur eins half.

Mrs Charlotte Phelans Handbuch des Männerfangs, Regel Nummer eins: Ein hübsches, zierliches Mädchen sollte seine Vorzüge durch Make-up und gute Haltung betonen, ein großes hässliches hingegen durch einen Treuhandfonds.

Ich maß eins achtzig, hatte aber fünfundzwanzigtausend Baumwolldollar auf meinem Treuhandkonto, und wer die darin liegende Schönheit nicht erkannte, der war bei Gott ohnehin nicht intelligent genug, um zur Familie zu gehören.

Mein Kinderzimmer liegt im Dachgeschoss meines Elternhauses. Es hat zuckergussweiße Wandleisten, rosa Stuckengelchen und eine Tapete mit minzgrünen Rosenknospen. Es ist eigentlich ein Dachbodenraum mit tiefen Schrägen, und ich kann an vielen Stellen nicht aufrecht stehen. Durch das Erkerfenster wirkt der Raum rund. Nachdem Mutter mich jeden zweiten Tag drangsaliert hat, endlich einen Mann zu finden, muss ich in einer Hochzeitstorte schlafen.

Und doch ist es meine Zuflucht. Die Hitze staut sich hier oben wie in einem Heißluftballon, was andere nicht gerade anzieht. Die Treppe ist schmal und für Eltern schwer zu begehen. Unser voriges Dienstmädchen, Constantine, starrte diese steile Treppe jeden Tag so grimmig an, als wäre sie ihr persönlicher Feind. Das war das Einzige, was mir am Wohnen unterm Dach nicht gefiel, dass es mich von meiner Constantine trennte.

Drei Tage nach meinem Gespräch mit Mutter auf der Veranda breite ich den Stellenanzeigenteil des *Jackson Journal* auf meinem Schreibtisch aus. Den ganzen Morgen schon verfolgt mich Mutter mit einem neuen Haarglättgerät, während Dad-

dy auf der vorderen Veranda sitzt und knurrt und die Baumwolle verflucht, weil sie dahinschmilzt wie Sommerschnee.
Nach Baumwollkäfern ist Regen so ziemlich das Schlimmste, was zur Erntezeit passieren kann. Es ist gerade mal Anfang
September, aber die Herbstgüsse haben schon eingesetzt.

Den roten Kuli in der Hand, überfliege ich die eine kurze
Spalte unter STELLENANGEBOTE – WEIBLICH.

*Verkäuferinnen f. Bekleidungshaus Kennington's ges., Bedg.:
Auftreten, gute Umgangsformen & ein nettes Lächeln!*

*Schlanke, junge Sekretärin ges., Schreibmasch. nicht erf., Anfr.
an Mr Sanders.* Gute Güte, wenn sie nicht tippen soll, was will
er dann von ihr?

Stenokraft ges., Anwaltskanzlei Percy & Gray, $ 1,25/Std. Die
ist neu. Ich umkringle sie.

Niemand kann behaupten, ich hätte an der Ole Miss nicht
hart gearbeitet. Während meine Freundinnen auf Studenten-
verbindungspartys Cola mit Rum tranken und sich Chrysan-
themensträußchen ans Kleid steckten, saß ich stundenlang im
Studierzimmer und schrieb, hauptsächlich Hausarbeiten, aber
auch Kurzgeschichten, schlechte Gedichte, Folgen von *Dr.
Kildare,* Pall-Mall-Werbesprüche, Beschwerdebriefe, Lösegeld-
forderungen, Liebesbriefe an Jungen, die ich in Lehrveranstaltungen gesehen, aber nicht anzusprechen gewagt hatte – alles nie abgeschickt. Natürlich träumte ich von Football-Dates,
aber mein wahrer Traum war es, eines Tages etwas zu schreiben, was tatsächlich Leute lesen würden.

Gegen Ende des letzten Collegejahrs habe ich mich um einen
einzigen Job beworben, aber der war phantastisch, da sechs-
hundert Meilen von Mississippi entfernt. Ich steckte zweiundzwanzig Zehn-Cent-Stücke in das Münztelefon im Oxford
Mart, um mich wegen der Bewerbung für die Lektorinnenstelle beim Verlag Harper & Row in der 33rd Street in Man-
hattan zu erkundigen. Ich hatte die *New York Times*-Anzeige in
der Unibibliothek gesehen und schickte ihnen noch am selben

Tag meinen Lebenslauf. In einem Anfall von Optimismus rief ich sogar auf eine Wohnungsannonce in der East 85th Street an, ein Ein-Zimmer-Apartment mit Kochplatte für fünfundvierzig Dollar im Monat. Bei Delta Airlines erfuhr ich, dass ein Hinflugticket nach Idlewild dreiundsiebzig Dollar kosten würde. Ich war nicht so schlau, mich gleich um mehrere Jobs zu bewerben, und von Harper & Row bekam ich nicht einmal eine Antwort.

Mein Blick wandert abwärts zu STELLENANGEBOTE – MÄNNLICH. Da sind mindestens vier Spalten, jede Menge Bankmanager, Buchhalter, Kreditberater, Baumwollernter-Fahrer. Auf diesem Teil der Seite bietet die Anwaltskanzlei Percy & Gray Stenokräften fünfzig Cent mehr die Stunde.

»Miss Skeeter, da ist ein Anruf für Sie«, höre ich Pascagoula am Fuß der Treppe rufen.

Ich gehe hinunter zum einzigen Telefon im Haus. Pascagoula streckt mir den Hörer hin. Sie ist klein wie ein Kind, keine eins fünfzig, und schwarz wie die Nacht. Ihr Haar ist kurz und kringelig, ihre weiße Dienstmädchenuniform eigens für ihre kurzen Arme und Beine geschneidert.

»Miss Hilly ist dran«, sagt sie und gibt mir mit nasser Hand den Hörer.

Ich setze mich an den weißen Eisentisch. Die Küche ist groß, quadratisch und heiß. Die schwarz-weißen Linoleumfliesen sind stellenweise brüchig und vor der Spüle abgetreten. Die neue silberne Geschirrspülmaschine steht mitten im Raum, mit einem Schlauch an den Wasserhahn angeschlossen.

»Er kommt nächstes Wochenende«, sagt Hilly. »Samstagabend. Bist du da noch frei?«

»Nun, da muss ich wohl erst mal in meinen ach so übervollen Kalender schauen«, antworte ich. Von unserem Bridgekränzchenstreit ist in Hillys Stimme nichts mehr zu hören. Ich bin misstrauisch, aber erleichtert.

»Ich glaub's nicht, dass es *endlich* klappt«, sagt Hilly, weil sie seit Monaten versucht, mich mit dem Cousin ihres Mannes zu verkuppeln. Sie ist richtig versessen darauf, obwohl er für mich viel zu gut aussieht, mal ganz davon abgesehen, dass er der Sohn eines Abgeordneten im Senat von Mississippi ist.

»Meinst du nicht, wir ... sollten uns erst mal kennenlernen?«, frage ich. »Ich meine, bevor wir zusammen ausgehen?«

»Keine Bange. William und ich werden die ganze Zeit dabei sein.«

Ich seufze. Das Date wurde schon zweimal abgesagt. Ich kann nur hoffen, dass es wieder platzt. Aber es schmeichelt mir, dass Hilly so überzeugt ist, einer wie er könnte sich für eine wie mich interessieren.

»Ah, ja, und du musst vorbeikommen und den Entwurf abholen«, sagt Hilly. »Ich will, dass meine Initiative im nächsten Newsletter kommt, eine ganze Seite, direkt neben den Fotos von den gesellschaftlichen Anlässen.«

Ich zögere. »Diese Toilettengeschichte?« Obwohl es erst ein paar Tage her ist, dass sie das beim Bridgekränzchen aufs Tapet gebracht hat, hatte ich gehofft, es wäre vergessen.

»Es heißt Initiative für Hauspersonal-Sanitäranlagen – *William junior, gehst du da runter, oder es setzt was, Yule May, wo stecken Sie denn?* – und ich will es diese Woche drin haben.«

Ich gebe den Newsletter der League heraus. Aber Hilly ist die Vorsitzende. Und sie versucht mir immer vorzuschreiben, was ich zu bringen habe.

»Verstehe. Ich weiß aber nicht, ob noch Platz ist«, lüge ich.

Von der Spüle blickt Pascagoula verstohlen herüber, als könnte sie Hilly hören. Ich schaue auf Constantines Toilette, die jetzt Pascagoulas Toilette ist und die von der Küche abgeht. Die Tür steht halb offen, und ich sehe ein winziges Kämmerchen, darin ein WC mit Kettenspülung und eine Glühbirne mit vergilbtem Plastikschirm. Das kleine Waschbecken in der Ecke fasst kaum ein Glas Wasser. Ich war noch nie dort drinnen. Als wir klein waren, drohte uns Mutter, uns den Hintern zu versohlen, wenn wir in Constantines »Bad« gingen. Ich vermisse Constantine, wie ich in meinem ganzen Leben noch nichts vermisst habe.

»Dann schaff Platz«, sagt Hilly, »weil das verflixt noch mal wichtig ist.«

Constantine wohnte etwa eine Meile von uns entfernt, in einer kleinen Negersiedlung namens Hotstack, benannt nach der Teerfabrik, die es dort einmal gab. Die Straße nach Hotstack verläuft am Nordrand unserer Farm, und so lange ich denken kann, kicken dort farbige Kinder den roten Staub auf, während sie zur County Road 49 laufen, um ein Auto zu finden, das sie mitnimmt.

Als Kind bin ich selbst oft diese heiße Straßenmeile entlanggegangen. Wenn ich bat und bettelte und brav meinen Katechismus lernte, erlaubte mir Mutter manchmal, am Freitag mit zu Constantine zu gehen. Nach zwanzig Minuten langsamen Fußmarschs passierten wir das Farbigen-Billigkaufhaus, dann einen Lebensmittelladen mit Hühnern hinten im Hof und Dutzende hüttenartiger Häuschen mit Blechdächern und schiefen Veranden, darunter ein gelbes, von dem alle sagten, dort werde illegal Whiskey verkauft. Es war aufregend, eine so andere Welt zu betreten, und ich war mir auf eine kribbelnde Art meiner guten Schuhe und meines sauberen, von Constantine gebügelten weißen Kleiderrocks bewusst. Je näher wir Constantines Haus kamen, desto breiter lächelte sie.

»'n Abend, Carl Bird«, rief Constantine dann dem Wurzel-Verkäufer zu, der im Schaukelstuhl hinten auf seinem Pickup saß. Offene Säcke mit Sassafras-, Süßholz- und Knöterichwurzeln standen am Boden und warteten auf Kundschaft, und nachdem wir eine Minute darin herumgewühlt hatten, gehorchten Constantine ihre Gelenke nicht mehr richtig. Constantine war nicht nur groß, sie war auch kräftig. Sie war breit um die Hüften, und ihre Knie machten ihr ständig Probleme. Bei dem Baumstumpf an ihrer Ecke steckte sie sich jedes Mal eine Prise Happy-Days-Schnupftabak unter die Oberlippe und spuckte dann den Saft in einem pfeilgeraden Strahl aus. Sie ließ mich in die runde Dose mit dem schwarzen Pulver schauen, sagte aber: »Erzähl bloß deiner Mama nichts.«

Immer lagen dürre, räudige Hunde auf der Straße. Von einer Veranda rief eine junge farbige Frau namens Cat-Bite: »Miss Skeeter! Schönen Gruß an Ihren Daddy. Sagen Sie ihm, mir geht's gut.« Mein Vater hatte ihr vor Jahren diesen Namen gegeben. Er hatte im Vorbeifahren gesehen, wie eine tollwütige Katze ein kleines Mädchen anfiel. »Um ein Haar gefressen hat diese Katze sie«, erzählte er mir später. Er hatte die Katze getötet, das kleine Mädchen zum Arzt gebracht und dafür gesorgt, dass es einundzwanzig Tage lang Tollwutspritzen bekam.

Ein kleines Stück weiter lag dann Constantines Haus. Es hatte drei Zimmer und keine Teppiche, und ich betrachtete immer das einzige Foto, das es dort gab, ein weißes Mädchen, erklärte sie mir, um das sie sich in Port Gibson zwanzig Jahre gekümmert hatte. Ich war mir ziemlich sicher, dass ich alles über Constantine wusste – sie hatte eine Schwester und war auf einer kleinen Pächtersfarm in Corinth, Mississippi, aufgewachsen. Ihre Eltern waren beide tot. Sie aß grundsätzlich kein Schweinefleisch, hatte Kleidergröße sechzehn und Schuhgröße zehn. Aber wenn ich auf das Milchzähnelächeln des Mädchens auf dem Foto starrte, fragte ich mich ein bisschen eifersüchtig, warum sie nicht auch ein Foto von mir da hängen hatte.

Manchmal kamen zwei Mädchen von nebenan, um mit mir zu spielen, Mary Nell und Mary Roan. Sie waren so schwarz, dass ich sie nicht auseinanderhalten konnte und beide einfach nur Mary nannte.

»Sei nett zu den kleinen farbigen Mädchen, wenn du dort bei ihnen bist«, sagte Mutter einmal zu mir, und ich weiß noch, dass ich sie verdutzt angeschaut und gesagt habe: »Was denn sonst?« Aber Mutter hat es mir nie erklärt.

Nach einer Stunde etwa kam Daddy dann mit dem Auto, stieg aus und drückte Constantine einen Dollar in die Hand. Constantine bat ihn kein einziges Mal herein. Schon damals war mir klar, dass wir hier in Constantines Reich waren und sie in ihrem eigenen Haus zu niemandem höflich sein musste. Danach ließ mich Daddy dann immer in den Farbigenladen gehen und mich etwas Kaltes zu trinken und Lutschbonbons kaufen.

»Erzähl deiner Mama nicht, dass ich Constantine ein bisschen was extra gegeben habe.«

»Okay, Daddy«, sagte ich. Das ist so ziemlich das einzige Geheimnis, das mein Daddy und ich jemals hatten.

Als mich das erste Mal jemand hässlich nannte, war ich dreizehn. Es war ein reicher Freund meines Bruders Carlton, der bei uns war, um auf den Feldern Schießen zu üben.

»Warum weinst du, Mädel?«, fragte mich Constantine in der Küche.

Ich erzählte ihr tränenüberströmt, was der Junge über mich gesagt hatte.

»Und? Bist du's?«

Ich blinzelte verdutzt und hörte für einen Moment auf zu weinen. »Bin ich was?«

»Jetzt pass mal auf, Eugenia« – Constantine war die Einzige, die sich gelegentlich an Mamas Gebot hielt. »Hässlich ist was innendrin. Hässlich sind gemeine Leute, die andern wehtun. Bist du so eine?«

»Weiß nicht. Ich glaube nicht«, schluchzte ich.

Constantine setzte sich neben mich an den Küchentisch. Ich hörte ihre geschwollenen Gelenke knacken. Sie nahm meine Hand und drückte den Daumen fest in meine Handfläche. Das hieß, wie wir beide wussten: *Hör zu. Hör mir gut zu.*

»Jeden Morgen, bis dass du tot unter der Erde liegst, musst du das entscheiden.« Constantines Gesicht war so nah an meinem, dass ich ihr schwarzes Zahnfleisch sehen konnte. »Du musst dich fragen: *Will ich glauben, was die dummen Leute heut über mich sagen werden?*«

Sie drückte den Daumen immer noch in meine Handfläche. Ich nickte. Ich war gerade gescheit genug, um zu verstehen, dass sie weiße Leute meinte. Und obwohl mir immer noch zum Heulen war und ich wusste, dass ich sehr wahrscheinlich hässlich war, redete sie doch zum ersten Mal mit mir, als wäre ich mehr als nur das weiße Kind meiner Mutter. Mein ganzes Leben lang hatte man mir gesagt, wie ich über Politik, Farbige, meine Rolle als Mädchen zu denken hatte. Aber jetzt, da Constantines Daumen in meine Handfläche drückte, begriff ich, dass ich wirklich die Wahl hatte, was ich glauben wollte.

Constantine kam um sechs Uhr zur Arbeit und in der Erntezeit schon um fünf, damit sie Daddy Maisbrötchen mit Wurstsauce machen konnte, ehe er hinaus auf die Felder ging. Fast jeden Morgen, wenn ich herunterkam, stand sie in der Küche, und in dem Radio auf dem Küchentisch lief Prediger Green. Sobald sie mich sah, lächelte sie. »Morgen, schönes Mädchen!« Ich setzte mich dann an den Küchentisch und erzählte ihr, was ich geträumt hatte. Sie behauptete, Träume sagten die Zukunft voraus.

»Ich war im Dachzimmer und habe auf die Farm hinuntergeschaut«, erzählte ich. »Ich konnte die Baumwipfel sehen.«

»Du wirst mal Gehirnchirurgin! Der Dachboden von einem Haus steht für den Kopf.«

Mutter frühstückte schon zeitig im Esszimmer und ging dann ins Fernsehzimmer, um zu sticken oder Briefe an Missionare in Afrika zu schreiben. Von ihrem grünen Ohrensessel aus konnte sie jeden im Haus so ziemlich überall hingehen sehen. Es war beängstigend, was sie in dem Sekundenbruchteil, bis ich an dieser Tür vorbei war, alles an mir wahrnahm. Ich flitzte immer vorbei, weil ich mich wie eine Dartscheibe fühlte, ein großes rotes Zentrum, auf das Mutter schwirrende Wurfpfeile schleuderte.

»Eugenia, du weißt doch, in diesem Haus wird kein Kaugummi gekaut.«

»Eugenia, geh und betupfe diesen Pickel mit Alkohol.«

»Eugenia, geh sofort nach oben und bürste dein Haar glatt, stell dir vor, wir bekommen überraschend Besuch.«

Ich lernte, dass man sich auf Socken unauffälliger bewegen konnte als in Schuhen. Ich lernte, die Hintertür zu nehmen. Ich lernte, Hüte zu tragen, mir die Hände vors Gesicht zu halten, wenn ich am Esszimmer vorbeiging. Aber vor allem lernte ich, einfach in der Küche zu bleiben.

Ein Sommermonat draußen auf Longleaf konnte sich jahrelang hinziehen. Ich hatte keine Freundinnen, die jeden Tag rüberkamen – wir wohnten zu weit draußen, um irgendwelche weißen Nachbarn zu haben. In der Stadt brachten Hilly und Elizabeth sämtliche Wochenenden damit zu, sich gegenseitig zu besuchen, während ich nur jedes zweite Wochenende woanders übernachten oder jemanden dahaben durfte, so sehr ich auch murrte. Ich nahm Constantine zwar manchmal als selbstverständlich hin, aber die meiste Zeit wusste ich wohl doch, was ich an ihr hatte.

Mit vierzehn fing ich an zu rauchen. Ich klaute Marlboros aus dem Päckchen, das Carlton in seiner Kommodenschublade liegen hatte. Er war fast achtzehn, und niemand hatte etwas dagegen, dass er im Haus rauchte, wo er wollte, und auch wenn er mit Daddy draußen auf den Feldern war. Daddy rauchte manchmal Pfeife, aber keine Zigaretten, und Mutter rauchte im Gegensatz zu den meisten ihrer Freundinnen gar nicht. Sie sagte, vor siebzehn dürfe ich nicht rauchen.

Also verschwand ich immer in den Garten und setzte mich in die Reifenschaukel, wo ich von der riesigen alten Eiche verdeckt war. Oder ich beugte mich spätabends zum Rauchen aus meinem Dachzimmerfenster. Mutter hatte zwar Adleraugen, aber einen schlechten Geruchssinn. Constantine hingegen merkte es sofort. Sie verengte die Augen und lächelte leise, sagte aber nichts. Wenn Mutter sich der hinteren Veranda näherte, während ich mich in der Reifenschaukel versteckte, kam Constantine herausgerannt und schlug mit dem Besenstiel auf das eiserne Treppengeländer.

»Was machen Sie da, Constantine?«, fragte Mutter dann, aber inzwischen hatte ich die Zigarette schon ausgedrückt und den Stummel in das Loch im Baumstamm geworfen.

»Nur den alten Besen hier sauber, Miss Charlotte.«

»Dann finden Sie bitte eine Methode, es leiser zu tun. Oh, Eugenia, bist du über Nacht schon wieder gewachsen? Was soll ich nur tun? Geh, zieh ein Kleid an, das dir passt.«

»Ja, Ma'am«, sagten Constantine und ich gleichzeitig und lächelten uns kurz an.

Oh, es war wunderbar, jemanden zu haben, mit dem man Geheimnisse teilen konnte. So wäre es wohl, wenn ich eine Schwester oder einen Bruder mit weniger Altersabstand hätte, dachte ich. Aber es war nicht nur das. Es hieß auch, eine Person zu haben, die einen auffing, wenn sich die eigene Mutter wieder einmal halb totgesorgt hatte, weil man unglaublich groß, kraushaarig und seltsam war. Eine Person, deren Augen einfach nur wortlos sagten: *Ich finde dich gut so.*

Trotzdem war sie nicht immer nur lieb zu mir. Als ich fünfzehn war, hatte eine Neue in der Schule mit dem Finger auf mich gezeigt und gefragt: »Wer ist denn der Storch da?« Selbst Hilly hatte sich das Grinsen verkneifen müssen, ehe sie mich davonlotste, als hätten wir nichts gehört.

»Wie groß bist du, Constantine?«, fragte ich, außerstande, meine Tränen zu verbergen.

Constantine sah mich mit zusammengekniffenen Augen an. »Wie groß bist du?«

»Eins achtzig«, jammerte ich. »Ich bin jetzt schon größer als der Basketballtrainer der Jungen.«

»Na und? Ich bin eins dreiundachtzig, also hör auf, dir leidzutun.«

Constantine ist die einzige Frau, zu der ich je aufschauen musste, um ihr in die Augen zu sehen.

Was einem an Constantine außer ihrer Größe als Erstes auffiel, waren ihre Augen. Sie waren hellbraun, verblüffend honigfarben im Kontrast zu ihrer dunklen Haut. Ich habe sonst nie honigfarbene Augen bei einem farbigen Menschen gesehen. Aber an Constantine gab es sowieso unendlich viele verschiedene Farbtöne. Ihre Ellbogen waren tiefschwarz, im Winter mit trockenem, weißem Staub bepudert. Die Haut an den Armen, im Nacken und im Gesicht war ebenholzfarben. Ihre Handflächen waren zwischen Orange und Ocker, und ich fragte mich, ob ihre Fußsohlen auch so waren, aber ich habe sie nie barfuß gesehen.

»Dies Wochenend sind wir zwei Hübschen ganz allein«, sagte sie lächelnd.

Es war das Wochenende, an dem Mutter und Daddy mit Carlton wegfuhren, die Louisiana State University und die Tulane University in New Orleans besichtigen, weil Carlton nächstes Jahr aufs College gehen würde. Am Morgen hatte Daddy das Klappbett in der Küche aufgestellt, neben Constantines »Bad«. Da schlief sie immer, wenn sie bei uns übernachtete.

»Guck mal, was ich besorgt hab«, sagte sie und zeigte auf die Besenkammer. Ich ging hin und machte die Tür auf, und da steckte in Constantines Umhängetasche ein fünfhundertteiliges Puzzle vom Mount Rushmore. Puzzeln war unsere Lieblingsbeschäftigung, wenn sie über Nacht blieb.

An diesem Abend saßen wir stundenlang da, knabberten

Erdnüsse und sortierten die Puzzleteile auf dem Küchentisch. Draußen wütete ein Sturm, was es umso gemütlicher machte, hier drinnen zu sitzen und die Randteile herauszusuchen. Die Birne der Küchenlampe wurde schwächer und dann wieder heller.

»Welcher ist der da?«, fragte Constantine, während sie durch ihre schwarzumrandete Brille den Schachteldeckel musterte.

»Das ist Jefferson.«

»Ah. Und der?«

»Das …« Ich beugte mich hinüber. »Ich glaube, das ist … Roosevelt.«

»Ich erkenn nur Lincoln. Er sieht aus wie mein Daddy.«

Ich hielt verblüfft inne, ein Puzzleteil in der Hand. Ich war vierzehn und hatte nie irgendwo eine schlechtere Note als ein A gehabt. Ich war intelligent, aber ich war so naiv, wie man nur sein kann. Constantine legte den Schachteldeckel hin und betrachtete wieder die Puzzleteile.

»Weil dein Daddy so … groß war?«, fragte ich.

Sie lachte belustigt. »Weil mein Daddy weiß war. Die Größe hab ich von meiner Mama.«

Ich legte das Puzzleteil hin. »Dein … Vater war weiß, und deine Mutter war … farbig?«

»Yep«, sagte sie lächelnd und fügte zwei Teile zusammen. »Da, guck's dir an. Hab zwei Passende gefunden.«

Ich hatte so viele Fragen – *Wer* war er? *Wo* war er? Dass er nicht mit Constantines Mutter verheiratet war, war mir klar, denn das war verboten. Ich nahm eine Zigarette aus meinem Geheimvorrat, den ich mit an den Tisch gebracht hatte. Ich war vierzehn, fühlte mich aber sehr erwachsen, also zündete ich sie an. Im selben Moment verdüsterte sich die Birne der Deckenlampe zu einem lehmigen Braun und sirrte leise.

»Oh, mein Daddy, der hatte mich gern! Hat immer gesagt, ich wär sein Liebling.« Sie lehnte sich zurück. »Er ist jeden Samstagnachmittag zu uns gekommen, und einmal hat er mir einen Satz Haarbänder geschenkt, zehn Stück in zehn verschiedenen Farben. Mitgebracht aus Paris, aus japanischer Seide waren die. Ich hab immer auf seinem Schoß gesessen, ab dem Moment, wo er kam, bis er wieder los hat müssen, und Mama hat Bessie Smith laufen lassen, auf dem Victrola, das er ihr gebracht hatte, und er und ich, wir haben gesungen:

It's mighty strange, without a doubt
Nobody knows you when you're down and out.«

Ich hörte mit großen Augen zu, durchglüht von ihrer Stimme in dem Schummerlicht. Wenn Schokolade ein Klang gewesen wäre, dann der Klang dieser Stimme. Wenn ihr Gesang eine Farbe gewesen wäre, dann die Farbe dieser Schokolade.

»Einmal hab ich geheult und gewütet, ich schätz, ich hatte eine ganze Latte Sachen, um mich drüber zu beschweren, arm sein, kalt baden, Zahnweh, was weiß ich. Aber er hat meinen Kopf festgehalten, mich die ganze Zeit an sich gedrückt. Wie ich hochgeguckt hab, hat er auch geweint und … das gemacht, was ich immer bei dir mach, damit du weißt, ich mein's ernst. Hat seinen Daumen in meine Hand gedrückt und gesagt … es tut ihm leid.«

Wir saßen da und starrten auf die Puzzleteile. Von Mutter aus sollte ich das bestimmt nicht wissen: dass Constantines Vater weiß war, dass er sich bei ihr entschuldigt hatte, weil alles war, wie es war. Das war etwas, was ich nicht zu wissen hatte. Es fühlte sich an, als hätte mir Constantine ein Geschenk gemacht.

Ich rauchte meine Zigarette zu Ende, drückte sie im silbernen Gästeaschenbecher aus. Das Licht wurde wieder hell. Constantine lächelte mich an, und ich lächelte zurück.

»Warum hast du mir das noch nie erzählt?«, fragte ich und schaute in ihre hellbraunen Augen.

»Ich kann dir nicht immer alles erzählen, Skeeter.«

»Aber warum nicht?« Sie wusste alles über mich, alles über meine Familie. Ich würde ihr doch nie irgendetwas verschweigen.

Sie sah mich an, und da war eine unendliche Traurigkeit tief in ihr drinnen. Schließlich sagte sie: »Manche Sachen muss ich einfach für mich behalten.«

Als ich zum Studium wegging und Daddy losfuhr, um mich und meine Sachen mit dem Pick-up zur Ole Miss zu bringen, heulte sich Mutter die Augen aus. Aber ich fühlte mich frei. Ich war der Farm entronnen, der ständigen Krittelei. Ich wollte Mutter fragen: *Bist du nicht froh? Bist du nicht erleichtert, dass du dir nicht mehr den ganzen Tag Sorgen um mich machen musst?* Aber Mutter schien todunglücklich.

Ich war die Glücklichste in meinem Erstsemester-Wohnheim. Ich schrieb Constantine einmal die Woche, erzählte ihr von meinem Zimmer, den Lehrveranstaltungen, der Studentinnenverbindung. Ich musste die Briefe an sie nach Longleaf schicken, weil in Hotstack keine Post ausgetragen wurde, und konnte nur darauf vertrauen, dass Mutter sie nicht öffnen würde. Zweimal im Monat schrieb mir Constantine zurück, auf Luftpostpapier, das zu einem Umschlag gefaltet war. Ihre Handschrift war groß und hübsch, wenn auch die Zeilen abwärts liefen. Sie berichtete mir die prosaischsten Einzelheiten aus Longleaf: *Mein Rücken ist bös, aber meine Füße sind noch schlimmer* oder *Der Mixer ist von der Schüssel abgeflogen und durch die Küche geschwirrt, und die Katze ist schreiend weggerannt. Hab sie seither nimmer gesehen.* Sie erzählte mir, dass Daddy erkältet sei und es auf der Brust habe oder dass Rosa Parks demnächst in ihrer Kirche sprechen werde. Oft wollte sie wissen, ob ich glücklich sei, und Genaueres darüber hören. Unsere Briefe waren ein Gespräch über Jahre, ein Hin und Her von Fragen und Antworten, und in den Weihnachtsferien oder zwischen Sommerkursen führten wir es mündlich weiter.

Mutter schrieb: *Vergiss nicht zu beten* und *Trag keine Absatz-schuhe, weil dich das noch größer macht,* an einen Scheck über fünfunddreißig Dollar geheftet.

Im April meines Abschlussjahres kam ein Brief von Constantine, in dem stand: *Ich hab eine Überraschung für dich, Skeeter. Ich bin so aufgeregt, dass ich's selbst kaum ertrag. Und frag mich ja nicht. Du siehst es ja dann, wenn du heimkommst.*

Das war kurz vor den Prüfungen, einen Monat vor der offiziellen Abschlussfeier. Und es war der letzte Brief, den ich von Constantine bekam.

Die Abschlussfeier schenkte ich mir. Meine engsten Freundinnen waren alle schon abgegangen, um zu heiraten, und ich sah nicht ein, warum Mama und Daddy drei Stunden Autofahrt auf sich nehmen sollten, nur um mich über eine Bühne gehen zu sehen, wenn Mutter mich doch in Wirklichkeit nur durch den Mittelgang einer Kirche gehen sehen wollte. Von Harper & Row hatte ich nichts gehört, also kaufte ich mir kein Flugticket nach New York, sondern fuhr stattdessen im Buick von Kay Turner, die im zweiten Collegejahr war, mit nach Jackson, eingequetscht durch meine Schreibmaschine, die zu meinen Füßen stand, und Kays Brautkleid, das zwischen uns lag. Kay Turner würde nächsten Monat Percy Stanhope heiraten. Drei Stunden hörte ich mir ihre Überlegungen wegen der aufzufahrenden Kuchen an.

Als ich nach Hause kam, trat Mutter einen Schritt zurück, um mich besser mustern zu können. »Also, deine Haut sieht prima aus«, sagte sie, »aber dein Haar ...« Sie schüttelte seufzend den Kopf.

»Wo ist Constantine?«, fragte ich. »In der Küche?«

Und als ob sie vom Wetter spräche, sagte Mutter: »Constantine arbeitet nicht mehr hier. Lass uns jetzt diese ganzen Koffer auspacken, bevor deine Kleider völlig zerdrückt sind.«

Ich drehte mich verdutzt zu ihr um. Ich glaubte, nicht richtig gehört zu haben. »Was hast du gesagt?«

Mutter richtete sich auf und strich ihr Kleid glatt. »Constantine ist gegangen, Skeeter. Sie ist zu ihren Verwandten nach Chicago gezogen.«

»Aber … warum? Sie hat mir nichts von Chicago geschrieben.« Ich wusste, dass das nicht ihre Überraschung war. So etwas Schreckliches hätte sie mir sofort schonend beigebracht.

Mutter holte tief Luft und straffte sich. »Ich habe Constantine gesagt, sie darf dir nichts davon schreiben. Nicht mitten in deinen Abschlussprüfungen. Stell dir vor, du wärst durchgefallen und hättest noch ein Jahr bleiben müssen. Vier Jahre College sind weiß Gott mehr als genug.«

»Und sie … hat sich darauf eingelassen? Mir nicht zu schreiben, dass sie uns verlässt?«

Mutter schaute weg und seufzte. »Wir sprechen später darüber, Eugenia. Jetzt komm in die Küche und sag unserem neuen Mädchen Pascagoula guten Tag.«

Aber ich ging nicht mit in die Küche. Ich starrte auf mein Collegegepäck, panisch bei der Vorstellung, es hier auszupacken. Das Haus fühlte sich riesig und leer an. Irgendwo auf einem Feld ratterte ein Baumwollernter.

In den drei Monaten seither habe ich nicht nur die Hoffnung aufgegeben, jemals etwas von Harper & Row zu hören, ich weiß auch nicht mehr, wie ich Constantine je finden soll. Niemand scheint zu wissen, was passiert ist oder wo ich sie erreichen kann. Ich habe schließlich aufgehört herumzufragen, warum sie weggegangen ist. Sie scheint einfach spurlos verschwunden. Ich muss mich damit abfinden, dass Constantine, meine einzig echte Verbündete, mich mit diesen Leuten allein gelassen hat.

———————

KAPITEL 6

An einem heißen Septembermorgen wache ich in meinem Jugendbett auf und schlüpfe in die Huarache-Sandalen, die mir mein Bruder Carlton aus Mexiko mitgebracht hat. Männerschuhe, da es in Mexiko offenbar keine Frauen mit Schuhgröße neuneinhalb gibt. Mutter hasst sie und sagt, sie sähen vulgär aus.

Ich ziehe eins von Daddys alten Button-down-Hemden über mein Nachthemd und schleiche aus der Vordertür. Mutter sitzt auf der hinteren Veranda bei Pascagoula und Jameso, die Austern öffnen.

»Man darf einen Neger und eine Negerin nie ohne Anstandsperson allein lassen«, hat mir Mutter vor langer Zeit einmal zugeflüstert. »Sie können nichts dafür, sie sind nun mal so.«

Ich gehe die Stufen hinunter, um nachzusehen, ob mein *Fänger im Roggen* im Briefkasten liegt. Ich bestelle die indizierten Bücher immer bei einem Schwarzhändler in Kalifornien, weil ich mir sage, wenn der Staat Mississippi sie verbietet, müssen sie gut sein. Bis ich das Ende der Zufahrt erreicht habe, sind meine Huaraches und meine Knöchel mit feinem gelbem Staub bedeckt.

Rechts und links sind die Baumwollfelder grellgrün und übervoll mit Kapseln. Die hinteren Felder hat Daddy letzten Monat durch den Regen verloren, aber die meisten haben es unbeschadet überstanden. Die Blätter fangen gerade an, vom

Entlaubungsmittel braun zu werden, und der saure Chemie-geruch hängt in der Luft. Auf der Landstraße ist kein Auto un-terwegs. Ich mache den Briefkasten auf.

Und da, unter Mutters *Ladies' Home Journal,* liegt ein Brief, adressiert an Miss Eugenia Phelan. In der Umschlagecke steht in roter Prägeschrift Verlag Harper & Row. Ich reiße den Brief auf, hier an der Zufahrt, in meinem langen Nachthemd und Daddys altem Brooks-Brothers-Hemd.

4. September 1962

Liebe Miss Phelan,
auf Ihr Bewerbungsschreiben antworte ich persönlich, da ich es bewundernswert finde, dass eine junge Frau ohne jegliche Be-rufserfahrung sich für eine Lektorinnenstelle in einem so re-nommierten Verlagshaus wie dem unseren bewirbt. Für einen solchen Posten sind mindestens fünf Jahre Erfahrung in der Branche unabdingbare Voraussetzung. Das wüssten Sie, wenn Sie sich auch nur ansatzweise über die Gepflogenheiten im Ver-lagswesen kundig gemacht hätten.
Da ich jedoch selbst einmal eine ehrgeizige junge Frau war, habe ich beschlossen, Ihnen einen Rat zu geben: Gehen Sie zu Ihrer Lo-kalzeitung und sehen Sie zu, dass Sie einen Eingangsjob bekom-men. Sie behaupten in Ihrem Brief, dass Sie »große Freude am Schreiben« haben. Wenn Sie gerade nicht am Vervielfältigungsge-rät stehen oder Ihrem Boss Kaffee kochen, schauen Sie sich um, re-cherchieren Sie, und vor allem schreiben *Sie! Vergeuden Sie Ihre Zeit nicht mit den üblichen Themen. Schreiben Sie über das, was Sie aufregt, vor allem, wenn es sonst niemanden beschäftigt.*
Mit freundlichen Grüßen
Elaine Stein, Cheflektorin Erwachsenenbuch

Unter den Schreibmaschinenzeilen steht ein Nachsatz in eilig hingeworfener blauer Tintenschrift:

PS: Wenn es Ihnen wirklich ernst ist, wäre ich bereit, einen Blick auf Ihre besten Ideen zu werfen und Ihnen meine Meinung zu sagen. Ich mache Ihnen dieses Angebot einzig aus dem Grund, Miss Phelan, dass jemand einmal das Gleiche für mich getan hat.

Ein mit Baumwolle beladener Laster rumpelt auf der Landstraße vorbei. Der Neger auf dem Beifahrersitz beugt sich heraus und starrt mich an. Ich habe ganz vergessen, dass ich ein weißes Mädchen in einem dünnen Nachthemd bin. Ich habe gerade einen Brief, ja vielleicht sogar eine Ermutigung, aus New York City erhalten, und ich sage den Namen laut vor mich hin: »Elaine Stein.« Ich bin noch nie einer Jüdin oder einem Juden begegnet.

Ich renne die Zufahrt entlang, versuche den Brief davon abzuhalten, in meiner Hand zu flattern. Ich will nicht, dass er zerknittert. Ich haste die Stufen hinauf, während Mutter schreit, dass ich diese vulgären mexikanischen Männerschuhe ausziehen soll, und mache mich daran, jedes einzelne gottverdammte Thema aufzulisten, das mich auf der Welt aufregt, vor allem all die Dinge, die sonst niemanden zu beschäftigen scheinen. Elaine Steins Worte sind heißes, flüssiges Silber in meinen Adern, und ich tippe, so schnell ich kann. Am Ende ist es eine spektakulär lange Liste.

Am nächsten Tag bin ich so weit, meinen ersten Brief an Elaine Stein abzuschicken, die Ideen, die ich für lohnende journalistische Themen halte: die hohe Analphabetenrate in Mississippi, die große Zahl alkoholbedingter Autounfälle in unserem Landkreis, die begrenzten Arbeitsmöglichkeiten für Frauen.

Erst nachdem ich den Brief abgeschickt habe, geht mir auf, dass ich wohl die Themen ausgesucht habe, von denen ich glaube, dass sie sie beeindrucken werden, und nicht die, die mich wirklich interessieren.

Ich hole tief Luft und ziehe die schwere Glastür auf. Ein feminines Glöckchen klimpert. Eine weniger feminine Vorzimmerdame mustert mich. Sie ist sehr dick und scheint auf dem kleinen hölzernen Schreibtischstuhl nicht sonderlich bequem zu sitzen. »Willkommen beim *Jackson Journal*. Was kann ich für Sie tun?«

Ich habe den Termin vorgestern gemacht, keine Stunde, nachdem ich Elaine Steins Brief erhalten hatte. Ich bat um ein Vorstellungsgespräch, falls sie irgendeinen Job zu vergeben hätten. Ich war verblüfft, dass sie mich so schnell sehen wollten.

»Ich möchte bitte zu Mister Golden.«

Die Vorzimmerdame watschelt in ihrem zeltartigen Kleid nach hinten. Ich bemühe mich, meine zitternden Hände unter Kontrolle zu bringen. Ich linse durch die offene Tür in einen kleinen, holzgetäfelten Raum. Drinnen sitzen vier Männer in Anzügen, hämmern auf Schreibmaschinen ein und kratzen mit Bleistiften über Papier. Sie sind krummschultrig und hager, drei haben nur noch einen Haarkranz. Das Zimmer ist neblig von Zigarettenrauch.

Die Vorzimmerdame kommt wieder, eine Zigarette zwischen den Fingern, und winkt mich mit dem Daumen zu sich. »Kommen Sie mit.« Trotz meiner Nervosität geht mir nur die alte Collegeregel durch den Kopf: *Ein Chi-Omega-Mitglied läuft nie mit einer Zigarette herum.* Ich folge ihr durch den Raum mit glotzenden Männern und den Qualm zu einem dahinterliegenden Büro.

»Tür zu!«, brüllt Mister Golden, sobald ich die Tür aufmache und eintrete. »Lassen Sie nicht den ganzen verdammten Rauch hier rein.«

Mister Golden erhebt sich hinter seinem Schreibtisch. Er ist etwa fünfzehn Zentimeter kleiner als ich, schlank, jünger als meine Eltern. Er hat lange Zähne, ein verächtliches Grinsen und das pomadisierte schwarze Haar eines Fieslings.

»Noch nicht gehört?«, sagt er. »Letzte Woche haben sie verkündet, dass Zigaretten tödlich sind.«

»Das habe ich nicht mitbekommen.« Ich kann nur hoffen, dass es nicht auf der Titelseite seiner Zeitung stand.

»Teufel nochmal, ich kenne hundertjährige Nigger, die jünger aussehen als diese Idioten da draußen.« Er setzt sich wieder hin, aber ich bleibe stehen, weil es sonst keinen Stuhl im Raum gibt.

»Also, lassen Sie mal sehen.« Ich reiche ihm meinen Lebenslauf und ein paar Artikel, die ich auf dem College geschrieben habe. Ich bin damit groß geworden, dass das *Journal* auf dem Küchentisch lag, aufgeschlagen bei der Landwirtschafts- oder Sportseite. Aber ich bin kaum je dazu gekommen, es selbst zu lesen.

Mister Golden schaut sich meine Unterlagen nicht nur an, er korrigiert mit einem roten Kuli darin herum. »Drei Jahre Redakteurin der Schülerzeitung an der Murray High, zwei Jahre Redakteurin beim *Rebel Rouser,* drei Jahre Herausgeberin des Chi-Omega-Rundbriefs, Hauptstudienfächer Englisch und Journalismus, Abschluss als Viertbeste … *Verdammich,* Mädchen«, knurrt er, »haben Sie sich denn *nie* amüsiert?«

Ich räuspere mich. »Ist das … wichtig?«

Er schaut mich an. »Sie sind ausgefallen groß, aber ich würde doch meinen, ein hübsches Mädchen wie Sie hat das ganze Basketballteam an der Angel.«

Ich starre ihn an, unsicher, ob er sich über mich lustig macht oder ob das ein Kompliment war.

»Ich nehme an, Sie verstehen was vom Putzen …« Er guckt wieder in meine Artikel, streicht wild mit dem roten Kuli darin herum.

Hitze steigt mir ins Gesicht. »Putzen? Ich bin nicht zum Putzen hier. Ich möchte *schreiben.*«

Zigarettenrauch quillt unter der Tür durch. Es ist, als ob der ganze Laden brennt. Ich komme mir so dumm vor, weil ich geglaubt habe, ich könnte einfach hier hereinspazieren und einen Job als Journalistin kriegen.

Er seufzt tief und reicht mir eine dicke Mappe voller Papiere. »Ich schätze, es könnte klappen mit Ihnen. Miss Myrna ist übergeschnappt und hat die Brocken hingeworfen, hat wohl Haarspray gesoffen oder was. Lesen Sie die Artikel, schreiben Sie die Antworten in ihrem Stil, und kein Mensch wird was merken.«

»Ich ... was?« Und ich nehme die Mappe, weil ich nicht weiß, was sonst tun. Ich habe keine Ahnung, wer Miss Myrna ist. Ich stelle die einzig unverfängliche Frage, die mir einfällt. »Wie ... war doch gleich die Bezahlung?«

Er mustert mich überraschend anerkennend, von meinen flachen Schuhen bis zu meinem flachen Haar. Irgendein schlummernder Instinkt erwacht in mir, will, dass ich lächle und mir mit der Hand durchs Haar fahre. Ich komme mir lächerlich vor, tue es aber trotzdem.

»Acht Dollar, jeden Montag.«

Ich nicke, überlege, wie ich aus ihm herauskriegen kann, worin der Job besteht, ohne mich zu blamieren.

Er beugt sich vor. »Sie wissen doch, wer Miss Myrna ist?«

»Natürlich. Wir ... Mädchen lesen sie immer«, sage ich, und wieder starren wir uns schweigend an, so lange, dass ein fernes Telefon dreimal klingeln kann.

»Also, was ist? Acht sind nicht genug? Herrgott, Mädchen, dann putzen Sie doch Ihrem Mann den Lokus für lau.«

Ich kaue auf meiner Unterlippe. Ehe ich irgendetwas herausbringe, verdreht er die Augen.

»Na gut, *zehn*. Der Text muss am Donnerstag da sein. Und wenn mir Ihr Stil nicht gefällt, drucke ich ihn nicht und zahle keinen Cent.«

Ich nehme die Mappe an mich, danke ihm überschwänglicher, als ich vermutlich sollte.

Er beachtet mich gar nicht, nimmt den Hörer ab und telefoniert, noch ehe ich zur Tür hinaus bin. Bei meinem Wagen angekommen, lasse ich mich in das weiche Cadillac-

Leder sinken. Ich sitze lächelnd da und lese die Papiere in der Mappe.

Ich habe seit gerade eben einen *Job*.

Ich betrete unser Haus so aufrecht, wie ich mich seit meinem zwölften Lebensjahr nicht mehr gehalten habe. Ich platze fast vor Stolz. Obwohl mir jede Zelle meines Gehirns entschieden davon abrät, muss ich es Mutter einfach sagen. Ich stürze ins Fernsehzimmer und erzähle ihr haarklein, wie ich den Job bekommen habe, als Miss Myrna die wöchentliche Haushaltskolumne zu schreiben.

»Ausgerechnet.« Ihr Seufzen drückt aus, dass das Leben unter solchen Umständen kaum lebenswert zu nennen ist. Pascagoula gießt ihr Eistee nach.

»Es ist immerhin ein erster Schritt.«

»Ein Schritt wohin? Ratschläge geben, wie man einen Haushalt führt, wenn …« Sie seufzt wieder, so lang und langsam wie ein Reifen, aus dem Luft entweicht.

Ich schaue weg, frage mich, ob alle in der Stadt so denken werden. Die Freude verfliegt bereits.

»Eugenia, du weißt noch nicht mal, wie man Silber putzt, geschweige denn, wie man ein Haus sauber hält.«

Ich drücke die Mappe an meine Brust. Sie hat recht, ich werde keine einzige dieser Fragen beantworten können. Trotzdem, ich dachte, sie würde wenigstens stolz auf mich sein.

»Und wenn du an der Schreibmaschine sitzt, lernst du nie jemanden kennen. Eugenia, sei doch vernünftig.«

Zorn strömt mir langsam die Arme hoch. Ich richte mich wieder auf. »Glaubst du, ich *will* hier leben? Bei *dir*?« Ich lache auf eine Art, die sie hoffentlich verletzt.

Ich sehe das Flackern von Schmerz in ihren Augen. Sie presst die Lippen zusammen. Trotzdem habe ich nicht die Absicht, irgendetwas zurückzunehmen, weil ich endlich, *endlich* einmal etwas gesagt habe, was sie gehört hat.

Ich stehe da, weigere mich zu gehen. Ich will wissen, was sie darauf zu sagen hat. Ich will sie sagen hören, dass es ihr leid tut.

»Ich ... muss dich etwas fragen, Eugenia.« Sie zwirbelt ihr Taschentuch, zieht die Augenpartie zusammen. »Ich habe neulich etwas darüber gelesen, wie ... manche Mädchen seelisch aus dem Lot geraten und anfangen – nun ja, solche *wider-natürlichen* Dinge zu denken.«

Ich habe keine Ahnung, wovon sie spricht. Ich schaue zum Deckenventilator hinauf. Jemand hat ihn zu schnell eingestellt. *Klacketi-klacketi-klacketi* ...

»Bist du ... hast du ... findest du Männer anziehend? Hegst du irgendwelche widernatürlichen Gefühle für ...« Sie kneift die Augen einen Moment ganz zu. »Mädchen oder – oder Frauen?«

Ich starre sie an, wollte, der Ventilator würde aus seiner Verankerung fliegen und auf uns beide herunterkrachen.

»Weil, in dem Artikel stand, es gibt da ein Heilmittel, einen speziellen Wurzeltee ...«

»Mutter«, sage ich und kneife meinerseits die Augen zu. »Ich will so viel von Mädchen wie du von ... *Jameso.*« Ich marschiere zur Tür. Schaue mich aber noch einmal um. »Es sei denn natürlich, du findest ihn anziehend.«

Mutter erstarrt und schnappt nach Luft. Ich renne die Treppe hinauf.

Am nächsten Tag staple ich fein säuberlich die Briefe an Miss Myrna. Ich habe fünfunddreißig Dollar in meinem Portemonnaie, das monatliche Geld, das mir Mutter immer noch gibt. Ich setze ein christliches Lächeln auf und gehe nach unten. Hier auf Longleaf muss ich jedes Mal, wenn ich die Farm verlassen will, Mutter bitten, mir ihren Wagen zu leihen. Was heißt, dass sie fragt, wo ich hinwill. Was heißt, dass ich sie täglich anlügen muss, was zwar als solches amüsant, aber doch ein bisschen entwürdigend ist.

»Ich will in die Kirche, schauen, ob sie Hilfe bei den Vorbereitungen für die Sonntagsschule brauchen.«

»Oh, Liebes, das ist großartig. Lass dir ruhig Zeit mit dem Wagen.«

Was ich brauche, habe ich letzte Nacht beschlossen, ist professionelle Hilfe bei der Kolumne. Mein erster Gedanke war, Pascagoula zu fragen, aber die kenne ich kaum. Außerdem ist es mir eine unerträgliche Vorstellung, dass Mutter sich ständig einmischt und wieder an mir herumkritisiert. Hillys Mädchen, Yule May, ist so schüchtern, dass es mir wohl kaum helfen wollen würde. Das einzige Dienstmädchen, das ich sonst noch kenne, ist das von Elizabeth, Aibileen. Aibileen erinnert mich in gewisser Weise an Constantine. Außerdem ist sie schon älter und scheint eine Menge Erfahrung zu haben.

Auf dem Weg zu Elizabeth gehe ich ins Ben-Franklin-Kaufhaus und besorge mir ein Klemmbrett, eine Packung halbweiche Bleistifte und eine Kladde mit blauem Stoffrücken. Mein erster Text muss morgen um vierzehn Uhr auf Mister Goldens Schreibtisch liegen.

»Skeeter, komm rein.« Elizabeth macht die Tür auf, und ich befürchte schon, dass Aibileen heute gar nicht arbeitet. Elizabeth hat einen blauen Bademantel an und extradicke Lockenwickler im Haar, wodurch ihr Kopf riesig aussieht und ihr Körper noch dünner, als er ist. Elizabeth hat generell den ganzen Tag Lockenwickler drin, sie kann sich gar nicht genug bemühen, ihrem dünnen Haar Fülle zu verleihen.

»Entschuldige meinen Aufzug. Mae Mobley hat mich die halbe Nacht wachgehalten, und jetzt habe ich keine Ahnung, wo Aibileen steckt.«

Ich betrete die winzige Diele. Das Haus hat niedrige Decken und kleine Räume. Alles hier sieht irgendwie nach Secondhand aus – die verschossenen blauen Blumenmustervorhänge, die leicht krumm geratene Husse über dem Sofa. Wie man hört, läuft Raleighs Steuerbüro nicht gut. In New York oder anderen Großstädten mag das ja funktionieren, aber in Jackson, Mississippi, wollen die Leute nicht die Dienste eines unhöflichen, herablassenden Arschlochs in Anspruch nehmen.

Hillys Wagen steht vor dem Haus, aber sie ist nirgends zu sehen. Elizabeth sitzt an der Nähmaschine, die sie auf dem Esszimmertisch aufgestellt hat. »Bin gleich fertig«, sagt sie. »Lass mich eben noch schnell diese eine Naht versäubern ...« Elizabeth steht auf und hält ein grünes Kirchgangskleid mit rundem, weißem Kragen hoch. »Sei ehrlich«, flüstert sie, während ihre Augen mich anflehen, es ja nicht zu sein. »Sieht das selbstgenäht aus?«

Der Saum ist schief. Der Stoff hat Liegefalten, ist an einem Ärmelbündchen schon ein bisschen fadenscheinig. »Hundertprozentig gekauft. Direkt von Maison Blanche.« Das sage ich, weil Maison Blanche Elizabeths Traumgeschäft ist: fünf Etagen an der Canal Street in New Orleans, voll mit teuren Kleidungsstücken, Sachen, die man in Jackson nie fände. Elizabeth lächelt mich dankbar an.

»Schläft Mae Mobley?«, frage ich.

»Endlich.« Elizabeth fummelt an einer Strähne herum, die sich vom Lockenwickler gelöst hat, bedenkt die widerspenstigen Haare mit einer Grimasse. Manchmal bekommt ihre Stimme so etwas Hartes, wenn sie von ihrer kleinen Tochter spricht.

Die Tür der Gästetoilette am Flur geht auf. Heraus tritt Hilly, die vor sich hin redet: »... so viel besser. Jetzt hat jeder sein eigenes Örtchen.«

Elizabeth macht sich an der Nähmaschinennadel zu schaffen, wirkt irgendwie nervös.

»Sag Raleigh, *mit besten Empfehlungen*«, sagt Hilly jetzt, und da geht mir auf, was sie meint. Aibileen hat nun ihre eigene Toilette in der Garage.

Hilly lächelt mich an, und mir ist klar, dass sie gleich wieder mit ihrer Initiative anfangen wird. »Wie geht es deiner Mama?«, frage ich, obwohl ich weiß, dass das das letzte Thema ist, worüber sie reden möchte. »Hat sie sich in dem Heim eingewöhnt?«

»Ich glaube schon.« Hilly zupft den roten Pulli über den Speckring in ihrer Taille. Sie trägt rot-grüne Karohosen, die ihren Hintern irgendwie zu vergrößern scheinen, ihn runder und energischer denn je wirken lassen. »Natürlich weiß sie nichts von all dem, was ich tue, zu schätzen. Ich musste das Mädchen für sie feuern, nachdem ich es dabei erwischt hatte, wie es mir das verflixte Silber unter der Nase wegklauen wollte.« Hillys Augen verengen sich leicht. »Ihr habt nicht zufällig gehört, wo Minny Jackson jetzt arbeitet?«

Wir schütteln den Kopf.

»Ich bezweifle, dass sie in dieser Stadt noch Arbeit findet«, sagt Elizabeth.

Hilly lässt das einen Moment auf sich wirken, nickt dann. Ich hole tief Luft, um endlich meine Neuigkeit loszuwerden.

»Ich habe einen Job beim *Jackson Journal*«, sage ich.

Stille im Raum. Plötzlich quietscht Elizabeth los. Hilly lächelt mich so stolz an, dass ich rot werde und die Achseln zucke, als wäre es so eine große Sache auch wieder nicht.

»Sie wären auch blöd, wenn sie dich nicht nehmen würden, Skeeter Phelan«, sagt Hilly und erhebt ihr Eisteeglas auf mich.

»Also ... äh, hat eine von euch mal Miss Myrna gelesen?«, frage ich.

»Nein«, sagt Hilly. »Aber ich wette, die armen White-Trash-Mädels in South Jackson lesen das alle wie die King-James-Bibel.«

Elizabeth nickt. »Diese ganzen mittellosen weißen Frauen ohne Dienstmädchen, die lesen es garantiert.«

»Ist es okay, wenn ich mal mit Aibileen rede?«, frage ich Elizabeth. »Mir von ihr helfen lasse, ein paar von diesen Briefen zu beantworten?«

Elizabeth steht einen Moment reglos da. »Aibileen? *Meine* Aibileen?«

»*Ich* kann diese Fragen ganz bestimmt nicht beantworten.«

»Na ja ... solange es sie nicht von der Arbeit abhält.«

Ich schweige, verdutzt über diese Einstellung. Aber dann rufe ich mir in Erinnerung, dass Elizabeth Aibileen schließlich bezahlt.

»Und nicht jetzt, wo Mae Mobley gleich aufwacht, sonst muss ich mich selbst um sie kümmern.«

»Okay. Vielleicht ... komme ich morgen früh mal vorbei?« Ich zähle die Stunden an meinen Fingern ab. Wenn ich noch am Vormittag mit Aibileen fertig bin, kann ich es schaffen, schnell nach Hause zu fahren, das Ganze zu tippen und um zwei damit wieder in der Stadt zu sein.

Elizabeth blickt stirnrunzelnd auf ihre Spule mit grünem Nähgarn. »Und nur ein paar Minuten. Morgen ist Silberputztag.«

»Es dauert nicht lange, versprochen«, sage ich.

Elizabeth klingt schon wie meine Mutter.

Am nächsten Morgen um zehn öffnet mir Elizabeth und nickt gouvernantenhaft. »Gut. Geh in die Küche. Und nicht zu lange. Mae Mobley wacht jeden Moment auf.«

Ich gehe in die Küche, meine Kladde und meine Unterlagen unterm Arm. Aibileen steht an der Spüle und lächelt mich an, dass ihr Goldzahn blitzt. Sie ist ein bisschen ausladend um Bauch und Hüften, aber das wirkt bei ihr eher freundlich. Und sie ist wesentlich kleiner als ich, aber wer ist das nicht? Ihre Haut sticht dunkelbraun und glänzend von der gestärkten weißen Dienstmädchenuniform ab. Ihre Augenbrauen sind grau, obwohl ihr Haar schwarz ist.

»Hey, Miss Skeeter. Ist Miss Leefolt noch an der Nähmaschine?«

»Ja.« Nach all den Monaten, die ich jetzt wieder daheim bin, ist es für mich immer noch seltsam, wenn jemand Elizabeth Miss Leefolt nennt – nicht Miss Elizabeth und auch nicht bei ihrem Mädchennamen, Miss Fredericks.

»Darf ich?« Ich zeige auf den Kühlschrank. Ehe ich mich selbst bedienen kann, hat ihn Aibileen schon geöffnet.

»Was möchten Sie? Co-Cola?«

Ich nicke, und sie öffnet die Flasche an dem Öffner, der an der Arbeitsplatte montiert ist, gießt den Inhalt in ein Glas.

»Aibileen« – ich hole tief Luft –, »ich wollte Sie fragen, ob Sie mir bei etwas helfen könnten.« Ich erzähle ihr von der Kolumne, froh, als ich ihrem Nicken entnehme, dass sie weiß, wer Miss Myrna ist.

»Vielleicht könnte ich Ihnen ja ein paar Briefe vorlesen, und Sie könnten … mir bei den Antworten helfen. Nach einer gewissen Zeit finde ich mich bestimmt rein und …« Ich verstumme. Es ist völlig ausgeschlossen, dass ich jemals in der Lage sein werde, Haushaltsfragen selbst zu beantworten. »Klingt unfair, was? Dass ich Ihre Antworten nehme und so tue, als wären sie von mir. Oder vielmehr von Myrna.« Ich seufze.

Aibileen schüttelt den Kopf. »Das macht mir nichts aus. Ich bin mir nur nicht so sicher, wie Miss Leefolt das finden würd.«

»Sie hat gesagt, es geht in Ordnung.«

»In meiner Arbeitszeit?«

Ich nicke, denke an Elizabeths besitzergreifenden Ton.

»Na gut«, sagt Aibileen achselzuckend. Sie schaut auf die Wanduhr über der Spüle. »Ich muss aber wohl aufhören, wenn Mae Mobley aufwacht.«

»Wollen wir uns setzen?« Ich zeige auf den Küchentisch.

Aibileen blickt zur Schwingtür hinüber. »Setzen Sie sich, ich steh gern.«

Ich habe die halbe Nacht damit zugebracht, alle Miss-Myrna-Artikel der letzten fünf Jahre zu lesen, aber zu den unbeantworteten Briefen bin ich noch nicht gekommen. Ich nehme mir mein Klemmbrett vor, den Bleistift in der Hand. »Hier ist ein Brief aus Rankin County.

›*Liebe Miss Myrna*‹«, lese ich vor, »»*wie kriege ich die Dreck- ringe von den Hemdkragen von meinem Mann ab, wenn er so ein fettes, schlampiges Schwein ist und … auch schwitzt wie eine Sau …*‹«

Großartig. Eine Kolumne für Haushalts- *und* Beziehungs- tipps. *Zwei* Dinge, von denen ich keine Ahnung habe.

»Was will sie jetzt loskriegen?«, fragt Aibileen. »Die Dreck- ringe oder den Mann?«

Ich starre auf das Blatt. Ich wüsste zu beidem keinen Rat.

»Sagen Sie ihr, sie muss sie in Essig und Pine-Sol-Reiniger einweichen. Und dann eine Weile in die Sonne legen.«

Ich halte das schnell in meinem Notizbuch fest. »Wie lange in die Sonne legen?«

»So eine Stunde vielleicht. Bis es trocken ist.«

Ich nehme mir den nächsten Brief vor, und sie beantwortet ihn ebenso schnell. Nach vier, fünf Briefen atme ich erleich- tert aus.

»Danke, Aibileen. Sie wissen ja gar nicht, wie sehr mir das hilft.«

»Kein Problem. Solang wie Miss Leefolt mich nicht braucht.«

Ich packe meine Papiere zusammen, trinke den letzten Schluck Cola aus, gönne mir fünf Sekunden Entspannung, ehe ich lossausen muss, den Artikel schreiben. Aibileen putzt an der Spüle grüne Farntriebe. In der Küche herrscht Stille, bis auf das Radio, in dem wieder leise Prediger Green läuft.

»Woher kannten Sie Constantine? Waren Sie beide ver- wandt?«

»Wir … waren im selben Kirchenkreis.« Aibileen verlagert ihr Gewicht aufs andere Bein.

Ich spüre einen mittlerweile vertrauten Stich im Herzen. »Sie hat nicht mal eine Adresse hinterlassen. Ich … ich kann einfach nicht glauben, dass sie einfach so gegangen ist.«

Aibileen lässt den Blick gesenkt. Sie scheint die Farntriebe sehr gründlich zu inspizieren. »Sie können sich drauf verlassen, sie ist gegangen worden.«

»Nein, Mama hat gesagt, sie hat gekündigt. Im April. Ist zu ihren Verwandten nach Chicago gezogen.«

Aibileen nimmt einen weiteren Farntrieb, wäscht den langen Stängel, die eingerollten grünen Spitzen. »Nein, Ma'am«, sagt sie schließlich.

Ich brauche ein paar Sekunden, um zu begreifen, was sie da behauptet.

»Aibileen«, sage ich und suche ihren Blick. »Glauben Sie wirklich, dass Constantine gefeuert wurde?«

Aber Aibileens Gesicht ist jetzt so leer wie der blaue Himmel. »Muss mich vertan haben«, sagt sie, und mir ist klar, dass sie das Gefühl hat, einer Weißen schon zu viel erzählt zu haben.

Wir hören Mae Mobley rufen, und Aibileen entschuldigt sich und verschwindet durch die Schwingtür. Es dauert ein paar Sekunden, bis ich den Anstand habe, aufzustehen und nach Hause zu fahren.

Als ich zehn Minuten später heimkomme, sitzt Mutter am Esszimmertisch und liest.

»Mutter«, sage ich, mein Notizbuch an die Brust gepresst, »hast du Constantine entlassen?«

»Ob ich … *was*?«, fragt Mutter. Aber ich weiß, sie hat mich verstanden, weil sie den Newsletter der *Daughters of the American Revolution* gesenkt hat. Damit sie den Blick von dieser fesselnden Lektüre löst, braucht es schon eine schockierende Frage.

»Eugenia, ich sagte doch, ihre Schwester war krank, deshalb ist sie nach Chicago zu ihren Verwandten gezogen«, erklärt sie. »Warum? Wer hat dir etwas anderes erzählt?«

Nie und nimmer würde ich ihr sagen, dass es Aibileen war. »Ich habe es heute Nachmittag gehört. In der Stadt.«

»Wer redet denn über so etwas?« Mutters Augen hinter der Lesebrille werden schmal. »Das kann nur eine von den anderen Negerinnen gewesen sein.«

»Was hast du mit ihr *gemacht,* Mutter?«

Mutter leckt sich über die Lippen, mustert mich lange und gründlich über ihre Zweistärkenbrille hinweg. »Das verstehst du nicht, Eugenia. Nicht, solange du kein eigenes Personal hast.«

»Du ... hast sie *gefeuert?* Warum?«

»Das spielt keine Rolle. Es ist passé, und ich möchte nicht mehr daran denken.«

»Mutter, sie hat mich großgezogen. Du sagst mir jetzt, was passiert ist!« Ich ärgere mich über meine kieksende Stimme, den kindlichen Klang meiner Forderung.

Mutter quittiert meinen Ton mit hochgezogenen Augenbrauen, nimmt die Brille ab. »Es war nur so eine Farbigengeschichte. Und mehr werde ich nicht sagen.« Sie setzt die Brille wieder auf und nimmt sich den DAR-Newsletter vor.

Ich zittere vor Wut. Renne polternd die Treppe hinauf. Ich setze mich an meine Schreibmaschine, schockiert, dass meine Mutter sich so einfach einer Frau entledigt, die ihr den größten Gefallen ihres Lebens getan hat, indem sie ihre Kinder aufzog, und die mich Menschlichkeit und Selbstachtung gelehrt hat. Ich starre auf die Röschentapete, die Lochstickereigardinen, die vergilbten Fotos, die mir so vertraut sind, dass es schon an Überdruss grenzt. Neunundzwanzig Jahre hat Constantine bei uns gearbeitet.

Die ganze nächste Woche steht Daddy vor Tagesanbruch auf. Wenn ich aufwache, höre ich Lastwagenmotoren, das Rattern der anspringenden Pflückmaschinen, die antreibenden Rufe. Die Felder sind braun und dürr von abgestorbenen Baumwollstängeln, entlaubt, damit die Maschinen an die Bäusche kommen. Die Baumwollernte hat begonnen.

In der Erntezeit pausiert Daddy nicht einmal für den Kirchgang, aber am Sonntag erwische ich ihn im dämmrigen Eingangsflur, zwischen seinem Abendessen und dem Zubettgehen. »Daddy?«, frage ich. »Erzählst du mir, was mit Constantine war?«

Er ist so hundemüde. Er seufzt nur.

»Wie konnte Mutter sie feuern, Daddy?«

»Was? Kind, Constantine hat gekündigt. Du weißt doch, dass deine Mutter sie nie entlassen hätte.« Er schaut mich an, enttäuscht, dass ich so etwas frage.

»Weißt du, wo sie hingegangen ist? Oder hast du ihre Adresse?«

Er schüttelt den Kopf. »Frag deine Mama, die weiß es bestimmt.« Er tätschelt mir die Schulter. »Die Leute haben irgendwann ihre eigenen Pläne, Skeeter. Aber ich wollte, sie wäre bei uns geblieben.«

Er schlurft durch den Flur in Richtung Bett. Er ist ein viel zu ehrlicher Mensch, um mir etwas vorzulügen, also ist klar, dass er nicht weiß, was wirklich passiert ist.

Von da an fahre ich ein bis zwei Mal die Woche zu Elizabeth, um mit Aibileen zu reden. Elizabeth scheint jedes Mal wachsamer. Je länger ich in der Küche bleibe, desto mehr Aufgaben für Aibileen führt sie ins Feld, bis ich schließlich gehe: Die Türknäufe müssen poliert werden, die Platte des Kühlschranks ist staubig, Mae Mobleys Fingernägel sind zu lang. Aibileen ist auf eine verhaltene Art freundlich, nervös, steht an der Spüle und arbeitet die ganze Zeit, während sie mit mir redet. Bald schon habe ich Tipps auf Vorrat, und Mister Golden scheint zufrieden mit meinen Texten, die ich vom ersten an in jeweils zwanzig Minuten heruntergeschrieben habe.

Und jede Woche frage ich Aibileen nach Constantine. Ob sie mir ihre Adresse besorgen kann. Ob sie mir irgendetwas darüber erzählen kann, warum Constantine gefeuert wurde. Ob es einen großen Krach gegeben hat, weil ich mir nicht vorstellen kann, dass Constantine einfach nur *Ja, Ma'am* sagt und durch die Hintertür verschwindet. Wenn Mama wegen eines angelaufenen Silberlöffels mit ihr aneinandergeriet, servierte ihr Constantine eine Woche lang verbrannten Toast. Ich kann nur spekulieren, was bei ihrer Entlassung los gewesen sein muss.

Aber es ist alles müßig, weil Aibileen mich nur achselzuckend ansieht und sagt, sie habe keine Ahnung.

Eines Nachmittags, nachdem ich (die ich in meinem ganzen Leben noch keine Badewanne geschrubbt habe) mir von Aibileen habe erklären lassen, wie man hartnäckige Dreckränder vom Email entfernt, komme ich nach Hause und gehe am Fernsehzimmer vorbei. Der Fernseher läuft, und ich schaue hinein. Pascagoula steht etwa fünfzehn Zentimeter vor dem Bildschirm. Ich höre die Worte *Ole Miss* und sehe auf dem flimmernden Schirm weiße Männer in dunklen Anzügen auf die Kamera zudrängen. Von ihren Glatzen rinnt Schweiß. Ich gehe näher hin und sehe einen Farbigen, etwa in meinem Alter, inmitten der weißen Männer und hinter ihm Soldaten. Die Kamera schwenkt, und da ist mein altes Univerwaltungsgebäude. Gouverneur Ross Barnett steht da, die Arme vor der Brust verschränkt, und blickt dem hochgewachsenen Farbigen in die Augen. Neben dem Gouverneur steht unser Senatsabgeordneter Whitworth, mit dessen Sohn mir Hilly die ganze Zeit ein Blind Date zu verschaffen versucht.

Ich starre gebannt auf den Fernseher. Und doch bin ich weder erfreut noch enttäuscht, dass da womöglich ein Farbiger Zutritt zur Ole Miss erlangen könnte, ich bin einfach nur überrascht. Pascagoula hingegen atmet so laut, dass ich es höre. Sie steht wie erstarrt da, merkt gar nicht, dass ich hinter ihr bin. Roger Sticker, unser Lokalreporter, ist nervös, lächelt, spricht schnell. »Präsident Kennedy hat den Gouverneur angewiesen, James Meredith durchzulassen, ich wiederhole, der Präsident der Vereinigten Staaten ...«

»Eugenia, Pascagoula! Stellt sofort den Apparat ab!«

Pascagoula fährt herum, sieht Mutter und mich. Mit gesenktem Blick hastet sie aus dem Zimmer.

»Ich dulde das nicht, Eugenia«, flüstert Mutter. »Ich lasse nicht zu, dass du sie auch noch ermutigst.«

»Ich – sie ermutigen? Das sind nationale Nachrichten, Mama.«

Mutter schnaubt. »Es schickt sich nicht, dass ihr beide zusammen fernseht.« Und sie schaltet auf eine Nachmittagswiederholung der Lawrence-Welk-Show um.

»Da, ist das nicht viel netter?«

An einem heißen Samstag Ende September, als die Baumwollfelder abgeschlegelt und leer sind, schleppt Daddy einen neuen RCA-Farbfernseher ins Haus. Das Schwarzweißgerät stellt er in die Küche. Stolz lächelnd, steckt er den neuen Fernseher an die Wandsteckdose des Fernsehzimmers. Den ganzen restlichen Nachmittag schallt das Footballmatch Ole Miss gegen LSU durchs Haus.

Mama klebt natürlich vor dem Farbbildschirm, bestaunt das leuchtende Rot und Blau des Teams mit großem Ooh und Aah. Die Rebels sind ihr und Daddys Lebensinhalt. Sie trägt trotz der sengenden Hitze rote Wolljerseyhosen und hat Daddys alte Kappa-Alpha-Decke über den Sessel drapiert. Niemand verliert ein Wort über James Meredith, den farbigen Studenten, den sie hereingelassen haben.

Ich nehme den Cadillac und fahre in die Stadt. Mutter kann nicht begreifen, dass ich nicht sehen will, wie meine Alma Mater einen Ball durch die Gegend wirft. Aber Elizabeth und ihre Familie sind jetzt bei Hilly, das Spiel schauen, also ist Aibileen allein im Haus. Ich hoffe, dass Elizabeths Abwesenheit sie ein bisschen entspannt. Tatsächlich hoffe ich, dass sie mir irgendetwas über Constantine erzählt.

Aibileen macht mir auf, und ich folge ihr in die Küche.

Auch im leeren Haus scheint sie nur wenig entspannter. Sie äugt zum Küchentisch hinüber, als würde sie sich gern hinsetzen, doch als ich sie frage, sagt sie: »Nein, ist gut so. Schießen Sie los.« Sie nimmt eine Tomate aus einem Topf in der Spüle und fängt an, sie mit dem Messer zu enthäuten.

Also lehne ich mich an die Arbeitsplatte und trage ihr die jüngste Rätselfrage vor: wie man verhindern kann, dass die Hunde an die Mülltonnen draußen gehen. Weil der faule Ehemann immer vergisst, den Müll am richtigen Tag an die Straße zu stellen. Wegen dem ganzen verdammten Bier, das er trinkt.

»Einfach bisschen Psalmjack auf den Müll tun. Da gucken die Hunde die Tonnen nicht mal mehr an.« Ich schreibe es auf, wobei ich Salmiak daraus mache, und suche den nächsten Brief heraus. Als ich aufschaue, ist da auf Aibileens Gesicht so etwas wie ein Grinsen.

»Nichts für ungut, Miss Skeeter, aber ... ist es nicht mordskomisch, dass Sie die neue Miss Myrna sind, wo Sie doch gar nichts über Haushaltssachen wissen?«

Aus ihrem Mund klingt es nicht so, wie es Mutter vor einem Monat gesagt hat. Ich muss plötzlich lachen und erzähle ihr, was ich noch niemandem erzählt habe, von den Telefonaten und der Bewerbung, die ich Harper & Row geschickt habe. Dass ich Schriftstellerin werden will. Was mir Elaine Stein geraten hat. Es ist schön, es jemandem zu erzählen.

Aibileen nickt und enthäutet die nächste weiche, rote Tomate. »Mein Sohn Treelore, der hat auch gern geschrieben.«

»Ich wusste gar nicht, dass Sie einen Sohn haben.«

»Er ist tot. Zwei Jahre jetzt.«

»Oh, tut mir leid«, sage ich, und einen Moment lang sind da nur Prediger Green und das Platschen von Tomatenhaut, die in die Spüle fällt.

»Hat in allen Englischarbeiten immer nur ein glattes A gehabt. Und später, wie er dann groß war, hat er sich eine Schreibmaschine beschafft und losgelegt mit seiner Idee ...« Die Biesenschultern ihrer Dienstmädchenuniform sinken herab. »Er will ein Buch schreiben, hat er gesagt.«

»Was für eine Idee?«, frage ich. »Ich meine, falls Sie's mir erzählen möchten ...«

Aibileen sagt eine Weile nichts. Pellt nur immer weiter Tomaten. »Er hatte so ein Buch gelesen, *Der unsichtbare Mann.* Wie er damit fertig war, hat er gesagt, er will drüber schreiben, wie's ist, ein Farbiger zu sein, der in Mississippi für einen weißen Boss arbeitet.«

Ich schaue weg. Ich weiß, das ist der Punkt, an dem meine Mutter das Thema beenden würde. An dem sie lächeln und das Gespräch auf den Preis von Silberputzmittel oder weißem Reis lenken würde.

»Ich hab *Der unsichtbare Mann* auch gelesen, wie er dann tot war«, sagt Aibileen. »Hat mir ziemlich gefallen.«

Ich nicke, obwohl ich es nie gelesen habe. Ich bin gar nicht auf die Idee gekommen, dass Aibileen ein lesender Mensch sein könnte.

»Er hat schon fast fünfzig Seiten geschrieben gehabt«, sagt sie. »Ich hab sie seiner Frances gegeben.«

Aibileen hält mit dem Messer inne. Ich sehe an ihrer Kehle, wie sie schluckt. »Bitte erzählen Sie das keinem«, sagt sie, jetzt leiser, »dass er über seinen weißen Boss hat schreiben wollen.« Sie beißt sich auf die Unterlippe, und mir geht auf, dass sie immer noch Angst um ihn hat. Obwohl er tot ist, ist die instinktive Angst um ihren Sohn immer noch da.

»Es ist okay, dass Sie's mir erzählt haben, Aibileen. Ich finde, es war ... eine mutige Idee.«

Aibileen sieht mich einen Moment an. Dann nimmt sie eine neue Tomate und setzt das Messer an. Ich schaue hin, warte, dass der rote Saft herausquillt. Aber Aibileen hält wieder inne, schaut zur Küchentür.

»Ich find's nicht fair, dass Sie nicht wissen, was mit

Constantine war. Aber ... tut mir leid, es fühlt sich nicht richtig an, mit Ihnen da drüber zu reden.«

Ich sage nichts, weil ich nicht weiß, was da gerade in ihr vorgeht, und auf keinen Fall alles kaputtmachen will.

»Aber ich sag Ihnen trotzdem, es hat was mit ihrer Tochter zu tun gehabt. Damit, dass die bei Ihrer Mama aufgekreuzt ist.«

»Tochter? Constantine hat mir nie etwas von einer Tochter erzählt. Ich kannte sie dreiundzwanzig Jahre. Warum hätte sie mir das verschweigen sollen?«

»Es war schwer für sie. Die Kleine war so ... blass.«

Ich stutze, muss an das denken, was mir Constantine vor Jahren erzählt hat. »Sie meinen hellhäutig? Beinah ... weiß?«

Aibileen nickt, macht weiter mit den Tomaten. »Sie hat sie fortschicken müssen, rauf in den Norden, glaub ich.«

»Constantines Vater war weiß«, sage ich. »Oh ... Aibileen ... Sie glauben doch nicht ...« Ein hässlicher Gedanke schießt mir durch den Kopf. Ich bin zu schockiert, um meinen Satz zu Ende zu bringen.

Aibileen schüttelt den Kopf. »Nein, nein, Ma'am. Nicht ... das. Constantines Freund, Connor, der war farbig. Aber weil Constantine ja das Blut von ihrem Daddy in sich drin hat, war ihr Baby ganz hell. Das ... kann's geben.«

Ich schäme mich dafür, dass ich gleich das Schlimmste gedacht habe. Aber ich verstehe immer noch nichts. »Warum hat mir Constantine nichts davon erzählt?«, frage ich, ohne mit einer Antwort zu rechnen. »Wie konnte sie sie wegschicken?«

Aibileen nickt vor sich hin, als ob das für sie das Klarste auf der Welt wäre. Aber mir ist es nicht klar. »Da war sie ja auch so elend, wie ich sie sonst nie gesehn hab. Bestimmt tausendmal hat sie gesagt, sie kann den Tag nicht erwarten, an dem sie sie wiederkriegt.«

»Sie sagten, es hatte mit dieser Tochter zu tun, dass Constantine gefeuert wurde? Was ist passiert?«

Aibileens Gesicht wird ausdruckslos. Der Vorhang hat sich

wieder geschlossen. Sie deutet mit dem Kinn auf die Miss-Myrna-Briefe, gibt mir deutlich zu verstehen, dass das alles ist, worüber sie zu reden bereit ist. Zumindest im Moment.

Später am Nachmittag schaue ich auf Hillys Football-Party vorbei. An der Straße parken Kombis und lange Buicks. Ich zwinge mich, das Haus zu betreten, weiß, dass ich die Einzige bin, die solo kommt. Das Wohnzimmer ist voll mit Paaren, die auf den Sofas, den Sesseln, den Armlehnen der Sessel sitzen. Ehefrauen sitzen aufrecht da, die Fußgelenke gekreuzt, während die Ehemänner sich gespannt vorbeugen. Aller Augen sind auf den Fernseher mit dem Holzgehäuse gerichtet. Ich bleibe im Hintergrund stehen, wechsle hier ein Lächeln, da ein lautloses Hallo. Bis auf den Sprecher ist es vollkommen still im Raum.

»Jaaaaaa!«, schreien alle, Arme werden emporgerissen, Frauen stehen auf und klatschen endlos. Ich knabbere an meiner Nagelhaut.

»Recht so, Rebels! Zeigt es diesen Tigers!«

»Vor-wärts, Re-bels!«, skandiert Mary Frances Truly und hüpft in ihrem Twinset auf und ab. Ich schaue auf meinen Fingernagel, wo ein Fetzchen Nagelhaut rot und brennend absteht. Das Zimmer ist angefüllt mit Bourbon-Dunst, rotem Wolljersey und Diamantringen. Ich frage mich, ob die Mädels sich wirklich etwas aus Football machen oder ob sie nur so tun, um ihre Männer zu beeindrucken. In den vier Monaten, die ich jetzt in der League bin, hat mich noch keine gefragt: »Was sagst du zu den Rebs?«

Ich plaudere mich zwischen mehreren Paaren hindurch, bis ich es in die Küche geschafft habe. Hillys großes, schlankes Dienstmädchen, Yule May, faltet gerade Teig um winzige Würstchen. Ein anderes farbiges Mädchen, jünger als sie, spült Geschirr. Hilly winkt mich zu sich, während sie mit Deena Doran redet.

»... besten Petits Fours, die ich je gekostet habe! Deena, ich würde sagen, du bist die begnadetste Köchin in der ganzen League!« Hilly stopft sich den Rest des Küchleins in den Mund, nickt und macht *mmmmm.*

»Oh, danke, Hilly, sie sind kompliziert zu machen, aber ich finde, es lohnt sich.« Deena strahlt, sieht aus, als kämen ihr gleich die Tränen vor Freude über Hillys Lob.

»Dann machst du's also? Oh, bin ich froh! Das Kuchenverkaufskomitee *braucht* jemanden wie dich.«

»Und wie viele wollt ihr haben?«

»Fünfhundert, bis morgen Nachmittag.«

Deenas Lächeln gefriert. »Okay. Ich ... kann ja die Nacht durcharbeiten.«

»Skeeter, du hast es doch noch geschafft«, sagt Hilly, und Deena verlässt die Küche.

»Ich kann nicht lange bleiben«, sage ich, vermutlich zu schnell.

»Hör zu, ich hab's in Erfahrung gebracht.« Hilly grinst. »Diesmal kommt er definitiv. Heute in drei Wochen.«

Ich beobachte, wie Yule Mays lange Finger Teig von einem Messer streifen, und seufze, weil mir sofort klar ist, wen Hilly meint. »Ich weiß nicht, Hilly. Du hast es so oft probiert. Vielleicht ist es ja ein Zeichen.« Letzten Monat hatte ich mir tatsächlich schon eine gewisse freudige Erregung gestattet, bis er dann schließlich einen Tag vorher absagte. Ich habe keine Lust, das nochmal mitzumachen.

»Was? Untersteh dich, so was zu sagen.«

»Hilly« – ich spanne die Kiefermuskeln an, weil es Zeit ist, es endlich auszusprechen –, »du weißt, dass ich bestimmt nicht sein Typ bin.«

»Schau mich an«, sagt sie. Und ich tue wie mir geheißen. Weil wir das Hilly gegenüber alle tun.

»Hilly, du kannst mich nicht nochmal ...«

»Das ist *dein* Moment, Skeeter.« Sie fasst meine Hand

und presst sie so fest zwischen Daumen und Fingern wie Constantine. »Du bist an der Reihe. Und ich werde verdammt nochmal nicht zulassen, dass du das in den Wind schlägst, nur weil deine Mutter dir eingeredet hat, du wärst nicht gut genug für einen wie ihn.«

Ihre bitteren, wahren Worte versetzen mir einen Stich. Und doch bin ich zutiefst beeindruckt von meiner Freundin, ihrem hartnäckigen Einsatz für mich. Hilly und ich waren immer schonungslos ehrlich zueinander, selbst in Kleinigkeiten. Anderen Leuten gegenüber arbeitet Hilly mit Lügen wie die Presbyterianer mit Schuldgefühlen, aber zwischen uns besteht diese stillschweigende Abmachung – absolute Offenheit, vielleicht das Einzige, was unsere Freundschaft aufrechterhalten hat.

Elizabeth bringt einen leeren Teller in die Küche. Sie lächelt, stutzt, und wir sehen uns alle drei an.

»Was ist?«, sagt Elizabeth. Mir ist klar, dass sie glaubt, wir hätten über sie geredet.

»In drei Wochen also?«, fragt Hilly mich. »Du kommst?«

»Oh, natürlich kommst du! Das ist doch gar keine Frage!«, sagt Elizabeth.

Ich blicke in ihre lächelnden Gesichter. Sie wollen mein Bestes. Das hier ist nicht wie Mutters Einmischung, es ist reines, lauteres Wohlwollen, ohne Haken und Ösen. Ich finde es grässlich, dass meine Freundinnen so etwas hinter meinem Rücken ausgeheckt und arrangiert haben. Ich finde es grässlich, aber ich finde es auch wunderbar.

Ich fahre zurück aufs Land, noch ehe das Spiel zu Ende ist. Durchs offene Cadillacfenster sehe ich abgeschlegelte, abgesengte Felder. Daddy hat vor einer Woche die letzte Ernte beendet, aber der Straßenrand ist immer noch verschneit mit Baumwolle, die im Gras hängt. Flusen wehen durch die Luft.

Ich schaue durchs Seitenfenster in den Briefkasten. Da sind der *Farmer's Almanac* und ein einzelner Brief. Er ist von

Harper & Row. Ich biege in die Zufahrt, knalle den Parkgang rein. Der Brief ist handgeschrieben, auf kleinem, quadratischem Notizpapier.

Miss Phelan,
gewiss können Sie Ihre Schreibtechnik an so abgestandenen,
emotionsfreien Themen wie Alkohol am Steuer und Analpha-
betismus schulen. Ich hatte allerdings gehofft, Sie würden Sujets
wählen, in denen etwas Feuer steckt. Suchen Sie weiter. Wenn
Sie etwas Authentisches gefunden haben, dann und nur dann
dürfen Sie mir wieder schreiben.

Ich schlüpfe an Mutters Esszimmerausguck vorbei, durch den Flur, wo Pascagoula, unsichtbar wie immer, Bilder abstaubt, und meine tückisch steile Treppe hinauf. Mein Gesicht brennt. Ich kämpfe gegen die Tränen an, befehle mir, mich zusammenzureißen. Das Schlimmste ist: Ich habe keine besseren Ideen.

Ich stürze mich in den nächsten Haushaltstipp, dann in den Newsletter der League. Schon die zweite Woche in Folge lasse ich Hillys Toiletteninitiative draußen. Eine Stunde später starre ich aus dem Fenster. Mein Exemplar von *Preisen will ich die großen Männer* liegt auf der Fensterbank. Ich gehe hin und nehme es weg, weil ich befürchte, der Papierumschlag mit dem Schwarzweißfoto der armen Pächterfamilie könnte im Licht ausbleichen. Das Buch ist sonnenwarm und schwer. Ich frage mich, ob ich je irgendetwas von Belang schreiben werde. Ich fahre herum, als ich Pascagoula an meine Tür klopfen höre. Und in dem Moment kommt mir die Idee.

Nein. Unmöglich. Das hieße … die Grenzen überschreiten.
Aber die Idee geht nicht wieder weg.

Aibileen

KAPITEL 7

Mitte Oktober ist die Hitzewelle endlich rum, und wir haben jetzt kühle zehn Grad. Morgens ist die Klobrille da draußen ganz schön kalt, und ich zuck zusammen, wenn ich mich draufsetz. Es ist nur eine kleine Kammer, die sie im Carport gebaut haben. Drinnen sind ein Klo und ein kleines Waschbecken an der Wand. Eine Ziehschnur für die Glühbirne. Das Klopapier muss ich auf den Boden stellen.

Wie ich bei Miss Caulier gearbeitet hab, war ihr Carport direkt am Haus, und ich brauchte nicht raus ins Freie. Und da, wo ich davor war, gab's einen Dienstmädchenbereich im Haus. Und ein eigenes kleines Schlafzimmer für mich, wenn ich am Abend die Kinder gehütet hab. Hier muss ich durch Wind und Wetter, um hinzukommen.

An einem Dienstagnachmittag nehm ich meinen Lunch mit raus auf die hinteren Stufen und setz mich auf den kühlen Zement. Hier hinten wächst Miss Leefolts Rasen nicht so richtig. Fast der ganze Garten liegt im Schatten von einem großen Magnolienbaum. Ich weiß jetzt schon, der Baum wird mal Mae Mobleys Plätzchen. So in fünf Jahren, wenn sie sich vor Miss Leefolt versteckt.

Nach einer Weile kommt Mae Mobley zur Hintertür rausgetapst, in der Hand die Hälfte von ihrem Hamburger. Sie guckt mich strahlend an und sagt: »Gut.«

»Warum bist du nicht drin bei deiner Mama?«, frag ich, aber

ich weiß schon warum. Sie sitzt lieber mit dem Dienstmädchen hier draußen, wie da drin zu ertragen, dass ihre Mama keinen Blick für sie übrig hat. Sie ist wie so ein Hühnerküken, das nicht weiß, wo es hingehört, und hinter den Enten herläuft statt hinter der Glucke.

Mae Mobley deutet auf die Drosseln, die sich für den Winter fertig machen und zwitschernd auf dem kleinen, grauen Vogelbrunnen sitzen. »Pi-piep!« Sie zeigt mit dem Finger und lässt ihren Hamburger runterfallen. Der alte Hühnerhund Aubie, um den sich nie einer kümmert, taucht aus dem Nichts auf und schlingt ihn runter. Ich hab mit Hunden nichts am Hut, aber der hier kann einem echt leidtun. Ich streichel ihm den Kopf. Ich wette, den Hund hat seit Weihnachten keiner mehr gestreichelt.

Wie Mae Mobley ihn sieht, quietscht sie und will ihn am Schwanz packen. Der wedelt ihr paarmal ins Gesicht, eh sie ihn zu fassen kriegt. Das arme Vieh jault und guckt sie mit diesem gottsjämmerlichen Hundeblick an, den Kopf verdreht, die Augenbrauen hochgezogen. Ich hör ihn regelrecht betteln, dass sie ihn loslässt. Er ist keiner, der beißt.

Damit sie ihn gehen lässt, sag ich: »Mae Mobley, wo ist denn dein Schwanz?«

Prompt lässt sie los und guckt nach. Ihr Kinn ist runtergeklappt, wie wenn sie nicht fassen könnt, dass ihr das die ganze Zeit entgangen ist. Sie dreht sich wacklig im Kreis, um ihr Hinterteil sehen zu können.

»Du hast doch keinen Schwanz.« Ich lach und fang sie auf, eh sie noch die Stufen runterfällt. Der Hund schnuppert rum, ob's irgendwo noch mehr Hackfleisch gibt.

Ich find's immer lustig, wie kleine Kinder alles glauben, was man ihnen sagt. Letzte Woche erst hab ich auf dem Weg zum Jitney-Supermarkt Tate Forrest getroffen, eins von meinen Babys von früher, lang, lang her. Um den Hals gefallen ist er mir, so hat er sich gefreut, mich zu sehen. Jetzt ist er ein erwachse-

ner Mann. Ich hatt's eilig, weil ich ja zu Miss Leefolt zurück-
gemusst hab, aber er hat angefangen zu lachen und davon zu
reden, wie ich ihn als kleinen Kerl immer veräppelt hab. Wie
ihm das erste Mal der Fuß eingeschlafen ist und er gesagt hat,
es kribbelt so, und wie ich ihm erklärt hab, das wär nur das
Schnarchen von seinem Fuß. Und wie ich ihm gesagt hab, er
soll keinen Kaffee trinken, sonst würd er farbig werden. Er
sagt, er hat bis heut keine Tasse Kaffee getrunken, und jetzt ist
er einundzwanzig. Es ist immer schön, wenn man sieht, dass
die Kinder gut geraten sind.

»Mae Mobley? Mae Mobley Leefolt!«

Miss Leefolt hat auch schon gemerkt, dass ihr Kind nicht
mehr im selben Zimmer ist wie sie. »Sie ist hier draußen bei
mir, Miss Leefolt«, sag ich durch die Fliegentür.

»Ich habe gesagt, du sollst in deinem Hochstuhl essen, Mae
Mobley. Wie bin ich bloß an dich gekommen, wenn alle mei-
ne Freundinnen kleine Engel haben …« Aber da klingelt das
Telefon, und ich hör sie davonstapfen, um dranzugehen.

Ich guck die Kleine an, seh Falten zwischen ihren Augenbrauen. Über irgendwas ist sie schwer am Grübeln.

Ich leg ihr die Hand auf die Wange. »Alles okay, Baby?«

Sie sagt: »Mae Mo bös.«

Sie sagt es, wie wenn's eine Tatsache wär, und das tut mir in
der Seele weh.

»Mae Mobley«, sag ich, weil mir auf einmal die Idee kommt,
was zu probieren. »Bist du ein schlaues Mädel?«

Sie guckt mich an, wie wenn sie's nicht weiß.

»Du bist schlau«, sag ich.

Sie sagt: »Mae Mo schlau.«

Ich sag: »Bist du ein liebes Mädel?«

Sie guckt mich an. Sie ist zwei. Sie weiß noch nicht, was sie ist.

Ich sag: »Du bist ein liebes Mädel.« Und sie nickt und sagt
es nach. Aber eh ich noch was sagen kann, steht sie auf und
jagt den armen Hund durch den Garten und lacht, und da

denk ich, was wohl passieren würd, wenn ich ihr jeden Tag was Gutes sagen würd.

Am Vogelbad dreht sie sich rum und lacht und ruft: »Hey, Aibee. Hab dich lieb, Aibee.« Und ich fühl so ein kitzeliges Gefühl, sacht wie Schmetterlingsflügel, wie ich sie da draußen spielen seh. Das Gleiche, was ich gefühlt hab, wenn ich Treelore zugeguckt hab. Und da dran zu denken macht mich irgendwie traurig.

Nach einer Weile kommt Mae Mobley rüber und drückt ihre Wange an meine und lässt sie da, wie wenn sie wüsst, dass ich traurig bin. Ich halt sie fest und flüster: »Du bist ein *schlaues* Mädel. Du bist ein *liebes* Mädel, Mae Mobley. Hörst du?« Und ich sag es immer wieder, so lang, bis sie's nachsagt.

Die nächsten paar Wochen sind für Mae Mobley so wichtig. Dabei erinnert sich wahrscheinlich niemand mehr, wie er das erste Mal in die Kloschüssel gemacht hat statt in die Windel. Und wahrscheinlich denkt auch niemand dran, wer's ihm beigebracht hat. Kein einziges von den Kindern, die ich aufgezogen hab, ist je zu mir gekommen und hat gesagt: *Aibileen, ich dank dir dafür, dass du mir gezeigt hast, wie man aufs Klo geht.*

Es ist eine heikle Sache. Wenn man das Kind zu früh dazu bringen will, dass es aufs Klo geht, macht man es nur verrückt. Es kriegt's noch nicht hin und denkt schlecht von sich. Aber die Kleine, die ist so weit, das weiß ich. Und sie weiß es auch. Aber, guter Gott, die lässt mich ganz schön rennen! Ich setz sie auf ihren hölzernen Klositz, damit ihr kleiner Popo nicht reinrutscht, und sowie ich ihr den Rücken zudreh, ist sie schon runtergeklettert und entwischt.

»Musst du Pipi, Mae Mobley?«

»Nein.«

»Du hast zwei Gläser Traubensaft getrunken, ich weiß, dass du musst.«

»Neiiin.«

»Ich geb dir einen Keks, wenn du für mich Pipi machst.«

Wir gucken uns eine Weile an. Sie fängt an, zur Tür rüberzuäugen. Ich hör nicht, dass sich was tut. Normal hab ich sie nach zwei Wochen so weit. Aber nur, wenn die Mamas mithelfen. Kleine Jungen müssen sehen, wie's ihr Daddy im Stehen macht, kleine Mädchen müssen sehen, wie ihre Mama sich dafür hinsetzt. Miss Leefolt lässt ihr Kind nie auch nur in die Näh, wenn sie aufs Klo geht, und das ist das Problem.

»Mach nur ein ganz bisschen für mich, Baby Girl.«

Sie schiebt die Unterlippe vor, schüttelt den Kopf.

Miss Leefolt ist beim Friseur, sonst würd ich sie wieder fragen, ob sie der Kleinen ein Beispiel gibt, auch wenn die Frau schon fünf Mal *nein* gesagt hat. Das letzte Mal, wie sie sich geweigert hat, war ich kurz davor, ihr zu sagen, wie viele Kinder ich aufgezogen hab, und sie zu fragen, wie viele es bei ihr sind, aber am End hab ich's doch hingenommen, wie ich's immer tu.

»Ich geb dir *zwei* Kekse«, sag ich, obwohl ihre Mama immer schimpft, dass sie wegen mir so dick ist.

Mae Mobley schüttelt den Kopf und sagt: »Du sollst.«

Na ja, es ist nicht das erste Mal, dass ich das hör, aber normalerweise komm ich drum rum. Andrerseits weiß ich, sie muss sehen, wie's geht, eh sie was macht. Ich sag: »Ich muss nicht.«

Wir gucken uns an. Sie zeigt wieder auf mich und sagt: »Du sollst.«

Dann fängt sie an zu weinen und rumzuzappeln, weil der Klositz ihr bisschen in den Popo schneidet, und ich weiß, was ich zu tun hab. Ich weiß nur nicht wie. Soll ich sie mit rausnehmen, in die Garage, auf mein Klo? Oder soll ich auf das Klo hier gehen? Aber wenn Miss Leefolt heimkommt und mich auf dem Klo hier sitzen sieht? Da kriegt sie einen Anfall.

Ich mach ihr die Windel wieder um, und wir gehen raus in die Garage. Vom Regen riecht's hier bisschen sumpfig. Selbst wenn das Licht brennt, ist es dunkel da drin, und da ist keine hübsche Tapete an der Wand wie in dem Klo im Haus.

Da sind nicht mal richtige Wände, nur zusammengenageltes Sperrholz. Ich frag mich, ob's ihr Angst machen wird.

»Okay, Baby Girl, da ist sie. Aibileens Toilette.«

Sie streckt den Kopf rein, und ihr Mund wird rund wie ein Cheerio. Sie sagt: »Oooooh.«

Ich zieh mein Unterzeug runter, mach ganz schnell, wisch mich ab und zieh alles wieder hoch, ehe sie irgendwas richtig sehen kann. Dann spül ich.

»Und so geht man aufs Klo«, sag ich.

Und sie staunt Bauklötze. Steht mit offenem Mund da, wie wenn sie ein Wunder gesehen hätt. Ich will wieder rausgehen, aber eh ich's mich verseh, hat sie ihre Windel runtergezogen, und dann klettert das kleine Äffchen doch tatsächlich aufs Klo, hält sich fest, dass es nicht reinfällt, und macht selbst Pipi.

»Mae Mobley! Du machst Pipi! Das ist toll!« Sie lacht, und ich fang sie schnell auf, eh sie doch noch reinplumpst. Wir rennen ins Haus, und sie kriegt ihre zwei Kekse.

Später setz ich sie auf ihr Klo, und sie macht nochmal Pipi für mich. Das ist das Schwerste, die ersten paar Mal. Am Ende des Tags hab ich das Gefühl, ich hab wirklich was geschafft. Langsam redet sie richtig gern, und es ist wohl nicht schwer zu erraten, was ihr neues Lieblingswort ist.

»Was hat Baby Girl heut gemacht?«

Sie sagt: »Pipi.«

»Was werden sie für heut in die Geschichtsbücher schreiben?«

Sie sagt: »Pipi.«

Ich sag: »Nach was riecht Miss Hilly?«

Sie sagt: »Pipi.«

Aber ich schelt mich dafür. Es war nicht christlich, und außerdem hab ich Angst, dass sie's irgendwann nachsagt.

Am späten Nachmittag kommt Miss Leefolt ganz auftoupiert heim. Sie hat eine Dauerwelle und riecht nach Psalmjack.

»Raten Sie mal, was Mae Mobley heut gemacht hat«, sag ich.
»Hat ihr Geschäft in die Toilette gemacht.«

»Oh, das ist ja großartig!« Sie nimmt ihre Tochter in den Arm, was ich wahrhaftig nicht oft seh. Und ich weiß, dass es ehrlich ist, weil Miss Leefolt *gar* nicht gern Windeln wechselt.

Ich sag: »Sie müssen drauf achten, dass sie von jetzt an auf die Toilette geht. Sonst kommt sie ganz durcheinander.«

Miss Leefolt lächelt, sagt: »Gut.«

»Mal sehn, ob sie's noch mal macht, eh ich heimgeh.« Wir gehen ins Bad. Ich mach ihr die Windel runter und setz sie aufs Klo. Aber die Kleine schüttelt den Kopf.

»Ach, komm, Mae Mobley, kannst du nicht für deine Mama ins Klo machen?«

»Neiiin.«

Schließlich nehm ich sie wieder runter. »Ist gut, du hast das heut schon ganz toll gemacht.«

Aber Miss Leefolt schnaubt und guckt die Kleine grimmig an. Eh ich ihr die Windel wieder ummachen kann, rennt die Kleine los, so schnell wie sie kann. Nackich flitzt sie durchs Haus. Ist schon in der Küche. Kriegt die Hintertür auf, rennt in die Garage, reckt sich nach der Klinke von meinem Klo. Wir rennen ihr nach, und Miss Leefolt zeigt mit dem Finger. Ihre Stimme rutscht mindestens zehn Töne hoch. »Das ist nicht deine Toilette!«

Die Kleine schüttelt den Kopf. *»Meine Lette!«*

Miss Leefolt reißt sie hoch und gibt ihr eins auf die Schenkel.

»Miss Leefolt, sie weiß nicht, was sie macht …«

»Gehen Sie ins Haus, Aibileen.«

Es ist mir arg, aber ich geh in die Küche. Ich bleib mitten in der Küche stehen und lass die Tür hinter mir auf.

»Ich habe dich nicht dafür erzogen, dass du auf die Farbigentoilette gehst«, hör ich sie zischen, weil sie wohl denkt, ich hör sie nicht. *Lady, Sie haben Ihr Kind* gar nicht *erzogen.*

»Hier ist es dreckig, Mae Mobley. Da holst du dir Krankheiten! Nein, nein, nein!« Und ich hör sie immer wieder auf die nackten Schenkel klatschen.

Gleich drauf schleppt Miss Leefolt sie rein wie einen Kartoffelsack. Ich kann nichts tun wie zugucken. Ich hab das Gefühl, mein Herz quetscht sich meine Gurgel rauf. Miss Leefolt schmeißt Mae Mobley vor dem Fernseher ab, marschiert in ihr Zimmer und knallt die Tür zu. Ich geh hin und nehm die Kleine in den Arm. Sie weint immer noch und ist ganz durcheinander.

»Tut mir so leid, Mae Mobley«, flüster ich. Ich verfluch mich dafür, dass ich sie überhaupt mit dort raus genommen hab. Aber ich weiß nicht, was sonst sagen, also halt ich sie einfach nur im Arm.

Wir sitzen da und gucken *Die kleinen Strolche,* bis Miss Leefolt wieder rauskommt und fragt, ob ich nicht längst Feierabend hab. Ich steck meinen Bus-Zehner in die Tasche. Drück Mae Mobley noch mal und flüster: »Du bist ein *schlaues* Mädel. Du bist ein *feines* Mädel.«

Auf der Heimfahrt seh ich gar nicht die großen Weißenhäuser am Busfenster vorbeiziehen. Ich red nicht mit den andern Dienstmädchen. Ich seh nur, wie die Kleine wegen mir geschlagen wird. Ich seh, wie sie Miss Leefolt sagen hört, ich bin dreckig und voll mit Krankheiten.

Der Bus gibt auf der State Street Gas. Wir fahren über die Woodrow-Wilson-Brücke, und ich press die Zähne so fest zusammen, dass ich Gefahr lauf, mir welche abzubrechen. Ich fühl, wie der bittre Sämling wächst, den ich in mir drin hab, seit Treelore gestorben ist. Ich will schreien, so laut, dass es die Kleine hört, dass Dreck keine Hautfarbe ist und Krankheit nicht der Negerteil von der Stadt. Ich will nicht, dass der Moment kommt, der bei jedem weißen Kind kommt – wenn sie anfangen zu denken, dass Farbige weniger wert sind wie Weiße.

Wir biegen in die Farish, und ich steh auf, weil wir gleich bei meiner Haltestelle sind. Ich bet, dass es für sie nicht der Moment war. Ich bet, dass ich noch Zeit hab.

Die nächsten paar Wochen läuft alles ganz friedlich. Mae Mobley hat jetzt Große-Mädchen-Unterhosen an. Ihr passiert fast nie ein Missgeschick. Nach der Sache in der Garage intressiert sich Miss Leefolt jetzt richtig für Mae Mobleys Klogeschäfte. Sie lässt sie sogar zugucken, wie sie aufs Klo geht, damit sie ein weißes Vorbild hat. Aber paarmal, wenn ihre Mama weg ist, erwisch ich die Kleine doch, wie sie auf mein Klo will. Manchmal schafft sie's, eh ich sie dran hindern kann.

»Hey, Miss Clark.« Robert Brown, der Junge, der Miss Leefolts Garten macht, kommt die Hintertreppe rauf. Draußen ist es schön kühl. Ich mach die Fliegentür auf.

»Hey, Junge, geht's gut?«, sag ich und tätschel ihm den Arm.

»Hab gehört, du machst jetzt alle Gärten hier in der Straße.«

»Yep, Ma'am. Hab zwei Mann, die für mich mähen.« Er grinst. Er ist ein hübscher Bursche, groß mit kurzem Haar. War mit Treelore auf der Highschool. Sie waren gute Freunde, haben zusammen Basketball gespielt. Ich berühr ihn wieder am Arm, weil ich das einfach noch mal fühlen muss.

»Wie geht's deiner Granmama?«, frag ich. Ich mag Louvenia, sie ist der sanftmütigste Mensch auf der Welt. Sie und Robert waren auf der Beerdigung. Das erinnert mich dran, was nächste Woche ist. Der schlimmste Tag vom Jahr.

»Sie ist stärker wie ich.« Er lacht. »Am Samstag komm ich bei Ihnen mähen.«

Treelore hat immer mein Gras gemäht. Jetzt macht es Robert, ohne dass ich ihn frag, will nie Geld dafür nehmen. »Danke, Robert. Das ist nett von dir.«

»Wenn Sie irgendwas brauchen, rufen Sie mich einfach an, okay, Miss Clark?«

»Danke, Junge.«

Ich hör die Türklingel und seh Miss Skeeters Wagen vor

dem Haus stehen. Miss Skeeter ist diesen Monat jede Woche zu Miss Leefolt gekommen, um mich Miss-Myrna-Sachen zu fragen. Sie fragt, wie man Kalkflecken wegkriegt, und ich sag, Weinsteinbackpulver. Sie fragt, wie man eine abgebrochene Glühbirne rausschraubt, und ich sag, rohe Kartoffel. Sie fragt, was zwischen ihrem vorigen Dienstmädchen Constantine und ihrer Mama war, und ich gefrier. Vor paar Wochen hab ich gedacht, wenn ich ihr bisschen was sag, über Constantines Tochter, lässt sie mich danach in Frieden. Aber Miss Skeeter fragt einfach weiter. Inzwischen ist mir klar, dass sie nicht kapiert, warum eine farbige Frau in Mississippi unmöglich ein weißhäutiges Baby aufziehen kann. Wär ein hartes, einsames Leben, wenn man weder da noch da hingehört.

Wenn Miss Skeeter mich fertig gefragt hat, wie man das sauberkriegt oder das in Ordnung bringt und wo Constantine ist, reden wir auch von anderen Sachen. Das ist mir mit meinen Ladys oder ihren Freundinnen nicht grad oft passiert. Ich hör mich erzählen, dass Treelore in der Schule nie was Schlechteres wie B-plus gekriegt hat oder dass mich der neue Diakon in der Kirche nervös macht, weil er so lispelt. Kleinigkeiten, aber Sachen, die ich normal nie einer Weißen erzählen würd.

Heute versuch ich ihr zu erklären, was der Unterschied zwischen Silberbad und Silberputzpaste ist und dass man in einem ordentlichen Haus das Silber nicht ins Tauchbad tunkt, weil das zwar schneller geht, die Sachen aber hinterher nicht so schön aussehen. Miss Skeeter legt den Kopf schief und runzelt die Stirn. »Aibileen, diese ... Idee, die Treelore hatte?«

Ich nick, fühl ein Prickeln im Nacken. Ich hätt das nie einer Weißen erzählen dürfen.

Miss Skeeter kneift die Augen zusammen, wie damals, wo sie von der Klosache angefangen hat. »Ich habe darüber nachgedacht. Ich wollte mit Ihnen reden ...«

Aber in dem Augenblick kommt Miss Leefolt in die Küche, erwischt die Kleine dabei, wie sie mit dem Kamm in meiner

Handtasche spielt, und meint, dass Mae Mobley heut schon früher baden soll. Ich sag Miss Skeeter Wiedersehen und geh Wasser einlassen.

Nachdem ich mich ein Jahr davor gefürchtet hab, ist der achte November jetzt da. Ich glaub, in der Nacht hab ich vielleicht zwei Stunden geschlafen. Ich wach im Morgengrauen auf und setz eine Kanne Community-Kaffee auf. Wie ich mich bück, um meine Strümpfe anzuziehen, tut mir der Rücken weh. Grad will ich zur Tür raus, da klingelt das Telefon.

»Wollt nur mal hören. Hast du schlafen können?«

»Ging so.«

»Ich bring dir heut Abend eine Karamelltorte rum. Und du wirst nichts weiter machen, wie in deiner Küche sitzen und das ganze Ding zum Abendessen verputzen.« Ich versuch zu lächeln, aber es wird nichts. Ich bedank mich bei Minny.

Heut vor drei Jahren ist Treelore gestorben. Aber in Miss Leefolts Kalender ist heut trotzdem Bödenschrubbtag. Es sind noch zwei Wochen bis Thanksgiving, und ich hab mit den Vorbereitungen jede Menge zu tun. Ich schrubb mich durch den Vormittag, über die Elf-Uhr-Nachrichten weg. Ich verpass meine Geschichten, weil die Ladys im Esszimmer eine Besprechung wegen dem Wohltätigkeitsball haben und ich den Fernseher nicht anmachen darf, wenn Besuch da ist. Und das ist gut so. Meine Muskeln sind so müd, dass sie zittern. Aber ich will in Bewegung bleiben.

So um vier kommt Miss Skeeter in die Küche. Eh sie auch nur hallo sagen kann, kommt schon Miss Leefolt hinter ihr hergestürzt. »Aibileen, ich habe gerade erfahren, dass Missus Fredericks morgen aus Greenwood kommt und bis nach Thanksgiving bleibt. Ich will das Silberservice geputzt und sämtliche Gästehandtücher gewaschen haben. Morgen gebe ich Ihnen die Liste, was sonst noch zu tun ist.«

Miss Leefolt guckt Miss Skeeter an und schüttelt den Kopf,

wie wenn sie sagen will, dass sie das schwerste Leben von der ganzen Stadt hat. Dann verschwindet sie wieder. Ich geh ins Esszimmer und hol das Silberservice. Herrgott, ich bin jetzt schon müd und muss ja auch noch am Samstagabend beim Wohltätigkeitsball arbeiten. Minny kommt nicht. Sie hat zu viel Angst, Miss Hilly über den Weg zu laufen.

Wie ich wieder in die Küche geh, wartet Miss Skeeter immer noch auf mich. Sie hat einen Miss-Myrna-Brief in der Hand.

»Sie wollen mich eine Putzfrage fragen?« Ich seufz. »Schießen Sie los.«

»Eigentlich nicht. Ich wollte nur … ich wollte Sie fragen … wegen neulich …«

Ich nehm einen Klecks Pine-Ola-Silberputzmittel und reib es auf die Silberkanne, nehm mir das Rosenmuster vor, die Tülle, den Griff. Gott, bitte lass es bald morgen werden. Ich war nicht am Grab. Ich kann nicht, es ist zu schwer …

»Aibileen? Alles in Ordnung?«

Ich hör auf zu reiben, schau Miss Skeeter an. Merk, dass sie die ganze Zeit mit mir geredet hat.

»'tschuldigung, ich … hab nur an was gedacht.«

»Sie sehen so traurig aus.«

»Miss Skeeter.« Ich fühl, wie mir Tränen in die Augen schießen, weil drei Jahre einfach nicht lang genug sind. Hundert Jahre werden nicht lang genug sein. »Kann ich Ihnen vielleicht morgen mit den Fragen helfen?«

Miss Skeeter will was sagen, lässt es dann aber bleiben. »Natürlich. Hoffentlich geht es Ihnen bald wieder besser.«

Ich putz das Silberservice fertig und wasch die Handtücher und sag dann Miss Leefolt, ich muss heim, obwohl es noch eine halbe Stunde zu früh ist und sie mir das Geld kürzen wird. Sie macht den Mund auf, wie wenn sie protestieren will, und ich lüg leise: *Ich hab mich übergeben müssen,* und sie sagt: *Gehen Sie.* Außer ihrer Mutter gibt's nämlich nichts, was Miss Leefolt mehr fürchtet wie Negerkrankheiten.

»Also dann. Ich bin in einer halben Stunde wieder da. Ich halte genau hier, um neun Uhr fünfundvierzig«, sagt Miss Leefolt durchs Beifahrerfenster. Miss Leefolt hat mich am Jitney 14 abgesetzt, damit ich kauf, was wir morgen noch für Thanksgiving brauchen.

»Und bringen Sie ihr den Kassenbon mit«, ruft Miss Fredericks, ihre böse alte Mama. Sie sitzen alle drei vorn, Mae Mobley in der Mitte eingequetscht. Sie guckt so unglücklich, dass man meinen könnt, sie sollt gleich eine Tetanusspritze kriegen. Arme Kleine. Diesmal ist Miss Fredericks zwei Wochen da.

»Und vergessen Sie mir den Truthahn nicht«, sagt Miss Leefolt. »Und zwei Dosen Cranberrysoße.«

Ich lächel. Ich koch ja auch erst Thanksgivingessen, seit Calvin Coolidge Präsident war.

»Hör auf zu zappeln, Mae Mobley«, faucht Miss Fredericks, »oder ich zwicke dich.«

»Miss Leefolt, sie kann doch mit mir in den Laden gehen. Mir einkaufen helfen.«

Miss Fredericks will meckern, aber Miss Leefolt sagt: »*Nehmen* Sie sie.« Und eh ich mich's verseh, ist die Kleine über Miss Fredericks' Schoß gekrochen und klettert aus dem Fenster in meine Arme, wie wenn ich der leibhaftige Erlöser wär. Ich nehm sie auf die Hüfte, und sie fahren los, Richtung Fortification Street, und die Kleine und ich, wir giggeln wie zwei Schulmädchen.

Ich drück die Metalltür auf, nehm einen Einkaufswagen, setz Mae Mobley vorn rein und steck ihre Beine durch die Löcher. Solang wie ich meine weiße Dienstmädchenuniform anhab, darf ich in diesem Jitney einkaufen. Ich vermiss die alten Zeiten, wo man einfach in die Fortification Street gehen konnte und da die Farmer mit ihren Karren waren und gerufen haben: »Süßkartoffeln, Butterbohnen, grüne Bohnen, Okra. Frischer Rahm, Buttermilch, Gelbkäse, Eier.« Aber der Jitney ist gar nicht so übel. Wenigstens haben sie eine gute Klimaanlage.

»Ooo-kay, Baby Girl. Gucken wir mal, was wir brauchen.«

Beim Gemüse such ich sechs Süßkartoffeln raus und drei Handvoll grüne Bohnen. Beim Fleisch hol ich eine geräucherte Schweinshaxe. Der Laden ist hell erleuchtet, alles ordentlich aufgebaut. Nicht wie der Farbigen-Piggly-Wiggly mit Sägemehl auf dem Boden. Hier sind hauptsächlich weiße Ladys, die lächelnd rumgehen, schon fertig frisiert und gesprayt für morgen. Vier, fünf Dienstmädchen kaufen ein, alle in ihrer Uniform.

»Rotes Hamham!«, sagt Mae Mobley, und ich lass sie die Cranberrydose halten. Sie lächelt sie an wie eine alte Freundin. Sie liebt das rote Hamham. Bei den Trockenwaren hiev ich den Kilobeutel Salz in den Einkaufswagen, zum Einlegen von dem Truthahn. Ich zähl die Stunden an den Fingern ab, zehn, elf, zwölf. Wenn der Vogel vierzehn Stunden in der Salzlake ziehen soll, tu ich ihn heut Nachmittag um drei rein. Dann komm ich morgen früh um fünf zu Miss Leefolt und brat den Truthahn die nächsten sechs Stunden. Ich hab schon zwei Maismehlbrote gebacken und auf der Arbeitsplatte liegen lassen, damit sie bisschen kross werden. Einen Apfelkuchen hab ich schon backfertig, und meine Maisbrötchen mach ich morgen früh.

»Alles fertig für morgen, Aibileen?« Ich dreh mich um und seh hinter mir Franny Coots. Sie geht in meine Kirche, arbeitet bei Miss Caroline in der Manship. »Hey, Süße, das sind aber feine dicke Beinchen«, sagt sie zu Mae Mobley. Mae Mobley leckt an der Cranberrydose.

Franny beugt den Kopf und sagt: »Schon gehört, was sie heut Morgen mit Louvenia Browns Enkelsohn gemacht haben?«

»Robert?«, frag ich. »Der, der die Gärten macht?«

»Ist im Pinchman-Gartenmarkt auf die Weißentoilette gegangen. Sagt, da war kein Schild dran. Zwei Weiße sind ihm nach und haben mit einem Montiereisen auf ihn eingeprügelt.«

O nein. Nicht *Robert*. »Ist … wird er …?«

Franny schüttelt den Kopf. »Sie wissen's nicht. Er ist im Krankenhaus. Ich hab gehört, er ist blind.«

»O Gott.« Ich mach die Augen zu. Louvenia. Sie ist die warmherzigste, gütigste Frau auf der Welt. Sie hat Robert großgezogen, nachdem ihre Tochter gestorben war.

»Arme Louvenia. Ich weiß nicht, warum die schlimmen Sachen immer den besten Menschen passieren«, sagt Franny.

An dem Nachmittag arbeit ich wie eine Verrückte: Zwiebeln und Sellerie fein schneiden, meine Füllung machen, die Süß-kartoffeln durchquetschen, die Bohnen putzen, Silber polieren. Ich hab gehört, heut Abend um halb sechs gehen die Leute zu Louvenia, für Robert beten, aber wie ich dann den Zehn-Kilo-Truthahn in die Salzlake hiev, kann ich kaum noch die Arme heben.

Ich bin erst um sechs mit Kochen fertig, zwei Stunden später wie normal. Ich weiß, ich hab nicht mehr die Kraft, an Louve-nias Tür zu klopfen. Muss es morgen machen, wenn ich nach dem Truthahn mit Aufräumen fertig bin. Ich schlepp mich von der Bushaltestelle heimwärts, kann kaum die Augen auf-halten. Ich bieg in die Gessum. Vor meinem Haus parkt ein dicker, weißer Cadillac. Und da ist Miss Skeeter, in einem ro-ten Kleid mit roten Schuhen sitzt sie auf meiner Eingangstrep-pe, wie wenn sie mit einem Lautsprecher jedem verkünden würd, dass sie da ist.

Ich schlepp mich durch meinen Vorgarten, frag mich, was jetzt wieder ist. Miss Skeeter steht auf, hält ihre Handtasche fest, wie wenn sie ihr geklaut werden könnt. In meine Gegend kommen keine Weißen, außer, sie kutschen das Dienstmäd-chen hin und her, und das ist mir grad recht so. Ich bedien den ganzen Tag weiße Leute, da müssen sie nicht auch noch zu Haus hinter mir herspionieren.

»Es stört Sie doch hoffentlich nicht, dass ich vorbeikomme«, sagt sie. »Ich ... ich wusste nicht, wo wir sonst reden könnten.«

Ich setz mich auf die Stufen, und jeder Wirbel von meinem Rückgrat tut weh. Die Kleine ist so nervös von ihrer Granmama, dass sie mich von oben bis unten bepinkelt hat, und so riech ich auch. Die Straße ist voll mit Leuten, die zu Louvenia wollen, um für Robert zu beten, und Kinder spielen draußen Ball. Alle gucken her, denken, ich werd grad gefeuert oder was.

»Ja, Ma'am«, seufz ich. »Was kann ich für Sie tun?«

»Ich habe eine Idee. Etwas, worüber ich schreiben möchte. Aber ich brauche Ihre Hilfe.«

Ich blas alle Luft aus mir raus. Ich mag Miss Skeeter, aber ehrlich. Ein Anruf wär doch nett gewesen. Bei einer weißen Lady würd sie nie aufkreuzen, ohne vorher anzurufen. Aber hier pflanzt sie sich einfach auf meine Stufen, wie wenn sie jedes Recht der Welt hätt, in meinen Feierabend reinzuplatzen.

»Ich möchte Sie interviewen. Wie es ist, als Dienstmädchen zu arbeiten.«

Ein Ball kullert in meinen Vorgarten. Der Jones-Bub rennt über die Straße, um ihn zu holen. Wie er Miss Skeeter sieht, bleibt er wie angewurzelt stehen. Dann rennt er weiter, schnappt sich den Ball, macht kehrt und flitzt davon, wie wenn er Angst hätt, sie käm hinter ihm her.

»Für die Miss-Myrna-Sachen?«, frag ich nicht grad begeistert. »Übers Putzen?«

»Nein, nicht für Miss Myrna. Ich spreche von einem Buch«, sagt sie und hat jetzt ganz weite Augen. Sie ist aufgeregt. »Geschichten darüber, wie es ist, bei einer weißen Familie zu arbeiten. Zum Beispiel bei … Elizabeth.«

Ich dreh den Kopf und schau sie an. Das hat sie mich also die letzten zwei Wochen in Miss Leefolts Küche fragen wollen. »Und Sie meinen, Miss Leefolt wär damit einverstanden? Dass ich Geschichten über sie erzähl?«

Miss Skeeters Augen gucken jetzt nach unten. »Na ja, nein. Ich dachte, wir sagen ihr nichts davon. Ich muss natürlich sicherstellen, dass die anderen Dienstmädchen es auch geheim halten.«

Ich runzel die Stirn, weil ich grad anfang zu kapieren, was sie da sagt. »Die andren Dienstmädchen?«

»Ich hatte gehofft, vier oder fünf zu finden. Um wirklich zu zeigen, wie es ist, in Jackson Dienstmädchen zu sein.«

Ich guck mich um. Wir sind hier mitten im Freien. Weiß sie denn nicht, wie gefährlich das sein kann, über so was zu reden, wenn einen alle Welt sehen kann? »Was für Geschichten wollen Sie denn hören?«

»Was sie bezahlt bekommen, wie sie behandelt werden, die Toilettensache, die Babys, alles, was sie bei den Familien erleben, an Gutem wie an Schlechtem.«

Sie sieht ganz aufgekratzt aus, wie wenn das eine Art Spiel wär. Einen Moment lang denk ich, ich bin vielleicht mehr wütend als müd.

»Miss Skeeter«, flüster ich, »klingt das für Sie nicht ziemlich gefährlich?«

»Nicht, wenn wir vorsichtig ...«

»Sch-scht, bitte. Wissen Sie, was mir blühen würd, wenn es zu Miss Leefolt käm, dass ich hinter ihrem Rücken über sie red?«

»Wir sagen es ihr nicht und auch sonst niemandem.« Sie spricht jetzt bisschen leiser, aber nicht leis genug. »Das sind vertrauliche Interviews.«

Ich starr sie einfach nur an. Ist sie verrückt? »Haben Sie das mit dem farbigen Jungen heut Morgen gehört? Auf den sie mit dem Montiereisen los sind, weil er *aus Versehen* die Weißentoilette benutzt hat?«

Sie guckt mich an, plinkert paarmal. »Ich weiß, die Situation ist momentan etwas instabil, aber das hier ist ...«

»Und meine Cousine Shinelle in Cauter County? Der haben sie das Auto angezündet, nur weil sie sich auf der Wahlstelle hat registrieren lassen.«

»So ein Buch hat noch niemand geschrieben«, sagt sie, jetzt endlich wirklich leis, weil ihr wohl doch noch dämmert, was Sache ist. »Es wäre bahnbrechend. Ein ganz neuer Blickwinkel.«

Paar Dienstmädchen gehen in ihren weißen Uniformen an meinem Haus vorbei. Sie gucken her, sehen mich mit einer Weißen auf meinen Eingangsstufen sitzen. Ich knirsch mit den Zähnen, weil ich jetzt schon weiß, dass mein Telefon heut Abend klingeln wird.

»Miss Skeeter« – ich sag's langsam, damit es ankommt –, »wenn ich da mitmach, kann ich mein Haus gleich selbst anzünden.«

Jetzt fängt Miss Skeeter an, auf ihrem Fingernagel rumzubeißen. »Aber ich habe doch schon …« Sie kneift die Augen zu. Ich will sie fragen, *was,* hab aber Angst, es zu hören. Sie langt in ihre Handtasche, zieht einen Zettel raus und schreibt ihre Telefonnummer drauf.

»Bitte, werden Sie wenigstens darüber nachdenken?«

Ich seufz, starr in den Vorgarten. So sanft, wie ich kann, sag ich: »Nein, Ma'am.«

Sie legt den Zettel zwischen uns auf die Stufe, steigt dann wieder in ihren Cadillac. Ich bin zu müd zum Aufstehen. Ich sitz einfach nur da und guck zu, wie sie ganz langsam die Straße langrollt. Die Buben mit dem Ball machen Platz, stehen reglos am Straßenrand, wie wenn's ein Leichenwagen wär.

Miss Skeeter

KAPITEL 8

Ich fahre Mamas Cadillac die Gessum Avenue hinunter. Ein kleiner farbiger Junge in Latzhosen beobachtet mich mit großen Augen, einen roten Ball an sich gedrückt. Ich schaue in den Rückspiegel. Aibileen in ihrer weißen Dienstmädchenuniform sitzt immer noch auf ihrer Eingangstreppe. Sie hat mich nicht mal angesehen, als sie *Nein, Ma'am* sagte. Sie hat nur auf diesen Flecken von gelbem Gras in ihrem Vorgarten gestarrt.

Ich habe wohl gedacht, es würde so sein wie die Besuche bei Constantine, wo freundliche Farbige lächelnd winkten, sich freuten, das kleine, weiße Mädchen zu sehen, dessen Daddy die große Farm gehörte. Aber hier mustern mich schmale Augen. Als mein Wagen näher kommt, dreht sich der kleine Junge um und flitzt hinter ein Haus gleich in Aibileens Nachbarschaft. Ein halbes Dutzend Farbige stehen und sitzen vor dem Haus, mit Papptabletts und Papiertüten. Ich massiere mir die Schläfen. Denke angestrengt nach, wie ich Aibileen doch noch überzeugen könnte.

Vor einer Woche klopfte Pascagoula an meine Zimmertür.

»Ferngespräch für Sie, Miss Skeeter. Eine Miss … Stern, glaub ich.«

»Stern?«, überlegte ich laut. Dann war ich plötzlich hellwach. »Meinen Sie … *Stein?*«

»Ich … ich glaub, das könnt's sein. Die Wörter klingen bei ihr alle so hart.«

Ich stürmte an Pascagoula vorbei und die Treppe hinunter. Aus irgendeinem idiotischen Grund strich ich dabei mein krisseliges Haar flach, als wäre es ein persönliches Treffen und kein Telefonat. In der Küche schnappte ich mir den baumelnden Hörer des Wandapparats.

Drei Wochen zuvor hatte ich den Brief auf weißem Strathmore-Papier getippt. Drei Seiten: die Grundidee, eine kurze Detailskizze und die Lüge. Die da lautete, ein tüchtiges, respektiertes farbiges Dienstmädchen habe eingewilligt, sich von mir interviewen zu lassen und genau zu schildern, wie es sei, für die weißen Frauen unserer Stadt zu arbeiten. Gegenüber der Alternativversion, dass ich *vorhätte,* eine Farbige um Hilfe zu bitten, war mir das unendlich viel überzeugender erschienen.

Ich dehnte die Hörerschnur bis in die Speisekammer, zog die Schalterschnur der nackten Glühbirne. Die Speisekammerwände haben von oben bis unten Borde, voll mit Pickles- und Suppengläsern, Sirup, eingemachtem Gemüse und Kompott. Das war mein alter Teenager-Trick, um ungestört telefonieren zu können.

»Hallo? Hier ist Eugenia.«

»Moment, bitte, ich stelle durch.« Ich hörte mehrfaches Klicken, dann eine sehr ferne Stimme, fast so tief wie von einem Mann: »Elaine Stein.«

»Hallo? Hier ist Skeet … Eugenia Phelan in Mississippi.«

»Ich weiß, Miss Phelan. Ich habe Sie ja angerufen.« Ich hörte ein Streichholz, ein kurzes, scharfes Einatmen. »Ihr Brief ist letzte Woche bei mir eingegangen. Ich habe dazu ein paar Fragen.«

»Ja, Ma'am.« Ich ließ mich auf eine hohe Blechdose mit King-Backmehl sinken. Mein Herz hämmerte, während ich meine Ohren anstrengte. Ein Telefongespräch aus New York knisterte und rauschte tatsächlich so, wie man es bei einer Strecke von tausend Meilen erwartet hätte.

»Wie sind Sie auf diese Idee gekommen? Haushaltshilfen zu interviewen. Das macht mich neugierig.«

Ich war wie gelähmt. Keine Begrüßung, kein einleitendes Geplauder, keine kurze Vorstellung ihrer Person. Das Beste war wohl, einfach auf ihre Frage zu antworten. »Ich ... ich bin von einer Farbigen großgezogen worden. Ich habe selbst erlebt, wie einfach ... und wie kompliziert es zwischen der Familie und dem Dienstmädchen sein kann.« Ich räusperte mich. Ich klang so steif, als spräche ich mit einer Lehrerin.

»Weiter.«

»Na ja« – ich holte tief Luft –, »ich möchte das gern aus der Sicht der Dienstmädchen zeigen. Der farbigen Frauen hier unten.« Ich versuchte mir Constantines Gesicht vorzustellen, Aibileens Gesicht. »Sie ziehen ein weißes Kind groß, und zwanzig Jahre später wird dann das Kind die Arbeitgeberin oder der Arbeitgeber. Die Ironie ist, wir haben sie wirklich gern und sie uns auch, aber ...« Ich schluckte, weil meine Stimme zitterte. »Wir lassen sie nicht mal die Toilette im Haus benutzen.«

Stille.

»Und«, fühlte ich mich genötigt fortzufahren, »jeder weiß, wie wir Weißen das sehen, die glorifizierte Mammy-Figur, die ihr ganzes Leben einer weißen Familie widmet. Das hat Margaret Mitchell behandelt. Aber niemand hat je Mammy gefragt, wie es für sie ist.« Schweiß tropfte mir auf die Brust, machte feuchte Flecken auf meiner Baumwollbluse.

»Sie wollen also eine Seite zeigen, die bisher niemand untersucht hat«, sagte Missus Stein.

»Ja. Weil nie jemand darüber spricht. Hier unten spricht nie jemand über irgendetwas.«

Elaines Lachen war wie ein Knurren. Ihre Aussprache knapp, Yankee-Akzent. »Miss Phelan, ich habe in Atlanta gelebt. Sechs Jahre, mit meinem ersten Mann.«

Ich klammerte mich an diese winzige Verbindung. »Dann …
dann wissen Sie ja, wie es ist.«

»Gut genug, dass es mich vertrieben hat«, sagte sie, und ich
hörte sie Rauch ausblasen. »Hören Sie, ich habe Ihr Exposé gelesen. Es ist zweifellos … originell, aber es wird nicht klappen.
Welches Dienstmädchen, das seine fünf Sinne beisammenhat,
würde Ihnen je die Wahrheit sagen?«

Ich sah Mutters rosa Pantoffeln an der Türritze vorbeiglei-
ten. Ich versuchte, sie zu ignorieren. Ich konnte nicht glauben,
dass Missus Stein meinen Bluff so schnell durchschaut hatte.
»Die erste, die ich befragen möchte, ist … ganz erpicht darauf,
ihre Geschichte zu erzählen.«

»Miss Phelan«, sagte Elaine Stein, und ich wusste, was jetzt
kam, war keine Frage. »Diese Negerin hat sich wirklich bereiterklärt, offen mit Ihnen zu reden? Über ihre Arbeit bei einer
weißen Familie? Das scheint doch verdammt riskant an einem
Ort wie Jackson, Mississippi.«

Ich war verdattert. Erstmals beschlich mich die Angst, dass
Aibileen vielleicht doch nicht so leicht zu überzeugen wäre.
Dabei hatte ich noch gar keine Vorstellung davon, was sie eine
Woche später auf ihrer Eingangstreppe zu mir sagen würde.

»Ich habe in den Nachrichten gesehen, wie sie die Integ-
ration dieses Busbahnhofs dort unten durchsetzen wollten«,
fährt Missus Stein fort. »Fünfzig Neger wurden in eine Zelle
gezwängt, die für vier gedacht war.«

Ich schob die Lippen vor. »Sie hat sich bereiterklärt. Hat
sie.«

»Tja, das ist allerdings beeindruckend. Aber glauben Sie
wirklich, dass nach ihr noch andere Dienstmädchen mit Ihnen reden werden? Was ist, wenn die Arbeitgeber dahinter-
kommen?«

»Die Interviews würden heimlich durchgeführt. Da, wie Sie
ja wissen, die Situation hier unten momentan ein bisschen gefährlich ist.« In Wahrheit hatte ich keine Ahnung, wie gefähr-

lich die Situation war. Die letzten vier Jahre hatte ich hübsch abgeschottet im College verbracht, mit der Lektüre von Keats und Eudora Welty und keiner anderen Sorge als meinen Hausarbeiten.

»Ein bisschen gefährlich?« Sie lachte. »Die Märsche in Birmingham, Martin Luther King. Hunde, die auf farbige Kinder losgelassen werden. Schätzchen, das ist das heißeste Thema der Nation. Aber, tut mir leid, dieses Projekt wird nicht klappen. Nicht als Artikel, weil keine Zeitung in den Südstaaten es bringen würde. Und ganz gewiss nicht als Buch. Ein Buch mit *Interviews* würde sich niemals verkaufen.«

»Oh«, hörte ich mich sagen. Ich schloss die Augen, fühlte, wie meine ganze Erregung in sich zusammenfiel. Wieder hörte ich mich »Oh« sagen.

»Ich habe Sie angerufen, weil es, ehrlich gesagt, eine hervorragende Idee ist. Aber ... es ist einfach unmöglich, das in den Druck zu bringen.«

»Aber ... wenn ...« Mein Blick huschte hektisch in der Speisekammer umher, suchte irgendetwas, um ihr Interesse wieder zu entfachen. Vielleicht *sollte* ich es als Artikel verkaufen, einer Zeitschrift vielleicht, aber sie hat ja gesagt, keine ...

»Eugenia, mit wem sprichst du da drinnen?« Mutters Stimme drang durch den Türspalt. Sie öffnete die Tür ein Stück, und ich zog sie mit einem Ruck wieder zu. Ich hielt die Sprechmuschel zu und zischte: »Ich telefoniere mit *Hilly*, Mutter ...«

»In der Speisekammer? Du benimmst dich wie ein Backfisch ...«

»Ich meine ...« Missus Stein schnalzte scharf mit der Zunge. »Ich könnte ja mal lesen, was dabei herauskommt. Das Buch-Business könnte weiß Gott mal einen Aufreger gebrauchen.«

»Das würden Sie tun? Oh, Missus Stein ...«

»Ich sage nicht, dass ich eine Veröffentlichung in Erwägung ziehe. Aber ... machen Sie das Interview, und ich werde Sie wissen lassen, ob es sich lohnt, dranzubleiben.«

Ich stammelte irgendetwas Unartikuliertes, schaffte schließlich ein: »*Danke*. Missus Stein, ich kann Ihnen gar nicht sagen, was mir Ihre Hilfe bedeutet.«

»Danken Sie mir nicht zu früh. Wenden Sie sich an Ruth, meine Sekretärin, wenn Sie sich mit mir in Verbindung setzen wollen.« Und sie legte auf.

Zum Bridgeclub am Mittwoch bei Elizabeth schleppe ich eine alte Büchertasche mit. Sie ist rot. Und hässlich. Und, zumindest heute, nur ein Requisit.

Es war die einzig auffindbare Tasche in Mutters Haus, die groß genug ist für die Miss-Myrna-Briefe. Das Leder ist rissig und stellenweise abgeblättert, und der breite Schulterriemen hinterlässt einen braunen Striemen auf meiner Bluse, wo sich die Lederfarbe abschubbert. Es war die Gartentasche meiner Großmutter Claire. Darin hat sie ihre Gartengerätschaften herumgetragen, und der Taschenboden ist immer noch mit Sonnenblumenkernen übersät. Die Tasche passt zu nichts, was ich besitze, und es ist mir egal.

»Zwei Wochen«, sagt Hilly und hält zwei Finger hoch. »Er kommt.« Sie lächelt, und ich lächle zurück. »Bin gleich wieder da«, sage ich und schlüpfe samt Tasche in die Küche.

Aibileen steht an der Spüle. »Tag«, sagt sie ruhig. Es ist eine Woche her, dass ich bei ihr zu Hause war.

Ich stehe ein Weilchen da und beobachte, wie sie den Eistee umrührt. An ihrer Haltung erkenne ich ihr Unbehagen, ihre Angst, ich könnte sie gleich wieder um ihre Hilfe bei dem Buch bitten. Ich ziehe ein paar Haushaltsfragen-Briefe heraus, und als sie die sieht, lockern sich ihre Schultern etwas. Während ich ihr eine Frage wegen Stockflecken vorlese, gießt sie ein bisschen Tee in ein Glas und kostet ihn. Sie löffelt noch mehr Zucker in den Krug.

»Oh, eh ich's vergess, ich hab jetzt die Antwort auf die Frage mit den Gläserringen. Minny sagt, einfach bisschen

Mayonnaise draufreiben.« Aibileen presst eine halbe Zitrone in den Tee aus. »Und dann hingehen und den nichtsnutzigen Ehemann rausschmeißen.« Sie rührt um, probiert. »Minny ist nicht so gut auf Ehemänner zu sprechen.«

»Danke, ich schreibe es mir gleich auf.« So beiläufig wie möglich ziehe ich einen Umschlag aus meiner Büchertasche. »Und hier, das wollte ich Ihnen geben.«

Aibileens Haltung wird wieder so angespannt wie eben, als ich in die Küche gekommen bin. »Was ist das?«, fragt sie, ohne nach dem Umschlag zu greifen.

»Für Ihre Hilfe«, sage ich leise. »Ich habe für jeden Artikel fünf Dollar beiseitegelegt. Das sind jetzt zusammen fünfunddreißig Dollar.«

Aibileens Blick richtet sich schnell wieder auf den Tee. »Nein, danke, Ma'am.«

»Bitte nehmen Sie es, Sie haben es verdient.«

Ich höre im Esszimmer Stühle über Holz schrappen, Elizabeths Stimme.

»Bitte, Miss Skeeter. Miss Leefolt kriegt einen Anfall, wenn sie dahinterkommt, dass Sie mir Geld geben«, flüstert Aibileen.

»Sie braucht es ja nicht zu erfahren.«

Aibileen sieht mich an. Das Weiße ihrer Augen ist gelblich, müde. Mir ist klar, was sie denkt.

»Ich hab's doch schon gesagt. Tut mir leid, aber ich kann Ihnen bei dem Buch nicht helfen, Miss Skeeter.«

Ich lege den Umschlag auf die Arbeitsplatte, weiß, dass ich einen schrecklichen Fehler gemacht habe.

»Bitte. Suchen Sie sich ein anderes farbiges Dienstmädchen. Jemand Junges. Jemand ... anders.«

»Aber ich kenne sonst keine gut genug.« Ich bin versucht, das Wort *befreundet* zu benutzen, aber so naiv bin ich doch nicht. Ich weiß, wir sind nicht befreundet.

Hilly steckt den Kopf durch die Tür. »Komm schon, Skeeter. Ich gebe jetzt.« Und sie verschwindet wieder.

»Ich fleh Sie an«, sagt Aibileen, »nehmen Sie das Geld weg, eh Miss Leefolt es noch sieht.«

Ich nicke verlegen. Ich stecke den Umschlag in meine Tasche und weiß, ich habe es nur noch schlimmer gemacht. Sie denkt, es ist Bestechung, damit sie sich von mir interviewen lässt. Bestechung, getarnt als Wohlwollen und Dankbarkeit. Ich hatte ihr das Geld sowieso geben wollen, sobald eine gewisse Summe zusammengekommen wäre, aber es stimmt: Es heute zu tun, war eine gezielte Strategie gewesen. Und jetzt habe ich Aibileen endgültig verprellt.

»Probier ihn doch einfach mal aus, Liebes. Er kostet elf Dollar. Da muss er doch gut sein.«

Mutter hat mich in der Küche in die Enge getrieben. Ich schaue zur Tür zum Flur, zur Tür zur seitlichen Veranda. Mutter kommt mit dem Ding näher, und ich bin abgelenkt, weil ihre Handgelenke so dünn wirken, ihre Arme, die das schwere Gerät tragen, so schwach. Sie drückt mich auf einen Stuhl, von wegen schwach, und quetscht eine furzende Tube mit klebrigem Zeug auf meinen Kopf aus. Zwei Tage verfolgt mich Mutter schon mit dem Magic Soft & Silky Shinalator.

Sie reibt mir das Zeug mit beiden Händen ins Haar. Ich spüre förmlich die Hoffnung in ihren Fingern. Es gibt keine Creme, um meine Nase zu begradigen oder mich einen Kopf kleiner zu machen. Keine Creme, um meinen fast durchscheinenden Augenbrauen elegante Dichte zu verleihen oder meine knochige Gestalt zu polstern. Und meine Zähne sind bereits ebenmäßig. Also bleibt nur das: mein Haar.

Mutter zieht mir eine Plastikhaube über den triefenden Kopf. Sie steckt einen an der Haube befestigten Schlauch in einen kastenförmigen Apparat.

»Wie lange dauert das, Mutter?«

Sie nimmt sich mit klebrigen Fingern die Gebrauchsanweisung vor. »Da steht, die Zauberglättungshaube aufsetzen, dann Gerät einschalten und warten, bis die Wunderwirkung ...«

»Zehn Minuten? Eine Viertelstunde?«

Ich höre ein Klicken, ein anschwellendes Rattern, dann spüre ich eine immer intensivere Wärme auf meinem Kopf. Aber plötzlich macht es *plopp!* Der Schlauch ist vom Gerät abgegangen und peitscht herum wie ein wild gewordener Feuerwehrschlauch. Mutter schreit auf, will ihn einfangen, greift daneben. Schließlich erwischt sie ihn und befestigt ihn wieder.

Sie atmet tief durch und nimmt wieder die Gebrauchsanweisung zur Hand. »Die Zauberhaube muss zwei Stunden ununterbrochen auf dem Haar bleiben, andernfalls ...«

»Zwei *Stunden?*«

»Ich sage Pascagoula, sie soll dir ein Glas Tee bringen, Liebes.« Mutter tätschelt mir die Schulter und entschwindet durch die Küchentür.

Zwei Stunden rauche ich und lese *Life.* Ich lese *Wer die Nachtigall stört* zu Ende. Schließlich greife ich mir das *Jackson Journal,* blättere darin herum. Heute ist Freitag, also sind keine Miss-Myrna-Tipps drin. Auf Seite vier lese ich: *Junger Mann verliert Augenlicht bei Streit wegen rassengetrennter Toiletten, Verdächtige in polizeilicher Vernehmung.* Es kommt mir irgendwie bekannt vor. Dann fällt es mir ein. Das muss Aibileens Nachbar gewesen sein.

Zweimal war ich diese Woche bei Elizabeth, in der Hoffnung, sie wäre nicht da und ich könnte mit Aibileen reden, sie irgendwie dazu bringen, mir doch zu helfen. Elizabeth saß an ihrer Nähmaschine, ganz darauf konzentriert, ein neues Kleid für Weihnachten fertigzubekommen, und es ist doch wieder so ein grünes Ding, billig und von schlechter Qualität. Sie muss einen Schnäppchentisch mit grünem Stoff geplündert haben. Ich wollte, ich könnte zu Kensington's gehen und ihr etwas Neues spendieren, aber schon das bloße Angebot würde sie zu Tode beschämen.

»Und? Weißt du schon, was du zu dem Date anziehen wirst?«, fragte mich Hilly, als ich das zweite Mal bei Elizabeth war. »Nächsten Samstag?«

Ich zuckte die Achseln. »Ich muss mir wohl was kaufen.«

In dem Moment brachte Aibileen ein Tablett mit Kaffee und stellte es auf den Tisch.

»Danke, Aibileen.« Elizabeth nickte ihr zu.

»O ja, danke, Aibileen«, sagte Hilly und tat Zucker in ihren Kaffee. »Ich muss sagen, Sie machen von allen Farbigen in der Stadt den besten Kaffee.«

»Danke, Ma'am.«

»Aibileen«, fuhr Hilly fort, »wie gefällt Ihnen Ihre neue Toilette draußen? Ist doch schön, eine eigene zu haben, oder?«

Aibileen starrte auf den Sprung im Esszimmertisch. »Ja, Ma'am.«

»Wissen Sie, das mit Ihrer neuen Toilette hat Mr Holbrook arrangiert, Aibileen. Er hat auch die Männer und das Baumaterial hergeschickt«, sagte Hilly lächelnd.

Aibileen stand einfach nur schweigend neben dem Tisch, und ich wünschte, ich wäre nicht da. *Bitte*, dachte ich, *bitte sagen Sie nicht danke.*

»Ja, Ma'am.« Aibileen zog eine Schublade auf und griff hinein, aber Hilly sah sie unverwandt an. Es war so offenkundig, was sie wollte.

Eine weitere Sekunde verging. Hilly räusperte sich, und schließlich senkte Aibileen den Kopf. »Danke, Ma'am«, flüsterte sie. Sie ging wieder in die Küche. Kein Wunder, dass sie nicht mit mir reden will.

Um zwölf Uhr nimmt mir Mutter die vibrierende Haube ab und wäscht mir das klebrige Zeug aus dem Haar, während ich den Kopf rückwärts über die Spüle beuge. Sie dreht mir schnell ein Dutzend Lockenwickler ein und setzt mich unter die Trockenhaube in ihrem Bad.

Eine Stunde später komme ich mit gerötetem Gesicht,

schmerzender Kopfhaut und einem Mordsdurst unter der Haube hervor. Mutter stellt mich vor den Spiegel, löst die Lockenwickler. Sie bürstet die Riesenkringel auf meinem Kopf aus.

Wir starren verblüfft in den Spiegel.

»Heiliger Strohsack«, sage ich. Alles, was ich denke, ist: *Das Date. Das Date ist nächstes Wochenende.*

Mutter lächelt fassungslos. Sie schimpft nicht mal wegen meiner Ausdrucksweise. Mein Haar sieht toll aus. Der Shinalator hat tatsächlich funktioniert.

KAPITEL 9

Am Samstag, dem Tag meines Dates mit Stuart Whitworth, sitze ich zwei Stunden unter dem Shinalator – die Wirkung hält offenbar nur bis zur nächsten Haarwäsche an. Als meine Haare trocken sind, gehe ich zu Kensington's und kaufe die flachsten Schuhe, die ich finde, sowie ein enges, schwarzes Kreppkleid. Ich hasse Kleidungskäufe, bin aber froh über die Ablenkung – einen Nachmittag lang zerbreche ich mir nicht den Kopf wegen Missus Stein oder Aibileen. Ich lasse die fünfundachtzig Dollar auf Mutters Kundenkonto anschreiben, da sie mich ja immer bearbeitet, dass ich mir neue Sachen kaufen soll. (»Etwas Vorteilhaftes für deine *Statur.*«) Ich weiß, Mutter würde das Dekolletee dieses Kleids aufs Schärfste missbilligen. So ein Kleid habe ich noch nie besessen.

Auf dem Parkplatz von Kensington's lasse ich den Wagen an, kann aber nicht losfahren, weil ich plötzlich solche Magenschmerzen habe. Ich umklammere das weißgepolsterte Lenkrad, sage mir zum zehnten Mal, dass es albern ist, mir etwas zu wünschen, das ich nie bekommen werde. Mir einzubilden, das Blau seiner Augen von einem Schwarzweißfoto zu kennen. Etwas für eine Chance zu halten, das nichts ist als Fotopapier und … und verschobene Abendessen. Aber das Kleid in Kombination mit meiner neuen Frisur sieht wirklich ziemlich gut aus. Und ich kann mir die Hoffnung nicht ausreden.

Vor vier Monaten hat mir Hilly das Foto gezeigt, an ihrem Swimmingpool. Sie bräunte sich in der Sonne, ich fächelte mich im Schatten. Mein Hitzeausschlag war im Juli ausgebrochen und hatte sich nicht wieder gelegt.

»Ich habe keine Zeit«, sagte ich. Hilly saß am Poolrand, ziemlich aus den Fugen von ihrer letzten Schwangerschaft, aber unerklärlich selbstbewusst in ihrem schwarzen Badeanzug. Ihr Bauch war dick und schlaff, ihre Arme und Beine waren jedoch schlank und hübsch wie immer.

»Ich habe dir doch noch gar nicht gesagt, wann er kommt«, meinte sie. »Und er ist ja aus einer so guten Familie.« Womit sie natürlich ihre eigene meinte. Er war ein Vetter zweiten Grades von William. »Lern ihn doch einfach mal kennen und schau, wie er dir gefällt.«

Ich schaute wieder auf das Foto. Er hatte klare, offen blickende Augen und hellbraunes lockiges Haar, war der Größte in der Gruppe von Männern an einem See. Aber sein Körper war halb von den anderen verdeckt. Bestimmt fehlte ihm ein Arm oder ein Bein.

»Da ist kein *Haken*«, sagte Hilly. »Frag Elizabeth, sie hat ihn letztes Jahr beim Wohltätigkeitsfest getroffen, als du auf dem College warst. Und außerdem ist er ewig mit Patricia van Devender gegangen.«

»Mit Patricia van Devender?« *Der schönsten Studentin der Ole Miss* zwei Jahre in Folge?

»Und er hat eine eigene Ölfirma, drüben in Vicksburg. Wenn es nichts wird, brauchst du also nicht zu befürchten, ihm jeden Tag in der Stadt über den Weg zu laufen.«

»Okay«, sagte ich schließlich, vor allem, damit Hilly Ruhe gab.

Als ich vom Kleidkauf nach Hause komme, ist es schon nach drei. Um sechs soll ich bei Hilly sein, um Stuart zu treffen. Ich schaue in den Spiegel. Die Locken krisseln an den Spitzen schon etwas. Aber ansonsten liegt mein Haar, wie es soll. Mutter war hocherfreut, als ich sagte, ich wolle den Shinalator noch einmal ausprobieren, und forschte nicht mal nach warum. Sie weiß nichts von meinem Date heute Abend, und wenn sie es irgendwie herausfände, bestünden die nächsten drei Monate nur aus Fragen wie »Hat er angerufen?« und »Was hast du falsch gemacht?«, falls nichts daraus wird.

Mutter und Daddy sind unten im Fernsehzimmer und feuern das Rebels-Basketballteam an. Mein Bruder Carlton sitzt mit seiner funkelnagelneuen Freundin auf dem Sofa. Die beiden sind heute Nachmittag von der LSU gekommen. Sie hat einen ordentlichen dunklen Pferdeschwanz und trägt eine rote Bluse.

Als ich Carlton allein in der Küche erwische, lacht er und zieht mich scherzhaft an den Haaren, als wären wir wieder Kinder. »Also, Schwesterchen, wie geht's?«

Ich erzähle ihm von dem Job bei der Zeitung und dass ich den Newsletter der League herausgebe. Und außerdem sage ich ihm, dass er gefälligst nach dem Studium wieder hierherziehen soll. »Du verdienst auch ein bisschen von Mutters Aufmerksamkeit. Ich bekomme hier mehr als meinen gerechten Anteil«, sage ich durch die Zähne.

Er lacht, als könnte er mit mir fühlen, aber wie sollte er? Er ist drei Jahre älter als ich und ein unglaublich gutaussehender Kerl, groß, mit welligem, blondem Haar, und er ist im letzten Jahr seines Jurastudiums an der LSU, geschützt durch hundertsiebzig Meilen schlecht asphaltierter Landstraße.

Als er zu seiner Freundin zurückgeht, suche ich Mutters Autoschlüssel, finde sie aber nirgends. Es ist schon Viertel vor fünf. Ich stelle mich in die Tür des Fernsehzimmers, versuche Mutters Augenmerk auf mich zu lenken. Sie überzieht Pferdeschwanz-Girl gerade mit einer Salve Fragen, nach ihrer Familie und wo diese herkommt, und Mutter lässt nicht locker, ehe sie nicht mindestens eine Person findet, über die sie verwandt

sind. Danach geht es darum, in welcher Studentinnenverbindung Pferdeschwanz-Girl an der Vanderbilt war, und schließlich kommt die Frage nach ihrem Silbermuster. Das ist besser
als ein Horoskop, sagt Mutter immer.

Pferdeschwanz-Girl sagt, ihr Familienmuster sei Chantilly,
aber sie werde sich ein neues Muster aussuchen, wenn sie hei-
rate. »Weil ich ja schließlich ein eigenständiger Mensch bin,
mit einem eigenen Geschmack und so.« Carlton tätschelt ihr
den Kopf, und sie drängt sich gegen seine Hand wie eine Katze. Beide schauen her und lächeln mich an.

»Skeeter«, sagt Pferdeschwanz-Girl quer durchs Zimmer,
»du hast ja so ein Glück, dass du aus einer Familie mit Fran-
cis-the-First-Muster kommst. Willst du's behalten, wenn du
heiratest?«

»Francis-the-First ist wirklich traumhaft«, sage ich und strah-
le sie an. »Also, ich hole immer die Gabeln heraus, nur um sie
anzuschauen.«

Mutter mustert mich misstrauisch. Ich bedeute ihr, in die
Küche zu kommen, aber es dauert zehn Minuten, bis sie es
tut.

»Wo in aller Welt sind deine Wagenschlüssel, Mama? Ich
komme noch zu spät zu Hilly. Ich übernachte heute dort.«

»Was? Aber Carlton ist doch da. Was soll denn seine neue
Freundin denken, wenn du etwas Besseres vorhast?«

Ich habe es ihr nicht früher gesagt, weil ich wusste, es würde
eine Debatte geben, Carlton hin oder her.

»Und Pascagoula hat einen Braten gemacht, und Daddy hat
schon Holz für ein schönes Kaminfeuer im Fernsehzimmer
bereitgelegt.«

»Draußen hat es dreißig Grad, Mama.«

»Jetzt hör mal zu. Dein Bruder ist da, und ich erwarte von
dir, dass du dich benimmst wie eine gute Schwester. Ich möchte nicht, dass du weggehst, ehe du dich nicht nett und ausgiebig mit seiner neuen Freundin unterhalten hast.« Sie schaut

auf ihre Armbanduhr, während ich mir ins Bewusstsein rufe, dass ich dreiundzwanzig bin. »Bitte, Liebes«, sagt sie, und ich seufze und trage ein verdammtes Tablett mit Mint Juleps zu den anderen hinein.

»Mama«, sage ich um fünf Uhr achtundzwanzig, wieder in der Küche. »Ich muss los. Wo sind deine Autoschlüssel? Hilly wartet auf mich.«

»Aber wir haben doch noch nicht mal die Würstchen im Teigmantel gegessen.«

»Hilly hat … einen Mageninfekt«, flüstere ich. »Und ihr Dienstmädchen kommt morgen nicht. Sie braucht mich für die Kinder.«

Mutter seufzt. »Das heißt ja wohl, dass du auch mit ihnen in die Kirche gehst. Und ich dachte, wir könnten morgen alle gemeinsam gehen, die ganze Familie. Und ein schönes Sonntagsessen zusammen genießen.«

»Mama, bitte«, sage ich und krame in dem Korb, wo sie die Schlüssel normalerweise aufbewahrt. »Deine Schlüssel sind *nirgends.*«

»Du kannst den Cadillac nicht über Nacht haben. Das ist doch unser guter Wagen für die Kirche.«

In dreißig Minuten wird er bei Hilly sein. Ich habe mit Hilly abgemacht, dass ich mich dort erst umziehe und zurechtmache, damit Mutter nichts merkt. Daddys neuen Pick-up kann ich nicht nehmen. Der ist voll mit Dünger, und ich weiß, er braucht ihn morgen bei Tagesanbruch.

»Okay, dann nehme ich den alten Pick-up.«

»Ich glaube, da ist ein Anhänger dran. Geh und frag deinen Daddy.«

Aber Daddy kann ich nicht fragen, da ich mich nicht mit drei weiteren Leuten auseinandersetzen will, die gekränkt dreinschauen, weil ich aus dem Haus gehe, also schnappe ich mir die Schlüssel des alten Pick-ups, sage: »Macht nichts. Ich fahre direkt zu Hilly«, und stürze nach draußen, nur um feststellen zu müssen, dass an dem alten Pick-up nicht nur ein An-hänger hängt, sondern auch noch ein Halbtonner-Traktor auf ebendiesem Anhänger steht.

Also fahre ich zu meinem ersten Date seit zwei Jahren in ei-nem roten 1941er Chevrolet-Allrad mit einem John-Deere-Motorgrader hintendran. Der Motor mühlt und spuckt, und ich frage mich, ob der Pick-up es schaffen wird. Lehmklum-pen spritzen hinter mir durch die Luft. Auf der großen Straße geht der Motor aus, und durch das Rucken fliegen mein Kleid und meine Tasche auf den dreckigen Wagenboden. Ich muss die Kiste zweimal wieder anlassen.

Um siebzehn Uhr fünfundvierzig schießt plötzlich etwas Schwarzes vor mir auf die Straße und ich spüre einen Schlag. Ich will anhalten, aber mit einer Tonne Last im Rücken bremst es sich nicht so leicht. Ich stöhne und fahre an den Straßen-rand. Ich muss nachsehen. Erstaunlicherweise steht die Katze auf, schaut sich benommen um und flitzt dann so schnell wie-der in den Wald, wie sie aufgetaucht ist.

Drei Minuten vor sechs, nachdem ich mit zwanzig Meilen eine Tempo-fünfzig-Strecke entlanggekrochen bin, verfolgt von hupenden Autos und johlenden Teenagern, parke ich ein Stück vor Hillys Haus, weil ihre Sackgasse mit Wendeschlei-fe keine ausreichenden Parkmöglichkeiten für Landmaschinen bietet. Ich schnappe mir meine Tasche und stürze schließlich, ohne auch nur anzuklopfen, zur Haustür hinein, völlig außer Atem, verschwitzt und windzerzaust, und da sind sie, zu dritt, mein Date inklusive. Sitzen im vorderen Wohnzimmer und trinken Highballs.

Ich erstarre in der Diele: Alle drei schauen mich an. William und Stuart stehen auf. Gott, ist er groß, mindestens zehn Zen-timeter größer als ich. Hillys Augen sind weit aufgerissen, als sie mich am Arm packt. »Jungs, wir sind gleich wieder da. Bleibt einfach hier sitzen und unterhaltet euch über Quarter-backs oder so was.«

Hilly bugsiert mich hastig in ihr Ankleidezimmer, und wir stöhnen beide. Es ist die totale Katastrophe.

»Skeeter, du hast nicht mal Lippenstift drauf! Dein Haar sieht aus wie ein Rattennest!«

»Ich weiß, o Gott, guck dir das an!« Keine Spur mehr vom Shinalator-Wunder. »Der Pick-up hat keine Klimaanlage. Ich musste die verdammten Fenster aufmachen.«

Ich wasche mir das Gesicht, und Hilly setzt mich an ihren Schminktisch. Sie fängt an, mein Haar zu bürsten, wie es meine Mutter immer getan hat, dreht es auf Riesenlockenwickler und besprüht es mit Final Net.

»Und? Was hältst du von ihm?«, fragt sie.

Ich seufze und schließe meine ungeschminkten Augen. »Er sieht gut aus.«

Ich schmiere mir Make-up aufs Gesicht, weiß aber kaum, wie das geht. Hilly schaut mich an, reibt es mit einem Kosmetiktüchlein wieder weg, trägt neues auf. Ich schlüpfe in das schwarze Kleid mit dem tiefen V-Ausschnitt und die flachen Delman-Schuhe. Hilly bürstet mir rasch das Haar wieder aus. Ich wasche mich mit einem feuchten Lappen unter den Achseln, und sie verdreht die Augen.

»Ich habe eine *Katze* angefahren«, sage ich.

»Er wartet schon zwei Drinks lang auf dich.«

Ich stehe auf und zupfe mir das Kleid zurecht. »Okay«, sage ich, »wie sehe ich aus? Von eins bis zehn.«

Hilly mustert mich von oben bis unten, ihr Blick bleibt am Dekolletee hängen. Sie hebt die Augenbrauen. Ich habe noch nie im Leben meinen Busengraben gezeigt, hatte schon ganz vergessen, dass ich überhaupt einen besitze.

»Sechs«, sagt sie, als wäre sie selbst überrascht.

Eine Sekunde schauen wir uns an. Hilly quietscht entzückt, und ich lächle zurück. Noch nie hat sie mir mehr als vier Punkte gegeben.

Als wir wieder ins vordere Wohnzimmer kommen, zeigt

William gerade mit dem Finger auf Stuart. »Ich werde für diesen Sitz kandidieren, und ich sage dir, mit Hilfe deines Vaters ...«

»Stuart Whitworth«, verkündet Hilly, »ich möchte dir Skeeter Phelan vorstellen.«

Er steht auf, und einen Moment lang ist in meinem Kopf absolute Stille. In einer Art Selbstfolter zwinge ich mich, ihn anzusehen, während er mich mustert.

»Stuart war an der University of Alabama«, sagt William und ergänzt seine erhellende Bemerkung mit dem Football-schlachtruf »Roll Tide«.

»Schön, Sie kennenzulernen.« Stuart wirft mir ein kurzes Lächeln zu. Dann nimmt er einen ausgiebigen Schluck von seinem Drink, bis ich die Eiswürfel an seinen Zähnen klicken höre. »Also, wohin gehen wir?«, fragt er William.

Wir fahren mit Williams Oldsmobile zum Robert E. Lee Hotel. Stuart hält mir die Wagentür auf und setzt sich neben mich auf den Rücksitz, beugt sich dann aber während der ganzen Fahrt über die Sitzlehne, um mit William zu reden.

Am Tisch rückt er einen Stuhl für mich ab, und ich setze mich, lächle und sage danke.

»Einen Drink?«, fragt er, ohne in meine Richtung zu schauen.

»Nein, danke. Nur Wasser bitte.«

Er dreht sich zum Kellner und sagt: »Doppelten Old Kentucky ohne Eis und Wasser extra.«

Nach seinem – meiner Rechnung nach – fünften Bourbon sage ich schließlich: »Hilly hat mir erzählt, Sie sind im Öl-geschäft. Das muss ja interessant sein.«

»Es bringt gutes Geld, falls es das ist, was Sie eigentlich wissen möchten.«

»Oh, ich ...« Aber ich verstumme, weil er den Hals reckt und irgendwo hinschaut. Ich folge seinem Blick und sehe, dass er eine Frau am Ausgang anstarrt, eine vollbusige Blondine mit rotem Lippenstift und einem engen grünen Kleid.

William dreht sich um, will wissen, was Stuart so interessiert, dreht sich dann aber schnell wieder zurück. Er schaut Stuart mit einem kaum merklichen Kopfschütteln an, und ich erkenne jetzt, dass die beiden, die da zur Tür hinausgehen, Hillys ehemaliger Freund Johnny Foote und seine neue Frau Celia sind. William und ich blicken uns kurz an, beide gleichermaßen froh, dass Hilly sie nicht gesehen hat.

»Mensch, die Frau ist heiß wie eine Teerdecke in Tunica«, sagt Stuart leise, und das ist wohl der Moment, ab dem mir der Fortgang des Abends egal ist.

Irgendwann sieht Hilly mich forschend an. Ich lächle, als ob alles bestens wäre, und sie lächelt zurück, froh, dass es nach Plan läuft. »William! Eben ist der Vizegouverneur hereingekommen. Lass uns mit ihm sprechen, bevor er sich hinsetzt.«

Sie gehen beide davon, und wir, die vermeintlichen Turteltäubchen, bleiben auf unserer Tischseite zurück und starren auf all die glücklichen Paare im Raum.

»Und?«, sagt er, wobei er den Kopf kaum in meine Richtung dreht. »Gehen Sie je zu den Footballmatches in Alabama?«

Ich habe es nicht mal ins Colonel-Field-Stadion geschafft, und das war keine fünftausend Meter von meinem Bett entfernt. »Nein, ich bin nicht so ein Footballfan.« Ich schaue auf meine Armbanduhr. Noch nicht mal Viertel nach sieben.

»Ach.« Er beäugt den Drink, den ihm der Kellner gebracht hat, als würde er ihn am liebsten auf einmal hinunterkippen. »Tja, was fangen Sie dann mit Ihrer Zeit an?«

»Ich schreibe … eine hauswirtschaftliche Kolumne für das *Jackson Journal*.«

Er runzelt die Stirn, lacht dann. »Hauswirtschaftlich? Sie meinen … Haushaltskram?«

Ich nicke.

»Himmel.« Er schwenkt sein Glas. »Ich kann mir nichts Schlimmeres vorstellen, als eine Kolumne darüber zu lesen, wie man ein Haus putzt«, sagt er, und ich bemerke, dass sein einer Schneidezahn ein ganz klein wenig schief ist. Ich würde ihm diese Unvollkommenheit liebend gern unter die Nase reiben, aber er beendet seinen Gedankengang mit: »Außer vielleicht, sie zu schreiben.«

Ich starre ihn nur an.

»Klingt für mich wie eine List, um einen Mann zu finden – Haushaltsexpertin zu werden.«

»Hey, Sie müssen ein Genie sein. Sie haben meinen ganzen Plan durchschaut.«

»Ist das nicht das Hauptfach von euch Ole-Miss-Studentinnen? Professionelle Ehemännerjagd?«

Ich schaue ihn sprachlos an. Ich mag ja seit Jahren kein Date mehr gehabt haben, aber was glaubt er, wer er ist?

»Entschuldigung, aber hat man Sie als Baby auf den Kopf fallen lassen?«

Er sieht mich verdutzt an, dann lacht er zum ersten Mal an diesem Abend.

»Nicht, dass es Sie etwas anginge«, sage ich, »aber irgendwo musste ich anfangen, wenn ich Journalistin werden will.« Einen Moment lang glaube ich ihn wirklich beeindruckt zu haben. Aber dann kippt er den Drink, und der Gesichtsausdruck ist weg.

Das Essen kommt, und im Profil ist seine Nase ein bisschen spitz. Seine Augenbrauen sind zu dick, und sein hellbraunes Haar ist zu drahtig. Wir sagen kaum noch etwas, jedenfalls nicht zueinander. Hilly plaudert, wirft uns immer wieder Bälle zu wie: »Stuart, Skeeter wohnt auf einer Plantage gleich nördlich der Stadt. Ist der Senator nicht auf einer Erdnussfarm aufgewachsen?«

Stuart bestellt noch einen Drink.

Als Hilly und ich auf die Toilette gehen, lächelt sie mich hoffnungsfroh an. »Was sagst du?«

»Er ist ... groß«, antworte ich, verblüfft, wie ihr entgangen sein kann, dass mein Date nicht nur unglaublich unhöflich, sondern auch sturzbetrunken ist.

Endlich ist das Essen beendet, und er und William teilen sich die Rechnung. Stuart steht auf und hilft mir in die Jacke. Wenigstens hat er gute Manieren.

»Guter Gott, ich habe noch nie eine Frau mit so langen Armen gesehen«, sagt er.

»Nun ja, und ich habe noch nie jemanden mit einem solchen Alkoholproblem gesehen.«

»Ihre Jacke riecht wie …« Er beugt sich hinunter, beschnuppert sie und verzieht das Gesicht. »*Dünger.*«

Er marschiert in Richtung Herrentoilette davon, und ich wünschte, ich könnte mich in Luft auflösen.

Während der gesamten Autofahrt, drei endlose Minuten, herrscht absurdes Schweigen.

Wir gehen wieder in Hillys Haus. Yule May erscheint in ihrer weißen Uniform, sagt: »Alles in Ordnung, sind brav schlafen gegangen« und schlüpft zum Hinterausgang hinaus. Ich entschuldige mich und verschwinde auf die Toilette.

»Skeeter, kannst du Stuart nach Hause fahren?«, fragt William, als ich wieder herauskomme. »Ich bin hundemüde, du nicht auch, Hilly?«

Hilly sieht mich an, als ob sie herauszufinden versucht, was ich möchte. Ich dachte, ich hätte es deutlich gemacht, indem ich zehn Minuten auf der Toilette blieb.

»Sie … haben Ihren Wagen nicht hier?«, frage ich die Luft vor Stuart.

»Ich glaube nicht, dass mein Cousin in der Verfassung ist, Auto zu fahren.« William lacht. Wieder schweigen alle.

»Ich bin mit einem Pick-up hier«, sage ich. »Ich würde Sie ungern …«

»Ach was«, meint William und klopft Stuart auf den Rücken. »Stuart macht's nichts aus, im Pick-up zu fahren, stimmt doch, alter Junge?«

»William«, sagt Hilly, »fahr du doch, und Skeeter kann mit-fahren.«

»Ich nicht, ich bin selbst zu betrunken«, sagt William, obwohl er uns hierhergefahren hat.

Schließlich gehe ich einfach zur Haustür hinaus. Stuart folgt mir, verliert kein Wort darüber, dass ich nicht vor Hillys Haus oder in ihrer Einfahrt geparkt habe. Als wir zu meinem Pick-up kommen, bleiben wir beide stehen und starren auf den fünf Meter langen Traktor, der an meinem Vehikel hängt.

»Das Ding haben Sie ganz allein hierhergezogen?«

Ich seufze. Ich bin großgewachsen und habe mich nie beson-ders zierlich, feminin oder mädchenhaft gefühlt, aber dieser Traktor! Darin scheint sich so vieles zu verkörpern.

»Das ist verdammt noch mal das Komischste, was ich je gesehen habe«, sagt er.

Ich trete einen Schritt von ihm weg. »Hilly kann Sie nach Hause bringen«, sage ich. »Hilly wird Sie fahren.«

Er dreht sich zu mir und fokussiert – mit ziemlicher Sicher-heit erstmals an diesem Abend – seine Augen auf mich. Als ich etliche lange Sekunden unter seinem musternden Blick dage-standen habe, kommen mir die Tränen. Ich bin so unendlich müde.

»Ach, Mist«, sagt er, und sein Körper lockert sich. »Hören Sie, ich habe Hilly gesagt, ich bin noch nicht bereit für ein ver-dammtes Date.«

»Nicht ...«, sage ich, weiche ein Stück zurück, drehe mich um und gehe wieder ins Haus.

Am Sonntagmorgen stehe ich früh auf, vor Hilly und William, vor den Kindern und dem Kirchgangsverkehr. Den rumpeln-den Traktor im Schlepptau, fahre ich nach Hause. Von dem Düngergeruch fühle ich mich verkatert, obwohl ich gestern Abend nichts als Wasser getrunken habe.

Nach der Szene in der Einfahrt bin ich in Hillys Haus zurückgegangen, und Stuart musste mir wohl oder übel folgen. Ich klopfte an Hillys Schlafzimmertür und fragte William, der schon den Mund voll Zahnpasta hatte, ob er Stuart bitte nach Hause fahren könne. Ehe er irgendetwas sagen konnte, verschwand ich nach oben ins Gästezimmer.

Jetzt steige ich auf der Veranda über Daddys Hunde und betrete das Haus meiner Eltern. Als ich Mutter sehe, umarme ich sie. Sie will sich mir entziehen, aber ich kann sie nicht loslassen.

»Was ist, Skeeter? Du hast dir doch nicht Hillys Mageninfekt geholt?«

»Nein, alles in Ordnung.« Ich wollte, ich könnte ihr von gestern Abend erzählen. Ich habe ein schlechtes Gewissen, weil ich nicht netter zu ihr bin, weil ich sie nie brauche, außer mein Leben läuft schief. Ich habe ein schlechtes Gewissen, weil ich wünschte, Constantine wäre statt ihrer hier.

Mutter patscht mein windzerzaustes Haar flach, das mich mit Sicherheit mindestens zehn Zentimeter größer macht. »Bist du sicher, dass du nichts hast?«

»Mir geht's gut, Mama.« Ich bin zu müde, um Widerstand zu leisten. Es schmerzt, als hätte mich jemand in den Magen getreten. Mit Stiefeln. Es geht nicht weg.

»Weißt du«, sagt sie lächelnd, »ich glaube, das könnte die Richtige für Carlton sein.«

»Fein, Mama«, erwidere ich. »Das freut mich wirklich für ihn.«

Am nächsten Vormittag um elf klingelt das Telefon. Zum Glück bin ich in der Küche und nehme ab.

»Miss Skeeter?«

Ich erstarre, schaue dann hinaus zu Mutter, die am Esszimmertisch ihr Scheckbuch inspiziert. Pascagoula holt gerade einen Braten aus dem Ofen. Ich gehe in die Speisekammer und mache die Tür zu.

»Aibileen?«, flüstere ich.

Sie sagt eine Sekunde nichts, platzt dann heraus: »Was ist …
was ist, wenn Ihnen das nicht gefällt, was ich zu sagen hab?
Über die Weißen, mein ich.«

»Ich … ich … es geht nicht um meine Meinung«, sage ich.
»Wie ich es finde, ist egal.«

»Aber woher weiß ich, dass Sie nicht bös auf mich werden
und es an mir auslassen?«

»Ich … Sie müssen mir wohl einfach … vertrauen.« Ich halte
den Atem an, hoffe, warte. Es folgt eine lange Schweigepause.

»Heiliger, ich glaub, ich mach's.«

»*Aibileen.*« Mein Herz pocht wild. »Sie ahnen ja gar nicht,
wie froh ich …«

»Miss Skeeter, wir müssen aber wirklich aufpassen.«

»Das werden wir, *versprochen.*«

»Und Sie müssen meinen Namen ändern. Meinen, den von
Miss Leefolt und überhaupt alle.«

»Natürlich.« Das hätte ich selbst ansprechen sollen. »Wann
können wir uns treffen? *Wo* können wir uns treffen?«

»In der Weißengegend geht's nicht, so viel steht fest. Ich
denk … wir müssen es bei mir machen.«

»Kennen Sie noch irgendwelche anderen Dienstmädchen,
die vielleicht interessiert wären?«, frage ich, obwohl Missus
Stein sich nur bereit erklärt hat, ein Interview zu lesen. Aber
ich muss vorbereitet sein, es besteht ja immerhin eine winzige
Chance, dass sie es gut findet.

Aibileen schweigt einen Moment. »Ich könnt wohl Minny
fragen. Aber die ist nicht grad scharf drauf, mit Weißen zu
reden.«

»Minny? Sie meinen … das ehemalige Mädchen von Missus
Walters«, sage ich, und plötzlich wird mir bewusst, wie inzes-
tuös die Sache wird. Ich würde nicht nur geheime Schlüssel-
lochblicke in Elizabeths Leben werfen, sondern auch in Hillys.

»Minny hätt garantiert paar Geschichten zu erzählen.«

»Aibileen«, sage ich. »Danke. Vielen, vielen Dank.«

»Ja, Ma'am.«

»Ich … muss Sie das einfach fragen. Was hat Sie dazu ge-bracht, Ihre Meinung zu ändern?«

Aibileen überlegt keinen Augenblick. »Miss Hilly«, sagt sie.

Ich verstumme, muss an Hillys Toiletteninitiative denken, an ihre Diebstahlsanschuldigungen gegen das Dienstmäd-chen, an ihr Gerede über Krankheiten. Der Name kam tonlos heraus, so bitter wie eine schlechte Pekannuss.

Minny

KAPITEL 10

Ich hab nur noch eins im Kopf, wenn ich zur Arbeit geh. Heut ist der erste Dezember, und während alle anderen Leute im Land ihre Weihnachtskrippen abstauben und ihre stinkigen alten Socken vorholen, wart ich auf was anderes. Bei mir ist es nicht der Weihnachtsmann und nicht das Jesuskind. Es ist Mr Johnny Foote, der an Heiligabend erfahren wird, dass Minny Jackson sein Dienstmädchen ist.

Ich wart auf den Vierundzwanzigsten wie auf ein Gerichtsurteil. Ich weiß nicht, was Mister Johnny machen wird, wenn er rauskriegt, dass ich hier arbeite. Vielleicht sagt er ja: *Prima! Machen Sie nur, putzen Sie meine Küche! Hier ist noch bisschen mehr Geld!* Aber so dumm bin ich nicht. Die ganze Heimlichtuerei ist viel zu komisch: Da kann er ja wohl kein netter Weißer sein, der meinen Lohn erhöhen will. Eher dürft's wohl so sein, dass ich am Weihnachtstag keinen Job mehr hab.

Es frisst mich auf, dass ich nicht weiß, was kommt, aber eins weiß ich: Vor einem Monat hab ich beschlossen, dass es bestimmt einen würdigeren Tod gibt, wie einen Herzschlag auf dem Klodeckel von einer weißen Lady zu kriegen. Und dann war's gar nicht Mister Johnny, der heimkam, es war nur der verdammte Gasmann. Aber die rechte Erleichterung war das auch nicht. Am meisten Angst hat mir Miss Celia gemacht. Hinterher, bei ihrem Kochunterricht, hat sie so gezittert, dass sie nicht mal einen Löffel Salz hat abmessen können.

Es ist Montag, und ich muss die ganze Zeit an Louvenia Browns Enkelsohn Robert denken. Er ist am Wochenend aus dem Krankenhaus gekommen, zu Louvenia, weil seine Eltern ja schon tot sind. Gestern Abend, wie ich rüber bin, ihnen eine Karamelltorte bringen, hatte Robert den Arm in Gips und einen Verband über den Augen. »Oh, *Louvenia«,* war alles, was ich hab sagen können, wie ich ihn gesehen hab. Robert hat auf dem Sofa gelegen und geschlafen. Sie haben ihm für die Operation den halben Kopf geschoren. Louvenia hat trotz ihrem ganzen Kummer wissen wollen, wie's allen in meiner Familie geht. Und wie Robert sich dann geregt hat, hat sie mich gefragt, ob's mir was ausmachen würd heimzugehen, weil Robert immer schreit, wenn er aufwacht. Von dem Schock, und weil ihm dann jedes Mal wieder einfällt, dass er blind ist. Sie hat gedacht, es wär mir vielleicht zu viel. Da muss ich die ganze Zeit dran denken.

»Ich geh nachher einkaufen«, sag ich zu Miss Celia. Ich halt ihr den Einkaufszettel hin. Jeden Montag machen wir das. Sie gibt mir das Einkaufsgeld, und wenn ich zurückkomm, leg ich ihr den Kassenbon vor die Nase. Sie soll sehen, dass das Rausgeld haargenau stimmt. Miss Celia zuckt nur mit den Schultern, aber ich bewahr die Bons sicher in einer Schublade auf, für den Fall, dass es mal Ärger gibt.

Minny kocht:
1. Backschinken mit Ananas
2. Schwarzaugenbohnen
3. Süßkartoffeln
4. Apfelkuchen
5. Maisbrötchen

Miss Celia kocht:
1. Butterbohnen

»Aber Butterbohnen habe ich doch letzte Woche schon gemacht.«

»Wenn Sie die erst mal können, ist alles andere leicht.«

»Ist wohl sowieso besser«, sagt sie. »Beim Bohnenputzen kann ich sitzen und brauche mich nicht zu bewegen.«

Fast drei Monate schon, und das ungeschickte Ding kann immer noch keinen Kaffee kochen. Ich nehm meinen Teig raus, will den Kuchen vorbereiten, eh ich einkaufen geh.

»Können wir diesmal Schokoladenkuchen machen? Ich liebe Schokoladenkuchen.«

Ich knirsch mit den Zähnen. »Ich kann keinen Schokoladenkuchen«, lüg ich. *Nie im Leben. Nie wieder, nach dem mit Miss Hilly.*

»Ach? So was, ich dachte, Sie könnten alles. Vielleicht sollten wir uns ein Rezept besorgen.«

»Was für Kuchen hätten Sie sonst noch gern?«

»Na ja, wie wär's mit dem Pfirsichkuchen, den Sie schon mal gemacht haben«, sagt sie und gießt sich ein Glas Milch ein. »Der war sehr gut.«

»Die Pfirsiche waren aus Mexiko. Hier gibt's noch keine.«

»Aber ich habe in der Zeitung eine Reklame gesehen.«

Ich seufz. Mit ihr hat man's echt nicht leicht, aber wenigstens hat sie das mit dem Schokoladenkuchen aufgegeben. »Eins müssen Sie wissen, Sachen sind dann am besten, wenn ihre Zeit ist. Man macht keinen Kürbis im Sommer, und man macht keine Pfirsiche im Herbst. Wenn was nicht am Straßenrand verkauft wird, ist nicht die Zeit dafür. Wir können ja einen leckeren Pekannusskuchen machen.«

»Und Johnny mochte diese Pralinen so gern, die Sie gemacht haben. Als ich ihm die vorgesetzt habe, hat er mich für das klügste Mädchen gehalten, das ihm je begegnet ist.«

Ich dreh mich zu meinem Teig, damit sie mein Gesicht nicht sieht. Zweimal in einer Minute hat sie's geschafft, mich aus der Ruh zu bringen. »Gibt's sonst noch was, was Mister Johnny kriegen soll, damit er denkt, es ist von Ihnen?« Außer dass ich eine Heidenangst hab, bin ich es auch leid, Sachen zu kochen, die jemand anders für seine ausgibt. Meine Kinder und meine Kocherei sind das Einzige, wo ich wirklich stolz drauf bin.

»Nein, das ist alles.« Miss Celia lächelt, merkt gar nicht, dass ich meinen Teig so fest ausgerollt hab, dass er fünf Löcher hat. Noch vierundzwanzig Tage dieses Theater. Ich bet zum Herrn und sicherheitshalber auch zum Teufel, dass Mister Johnny nicht vorher noch plötzlich heimkommt.

Jeden zweiten Tag hör ich Miss Celia am Telefon in ihrem Zimmer, wie sie immer und immer wieder die wichtigen Ladys anruft. Der Wohltätigkeitsball ist grad mal drei Wochen her, und sie rackert sich schon für nächstes Jahr ab. Sie und Mister Johnny waren nicht dort, sonst hätt ich alles drüber gehört.

Ich hab nicht auf dem Wohltätigkeitsball gearbeitet, zum ersten Mal seit zehn Jahren. Es ist zwar ziemlich gut bezahlt, aber ich konnt's nicht riskieren, Miss Hilly über den Weg zu laufen.

»Könnten Sie ihr sagen, dass Celia Foote wieder angerufen hat? Ich habe ihr vor zehn Tagen ausrichten lassen …«

Miss Celias Stimme ist munter, wie wenn sie was im Fernsehen verkaufen würd. Wenn ich sie hör, will ich ihr jedes Mal den Hörer aus der Hand reißen, ihr sagen, sie soll ihre Zeit nicht verplempern. Weil's ja nicht nur da dran liegt, dass sie aussieht wie ein Flittchen. Es gibt noch einen wichtigeren Grund, warum Miss Celia keine Freundinnen hat, das war mir in dem Moment klar, wie ich das Foto von Mister Johnny gesehen hab. Ich hab genug Bridgekränzchen bedient, dass ich über jede weiße Frau in der Stadt Bescheid weiß. Mister Johnny hat Miss Hilly auf dem College wegen Miss Celia den Laufpass gegeben, und das hat Miss Hilly nie verwunden.

Am Mittwochabend komm ich in die Kirche. Sie ist noch halb leer, weil's erst Viertel vor sieben ist und der Chor nicht vor halb acht mit Singen anfängt. Aber Aibileen hat gefragt, ob ich schon früher da sein könnt, also bin ich da. Bin neugierig, was sie mir zu sagen hat. Außerdem hat Leroy grad mal gute Laune gehabt und mit den Kindern gespielt, also hab ich mir gesagt, wenn er sie haben will, bitte.

Ich seh Aibileen in unserer Bank, links, die vierte von vorn, direkt unterm Fensterventilator. Wir sind besonders gute Gemeindemitglieder, also verdienen wir auch einen besonders guten Platz. Sie hat das Haar glatt nach hinten, mit einer Reihe Kringellöckchen im Nacken. Sie trägt ein blaues Kleid mit großen weißen Knöpfen, das ich noch nie an ihr gesehen hab. Aibileen hat haufenweise so Zeug. Die weißen Ladys sind ganz versessen drauf, ihr ihre alten Sachen zu schenken. Sie sieht wie üblich dick und ehrbar aus, aber auch wenn sie so was Braves hat – Aibileen kann dreckige Witze erzählen, dass man sich in die Hose pinkelt.

Ich geh den Mittelgang vor, seh, wie Aibileen wegen irgendwas die Stirn runzelt. Ganz kurz merk ich die fünfzehn Jahre, die sie älter ist wie ich. Aber dann lächelt sie, und ihr Gesicht ist wieder jung und rund.

»Barmherziger«, sag ich, kaum dass ich sitz.

»Ich weiß. Jemand muss es ihr sagen.« Aibileen fächelt sich mit ihrem Taschentuch. Heut Morgen war Kiki Brown mit Putzen dran, und die ganze Kirche ist mit dem Zitronenduftzeug eingenebelt, das sie zusammenmixt und für fünfundzwanzig Cent die Flasche zu verkaufen versucht. Wir haben eine Liste, wo wir uns für das Putzen von der Kirche eintragen. Wenn man mich fragt, könnt Kiki sich ruhig bisschen seltener eintragen, und die Männer könnten es viel, viel öfter machen. Soweit ich weiß, hat sich noch kein einziger Mann eingetragen.

Von dem Geruch mal abgesehen, sieht die Kirche richtig gut

aus. Kiki hat die Bänke poliert, dass man sie als Spiegel nehmen könnt, um sich in den Zähnen zu stochern. Der Weihnachtsbaum steht schon neben dem Altar, mit jeder Menge Lametta und einem goldenen Stern auf der Spitze. Drei Fenster von der Kirche haben Buntglasbilder – die Geburt vom Jesuskind, Lazarus, wie er von den Toten aufersteht, und Jesus, wie er den eingebildeten Pharisäern Bescheid sagt. Die anderen sieben haben normales, durchsichtiges Glas. Für die sind wir noch am Sammeln.

»Was macht Bennys Asthma?«, fragt Aibileen.

»Gestern hat er einen kleinen Anfall gehabt. Leroy bringt ihn und die andren Kinder nachher. Hoffentlich überlebt er das Zitronenzeug.«

»Leroy.« Aibileen schüttelt den Kopf und lacht. »Sag ihm, er soll sich lieber anständig benehmen. Sonst setz ich ihn auf meine Gebetsliste.«

»Ich wär dafür. Guter Gott, schnell das Essen verstecken!«

Die hochnäsige Bertrina Bessemer kommt auf uns zugewatschelt. Sie beugt sich über die Bank vor uns und lächelt, mit einem knallblauen Hut auf dem Kopf. Bertrina ist die, die Aibileen damals eine Idiotin genannt hat.

»Minny«, sagt Bertrina, »ich war ja so froh, wie ich von deinem neuen Job gehört hab.«

»Danke, Bertrina.«

»Und, Aibileen, danke, dass du mich auf deine Gebetsliste gesetzt hast. Meine Herzenge ist schon viel besser. Ich ruf dich am Wochenend an, dann reden wir mal wieder richtig.«

Aibileen lächelt und nickt. Bertrina watschelt zu ihrer Bank.

»Vielleicht solltest du bisschen wählerischer sein, für wen du Gebete sagst«, sag ich.

»Ach, ich bin ihr nimmer bös«, sagt Aibileen. »Und guck sie doch an, sie hat abgenommen.«

»Sie erzählt überall rum, sie hätt vierzig Pfund runter.«

»Gütiger.«

»Bleiben ja nur noch zweihundert.«

Aibileen versucht, nicht zu lachen, tut, wie wenn sie den Zitronengeruch wegwedeln würd.

»Also, warum sollt ich schon früher hier sein?«, frag ich. »Fehl ich dir so oder was?«

»Ach, ist nichts Besonderes. Geht nur um was, was jemand zu mir gesagt hat.«

»Was?«

Aibileen holt Luft, guckt sich um, ob jemand zuhört. Wir sind hier wie Königinnen. Die Leute drängen sich immer um uns.

»Du kennst doch Miss Skeeter?«, fragt sie.

»Hab ich dir doch neulich schon gesagt.«

Sie meint, jetzt leiser: »Und du weißt doch, ich hab ihr aus Versehen erzählt, dass Treelore solche Farbigensachen aufgeschrieben hat?«

»Weiß ich. Will sie dich dafür verklagen?«

»Nein, nein. Sie ist nett. Aber sie hat die Stirn gehabt, mich zu fragen, ob ich und andere Dienstmädchen, die ich kenn, auf Papier bringen wollen, wie's ist, im Haus von Weißen zu arbeiten. Sie will ein Buch schreiben, sagt sie.«

»Da drüber?«

Aibileen nickt und zieht die Augenbrauen hoch. »Mmhmm.«

»Pfff. Sag ihr, es ist ein einziges Festtagspicknick. Sag ihr, wir träumen das ganze Wochenend davon, dass wir endlich wieder in ihre Häuser zurückdürfen und ihr Silber polieren«, erwider ich.

»Ich hab ihr gesagt, sie soll's doch den normalen Geschichtsbüchern überlassen, da drüber zu erzählen. Die Weißen erklären doch von jeher der Welt, was die Farbigen denken und fühlen.«

»Das stimmt. Sag ihr das.«

»Hab ich ja. Ich hab ihr gesagt, sie ist verrückt«, meint Aibileen. »Ich hab sie gefragt, was ist, wenn wir die Wahrheit sagen? Dass wir zu viel Angst haben, den Mindestlohn zu verlangen? Dass für keine von uns die Sozialversicherung bezahlt wird? Wie sich's anfühlt, wenn man beschuldigt wird, man würd …« Aibileen schüttelt den Kopf. Ich bin froh, dass sie's nicht ausspricht.

»Wie lieb wir die Kinder haben, wenn sie klein sind …«, sagt sie, und ihre Oberlippe zittert bisschen. »Und dass sie dann genauso werden wie ihre Mamas.«

Ich schau runter und seh, dass Aibileen ihre schwarze Handtasche umklammert, wie wenn sie das Einzige wär, was ihr auf der Welt geblieben ist. Bei Aibileen ist es ja so, dass sie immer auf eine neue Arbeitsstelle geht, wenn die Kinder zu groß werden und nicht mehr farbenblind sind.

»Selbst wenn sie die ganzen Namen ändert, von den Dienstmädchen und von den weißen Ladys«, schnieft sie.

»Sie ist verrückt, wenn sie denkt, wir würden so was Gefährliches machen. Für *sie.*«

»Wir wollen ja nicht die ganzen schlimmen Sachen ans Licht bringen.« Aibileen wischt sich die Nase mit dem Taschentuch. »Den Leuten die Wahrheit sagen.«

»Nein, wollen wir nicht«, sag ich, aber dann stutz ich. Es ist irgendwas an dem Wort *Wahrheit.* Ich versuch doch, den weißen Frauen die Wahrheit über die Arbeit bei ihnen zu sagen, seit ich vierzehn war.

»Wir wollen ja hier nichts ändern«, sagt Aibileen, und wir sind beide still und denken an all die Sachen, die wir nicht ändern wollen. Aber dann guckt mich Aibileen mit zusammengekniffenen Augen an und fragt: »Was? Du findst es keine verrückte Idee?«

»Doch, ich hab nur …« Und da geht mir ein Licht auf. Wir sind seit sechzehn Jahren Freundinnen, seit dem Tag, wie ich von Greenwood nach Jackson gezogen bin und wir uns an der Bushaltestelle begegnet sind. Ich kann in Aibileen lesen wie in der Sonntagszeitung. »Du denkst drüber nach, stimmt's?«, sag ich. »Du würdst gern mit Miss Skeeter reden.«

Sie zuckt die Achseln, und ich weiß, es stimmt. Doch eh Aibileen gestehen kann, kommt Reverend Johnson und setzt sich in die Bank hinter uns, beugt sich zwischen unsere Köpfe. »Minny, tut mir leid, dass ich noch gar nicht dazu gekommen bin, Ihnen zu Ihrer neuen Arbeit zu gratulieren.«

Ich zieh mein Kleid glatt. »Oh, danke, Reverend.«

»Sie müssen auf Aibileens Gebetsliste stehen«, sagt er und tätschelt Aibileens Schulter.

»Klar. Ich hab Aibileen schon gesagt, wenn sie so weiter-macht, sollt sie Geld dafür nehmen.«

Der Reverend lacht. Er steht auf und geht langsam zur Kan-zel. Alles wird still. Ich glaub's nicht, dass Aibileen Miss Skeeter die Wahrheit sagen will.

Wahrheit.

Es fühlt sich kühl an, wie Wasser, das meinen klebrig heißen Körper badet. Wie wenn es eine Hitze kühlt, die mich schon mein ganzes Leben von innen her verbrennt.

Wahrheit, sag ich im Kopf noch mal, nur um das Gefühl zu spüren.

Reverend Johnson hebt die Hände und spricht mit sanfter, tiefer Stimme. Der Chor hinter ihm fängt an »Talking to Jesus« zu summen, und wir stehen alle auf. Nach einer halben Minu-te bin ich schweißnass.

»Meinst du, du hättst Intresse? Mit Miss Skeeter zu reden?«, flüstert Aibileen.

Ich dreh mich um, und da kommt Leroy mit den Kindern, wie immer zu spät. »Wer, ich?«, frag ich, und meine Stimme ist laut bei der leisen Musik. Ich dämpf sie, aber nicht sehr.

»Nie und nimmer mach ich so was Verrücktes.«

Nur um mich zu ärgern, kommt im Dezember eine Hitze-welle. Ich schwitz schon bei fünf Grad wie Eistee im August, und heut Morgen, wie ich aufgewacht bin, waren es achtundzwanzig auf dem Thermometer. Mein halbes Leben hab ich damit zugebracht, was gegen das Schwitzen zu machen. Dainty-Lady-Antischwitzkrem, tiefgefrorene Kartoffeln in die Taschen stecken, einen Eisbeutel auf den Kopf binden (für diesen blöden Rat hab ich sogar einen Arzt bezahlt) – es hilft alles nichts, meine Achselpads sind trotzdem in fünf Minuten klatschnass. Ich nehm meinen Fächer vom Fairley-Bestattungsinstitut überallhin mit. War gratis und funktioniert gut.

Miss Celia dagegen mag das warme Wetter. Sie geht sogar nach draußen und sitzt am Pool, in einem flauschigen Bademantel und mit so einer schrillen weißen Plastiksonnenbrille. Gott sei Dank ist sie aus dem Haus. Zuerst hab ich ja gedacht, sie wär vielleicht körperlich krank, aber jetzt frag ich mich, ob sie krank im Kopf ist. Ich mein nicht auf die Art wie Miss Walters und andere alte Frauen, mit Selbstgesprächen und so, wo man weiß, es ist einfach der Altersschwachsinn, sondern richtig verrückt, auf die Art, dass sie einen in der Zwangsjacke nach Whitfield bringen.

Ich krieg jetzt fast jeden Tag mit, wie sie nach oben in die leeren Zimmer schleicht. Ich hör ihre kleinen Füße leise den Gang langhuschen, über die knarrende Diele wegsteigen. Ich denk mir erst nicht groß was dabei – ist ja schließlich ihr Haus. Aber dann, eines Tags, macht sie's nochmal und nochmal, und es ist grad das Verstohlene dran – wie sie wartet, bis ich den Staubsauger anmach oder mit einem Kuchen zu tun hab –, was mich misstrauisch macht. Sie bleibt vielleicht sieben, acht Minuten oben und reckt dann ihren kleinen Kopf in alle Richtungen, um zu gucken, ob ich sie auch ja nicht wieder runterkommen seh.

»Steck deine Nase nicht in ihren Kram«, sagt Leroy. »Sorg du nur dafür, dass sie ihrem Mister sagt, dass du sein Haus putzt.« Leroy war die letzten zwei Abende wieder voll mit dem verdammten Crow, hat nach der Schicht noch hinterm Werk getrunken. Leroy ist kein Idiot. Er weiß, wenn ich tot bin, kommt der Lohnscheck nicht von allein.

Nach ihrem Trip ins Obergeschoss kommt Miss Celia an den Küchentisch, statt sich wieder hinzulegen. Ich wollt, sie würd verschwinden. Ich zerleg grad ein Huhn, hab die Brühe schon am Kochen und die Klöße in Scheiben geschnitten. Ich möcht nicht, dass sie mir dabei helfen will.

»Noch dreizehn Tage, bis Sie Mister Johnny von mir erzählen«, sag ich, und wie ich's geahnt hab, steht Miss Celia vom Küchentisch auf, um in ihr Zimmer zu gehen. Doch wie sie an der Tür ist, meckert sie: »Müssen Sie mich an jedem einzelnen Tag meines Lebens daran erinnern?«

Ich richt mich auf. Das ist das erste Mal überhaupt, dass Miss Celia sauer auf mich ist. »Mm-hmm«, sag ich und schau sie nicht mal an, weil klar ist, dass ich sie so lang dran erinnern werd, bis Mister Johnny mir die Hand schüttelt und *Freut mich, Minny* sagt.

Aber dann guck ich rüber und seh, dass Miss Celia immer noch dasteht. Sie hält sich am Türrahmen fest. Ihr Gesicht ist so kalkig wie billige Wandfarbe.

»Haben Sie wieder an dem rohen Huhn rumgefingert?«

»Nein, ich … bin nur müde.«

Aber die Schweißtropfen auf ihrem Make-up, das jetzt ganz grau aussieht, sagen mir, dass ihr nicht gut ist. Ich helf ihr ins Bett und bring ihr das Lady-a-Pinkham zum Trinken. Auf dem rosa Etikett ist eine ganz schön strenge Lady mit Dutt, die jedoch lächelt, wie wenn's ihr schon besser ging. Ich geb Miss Celia den Löffel zum Abmessen, aber das ungehobelte Ding trinkt einfach aus der Flasche.

Hinterher wasch ich mir die Hände. Was sie auch hat, ich hoff nur, es ist nicht ansteckend.

Der Tag, nachdem Miss Celia so komisch bleich geworden ist, ist der verdammte Bettwäschewechseltag, der, den ich am meisten hass. Bettwäsche ist was viel zu Persönliches, um andere Leute damit hantieren zu lassen. Sie ist voll mit Haaren und Schorf und Rotz und Spuren von dem, was sie nachts da getrieben haben. Aber das Schlimmste sind die Blutflecken. Wenn ich die von Hand rausreiben muss, würgt's mich. So geht's mir überhaupt mit Blut und allem, was verdächtig danach aussieht. Eine zermatschte Erdbeere, und ich häng womöglich für den Rest des Tags über der Kloschüssel.

Miss Celia weiß, was am Dienstag dran ist, und zieht normalerweise aufs Wohnzimmersofa um, damit ich meine Arbeit machen kann. Heut Morgen ist eine Kaltfront reingebrochen, also kann sie nicht an den Swimmingpool, und es heißt, das Wetter wird noch schlechter. Aber es wird neun, dann zehn, dann elf, und die Schlafzimmertür ist immer noch zu. Schließlich klopf ich an.

»Ja?«, sagt sie. Ich mach die Tür auf.

»Morgen, Miss Celia.«

»Hey, Minny.«

»Heut ist Dienstag.«

Miss Celia ist nicht nur immer noch im Bett, sie liegt auf der Decke zusammengerollt, im Nachthemd und ohne das kleinste bisschen Make-up.

»Ich muss die Bettwäsche gewaschen und gebügelt kriegen, und dann muss ich den alten Kommodenschrank da einölen, den Sie haben austrocknen lassen wie die Wüste von Texas. Und dann geht's ans Kochen …«

»Heute keine Kochstunde, Minny.« Sie lächelt auch nicht wie sonst immer, wenn sie mich sieht.

»Geht's Ihnen nicht gut?«

»Holen Sie mir ein bisschen Wasser, ja?«

»Ja, Ma'am.« Ich geh in die Küche und füll ein Glas mit Leitungswasser. Es muss ihr wirklich schlecht gehen, weil sie mich vorher noch nie geschickt hat, ihr irgendwas holen.

Wie ich ins Schlafzimmer zurückkomm, liegt Miss Celia

nicht mehr auf dem Bett, und die Badtür ist zu. Warum schickt sie mich, ihr Wasser holen, wenn sie vorhat, aufzustehen und ins Bad zu gehen? Wenigstens ist sie mir aus dem Weg. Ich heb Mister Johnnys Hosen vom Boden auf, werf sie mir über die Schulter. Wenn man mich fragt, hat die Frau nicht genug Bewegung, weil sie den ganzen Tag nur im Haus rumsitzt. Ach, Minny, hör auf damit. Wenn ihr nicht gut ist, ist ihr nicht gut.

»Ist Ihnen nicht gut?«, ruf ich durch die Badtür.

»Ich … alles in Ordnung.«

»Wo Sie grad da drin sind, bezieh ich eben das Bett neu.«

»Nein, ich möchte, dass Sie gehen«, sagt sie durch die Tür. »Gehen Sie für heute nach Hause, Minny.«

Ich steh da und klopf mit der Fußspitze auf ihren gelben Teppich. Ich will nicht heimgehen. Heut ist Dienstag, der verdammte Bettwäschewechseltag. Wenn ich's heut nicht mach, wird auch noch der Mittwoch ein verdammter Bettwäschewechseltag.

»Was wird Mister Johnny sagen, wenn er heimkommt und das Haus ist eine einzige Unordnung?«

»Er ist heute Abend im Jagdcamp, Minny, ich brauche das Telefon.« Ihre Stimme wird ein zittriges Jammern. »Bringen Sie es hier herüber und holen Sie mein Adressbuch, das in der Küche liegt.«

»Ist Ihnen schlecht, Miss Celia?«

Aber sie antwortet nicht, also hol ich das Adressbuch, zieh das Telefon an der Schnur bis zur Badtür und klopf wieder.

»Lassen Sie es einfach da stehen.« Jetzt klingt Miss Celia, wie wenn sie weint. »Gehen Sie nun bitte nach Hause.«

»Aber ich bin doch grad erst …«

»Ich sagte, Sie sollen gehen, Minny!«

Ich tret einen Schritt von der geschlossenen Tür zurück. Hitze steigt mir ins Gesicht. Es fühlt sich an wie eine Ohrfeige. Nicht weil ich noch nie angeschrien worden wär. Ich bin nur noch nie von Miss Celia angeschrien worden.

Am nächsten Morgen wedelt Woody Asap auf Channel Twelve mit seinen schuppigen weißen Händen über die Karte von ganz Mississippi. Jackson ist gefroren wie ein Eislutscher. Zuerst hat's geregnet, dann gab's Frost, und dann ist bis heut Morgen alles, was mehr wie einen Zentimeter raussteht, abgeknackst. Äste, Stromleitungen, Verandadächer, alles, zack, runtergekracht. Die ganze Welt draußen sieht aus wie in einen Eimer Schellack getunkt.

Meine Kinder kleben verschlafen am Radio, und wie der Kasten sagt, die Straßen sind vereist und die Schule fällt aus, springen sie rum und johlen und pfeifen und rennen raus, das Eis angucken, mit nichts an wie ihren langen Unterhosen.

»Kommt sofort rein und zieht euch Schuh an!«, brüll ich aus der Tür. Keins tut's. Ich ruf Miss Celia an, um zu sagen, dass ich bei dem Eis nicht fahren kann, und um rauszufinden, ob sie da draußen noch Strom hat. Dabei sollt man meinen, nachdem sie mich gestern angebrüllt hat wie einen Straßennigger, würd's mich einen Dreck kümmern, was mit ihr ist.

Wie das Telefon abgenommen wird, hör ich: »Jaahallooo?«

Mein Herz tut, wie wenn es Schluckauf hätt.

»Wer ist da? Wer ist denn dran?«

Ganz vorsichtig häng ich ein. Mir geht auf, dass Mister Johnny heut wohl auch nicht zur Arbeit kann. Wie er bei dem Wetter heimgekommen ist, weiß ich nicht. Ich weiß nur, sogar an einem freien Tag werd ich die Angst vor dem Mann nicht los. Aber in elf Tagen ist das alles vorbei.

Das meiste ist an einem Tag wieder weggetaut. Wie ich zur Arbeit komm, ist Miss Celia nicht im Bett. Sie sitzt am Küchentisch und starrt aus dem Fenster, mit einem Gesicht, wie wenn ihr elendes reiches Leben zu grässlich wär, um's auszuhalten. Was sie da draußen anglotzt, ist der Mimosenbaum. Dem hat das Eis ganz schön zugesetzt. Die Hälfte Äste sind abgebrochen, und die feinen Blätter sind alle braun und aufgeweicht.

»Morgen, Minny«, sagt sie, ohne herzugucken.

Aber ich nick nur. Ich hab ihr nichts zu sagen, nicht, nachdem sie vorgestern so zu mir war.

»Jetzt können wir das hässliche, alte Ding endlich zu Kleinholz machen«, sagt Miss Celia.

»Nur zu. Machen Sie alles zu Kleinholz.« So wie sie mich zu Kleinholz gemacht hat, ohne jeden Grund.

Miss Celia steht auf und kommt rüber zur Spüle, wo ich steh. Sie fasst meinen Arm. »Tut mir leid, dass ich Sie so angebrüllt habe.« Wie sie das sagt, schießen ihr Tränen in die Augen.

»Mm-hmmm.«

»Mir war nicht gut, ich weiß, das ist keine Entschuldigung, aber ich habe mich wirklich elend gefühlt und ...« Und jetzt fängt sie an zu schluchzen, wie wenn ihr Dienstmädchen anzubrüllen das Schlimmste wär, was sie in ihrem ganzen Leben getan hat.

»Okay«, sag ich. »Kein Grund zum Heulen.«

Und da wirft sie sich mir an den Hals und umklammert mich, bis ich so was Ähnliches tu, wie ihr den Rücken tätscheln, und sie von mir lospflück. »Setzen Sie sich hin«, sag ich. »Ich mach Ihnen Kaffee.«

Ich denk mal, wir werden alle bisschen unleidlich, wenn's uns nicht gutgeht.

Am nächsten Montag sind die Blätter von dem Mimosenbaum schwarz, wie wenn er verbrannt wär statt erfroren. Ich komm in die Küche und will ihr sagen, wie viele Tage es noch sind, aber Miss Celia starrt raus auf den Baum, und ihre Augen sagen, dass sie ihn hasst, haargenau so, wie sie den Kochherd hasst. Sie ist bleich und will nichts von dem essen, was ich ihr vorsetz.

Statt im Bett zu liegen, ist sie den ganzen Tag dran, den drei Meter hohen Weihnachtsbaum in der Diele zu schmücken, und macht mir das Leben zu einer Staubsaughölle, weil überall Nadeln rumfliegen. Dann geht sie in den Garten, fängt an, die Rosensträucher zu schneiden und Tulpenzwiebeln zu stecken. So viel bewegt hat sie sich noch nie. Danach kommt sie mit Dreck untern Fingernägeln zu ihrem Kochunterricht, aber lächeln tut sie immer noch nicht.

»Noch sechs Tage, bis wir's Mister Johnny erzählen«, sag ich.

Sie sagt eine Weile gar nichts, dann fragt sie mit toter Stimme: »Sind Sie sicher, dass das sein muss? Ich dachte, wir könnten vielleicht noch warten.«

Ich starr sie an, Buttermilch tropft mir von den Händen. »Fragen Sie mich noch mal, wie sicher ich bin.«

»Schon gut.« Und sie geht wieder nach draußen zu ihrer neuen Lieblingsbeschäftigung: den Mimosenbaum finster anstarren, mit der Axt in der Hand. Aber zuschlagen tut sie kein einziges Mal.

Am Mittwochabend kann ich nur dran denken, dass es grad mal noch sechsundneunzig Stunden sind. Die Vorstellung, dass ich nach Weihnachten womöglich keinen Job mehr hab, zwickt mich im Magen. Dann hab ich ganz andere Sorgen wie nur, vielleicht totgeschossen zu werden. Miss Celia soll's ihm an Heiligabend sagen, nachdem ich gegangen bin und eh sie zu Mister Johnnys Mama fahren. Aber Miss Celia benimmt sich so komisch, dass ich schon den Verdacht hab, sie will sich vielleicht doch drücken. Kommt nicht in Frage, sag ich mir den ganzen Tag. Ich werd an ihr dranbleiben wie ein Haar an der Seife.

Aber wie ich am Donnerstagmorgen zur Arbeit komm, ist Miss Celia nicht da. Ich kann's nicht glauben, dass sie tatsächlich aus dem Haus gegangen ist. Ich setz mich an den Tisch und gieß mir eine Tasse Kaffee ein.

Ich schau in den Garten raus. Es ist schön draußen, sonnig. Der schwarze Mimosenbaum ist wirklich hässlich. Ich frag mich, warum Mister Johnny nicht einfach hingeht und ihn umhackt.

Ich beug mich näher an die Fensterbank. »Schau mal einer an.« Ganz unten sind noch paar grüne Blätterwedel übrig, die jetzt in der Sonne bisschen aufleben.

»Der alte Baum hat sich nur tot gestellt.«

Aus meiner Handtasche zieh ich einen Block, wo ich eine Liste führ, was noch gemacht werden muss, nicht für Miss Celia, sondern bei mir zu Haus, Einkaufen, Weihnachtsgeschenke, Sachen für die Kinder. Bennys Asthma ist bisschen besser geworden, aber Leroy ist gestern wieder mit einer Old-Crow-Fahne heimgekommen. Er hat mich so fest rumgestoßen, dass ich mit dem Oberschenkel gegen den Küchentisch gekracht bin. Wenn er heut wieder so heimkommt, kriegt er zum Abendessen eine Backpfeife.

Ich seufz. Noch zweiundsiebzig Stunden, dann bin ich ein freier Mensch. Okay, vielleicht gefeuert, vielleicht sogar tot, wenn Leroy dahintergekommen ist, aber auf jeden Fall frei.

Ich versuch mich auf den Rest der Woche zu konzentrieren. Morgen ist die ganze Weihnachtskocherei und am Samstagabend das Abendessen in der Kirche und am Sonntag der Gottesdienst. Wann soll ich mein eigenes Haus putzen? Die Sachen von meinen eigenen Kindern waschen? Meine älteste Tochter, Sugar, ist sechzehn und ziemlich gut im Haushalt, aber ich helf ihr doch gern am Wochenend, wie's meine Mama bei mir nie gemacht hat. Und Aibileen. Gestern Abend hat sie mich wieder angerufen und gefragt, ob ich ihr und Miss Skeeter mit den Geschichten helfen würd. Ich hab Aibileen wirklich gern. Aber ich glaub, sie macht einen Riesenfehler, wenn sie einer weißen Lady traut. Und das hab ich ihr auch gesagt. Sie riskiert ihren Job, ihre Sicherheit. Mal ganz davon abgesehen, warum irgendwer einer Freundin von Miss Hilly helfen sollt.

Herrje, ich muss zusehen, dass ich mit meiner Arbeit vorankomm.

Ich pieks die Ananasscheiben auf den Schinken und schieb

ihn in den Ofen. Dann staub ich die Regale im Jagdzimmer ab, saug den Grizzly, während der mich anstarrt, wie wenn ich ein Happen für zwischendurch wär. »Heut sind wir zwei allein hier«, erklär ich ihm. Er sagt wie immer nicht viel. Ich nehm meinen Lappen und die Ölseife und arbeite mich die Treppe rauf, indem ich jede einzelne Stütze vom Geländer polier. Wie ich oben bin, nehm ich mir Zimmer eins vor.

Ich putz etwa eine Stunde im oberen Stock. Es ist eiskalt hier, keine Menschen, die die Luft aufwärmen. Ich fahr mit dem Arm hin und her und hin und her, über alles, was aus Holz ist. Zwischen Zimmer drei und Zimmer vier geh ich runter, um Miss Celias Zimmer zu machen, eh sie heimkommt.

Es fühlt sich unheimlich an, in so einem leeren Haus zu sein. Wo ist sie hin? Nachdem sie in der ganzen Zeit, die ich jetzt hier arbeit, nur dreimal weg war und mir jedes Mal haarklein erklärt hat, wann sie geht und warum, als ob mich das interessieren würd, ist sie jetzt einfach verschwunden. Ich müsst mich freuen. Ich müsst froh sein, dass ich diese Verrückte vom Hals hab. Aber so ganz allein hier komm ich mir vor wie ein Einbrecher. Ich guck auf den kleinen rosa Vorleger, der den Blutfleck vor der Badtür verdeckt. Eigentlich wollt ich mir den Fleck heut nochmal vornehmen. Ein kalter Luftzug weht durchs Zimmer, wie wenn ein Geist umgeht. Mich fröstelt's.

Vielleicht mach ich mich heut doch nicht an den Blutfleck.

Die Überdecke ist wie immer vom Bett geworfen. Das Bettzeug ist verwurstelt, wie wenn hier ein Ringkampf stattgefunden hätt. Ich verbiet mir, da drüber nachzudenken. Wenn man anfängt, drüber nachzudenken, was Leute in ihrem Schlafzimmer machen, ist man, eh man sich's versieht, heillos in ihre Angelegenheiten verwickelt.

Ich zieh eins von den Kopfkissen ab. Auf dem Bezug sind überall Schmierflecken von Miss Celias Wimperntusche wie kleine, mit Kohle gezeichnete Schmetterlinge. Ich stopf die

Kleider, die auf dem Boden rumliegen, in den Kissenbezug, damit ich sie leichter tragen kann. Ich nehm Mister Johnnys gefaltete Hosen von dem gelben Liegesofa.

»Woher soll ich jetzt wissen, ob die sauber oder dreckig sind?« Ich steck sie trotzdem in den Kissenbezug. Im Haushalt ist mein Grundsatz: Im Zweifel waschen.

Ich trag den Wäschesack rüber zur Kommode. Der blaue Fleck an meinem Oberschenkel brennt, wie ich mich bück, um ein Paar von Miss Celias Seidenstrümpfen aufzuheben.

»Wer sind *Sie?*«

Ich lass den Sack fallen.

Ich geh langsam rückwärts, bis mein Hintern an die Kommode stößt. Er steht in der Tür, die Augen halb zusammengekniffen. Ganz, ganz langsam schau ich runter auf die Axt, die in seiner Hand baumelt.

Großer Gott. Ins Bad schaff ich's nicht, weil er zu nah an der Badtür ist und mit mir reinrennen würd. An ihm vorbei zur Tür raus komm ich nicht, außer ich schlag auf ihn ein, und der Mann hat eine Axt. Ich hab ein heißes Pochen im Kopf vor lauter Panik. Ich sitz in der *Falle.*

Mister Johnny starrt auf mich runter. Er schwingt die Axt bisschen. Legt den Kopf schief und lächelt.

Ich mach das Einzige, was mir bleibt. Ich zieh die grimmigste Fratze, die ich ziehen kann, fletsch die Zähne und brüll: *»Gehen Sie mir ja aus dem Weg mit der Axt da!«*

Mister Johnny guckt runter auf die Axt, wie wenn er ganz vergessen hätt, dass er sie in der Hand hält. Wir starren uns an. Ich rühr mich nicht und atme nicht mal.

Er guckt kurz zu dem Sack rüber, den ich hab fallen lassen, will wissen, was ich gestohlen hab. Die Beine von seiner Khakihose schauen oben raus. »Hören Sie«, sag ich und fang an zu weinen. »Mister Johnny, ich hab Miss Celia gesagt, sie muss Ihnen von mir erzählen. Ich hab sie bestimmt tausendmal drum gebeten ...«

Aber er lacht nur. Schüttelt den Kopf. Er findet es lustig, dass er mich gleich mit der Axt abschlachten wird.

»*Hören Sie doch,* ich hab ihr gesagt …«

Aber er gluckst immer noch vor Lachen. »Keine Angst, Mädchen. Ich tue Ihnen nichts«, sagt er. »Sie haben mich überrascht, das ist alles.«

Ich schnapp nach Luft, schieb mich vorsichtig in Richtung Bad. Er hat immer noch die Axt in der Hand, lässt sie leis schwingen.

»Wie heißen Sie überhaupt?«

»Minny«, flüster ich. Noch fast zwei Meter bis zum Bad.

»Wie lange kommen Sie schon hierher, Minny?«

»Nicht lang«, sag ich und schüttel den Kopf.

»*Wie* lange?«

»Paar … Wochen«, sag ich. Ich beiß mir auf die Unterlippe. *Drei Monate.*

Er schüttelt den Kopf. »Ich weiß, dass es schon länger ist.«

Ich guck auf die Badtür. Was hätt ich davon, in einem Bad zu sein, wo man die Tür gar nicht absperren kann? Wenn er noch dazu eine Axt hat, um die Tür einzuhacken?

»Ich schwör's, ich bin nicht böse«, sagt er.

»Und die Axt da?«, frag ich durch die zusammengebissenen Zähne.

Er verdreht die Augen, legt dann die Axt auf den Teppich und kickt sie mit dem Fuß weg.

»Kommen Sie, lassen Sie uns in der Küche gemütlich reden.«

Er dreht sich um und geht. Ich guck auf die Axt, überleg, ob ich sie mitnehmen soll. Schon der Anblick macht mir Angst. Ich schubs sie unters Bett und geh ihm nach.

In der Küche schieb ich mich vorsichtig zur Hintertür hin, probier die Klinke, um sicherzugehen, dass nicht abgeschlossen ist.

»Minny, ich verspreche Ihnen, es ist okay, dass Sie hier sind«, sagt er.

Ich guck in seine Augen, um rauszukriegen, ob er lügt. Er ist groß, eins fünfundachtzig mindestens. Hat einen kleinen Bauch, sieht aber kräftig aus. »Dann werden Sie mich jetzt wohl feuern.«

»Feuern?« Er lacht. »Sie sind die beste Köchin, die mir je begegnet ist. Da, schauen Sie, was Sie mit mir gemacht haben.« Er guckt kritisch auf seinen Bauch, der grad anfängt, sich vorzuwölben. »Mensch, so gut habe ich nicht mehr gegessen, seit Cora Blue zu Hause für uns gekocht hat. Sie hat mich praktisch großgezogen.«

Ich atme tief durch, weil mich das mit Cora Blue irgendwie doch bisschen beruhigt. »Ihre Kinder waren bei mir in der Kirche. Ich hab sie gekannt.«

»Ich vermisse sie sehr.« Er dreht sich um, macht den Kühlschrank auf, guckt rein, macht ihn wieder zu.

»Wann kommt Celia wieder? Wissen Sie das?«, fragt Mister Johnny.

»Keine Ahnung. Ich nehm an, sie ist beim Friseur.«

»Eine Zeitlang habe ich gedacht, sie hätte wirklich kochen gelernt. Bis zu dem Samstag, als Sie nicht hier waren und sie versucht hat, Hamburger zu machen.«

Er lehnt sich an die Arbeitsplatte und seufzt: »Warum soll ich nichts von Ihnen wissen?«

»Weiß nicht. Sie sagt's mir nicht.«

Er schüttelt den Kopf, guckt auf den schwarzen Fleck an der Decke, von dem Tag, wo Miss Celia den Truthahn verbrannt hat. »Minny, mich stört es nicht, wenn Celia für den Rest ihres Lebens keinen Finger mehr rührt. Aber sie sagt, sie will alles selbst machen für mich.« Er zieht die Augenbrauen bisschen hoch. »Können Sie sich vorstellen, wovon ich mich ernährt habe, bevor Sie hier waren?«

»Sie ist am Lernen. Jedenfalls ... versucht sie's.« Aber ich sag das selbst mit einem Schnauben. Es gibt Sachen, da kann man einfach nicht lügen.

»Es ist mir *egal,* ob sie kochen kann. Ich will nur, dass sie hier ist.« Er zuckt die Achseln. »Bei mir.«

Er reibt sich mit seinem weißen Hemdärmel die Stirn, und jetzt ist mir klar, warum seine Hemden immer so dreckig sind. Und er sieht wirklich nicht schlecht aus. Für einen Weißen.

»Sie scheint einfach nicht glücklich«, sagt er. »Liegt das an mir? An dem Haus? Wohnen wir zu weit draußen?«

»Ich weiß nicht, Mister Johnny.«

»Was ist es dann?« Er hält sich an der Arbeitsplatte hinter sich fest. »Sagen Sie's mir. Hat sie« – er schluckt –, »hat sie einen anderen?«

Ich wehr mich dagegen, aber irgendwie tut er mir leid, jetzt wo ich seh, dass ihn das alles genauso durcheinanderbringt wie mich.

»Mister Johnny, das geht mich alles nichts an. Aber so viel kann ich Ihnen sagen, dass Miss Celia außerhalb von diesem Haus mit niemand was zu tun hat.«

Er nickt. »Sie haben recht. Das war eine dumme Frage.«

Ich äug zur Tür, frag mich, wann Miss Celia heimkommt. Ich weiß nicht, was sie machen würd, wenn sie reinkäm und Mister Johnny wär hier mit mir in der Küche.

»Hören Sie«, sagt er, »sagen Sie ihr nicht, dass Sie mir begegnet sind. Ich möchte, dass sie es mir erzählt, wenn sie so weit ist.«

Ich bring das erste richtige Lächeln zustande. »Ich soll also einfach so weitermachen wie bislang?«

»Passen Sie auf sie auf. Ich habe es nicht gern, dass sie allein hier in diesem großen Haus ist.«

»Ja, Sir. Was Sie wollen.«

»Ich bin heute hier vorbeigekommen, weil ich mir eine Überraschung für sie ausgedacht hatte. Ich wollte den Mimosenbaum dort draußen fällen, den sie so hasst, und sie dann in die Stadt mitnehmen, zum Mittagessen. Und zum Juwelier, ein Weihnachtsgeschenk für sie aussuchen.« Mister Johnny geht ans Fenster, guckt raus und seufzt. »Jetzt werde ich wohl allein irgendwo etwas essen gehen.«

»Ich mach Ihnen was. Was möchten Sie?«

Er dreht sich um, grinst wie ein kleiner Junge. Ich schau im Kühlschrank nach, nehm Sachen raus.

»Wissen Sie noch, diese Schweinekoteletts, die es vor einiger Zeit mal gab?« Er kaut auf seinem Fingernagel. »Würden Sie uns die diese Woche nochmal machen?«

»Mach ich heut zum Abendessen. Sind noch welche im Gefrierschrank. Und morgen Abend kriegen Sie Huhn mit Klößen.«

»Oh, das hat Cora Blue immer gemacht.«

»Setzen Sie sich da an den Tisch, dann mach ich Ihnen ein feines Sandwich mit Speck, Salat und Tomate zum Mitnehmen.«

»Und toasten Sie das Brot auch?«

»Klar. Ungetoastetes Brot gibt doch kein anständiges Sandwich. Und heut Nachmittag mach ich Ihnen Minnys berühmte Karamelltorte. Und nächste Woche kriegen Sie frittierten Katzenfisch …«

Ich nehm den Speck für Mister Johnnys Lunch raus, setz die Pfanne auf. Mister Johnnys Augen sind klar und groß. Sein ganzes Gesicht lächelt. Ich mach ihm sein Sandwich und wickel es in Wachspapier. Endlich jemand, den ich richtig bekochen kann.

»Minny, ich muss Sie das fragen. Wenn *Sie* hier sind … was in aller Welt macht Celia dann den ganzen Tag?«

Ich zuck die Achseln. »Ich hab noch nie eine weiße Frau den ganzen Tag so rumsitzen sehen wie sie. Die meisten sind immer schwer beschäftigt, gehen Erledigungen machen, tun, wie wenn sie mehr zu tun hätten wie ich.«

»Sie braucht Freundinnen. Ich werde meinen Freund Will fragen, ob er seine Frau dazu bringen kann, hier herauszukommen und ihr Bridge beizubringen, sie in eine Gruppe zu integrieren. Ich weiß ja, dass Hilly in all diesen Dingen die maßgebliche Person ist.«

Ich starr ihn an, wie wenn's vielleicht nicht wahr wär, wenn ich nur ganz still halt. Schließlich frag ich: »Meinen Sie Miss Hilly Holbrook?«

»Sie kennen sie?«, fragt er.

»Mm-hmm.« Ich schluck an dem Montiereisen, das sich meine Kehle hochschiebt, wenn ich mir vorstell, dass Miss Hilly hier im Haus rumlungert. Und Miss Celia die Wahrheit über die fürchterlich schlimme Sache erfährt. Nie und nimmer könnten die beiden Freundinnen werden. Aber für Mister Johnny würd Miss Hilly garantiert alles tun.

»Ich werde Will gleich heute Abend anrufen und ihn noch einmal darum bitten.« Er tätschelt mir die Schulter, und ich merk, wie ich wieder über das Wort nachdenk, *Wahrheit*. Und dass Aibileen sie Miss Skeeter erzählen will. Wenn die Wahrheit über mich rauskommt, bin ich geliefert. Ich hab mich ein Mal mit der Falschen angelegt, und das reicht schon.

»Ich gebe Ihnen meine Telefonnummer im Büro. Rufen Sie mich an, falls es je irgendwelche Probleme gibt, ja?«

»Ja, Sir«, sag ich und fühl, wie die Panik alles wegspült, was mir der Tag heut an Erleichterung gebracht hat.

Miss Skeeter

KAPITEL 11

Offiziell ist für den überwiegenden Teil der Nation Winter, aber im Haus meiner Mutter herrscht bereits Zähneknirschen und Händeringen. Die Vorboten des Frühjahrs sind zu früh eingetroffen. Daddy ist mitten in der Baumwollaussaat-Hektik, musste zehn zusätzliche Arbeiter zum Pflügen und Traktorfahren einstellen, damit die Samen rechtzeitig in die Erde kommen. Mutter studiert den *Farmer's Almanac,* aber was sie beschäftigt, ist nicht die Saat. Eine Hand an der Stirn, übermittelt sie mir die schlechte Nachricht.

»Sie sagen, dieses Frühjahr wird das schwülste seit Jahren.« Sie seufzt. Nach den ersten paar Anwendungen hat der Shinalator nicht mehr viel genützt. »An deiner Stelle würde ich bei Beemon's noch ein paar Dosen Spray holen, die extrastarke Sorte.«

Sie blickt von dem *Almanac* auf, mustert mich. »Wofür bist du denn so angezogen?«

Ich trage mein dunkelstes Kleid und dunkle Strümpfe. Mit dem schwarzen Tuch überm Haar habe ich vermutlich mehr Ähnlichkeit mit Peter O'Toole in *Lawrence von Arabien* als mit Marlene Dietrich. Die hässliche rote Büchertasche hängt über meiner Schulter.

»Ich habe ein paar Sachen zu erledigen. Danach treffe ich mich mit … Freundinnen. In der Kirche.«

»Am Samstagabend?«

»Mama, Gott kümmert es doch nicht, welcher Wochentag ist«, sage ich und verschwinde zum Auto, ehe sie noch mehr Fragen stellen kann. Heute Abend gehe ich zu Aibileen, zu unserem ersten Interview.

Mit rasendem Herzen fahre ich schnell durch die Straßen der Stadt in Richtung der Farbigengegend. Noch nie habe ich mit einer Negerin, die nicht dafür bezahlt wurde, an einem Tisch gesessen. Über einen Monat wurde das Interview immer wieder verschoben. Zuerst war Weihnachten, und Aibileen musste fast jeden Abend länger arbeiten, Geschenke einpacken und kochen für Elizabeths Weihnachtsparty. Im Januar überfiel mich Panik, als Aibileen Grippe bekam. Ich habe Angst, Missus Stein könnte inzwischen das Interesse verloren haben oder sich nicht mehr erinnern, warum sie sich überhaupt bereiterklärt hat, das Interview zu lesen.

Ich lenke den Cadillac durch die Dunkelheit, biege in die Gessum Avenue, Aibileens Straße. Ich hätte ja lieber den alten Pick-up genommen, aber das hätte Mutter misstrauisch gemacht, und außerdem hatte ihn Daddy mit auf den Feldern. Ich halte wie verabredet vor einem leerstehenden, gespenstisch wirkenden Haus drei Häuser vor ihrem. Die Eingangsveranda des Spukhauses hängt schief, die Fenster haben keine Scheiben. Ich steige aus ins Dunkel, schließe den Wagen ab und gehe schnell weiter. Ich halte den Kopf gesenkt, aber meine Absätze klicken laut auf dem Asphalt.

Ein Hund bellt, und meine Schlüssel fallen mir klirrend aus der Hand. Ich schaue mich um, hebe sie wieder auf. Zwei Grüppchen von Farbigen sitzen auf Veranden, schaukeln und schauen her. Straßenlaternen gibt es nicht, deshalb ist schwer auszumachen, wer mich sonst noch sieht. Ich gehe weiter, fühle mich so auffallend wie mein Auto: groß und weiß.

Ich erreiche Nummer fünfundzwanzig, Aibileens Haus. Ich schaue mich noch ein letztes Mal um, wünschte, ich wäre nicht zehn Minuten zu früh dran. Der Farbigenteil der Stadt schien immer so weit weg, obwohl es nur ein paar Meilen hierher sind.

Ich klopfe sacht an. Ich höre Schritte, und drinnen fällt irgendetwas knallend zu. Aibileen macht mir auf. »Kommen Sie rein«, flüstert sie, drückt schnell die Tür hinter mir zu und schließt sie ab.

Noch nie habe ich Aibileen anders als in ihrer weißen Uniform gesehen. Jetzt trägt sie ein grünes Kleid mit schwarzen Paspeln. Ich kann nicht umhin zu bemerken, dass sie in ihrem eigenen Haus aufrechter steht.

»Machen Sie sich's bequem. Bin gleich wieder da.«

Obwohl die einzige Lampe brennt, ist das vordere Zimmer dunkel, voller Brauntöne und Schatten. Die Vorhänge sind zugezogen und in der Mitte mit Sicherheitsnadeln zusammengesteckt. Ich weiß nicht, ob das immer so ist oder nur meinetwegen. Ich lasse mich auf dem schmalen Sofa nieder. Da ist ein hölzerner Couchtisch mit einem Deckchen aus handgemachter Schiffchenspitze. Der Fußboden ist nackt. Ich wollte, ich hätte nicht so ein teuer aussehendes Kleid an.

Ein paar Minuten später kommt Aibileen wieder, in den Händen ein Tablett mit einer Teekanne, zwei nicht zusammenpassenden Tassen und zu Dreiecken gefalteten Papierservietten. Ich rieche die Zimtplätzchen, die sie gebacken hat. Als sie den Tee eingießt, klappert der Kannendeckel.

»'tschuldigung«, sagt sie und hält den Deckel fest. »Ich hab noch nie jemand Weißes in meinem Haus gehabt.«

Ich lächle, obwohl ich weiß, dass es nicht witzig gemeint war. Ich nehme einen Schluck Tee. Er ist bitter und stark. »Danke«, sage ich. »Guter Tee.«

Sie setzt sich, faltet die Hände im Schoß und schaut mich erwartungsvoll an.

»Ich dachte, wir klären erst ein paar Hintergrundfakten und legen dann einfach los mit den Fragen«, sage ich. Ich ziehe mein Notizbuch heraus und überfliege meine vorbereiteten

Fragen. Sie erscheinen mir plötzlich so banal und dilettantisch.

»Okay«, sagt sie. Sie sitzt kerzengerade auf dem Sofa, mir zugewandt.

»Also, zuerst mal, äh, wann und wo sind Sie geboren?«

Sie schluckt, nickt. »Neunzehnhundertneun. Piedmont-Plantage drunten in Cherokee County.«

»Wussten Sie als Kind schon, dass Sie eines Tages Dienstmädchen werden würden?«

»Ja, Ma'am. Ja, das hab ich gewusst.«

Ich lächle, warte, dass sie es näher ausführt. Da kommt nichts.

»Und das wussten Sie … weil …?«

»Mama war Dienstmädchen. Meine Granmama war Haussklavin.«

»Haussklavin. Aa-ha«, sage ich, aber sie nickt nur. Ihre Hände sind immer noch in ihrem Schoß gefaltet. Sie beobachtet, was ich aufschreibe.

»Haben Sie … je davon geträumt, etwas anderes zu werden?«

»Nein«, sagt sie. »Nein, Ma'am, hab ich nicht.« Es ist so still, dass ich uns beide atmen höre.

»Gut. Dann … wie fühlt es sich an, ein weißes Kind großzuziehen, während das eigene Kind zu Hause ist und …« Ich schlucke, weil mir die Frage peinlich ist. »… von jemand anderem betreut wird?«

»Das fühlt sich …« Sie sitzt immer noch so gerade, dass es schon fast schmerzhaft wirkt. »Ähm, vielleicht … können wir zur nächsten Frage gehen.«

»Oh. Natürlich.« Ich starre auf meine Fragen. »Was gefällt Ihnen am besten daran, Dienstmädchen zu sein, und was am wenigsten?«

Sie schaut mich an, als hätte ich sie aufgefordert, ein obszönes Wort zu definieren.

»Ich ... ich denk, für die Kinder zu sorgen, gefällt mir am besten«, flüstert sie.

»Und ... möchten Sie ... dazu noch etwas sagen?«

»Nein, Ma'am.«

»Aibileen. Sie brauchen mich nicht Ma'am zu nennen. Nicht hier.«

»Ja, Ma'am. Oh. 'tschuldigung.« Sie schlägt sich die Hand vor den Mund.

Plötzlich sind da laute Stimmen draußen auf der Straße, und wir blicken beide erschrocken zum Fenster. Wir sind still, rühren uns nicht. Was würde passieren, wenn eine weiße Person dahinterkäme, dass ich an einem Samstagabend hier sitze und mit Aibileen rede, die normale Kleidung trägt? Würde diese Person die Polizei anrufen und eine verdächtige Zusammenkunft melden? Plötzlich bin ich mir sicher, dass genau das passieren würde. Man würde uns festnehmen, weil das so läuft. Man würde uns des Verstoßes gegen die Segregationsgesetze bezichtigen, das lese ich ständig in der Zeitung. Sie verachten Weiße, die sich mit Farbigen treffen, um die Bürgerrechtsbewegung zu unterstützen. Das hier hat zwar nichts mit Rassenintegration zu tun, aber warum sonst sollten wir uns treffen? Ich habe nicht mal Miss-Myrna-Briefe als Tarnung dabei.

Ich sehe offene Angst auf Aibileens Gesicht. Langsam verschwinden die Stimmen die Straße hinunter. Ich atme aus, aber Aibileen ist immer noch angespannt. Ihr Blick ist weiter auf die Vorhänge geheftet.

Ich schaue auf meine Fragenliste, auf der Suche nach irgendetwas, das ihr hilft, ihre Nervosität loszuwerden. Das mir hilft, meine loszuwerden. Ich muss ständig daran denken, wie viel Zeit ich schon verloren habe.

»Und was ... sagten Sie, gefällt Ihnen nicht an Ihrem Job?«

Aibileen schluckt.

»Ich meine, möchten Sie etwas über die Toilettensache

sagen? Oder über Eliz… Miss Leefolt? Darüber, was sie Ihnen bezahlt? Hat sie Sie je vor Mae Mobley angeschrien?«

Aibileen nimmt eine Papierserviette und tupft sich damit die Stirn ab. Sie setzt an, etwas zu sagen, macht den Mund aber wieder zu.

»Wir haben doch schon oft geredet, Aibileen …«

Sie schlägt sich die Hand vor den Mund. »'tschuldigung, ich …« Sie steht auf und geht schnell den schmalen Flur hinunter. Eine Tür fliegt so heftig zu, dass die Teekanne und die Tassen auf dem Tablett klappern.

Fünf Minuten vergehen. Als sie wiederkommt, hält sie sich ein Handtuch vor die Brust, wie ich es von Mutter kenne, wenn sie sich übergeben musste und es nicht mehr bis zur Toilette geschafft hatte.

»Tut mir leid. Ich hab gedacht, ich wär … bereit zum Reden.«

Ich nicke, weiß nicht recht, was tun.

»Ich … ich weiß, Sie haben dieser Lady in New York schon gesagt, dass ich's mach, aber …« Sie schließt die Augen. »Tut mir leid. Ich glaub, ich kann's nicht. Ich muss mich hinlegen.«

»Morgen Abend. Ich … überlege mir eine bessere Vorgehensweise. Wir versuchen es einfach noch mal und …«

Sie schüttelt den Kopf, drückt das Handtuch an sich.

Auf der Rückfahrt könnte ich mich ohrfeigen. Weil ich mir eingebildet habe, einfach hineinmarschieren und Antworten verlangen zu können. Weil ich dachte, sie würde sich nicht mehr als Dienstmädchen fühlen, nur weil wir bei ihr zu Hause waren, weil sie keine Uniform trug.

Ich schaue auf mein Notizbuch, das auf dem weißen Ledersitz liegt. Außer den Angaben zu ihrer Herkunft und Kindheit habe ich ganze zwölf Wörter. Und vier davon sind *Ja, Ma'am* und *Nein, Ma'am*.

Patsy Clines Stimme kommt über den Radiosender WJDX. Während ich die Landstraße entlangfahre, spielen sie »Walking After Midnight«. Als ich in Hillys Zufahrt einbiege, läuft gerade »Three Cigarettes in an Ashtray«. Ihr Flugzeug ist heute Morgen abgestürzt, und von New York bis Mississippi und Seattle trauert alles und singt ihre Songs. Ich parke den Cadillac und starre auf Hillys weitläufiges weißes Haus. Vier Tage ist es jetzt her, dass Aibileen sich mitten in unserem Interview übergeben musste, und seither habe ich nichts von ihr gehört.

Ich gehe hinein. Der Bridgetisch ist in Hillys Antebellum-Wohnzimmer mit der ohrenbetäubenden Pendeluhr und den goldenen Schabrackenvorhängen aufgestellt. Alle sitzen schon – Hilly, Elizabeth und Lou Anne Templeton, die Missus Walters ersetzt. Lou Anne ist eine von den Frauen, die grundsätzlich ein eifriges Lächeln zur Schau tragen – immer und pausenlos. Ich möchte sie am liebsten mit einer Stecknadel pieken. Wenn man nicht hinguckt, starrt sie einen mit diesem leeren, blitzenden Lächeln an. Und sie stimmt Hilly in jeder Kleinigkeit zu.

Hilly hält ein *Life*-Heft hoch, zeigt auf eine Doppelseite mit einem Haus in Kalifornien. »Wohnlandschaft nennen sie das, als ob dort Affen auf Felsen hausen würden.«

»Wirklich grässlich!«, sagt Lou Anne strahlend.

Das Foto zeigt einen ganz mit Flokati ausgelegten Raum, niedrige, stromlinienförmige Sofas, eiförmige Sessel und Fernsehapparate, die wie fliegende Untertassen aussehen. In Hillys Wohnzimmer hängt das zweieinhalb Meter hohe Porträt eines Konföderiertengenerals an so prominenter Stelle, als wäre er ein Großvater und kein Verwandter x-ten Grades.

»Das ist jetzt modern. Genauso sieht Trudys Haus aus«, sagt Elizabeth. Ich war so mit dem Interview mit Aibileen beschäftigt, ich hab fast vergessen, dass Elizabeth letzte Woche bei ihrer älteren Schwester war. Trudy hat einen Banker geheiratet und ist mit ihm nach Hollywood gezogen. Elizabeth war vier Tage dort, um das neue Haus zu besichtigen.

»Ach, das ist einfach schlechter Geschmack und sonst gar nichts«, sagt Hilly. »Nichts gegen deine Familie, Elizabeth.«

»Wie war Hollywood?«, fragt Lou Anne.

»Oh, es war ein Traum. Und Trudys Haus – Fernseher in jedem Zimmer. Und genau die gleichen verrückten Weltraumzeitalter-Möbel, in denen man kaum sitzen kann. Wir waren in all den schicken Restaurants, wo die Filmstars essen, und haben Martinis getrunken und Burgunder. Und an einem Abend ist Max Factor persönlich zu uns an den Tisch gekommen und hat mit Trudy geredet, als ob sie alte Freunde wären« – sie schüttelt den Kopf –, »als ob sie sich gerade zufällig beim Einkaufen getroffen hätten.« Elizabeth seufzt.

»Also, wenn du mich fragst, bist immer noch du die Hübscheste in der Familie«, sagt Hilly. »Nicht, dass Trudy unattraktiv wäre, aber du bist die mit dem Auftreten und dem wahren Stil.«

Elizabeth lächelt erfreut, aber dann wird ihre Miene wieder wehmütig. »Mal ganz davon abgesehen, dass sie ein Dienstmädchen hat, das im Haus wohnt und immer da ist, jeden Tag, rund um die Uhr. Ich bräuchte Mae Mobley kaum zu sehen.«

Ich zucke bei dieser Bemerkung zusammen, aber sonst scheint sie niemandem aufzufallen. Hilly beobachtet gerade, wie uns ihr Mädchen, Yule May, Eistee nachschenkt. Sie ist groß und schlank, hat etwas fast schon Majestätisches und eine viel bessere Figur als Hilly. Bei ihrem Anblick muss ich wieder an Aibileen denken. Ich habe diese Woche zweimal bei ihr zu Hause angerufen, aber da ist niemand drangegangen. Ich bin mir sicher, dass sie mich absichtlich meidet. Um mit ihr zu reden, werde ich wohl zu Elizabeth gehen müssen, ob es der nun passt oder nicht.

»Ich habe mir gedacht, nächstes Jahr könnten wir doch für

den Wohltätigkeitsball *Vom Winde verweht* als Thema nehmen«, sagt Hilly, »und vielleicht das alte Fairview Mansion mieten.«

»Tolle Idee!«, ruft Lou Anne.

»Oh, Skeeter«, sagt Hilly. »Ich weiß, wie schlimm es für dich war, dass du's dieses Jahr verpasst hast.« Ich nicke und mache ein betrübtes Gesicht. Ich hatte eine Grippe vorgeschützt, um nicht allein hinzumüssen.

»Eins kann ich euch sagen«, fügt Hilly hinzu, »diese Rock-and-Roll-Band engagiere ich nicht wieder. Die ganze Zeit nur diese schnelle Tanzmusik …«

Elizabeth berührt mich am Arm. Sie hat ihre Handtasche auf dem Schoß. »Hier, fast hätte ich's vergessen. Von Aibileen, wegen dem Miss-Myrna-Zeug? Ich habe ihr aber gesagt, heute könnt ihr darüber nicht sprechen, nicht, nachdem sie im Januar so lange ausgefallen ist.«

Ich öffne den zusammengefalteten Zettel. Darauf steht in hübscher blauer Tintenschrift: *Ich weiß jetzt, was man machen kann, dass die Teekanne nimmer klappert.*

»Wer in aller Welt hat denn nichts Besseres zu tun, als eine Teekanne am Klappern zu hindern?«, fragt Elizabeth, weil sie den Zettel natürlich gelesen hat.

Ich brauche zwei Sekunden und einen Schluck Eistee, um es zu verstehen. »Du glaubst ja gar nicht, wie schwer das ist«, erkläre ich ihr.

Zwei Tage später sitze ich in der Küche meiner Eltern und warte, dass die Dämmerung hereinbricht. Ich kapituliere und zünde mir noch eine Zigarette an, obwohl gestern Abend im Fernsehen der Leiter der Gesundheitsbehörde mit erhobenem Zeigefinger gemahnt hat, dass Rauchen tödlich ist. Aber Mutter hat mir früher eingeredet, dass Zungenküsse blind machen, und allmählich glaube ich, dass das alles ein einziges Komplott zwischen dem Leiter der Gesundheitsbehörde und Mutter ist, um zu verhindern, dass jemals irgendjemand irgendetwas tut, was Spaß macht.

Um acht Uhr schließlich stolpere ich so unauffällig Aibileens Straße entlang, wie man es irgend kann, wenn man eine halbzentnerschwere Corona-Schreibmaschine schleppt. Ich klopfe leise an, sehne mich schon nach der nächsten Zigarette, um meine Nerven zu beruhigen. Aibileen macht auf, und ich schlüpfe ins Haus. Sie trägt dasselbe grüne Kleid und dieselben steifen schwarzen Schuhe wie letztes Mal.

Ich versuche zu lächeln, als ob ich zuversichtlich wäre, dass es diesmal klappt, trotz der Idee, die sie mir am Telefon erläutert hat. »Könnten wir … uns diesmal in die Küche setzen?«, frage ich. »Wenn es Ihnen nichts ausmacht?«

»Okay. Ist nicht grad großartig da drin, aber kommen Sie mit.«

Die Küche ist etwa halb so groß wie das Wohnzimmer und wärmer. Sie riecht nach Tee und Zitrone. Das schwarz-weiße Linoleum ist dünngeschrubbt. Da ist gerade genug Abstellfläche für das Porzellan-Teeservice.

Ich stelle die Schreibmaschine auf einen zerkratzten roten Tisch am Fenster. Aibileen will das heiße Wasser in die Teekanne gießen.

»Oh, für mich nicht, danke«, sage ich und greife in meine Tasche. »Ich habe uns Co-Cola mitgebracht, wenn Sie möchten.« Ich habe mir überlegt, was ich tun könnte, um die Situation für Aibileen aufzulockern. Erstens: ihr nicht das Gefühl geben, sie müsste mich bedienen.

»Das ist aber nett. Normal trink ich meinen Tee sowieso später.« Sie bringt einen Öffner und zwei Gläser. Ich trinke meine Cola direkt aus der Flasche, und als sie das sieht, schiebt sie die Gläser weg und macht es ebenso.

Nachdem mir Elizabeth den Zettel gegeben hatte, habe ich Aibileen angerufen und hoffnungsfroh zugehört, als sie mir erklärte, was sie sich ausgedacht hatte – dass sie in ihren eigenen

Worten aufschreiben wolle, was sie zu sagen habe, und es mir dann zeigen werde. Ich versuchte mich erfreut zu geben. Aber mir ist klar, dass ich alles, was sie geschrieben hat, umschreiben muss und wir noch mehr Zeit vergeuden werden. Ich dachte, es würde die Sache erleichtern, wenn sie es in Maschinenschrift vor sich sieht, statt dass ich es durchlese und ihr erkläre, dass es so nicht gehen kann.

Wir lächeln uns an. Ich trinke einen Schluck von meiner Cola, streiche meine Bluse glatt. »Also ...«, sage ich.

Aibileen hat ein Spiralheft vor sich liegen. »Soll ich ... einfach vorlesen?«

»Klar«, sage ich.

Wir holen beide tief Luft, und sie fängt langsam und mit fester Stimme an zu lesen.

»Das erste weiße Baby, das ich je versorgt hab, hat Alton Carrington Speers geheißen. Das war 1924, da war ich grade fünfzehn geworden. Alton war ein langes, dünnes Baby mit Haar, so fein wie Maisfäden ...«

Ich tippe, während sie liest, rhythmisch und deutlicher artikuliert, als es ihre Sprache sonst ist. »Alle Fenster in dem verdreckten Haus waren innen zugestrichen, obwohl es ein großes Haus war mit einem großen grünen Rasen. Ich hab gewusst, dass die Luft schlecht war, hab mich selbst krank gefühlt ...«

»Moment«, sage ich. Ich habe *großen grümen* getippt. Ich puste auf die Korrekturflüssigkeit, übertippe es. »Okay, kann weitergehen.«

»Als die Mama ein halbes Jahr später starb«, liest sie, »an der Lungenkrankheit, haben sie mich behalten, um Alton aufzuziehen, bis sie dann nach Memphis gezogen sind. Ich hatte den Kleinen lieb und er mich, und da hab ich gemerkt, dass ich gut darin war, Kinder stolz auf sich selbst zu machen ...«

Ich wollte Aibileen nicht beleidigen, als sie mir ihre Idee auseinandersetzte. Ich versuchte, sie ihr am Telefon auszureden.

»Schreiben ist nicht so leicht. Und Sie werden sowieso nicht die Zeit dazu haben, Aibileen, nicht mit einem Ganztagsjob.«

»Kann nicht viel schwerer sein, wie jeden Abend meine Gebete aufzuschreiben.«

Das war das erste Mal, seit wir mit dem Projekt begonnen hatten, dass sie mir etwas Interessantes über sich erzählte, also griff ich mir den Einkaufsblock in der Speisekammer. »Dann sprechen Sie also Ihre Gebete nicht?«

»Das hab ich noch keinem erzählt. Nicht mal Minny. Hab festgestellt, dass ich viel besser rüberbring, was ich sagen will, wenn ich's hinschreib.«

»Das machen Sie also am Wochenende?«, fragte ich. »In Ihrer Freizeit?« Mir gefiel der Gedanke einzufangen, wie ihr Leben außerhalb der Arbeit aussieht, wenn sie nicht unter Elizabeth Leefolts Fuchtel steht.

»Oh, nein, ich schreib immer eine Stunde am Tag, manchmal auch zwei. Gibt so viele Leute hier in der Stadt, die krank sind oder sonst irgendwas haben.«

Ich war beeindruckt. Das war mehr, als ich an manchen Tagen schreibe. Einfach nur, um das Projekt wieder in Gang zu kriegen, sagte ich, wir würden es versuchen.

Aibileen atmet durch, trinkt einen Schluck Cola und liest weiter.

Sie geht zurück zu ihrem ersten Job mit dreizehn, der darin bestand, das Francis-the-First-Silber im alten Herrenhaus des Gouverneurs zu putzen. Sie liest vor, wie sie an ihrem ersten Morgen dort einen Fehler beim Ausfüllen der Tabelle machte, wo man die Stückzahl eintragen musste, damit sichergestellt war, dass man nichts gestohlen hatte.

»An dem Vormittag, an dem sie mich gefeuert hatten, bin ich heimgekommen und vor unserem Haus gestanden, in meinen neuen Arbeitsschuhen. Den Schuhen, für die meine Mama so viel gezahlt hatte wie für einen Monat Strom. Ich glaub, da hab ich verstanden, was Schande ist und welche Farbe sie hat.«

Schande ist nicht schwarz, wie Dreck, wie ich immer gedacht hatte. Schande hat die Farbe von einer neuen weißen Uniform, für die deine Mutter die Nächte durch hat bügeln müssen, weiß, ohne den kleinsten Fleck von Arbeitsdreck drauf.«

Aibileen schaut mich an, um festzustellen, was ich davon halte. Ich höre auf zu tippen. Ich hatte süßliche, glatte Geschichten erwartet. Mir wird klar, dass ich mich ganz schön verschätzt habe. Sie liest weiter.

»... also geh ich hin und räum den Kommodenschrank auf, und eh ich mich's verseh, hat der kleine weiße Bub in den Fensterventilator gelangt, von dem ich ihr zehnmal gesagt hab, sie muss ihn ausbauen lassen, und hat sich die Finger glatt abgesäbelt. Noch nie hab ich so viel Blut aus jemand rauskommen sehen, und ich schnapp mir den Buben, schnapp mir die vier Finger. Trag den Kleinen zum Farbigenkrankenhaus, weil ich nicht weiß, wo das Weißenkrankenhaus ist. Aber wie ich dort ankomm, hält mich ein Farbiger an und sagt: *Ist der Bub da weiß?*«. Die Schreibmaschinentasten klackern wie Hagel auf einem Dach. Aibileen liest jetzt schneller, und ich ignoriere meine Tippfehler, unterbreche sie nur, um ein neues Blatt einzuspannen. Alle acht Sekunden katapultiere ich den Wagen zurück.

»Und ich sag: *Ja, Sir,* und er sagt: *Sind das da seine weißen Finger?* Und ich sag: *Ja, Sir,* und er sagt: *Ich rat Ihnen, sagen Sie, es ist Ihrer, und er ist nur sehr hell. Der farbige Arzt hier operiert garantiert keinen weißen Buben in einem Negerkrankenhaus.* Und dann packt mich ein weißer Polizist am Arm und sagt: *He, Sie ...*«

Sie verstummt. Schaut auf. Das Klackern bricht ab.

»Was? Der Polizist sagt: *He, Sie,* was?«

»Weiter hab ich nicht geschrieben. Hab auf den Bus zur Arbeit gemusst.«

Ich drücke die Rücktaste und die Maschine macht *kling.* Aibileen und ich schauen uns an. Ich denke, so könnte es tatsächlich etwas werden.

KAPITEL 12

Die nächsten zwei Wochen erkläre ich Mutter jeden zweiten Abend, ich ginge in die presbyterianische Kirche in der Canton, wo wir zum Glück niemanden kennen, um bei der Armenspeisung zu helfen. Natürlich hätte sie es lieber, ich betätigte mich in der First Presbyterian, aber Mutter würde niemals rechten, wenn es um Werke der christlichen Nächstenliebe geht, also nickt sie billigend und ermahnt mich nur, mir hinterher unbedingt die Hände gründlich mit Seife zu waschen.

Stunde um Stunde sitzen wir in Aibileens Küche. Sie liest vor, was sie geschrieben hat, und ich tippe. Die Einzelheiten verdichten sich, die Gesichter der Babys nehmen immer deutlichere Züge an. Zuerst bin ich enttäuscht, dass Aibileen im Grund alles selbst schreibt und ich nur redigiere. Aber wenn es Missus Stein gefällt, werde ich ja die Geschichten der anderen Dienstmädchen schreiben und damit mehr als genug zu tun haben. *Wenn es ihr gefällt …* Das höre ich mich im Kopf immer wieder sagen, als könnte ich es dadurch herbeizwingen.

Was Aibileen schreibt, ist klar und aufrichtig. Ich sage es ihr.

»Na ja, gucken Sie doch, wem ich sonst immer schreib.« Sie lacht. »Gott kann man nicht anlügen.«

Bevor ich auf der Welt war, hat sie einmal eine Woche auf Longleaf Baumwolle gepflückt. Bei einer unserer Arbeitssitzungen entschlüpft ihr eine Bemerkung über Constantine, ohne dass ich sie danach gefragt habe.

»Herr im Himmel, die konnt singen, die Constantine. Wie wenn ein reinrassiger Engel vorn in der Kirche steht. Ging allen durch und durch, die seidige Stimme von der Frau, und wie sie dann nimmer singen wollt, nachdem sie ihr Baby ins ...« Sie verstummt jäh. Schaut mich an.

Sie sagt: »Egal.«

Ich ermahne mich, sie nicht zu drängen. Ich möchte so gern alles aus ihr herausbekommen, was sie über Constantine weiß, aber ich werde warten, bis wir mit ihrer Geschichte fertig sind. Im Moment will ich auf keinen Fall, dass irgendetwas zwischen uns steht.

»Schon was von Minny gehört?«, frage ich. »Wenn es Missus Stein gefällt«, intoniere ich die vertraute Beschwörungsformel, »will ich das nächste Interview schon in die Wege geleitet haben.«

Aibileen schüttelt den Kopf. »Ich hab Minny dreimal gefragt, und sie sagt immer noch, sie will nicht. Ich sollt's ihr wohl langsam glauben.«

Ich versuche mir meine Beunruhigung nicht anmerken zu lassen. »Vielleicht könnten Sie ja noch ein paar andere fragen? Hören, ob sie Interesse hätten?« Ich bin mir sicher, dass Aibileen eher jemanden überreden kann als ich.

Aibileen nickt. »Gibt schon noch welche, die ich fragen kann. Aber was meinen Sie, wie lang's wohl dauert, bis diese Lady sagt, ob's ihr gefällt?«

Ich zucke die Achseln. »Ich weiß nicht. Wenn wir es nächste Woche abschicken, dürften wir wohl bis Mitte Februar etwas von ihr gehört haben. Aber genau kann ich es nicht sagen.«

Aibileen presst die Lippen aufeinander, blickt auf ihr Schreibheft. Ich bemerke etwas an ihr, was ich bisher gar nicht wahrgenommen habe. Gespanntheit, ein Aufblitzen von Erregung. Ich war so mit mir selbst beschäftigt, dass ich gar nicht auf die Idee gekommen bin, Aibileen könnte es genauso aufregend finden wie ich, dass eine Verlagslektorin in New York ihre Geschichte liest. Ich lächle und atme tief durch: Meine Hoffnung wächst.

Bei unserer fünften Arbeitssitzung beschreibt Aibileen den Tag, an dem Treelore ums Leben kam. Sie liest vor, wie sein zermalmter Körper von dem weißen Vorarbeiter auf die Pritsche eines Pick-ups geworfen wurde. »Und dann haben sie ihn am Weißenkrankenhaus abgeladen. Das hat mir die Schwester erzählt, die da grad draußen stand. Sie haben ihn von der Pritsche gewälzt, und dann sind die Weißen weggefahren.« Aibileen weint nicht, sie lässt einfach nur eine ganze Weile vergehen, in der ich auf die Schreibmaschine starre und sie auf die abgetretenen Linoleumfliesen.

Bei unserer sechsten Sitzung sagt Aibileen: »Bei Miss Leefolt hab ich 1960 angefangen. Wie Mae Mobley zwei Wochen alt war.« Und ich habe das Gefühl, ein äußeres Tor zu ihrem Vertrauen passiert zu haben. Sie schildert den Bau der Toilette draußen in der Garage, gesteht, dass sie inzwischen froh darüber ist. Es ist leichter, als mit anzuhören, wie Hilly sich darüber beklagt, die Toilette mit einem Dienstmädchen teilen zu müssen. Aibileen erklärt, ich hätte einmal gesagt, Farbige gingen zu viel in die Kirche. Das hat sie getroffen. Ich zucke zusammen, frage mich, was ich noch alles gesagt habe, ohne auf die Idee zu kommen, die Haushaltshilfe könnte zuhören oder es sich gar zu Herzen nehmen.

Eines Abends sagt sie: »Ich hab mir gedacht …« Aber dann verstummt sie.

Ich blicke von der Schreibmaschine auf, warte. Aibileen musste sich auf ihr Kleid erbrechen, um mich zu lehren, ihr Zeit zu lassen.

»Ich hab mir gedacht, ich sollt mal paar Sachen lesen. Hilft mir vielleicht beim Schreiben.«

»Gehen Sie in die Bibliothek in der State Street. Die haben einen ganzen Raum mit Südstaatenautoren. Faulkner, Eudora Welty …«

Aibileen hüstelt. »In die Bibliothek dürfen keine Farbigen.«

Ich sitze da wie ein begossener Pudel. »Wie konnte ich das vergessen!« Die Farbigenbibliothek muss ziemlich schlecht sein. Vor ein paar Jahren gab es ein Sit-in in der Weißenbibliothek, über das sogar in der Presse berichtet wurde. Als eine größere Menge von Farbigen zum Prozess gegen die Sit-in-Teilnehmer erschien, trat die Polizei einfach nur ein paar Schritte zurück und ließ die Schäferhunde los. Ich schaue Aibileen an, und mir wird wieder bewusst, welches Risiko sie eingeht, indem sie mit mir redet. »Ich besorge Ihnen die Bücher gern«, sage ich.

Aibileen verschwindet eilends in ihr Schlafzimmer und kommt mit einer Liste wieder. »Ich kreuz am besten die an, die ich zuerst will. Für *Wer die Nachtigall stört* steh ich jetzt in der Carver-Bibliothek schon drei Monate auf der Warteliste. Mal gucken ...«

Ich sehe zu, wie sie die Bücher ankreuzt: *Die Seelen der Schwarzen* von W. E. B. Du Bois, Gedichte von Emily Dickinson (egal welche), *Huckleberry Finn*.

»Paar davon hab ich in der Schule angefangen, konnt sie aber nimmer fertig lesen.« Sie hält inne, überlegt, was ihr das Nächstwichtigste ist.

»Sie wollen ein Buch von ... Sigmund Freud?«

»Oh, über die verrückten Leute.« Sie nickt. »Ich les gern Sachen drüber, wie der Kopf funktioniert. Haben Sie schon mal geträumt, Sie fallen in einen See? Er sagt, der Traum geht darum, wie man selbst geboren wird. Miss Frances, bei der ich 1957 gearbeitet hab, die hat die Bücher alle gehabt.«

Beim zwölften Titel muss ich es einfach wissen. »Aibileen, wie lange wollten Sie mich das schon fragen? Ob ich diese Bücher für Sie ausleihen kann?«

»Schon eine Weile.« Sie zuckt die Achseln. »Hab mich wohl nicht getraut, was zu sagen.«

»Haben Sie ... gedacht, ich würde nein sagen?«

»Das sind halt Weißenregeln. Ich weiß ja nicht, welche Sie befolgen und welche nicht.«

Wir sehen uns einen Moment an. »Ich habe die Regeln satt«, sage ich.

Aibileen lacht leise und schaut aus dem Fenster. Mir wird klar, wie hohl dieses Geständnis in ihren Ohren klingen muss.

Vier Tage sitze ich in meinem Zimmer an der Schreibmaschine. Meine zwanzig ursprünglichen Mitschriftseiten, voller Streichungen und rot umkringelter Korrekturen, werden einunddreißig Seiten auf dickem, weißem Strathmore-Papier. Ich schreibe eine Kurzbiographie von Sarah Ross – der Name, den sich Aibileen ausgesucht hat, nach ihrer vor Jahren verstorbenen Grundschullehrerin. Ich gebe ihr Alter an, den Broterwerb ihrer Eltern. Dann kommen Aibileens Geschichten, so wie sie sie geschrieben hat, schlicht und geradeheraus.

Am dritten Tag ruft Mutter die Treppe hinauf, was ich denn bloß den ganzen Tag dort oben mache, und ich rufe hinunter: *Ich tippe nur Notizen zu meinem Bibelstudium ab. Schreibe alles auf, was ich an Jesus liebe.* Nach dem Abendessen höre ich sie in der Küche zu Daddy sagen: »Sie führt doch irgendwas im Schilde.« Ich trage der Glaubhaftigkeit wegen meine kleine weiße Taufbibel mit mir herum.

Ich lese es wieder und wieder durch, bringe dann abends Aibileen die Seiten, und sie liest sie ebenfalls. Sie nickt lächelnd bei den netten Passagen, wo alle wunderbar miteinander auskommen, aber bei den schlimmen Stellen nimmt sie ihre schwarze Lesebrille ab und sagt: »Ich weiß, ich hab's geschrieben, aber wollen Sie das wirklich reinnehmen, das mit …«

Und ich sage: »Ja, das will ich.« Aber ich staune selbst, was alles in diesen Geschichten steht, über separate Farbigenkühlschränke im Haus des Gouverneurs, über weiße Frauen, die wegen einer Falte in einer Serviette Wutanfälle bekommen wie Zweijährige, über weiße Kleinkinder, die Aibileen »Mama« nennen.

Um drei Uhr morgens, als auf den nunmehr siebenundzwanzig Seiten nur noch zwei überpinselte und übertippte Stellen sind, stecke ich das Manuskript in einen gelben Umschlag. Gestern habe ich ein Ferngespräch mit Missus Steins Büro geführt. Ihre Sekretärin Ruth sagte, sie sei in einer Besprechung, und versprach, ihr auszurichten, dass das Interview unterwegs sei. Heute kam kein Rückruf von Missus Stein.

Ich drücke den Umschlag an mein Herz und weine fast vor Erschöpfung und Zweifel. Am nächsten Morgen gebe ich ihn im Postamt an der Canton auf. Als ich nach Hause komme, lege ich mich auf mein altes Eisenbett und frage mich ängstlich, was passieren wird … *wenn es ihr gefällt.* Was ist, wenn uns Elizabeth auf die Schliche kommt oder Hilly? Wenn Aibileen gefeuert wird oder im Gefängnis landet? Ich habe das Gefühl, einen tiefen, spiralförmigen Schacht hinabzustürzen. Gott, würden sie auf sie einschlagen wie auf den schwarzen Jungen, der die Weißentoilette benutzt hat? Was tue ich? Warum setze ich sie einem solchen Risiko aus?

Ich schlafe ein. Die nächsten fünfzehn Stunden verbringe ich mit Alpträumen.

Es ist Viertel nach eins, und Hilly, Elizabeth und ich sitzen an Elizabeths Esszimmertisch und warten auf Lou Anne. Ich habe heute noch nichts zu mir genommen außer Mutters Tee gegen sexuelle Verirrungen. Mir ist flau, und ich bin nervös. Mein Fuß wippt unterm Tisch. So geht es mir jetzt schon zehn Tage, seit ich Aibileens Geschichten an Elaine Stein geschickt habe. Ich habe einmal angerufen, und Ruth sagte, sie habe ihr die Sendung vor vier Tagen gegeben, aber gehört habe ich immer noch nichts.

»Ist das nicht der Gipfel der Unhöflichkeit?« Hilly schaut auf die Uhr und macht ein finsteres Gesicht. Lou Anne kommt schon das zweite Mal zu spät. Lange wird sie sich nicht in unserer Bridgegruppe halten, nicht unter Hillys Regie.

Aibileen kommt ins Esszimmer, und ich gebe mir alle Mühe, sie nicht zu lange anzuschauen. Ich habe Angst, dass Hilly oder Elizabeth mir etwas anmerken könnten.

»Hör auf mit der Wipperei, Skeeter. Du bringst den ganzen Tisch zum Wackeln«, sagt Hilly.

Aibileen geht in ihrer weißen Uniform ruhig im Zimmer umher. Ihr ist nicht das Geringste anzumerken. Sie ist wohl geübt darin, ihre Gefühle zu verbergen.

Hilly mischt und gibt Karten für eine Übungsrunde Rommee. Ich versuche, mich aufs Spiel zu konzentrieren, aber mir schießen immer wieder Details durch den Kopf, sobald ich Elizabeth ansehe. Wie Mae Mobley die Toilette in der Garage benutzt hat, dass Aibileen ihren mitgebrachten Lunch nicht im Kühlschrank der Leefolts aufbewahren darf. Kleine Dinge, um die ich jetzt weiß.

Aibileen bietet mir von einem Silbertablett Gebäck an. Sie gießt mir Eistee ein, als wären wir uns so fremd, wie wir es zu sein haben. Ich war zweimal bei ihr zu Hause, seit ich das Manuskript abgeschickt habe, beide Male, um ihr ihre Bibliotheksbücher zu bringen. Sie trägt immer noch das grüne Kleid mit den schwarzen Paspeln, wenn ich komme. Manchmal streift sie unterm Tisch die Schuhe ab. Das letzte Mal zog sie ein Päckchen Montclair heraus und rauchte in meiner Anwesenheit, und das war wirklich ein Schritt, diese Ungezwungenheit. Ich habe auch eine geraucht. Jetzt entfernt sie meine Krümel mit dem Sterlingsilber-Tischbesen, den ich Elizabeth und Raleigh zur Hochzeit geschenkt habe.

»Solange wir warten – ich habe Neuigkeiten für euch«, sagt Elizabeth, und ich erkenne es bereits an ihrem Gesichtsausdruck, dem verschwörerischen Nicken, der Hand auf dem Bauch.

»Ich bin schwanger.« Sie lächelt mit leise zitternden Lippen.

»Das ist ja toll«, sage ich, lege meine Karten hin und berühre sie am Unterarm. Sie sieht wirklich aus, als würde sie gleich in Tränen ausbrechen. »Wann ist es so weit?«

»Oktober.«

»Na, wird ja auch Zeit«, sagt Hilly und umarmt sie. »Mae Mobley ist ja praktisch schon groß.«

Elizabeth zündet sich eine Zigarette an, seufzt, senkt den Blick auf ihre Karten. »Wir freuen uns alle sehr.«

Während wir ein paar Übungsspiele machen, unterhalten sich Hilly und Elizabeth über mögliche Namen für das Baby. Ich versuche auch etwas beizusteuern. »Unbedingt Raleigh, wenn es ein Junge ist«, sage ich. Hilly redet über Williams Wahlkampf. Er kandidiert nächstes Jahr für den Senat von Mississippi, obwohl er keinerlei politische Erfahrung hat. Ich bin froh, als Elizabeth Aibileen anweist, den Lunch zu servieren.

Als Aibileen mit dem Gemüseaspik wieder hereinkommt, richtet sich Hilly auf. »Aibileen, ich habe einen alten Mantel für Sie und einen Sack Kleider von Missus Walters.« Sie tupft sich den Mund mit der Serviette. »Kommen Sie also nach dem Lunch mit zu meinem Wagen und nehmen Sie die Sachen an sich, ja?«

»Ja, Ma'am.«

»Nicht vergessen. Ich kann deswegen nicht noch mal extra vorbeikommen.«

»Ist das nicht nett von Miss Hilly, Aibileen?« Elizabeth nickt. »Gleich, wenn wir hier fertig sind, gehen Sie mit und holen sich die Sachen.«

»Ja, Ma'am.«

Hilly hebt die Stimme um etwa drei Oktaven an, wenn sie mit Farbigen redet. Elizabeth lächelt, als spräche sie mit einem Kind, allerdings nicht mit ihrem eigenen. Allmählich fallen mir solche Dinge auf.

Als Lou Anne Templeton endlich kommt, haben wir die Maisgrütze mit Garnelen gegessen und machen uns gerade an den Nachtisch. Hilly ist verblüffend großmütig. Immerhin kommt Lou Anne deshalb zu spät, weil sie etwas für die League zu erledigen hatte.

Nach dem Essen gratuliere ich Elizabeth noch einmal und gehe hinaus zu meinem Wagen. Aibileen ist gerade draußen, um einen leicht abgetragenen Mantel aus dem Jahr 1942 entgegenzunehmen und alte Kleider, die Hilly aus irgendeinem Grund nicht ihrem Mädchen Yule May geben will. Hilly kommt zu mir und reicht mir einen Umschlag.

»Für den Newsletter von nächster Woche. Du setzt es doch für mich rein?«

Ich nicke, und Hilly geht wieder zu ihrem Auto. An der Haustür dreht Aibileen sich zu mir um. Ich schüttle den Kopf, forme lautlos das Wort *Nichts*. Sie nickt und geht hinein.

An diesem Abend arbeite ich am Newsletter und wünsche mir, es wären die Geschichten. Als ich die Notizen vom letzten League-Treffen durchgehe, stoße ich auf Hillys Umschlag. Ich öffne ihn.

Er enthält eine Seite in Hillys dicker, kringeliger Handschrift:

Hilly Holbrook stellt vor: die Initiative für Hauspersonal-Sanitäranlagen. Eine Maßnahme zur Krankheitsvorbeugung. Kostengünstiger Toiletteneinbau in Garage oder Schuppen für Haushalte, die nicht über diese wichtige Einrichtung verfügen.

Meine Damen, wussten Sie schon, dass
- *99% aller Farbigenkrankheiten über den Urin übertragen werden*
- *Weiße durch fast alle diese Krankheiten bleibende Gesundheitsschäden davontragen können, weil uns die Abwehrkörper fehlen, die Farbige in ihrer dunkleren Pigmentierung besitzen*
- *Umgekehrt auch einige von Weißen übertragene Krankheitserreger für Farbige schädlich sein können*

Schützen Sie sich. Schützen Sie Ihre Kinder. Schützen Sie Ihr Hauspersonal.

Mit besten Empfehlungen, die Holbrooks

In der Küche klingelt das Telefon, und ich falle fast über meine eigenen Füße, so schnell renne ich hin. Aber Pascagoula hat schon abgenommen.

»Bei Miss Charlotte.«

Ich starre die zierliche Pascagoula in Grund und Boden, während sie nickend »Ja, Ma'am, sie ist hier« sagt und mir den Hörer reicht.

»Hier ist Eugenia«, sage ich schnell. Daddy ist auf dem Feld und Mutter bei einem Arzttermin in der Stadt, also ziehe ich die schwarze, spiralförmige Telefonschnur diesmal zum Küchentisch.

»Hier Elaine Stein.«

Ich hole tief Luft. »Ja, Ma'am. Haben Sie meine Sendung bekommen?«

»Habe ich«, sagt sie und atmet dann ein paar Sekunden ins Telefon.

»Diese Sarah Ross. Ihre Geschichten gefallen mir. Sie versteht es zu *kwetschn*, ohne zu lamentieren.«

Ich nicke. Ich weiß nicht, was *kwetschn* bedeutet, aber es muss wohl etwas Gutes sein.

»Aber ich bin nach wie vor der Meinung, dass ein Buch aus Interviews ... normalerweise nicht geht. Es ist keine Belletristik, aber auch kein Sachbuch. Vielleicht fiele es unter Anthropologie, aber das ist eine fatale Kategorie für ein Buch.«

»Aber ... Ihnen hat es gefallen?«

»Eugenia«, sagt sie und bläst ihren Zigarettenrauch ins Telefon. »Haben Sie die Titelseite des neuen *Life* gesehen?«

Ich habe seit einem Monat kein *Life* mehr gesehen, weil ich so viel zu tun hatte.

»Martin Luther King, Mädchen. Er hat gerade einen Marsch auf Washington angekündigt und alle Neger Amerikas aufgefordert, daran teilzunehmen. Alle Weißen im Übrigen auch. So viele Neger und Weiße haben seit *Vom Winde verweht* nicht mehr an einem Projekt zusammengewirkt.«

»Ja, von dieser … Marschsache habe ich gehört«, lüge ich. Ich halte mir die Augen zu, wünschte, ich hätte diese Woche wenigstens die Zeitung gelesen. Ich höre mich an wie das letzte Dummchen.

»Ich rate Ihnen, schreiben Sie es, und zwar schnell. Der Marsch ist im August. Bis Neujahr sollten Sie es fertig haben.«

Ich schnappe nach Luft. Sie sagt, ich soll es schreiben! Sie sagt … »Heißt das, Sie wollen es veröffentlichen? Wenn ich es bis …«

»Ich habe nichts dergleichen gesagt«, schneidet sie mir das Wort ab. »Ich werde es lesen. Ich sehe mir hundert Manuskripte im Monat an und lehne sie fast alle ab.«

»Entschuldigung, ich … ich werde es schreiben«, sage ich. »Bis Januar habe ich es fertig.«

»Und vier oder fünf Interviews genügen nicht für ein Buch. Sie brauchen ein Dutzend, wenn nicht mehr. Sie haben doch noch weitere Interviews in petto?«

Ich presse die Lippen aufeinander. »Schon noch … einige.«

»Gut. Dann legen Sie los. Ehe diese Bürgerrechtsgeschichte wieder verraucht.«

Am selben Abend fahre ich zu Aibileen. Ich gebe ihr drei weitere Bücher von ihrer Liste. Der Rücken tut mir weh, weil ich so lange an der Schreibmaschine gesessen habe. Den ganzen Nachmittag habe ich die Leute aufgelistet, von denen ich weiß, dass sie ein Dienstmädchen haben (sprich, alle Leute, die ich kenne), und dazugeschrieben, wie das jeweilige Mädchen heißt. Aber manche Namen weiß ich nicht mehr.

»Danke, o Herr im Himmel, ist das toll.« Sie lächelt und schlägt die erste Seite von *Walden* auf, als wollte sie es auf der Stelle lesen.

»Ich habe heute Nachmittag mit Missus Stein telefoniert«, sage ich.

Aibileens Hände erstarren. »Hab doch gewusst, dass was nicht stimmt. Hab's Ihnen gleich angesehen.«

Ich hole tief Luft. »Sie sagt, Ihre Geschichten gefallen ihr sehr. Aber ... sie will uns keine Zusage geben, ehe wir nicht das ganze Buch fertig haben.« Ich versuche, ein optimistisches Gesicht zu machen. »Wir müssen es bis Anfang des Jahres schaffen.«

»Aber das ist doch gut, oder?«

Ich nicke und versuche zu lächeln.

»*Januar*«, sagt Aibileen leise, steht auf und geht aus der Küche. Sie kommt mit einem Tom's-Süßwaren-Werbekalender zurück, legt ihn auf den Tisch und klappt die Monate um.

»Scheint noch so lang hin, sind aber nur ... zwei ... vier ... sechs ... zehn Blätter. Das ist rum, eh wir's uns versehen.« Sie grinst.

»Sie meint, wir müssen mindestens zwölf Dienstmädchen interviewen, damit es für sie überhaupt in Frage kommt«, sage ich. Jetzt hört man mir die Anspannung eindeutig an.

»Aber ... Sie haben doch keine anderen Dienstmädchen zum Interviewen, Miss Skeeter.«

Ich verkralle die Hände ineinander, schließe einen Moment die Augen. »Ich weiß keine, die ich fragen könnte, Aibileen«, sage ich, und meine Stimme wird lauter. Ich habe die letzten vier Stunden darüber nachgegrübelt. »Ich meine, wen denn? Pascagoula? Wenn ich mit ihr rede, kommt Mama dahinter. Ich bin nicht diejenige, die die anderen Dienstmädchen kennt.«

Aibileens Blick senkt sich so schnell, dass ich heulen könnte. *Verdammt, Skeeter.* Alle Barrieren, die diese letzten Monate zwischen uns abgetragen haben, habe ich eben in Sekundenschnelle wieder errichtet. »Entschuldigung«, sage ich hastig. »Tut mir leid, dass ich laut geworden bin.«

»Nein, ist schon recht. War ja mein Job, die anderen beizubringen.«

»Wie wär's mit … Lou Annes Mädchen?«, sage ich leise und ziehe meine Liste hervor. »Wie heißt sie doch gleich … Louvenia? Kennen Sie sie?«

Aibileen nickt. »Louvenia hab ich gefragt.« Sie schaut immer noch auf ihren Schoß. »Ihr Enkelsohn ist der, den sie blind geprügelt haben. Sie sagt, es tut ihr leid, aber sie hat keinen Kopf für was anderes wie ihn.«

»Und Hillys Mädchen, Yule May? Haben Sie die schon gefragt?«

»Sie sagt, sie hat zu viel damit zu tun, ihre Buben nächstes Jahr aufs College zu kriegen.«

»Andere Dienstmädchen aus Ihrer Kirche? Haben Sie die gefragt?«

Aibileen nickt. »Sie haben alle irgendeine Ausrede. Aber in Wirklichkeit haben sie einfach Angst.«

»Aber wie viele haben Sie denn gefragt?«

Aibileen nimmt ihr Notizheft, blättert darin herum, zählt lautlos.

»Einunddreißig«, sagt sie.

»Das sind … viele«, murmle ich.

Aibileen sieht mir jetzt endlich in die Augen. »Ich wollt's Ihnen nicht sagen«, meint sie, und ihre Stirn legt sich in Falten, »eh wir nichts von der Lady gehört haben …« Sie nimmt die Brille ab. Ich sehe die tiefe Besorgnis in ihrem Gesicht. Sie versucht, sie mit einem zittrigen Lächeln zu überspielen.

»Ich frag sie noch mal«, sagt sie und beugt sich vor.

»Gut«, erwidere ich seufzend.

Sie schluckt, nickt heftig, um mir zu bedeuten, wie ernst es ihr ist. »Bitte, geben Sie mir noch eine Chance. Lassen Sie mich weiter mitmachen.«

Ich schließe die Augen. Ich halte es nicht mehr aus, ihr ängstliches Gesicht zu sehen. Wie konnte ich ihr gegenüber so unwirsch werden? »Aibileen, keine Sorge. Wir … machen das zusammen.«

Ein paar Tage darauf sitze ich in unserer Küche, langweile mich und rauche eine Zigarette, was ich mir in letzter Zeit überhaupt nicht mehr verkneifen kann. Vielleicht bin ich ja »süchtig«. Das ist eins von Mister Goldens Lieblingswörtern. *Die Idioten sind allesamt süchtig.* Er ruft mich hin und wieder in sein Büro, überfliegt die Kolumnen des jeweiligen Monats, streicht und kritzelt mit einem Rotstift darin herum und knurrt vor sich hin.

»Das ist gut«, sagt er. »Geht's gut?«

»Mir geht es gut«, sage ich.

»Dann ist's ja gut.« Ehe ich gehe, überreicht mir die dicke Vorzimmerdame meinen Zehn-Dollar-Scheck, und damit hat sich mein Miss-Myrna-Job auch schon so ziemlich.

In der Küche ist es heiß, aber ich musste raus aus meinem Zimmer, wo meine Gedanken immer nur darum kreisen, dass kein anderes Dienstmädchen mit uns zusammenarbeiten will. Außerdem kann ich hier am besten rauchen, weil die Küche so ziemlich der einzige Raum im Haus ist, wo kein Deckenventilator die Asche verweht. Als ich zehn war, hat Daddy einen an der Metallfliesendecke der Küche zu installieren versucht, ohne Constantine vorher zu fragen. Sie zeigte darauf, als hätte er den Ford an der Decke geparkt.

»Der ist für Sie, Constantine, damit Sie in der Küche nicht immer so schwitzen müssen.«

»Ich arbeit in keiner Küche mit Deckenventilator, Mister Carlton.«

»Es wird Ihnen gefallen. Ich schließe nur noch eben die Stromleitung an.«

Daddy stieg von der Leiter. Constantine ließ Wasser in einen Topf. »Wenn Sie meinen«, sagte sie seufzend. »Machen Sie ihn halt an.«

Daddy betätigte den Schalter. In den Sekunden, die der Ventilator brauchte, um richtig auf Touren zu kommen, stob Kuchenmehl aus der Rührschüssel und wirbelte durchs Zimmer, flatterten Rezepte von der Arbeitsplatte auf den Herd und fingen Feuer. Constantine schnappte sich die brennende Backpapierrolle und tunkte sie schnell in den Wassereimer. Bis heute ist da ein Loch an der Stelle, wo zehn Minuten lang der Deckenventilator hing.

In der Zeitung sehe ich Senator Whitworth auf ein freies Grundstück zeigen, wo sie eine neue Sport- und Veranstaltungsarena bauen wollen. Ich blättere um. Ich will nicht an mein Date mit Stuart Whitworth erinnert werden.

Pascagoula kommt leise in die Küche. Ich sehe zu, wie sie mit einem Schnapsglas, das nie einem anderen Zweck als diesem gedient hat, Plätzchen aussticht. Hinter mir sind Kataloge von Sears, Roebuck & Co. in die Küchenfenster geklemmt, um sie offen zu halten. Abbildungen von Zwei-Dollar-Handrührgeräten und Spielzeug flattern in einem leisen Lufthauch, aufgequollen und wellig vom Regen eines Jahrzehnts.

Vielleicht sollte ich doch Pascagoula fragen. Vielleicht kommt Mutter ja überhaupt nicht dahinter. Aber das ist Quatsch. Mutter überwacht sie auf Schritt und Tritt, und Pascagoula scheint ohnehin Angst vor mir zu haben, als könnte ich sie verpetzen, wenn sie irgendetwas falsch macht. Gegen diese Angst anzukommen, würde vermutlich Jahre dauern. Meine Vernunft sagt mir ganz klar: Lass Pascagoula da raus.

Das Telefon schrillt wie eine Alarmklingel. Pascagoulas Löffel fällt in die Rührschüssel, und ich schnappe mir den Hörer, ehe sie abnehmen kann.

»Minny hilft uns«, flüstert Aibileen.

Ich schlüpfe in die Speisekammer und setze mich auf meine Mehldose. Fünf Sekunden bringe ich nichts heraus. »Wann? Wann kann sie anfangen?«

»Am Donnerstag. Aber sie hat paar … Bedingungen.«

»Welche?«

Aibileen zögert kurz. »Sie sagt, Ihr Cadillac darf sich nicht auf unsrer Seite von der Woodrow-Wilson-Brücke blicken lassen.«

»Gut«, erwidere ich. »Ich kann ja vielleicht ... den Pick-up nehmen.«

»Und ... sie sagt, Sie dürfen nicht auf derselben Seite vom Zimmer sitzen wie sie. Sie will Sie die ganze Zeit richtig sehen können.«

»Ich ... setze mich hin, wo sie möchte.«

Aibileens Stimme wird weicher. »Sie kennt Sie halt nicht. Und außerdem hat sie nicht so gute Erfahrungen mit weißen Ladys.«

»Ich tue, was immer sie will.«

Ich trete freudig lächelnd aus der Speisekammer, hänge den Hörer am Wandapparat ein. Pascagoula beobachtet mich, das Schnapsglas in der einen Hand, in der anderen ein ungebackenes Plätzchen. Sie schlägt rasch die Augen nieder und macht sich wieder an ihre Arbeit.

Zwei Tage später erkläre ich Mutter, ich wolle mir eine neue King-James-Bibel besorgen, da meine abgegriffen sei. Und ich hätte so ein schlechtes Gewissen, wenn ich immer mit dem Cadillac führe, während doch in Afrika all die vielen Kinder hungern müssten, deshalb wolle ich heute den alten Pick-up nehmen. Sie mustert mich von ihrem Veranda-Schaukelstuhl aus. »Wo willst du diese neue Bibel denn kaufen?«

Ich blinzle. »Ach ... sie haben mir eine bestellt. In der Kirche in der Canton.«

Sie nickt, beobachtet mich die ganze Zeit, die ich brauche, bis der alte Pick-up endlich anspringt.

Ich fahre Richtung Farish Street, hintendrauf einen Rasenmäher und unter meinen Füßen ein durchgerostetes Bodenblech, durch das ich den Straßenbelag vorbeisausen sehe. Aber wenigstens schleppe ich keinen Traktor hinter mir her.

Aibileen öffnet die Tür, und ich trete ein. In der hintersten Ecke des Wohnzimmers steht Minny, die Arme über dem mächtigen Busen verschränkt. Ich kenne sie von den wenigen

Malen, die Hilly Missus Walters erlaubt hat, das Bridgekränzchen in ihrem Haus stattfinden zu lassen. Minny und Aibileen tragen beide noch ihre weißen Uniformen.

»Hallo«, sage ich quer durchs Zimmer. »Schön, Sie wiederzusehen.«

»Miss Skeeter.« Minny nickt mir zu. Sie lässt sich auf einem Holzstuhl nieder, den Aibileen aus der Küche geholt hat, und der Stuhlrahmen knackt. Ich setze mich auf die entfernte Seite des Sofas. Aibileen setzt sich auf die andere Sofaseite, zwischen uns.

Ich räuspere mich, bringe ein nervöses Lächeln zustande. Minny lächelt nicht. Sie ist klein und dick und kräftig. Ihre Haut ist zehn Schattierungen schwärzer als die von Aibileen und so straff und glänzend wie neue Lackschuhe.

»Ich hab Minny schon erklärt, wie wir das mit den Geschichten machen«, sagt Aibileen zu mir. »Dass ich meine schreib und Sie mir helfen. Und sie will Ihnen ihre erzählen, und Sie sollen mitschreiben.«

»Und alles, was Sie hier sagen, Minny, ist streng vertraulich«, erkläre ich. »Sie bekommen alles zu lesen, was wir …«

»Wie kommen Sie auf die Idee, dass wir Ihre Hilfe brauchen?« Minny steht auf, und ihr Stuhl schrappt über den Boden. »Wieso kümmert Sie das überhaupt? Sie sind doch *weiß.*«

Ich schaue Aibileen an. Noch nie hat eine Farbige so mit mir gesprochen.

»Wir arbeiten hier alle für dieselbe Sache, Minny«, sagt Aibileen. »Wir reden, weiter nichts.«

»Und was ist das für eine Sache?«, fragt Minny mich. »Vielleicht wollen Sie ja nur, dass ich Ihnen das ganze Zeug erzähl, damit ich Ärger krieg.« Minny zeigt aufs Fenster. »Medgar Evers von der NAACP, der grad fünf Minuten von hier wohnt, dem haben sie gestern seinen Carport in die Luft gejagt. Fürs *Reden.*«

Mein Gesicht glüht. Ich spreche langsam. »Wir wollen die

Dinge aus Ihrer Sicht zeigen ... damit die Leute verstehen, wie es sich für Sie anfühlt. Wir ... wir hoffen, dass es etwas verändert.«

»Was soll das denn verändern? Welches Gesetz wollen Sie so umschreiben, dass es vorschreibt, die Leute müssen gut zu ihren Dienstmädchen sein?«

»Augenblick«, sage ich. »Es geht mir nicht darum, irgendwelche Gesetze zu ändern. Ich rede von Einstellungen und ...«

»Wissen Sie, was passiert, wenn uns jemand erwischt? Wie ich mal aus Versehen in die falsche Umkleidekabine im ›McRae-Oberbekleidung‹ gegangen bin, ist ein Dreck dagegen – diesmal würden sie mit *Gewehren* auf mein Haus zielen.«

Einen Moment herrscht angespannte Stille, nur die braune Timex-Uhr auf dem Bord tickt vor sich hin.

»Du brauchst das nicht machen, Minny«, sagt Aibileen. »Ist okay, wenn du doch nicht mehr willst.«

Zögernd lässt Minny sich wieder auf ihrem Stuhl nieder. »Ich mach's schon. Ich will nur, dass sie kapiert, dass das für uns kein *Spiel* ist.«

Ich werfe einen kurzen Seitenblick auf Aibileen. Sie nickt. Ich atme tief durch. Meine Hände zittern.

Ich fange mit den Hintergrundfragen an, und irgendwann kommen wir endlich auf Minnys Arbeit zu sprechen. Sie schaut beim Reden Aibileen an, als versuchte sie meine Anwesenheit zu vergessen. Ich schreibe alles mit, was sie sagt, und mein Bleistift kratzt so schnell übers Papier, wie ich ihn irgend bewegen kann. Wir dachten, so wäre es weniger formell als mit der Schreibmaschine.

»Dann war da der Job, wo ich immer bis spät in den Abend geblieben bin. Und was ist passiert?«

»Was ... denn?«, frage ich, obwohl sie Aibileen anguckt.

»*Oh, Minny«,* flötet sie, *»Sie sind das beste Mädchen, das wir je hatten. Big Minny, Sie behalten wir für immer.* Und dann, eines Tags, sagt sie, ich krieg eine Woche bezahlten Urlaub.

Ich hab in meinem ganzen Leben noch keinen Urlaub gehabt, bezahlt oder unbezahlt. Und wie ich eine Woche drauf wieder zur Arbeit komm, sind sie verschwunden. Weggezogen, nach Mobile. Jemand hat mir erzählt, sie hätt gesagt, sie hatte Angst, ich würd eine neue Arbeit finden, noch eh sie umziehn. Miss Rühr-bloß-keinen-Finger konnt keinen Tag überstehen, ohne vorn und hinten bedient zu werden.«

Sie steht abrupt auf, schnappt sich ihre Handtasche. »Ich muss gehen. Krieg Herzflattern, wenn ich da drüber red.« Und sie marschiert hinaus, knallt die Tür hinter sich zu.

Ich schaue auf, wische mir den Schweiß von den Schläfen.

»Und das war noch gute Laune«, sagt Aibileen.

KAPITEL 13

Die nächsten zwei Wochen treffen wir uns immer wieder in der gleichen Sitzordnung in Aibileens warmem, kleinem Wohnzimmer. Minny stürmt wütend herein, beruhigt sich, während sie Aibileen ihre Geschichte erzählt, und rauscht dann genauso wütend wieder hinaus. Ich schreibe mit, so viel ich kann.

Wenn Minny etwas über Miss Celia entschlüpft – »Sie schleicht nach oben, denkt, ich seh's nicht, aber ich weiß, die Verrückte hat irgendwas vor« –, unterbricht sie sich jedes Mal, genau wie Aibileen, wenn sie von Constantine spricht. »Das gehört nicht zu meiner Geschichte. Lassen Sie Miss Celia da raus.« Sie fixiert mich, bis ich aufhöre zu schreiben.

Außer der Empörung über die Weißen ist Kochen Minnys Lieblingsthema. »Also, die grünen Bohnen tu ich zuerst rein, und dann mach ich die Schweinskoteletts, weil Koteletts, mmm-mmm, die müssen heiß aus der Pfanne auf den Tisch.«

Eines Tages, als sie gerade erzählt, »... ich steh also da, ein weißes Baby auf dem Arm und die Bohnen im Topf ...«, hält sie plötzlich inne. Reckt das Kinn vor. Klopft mit der Fußspitze auf den Boden.

»Die Hälfte von dem ganzen Zeug hat doch nichts mit den Rechten von Farbigen zu tun. Ist doch nur Alltagskram.« Sie mustert mich von oben bis unten. »Wenn Sie mich fragen, schreiben Sie einfach nur übers *Leben.*«

Ich halte im Schreiben inne. Sie hat recht. Mir geht auf,

dass ich genau das will. Ich erwidere: »Das möchte ich auch gern.« Sie steht auf und sagt, sie hat Wichtigeres zu tun, als sich damit zu befassen, was ich gern möchte.

Am nächsten Abend sitze ich in meinem Zimmer und haue in die Tasten meiner Corona. Plötzlich höre ich unten Mutters eilige Schritte. In zwei Sekunden ist sie oben in meinem Zimmer. »Eugenia!«, flüstert sie.

Ich springe so schnell auf, dass der Stuhl fast umkippt, versuche, das Blatt in meiner Schreibmaschine zu verdecken. »Ja, Ma'am?«

»Du brauchst ja nicht gleich in Panik zu geraten, aber unten ist ein Mann – ein sehr *großer* Mann –, der dich sprechen möchte.«

»Wer?«

»Er sagt, er heißt Stuart Whitworth.«

»Was?«

»Er sagt, ihr habt vor einiger Zeit einen Abend zusammen verbracht, aber wie kann das sein? Ich wusste von nichts …«

»Herrjesses.«

»Du sollst den Namen des Herrn nicht unnützlich führen, Eugenia Phelan. Leg lieber etwas Lippenstift auf.«

»Glaub mir, Mama«, sage ich, schminke mir aber trotzdem die Lippen. »Jesus würde der auch nicht gefallen.«

Ich bürste mir die Haare, weil ich weiß, sie sehen schrecklich aus. Ich wasche mir sogar die Schreibmaschinenfarbe und die Korrekturflüssigkeit von Händen und Ellbogen. Aber umziehen werde ich mich nicht. Nicht für ihn.

Mutter wirft einen kritischen Blick auf meine Arbeitshosen und das alte weiße Hemd von Daddy. »Ist er ein Greenwood-Whitworth oder ein Natchez-Whitworth?«

»Er ist der Sohn des Senators.«

Mutters Kinnlade sackt auf ihre einreihige Perlenkette hinab. Ich gehe die Treppe hinunter, vorbei an unseren gesammelten Kinderbildern. Fotos von Carlton reihen sich an der Wand, reichen bis etwa vorgestern. Die von mir hören auf, als ich zwölf war. »Mutter, lass uns allein.« Ich schaue zu, wie sie langsam zu ihrem Zimmer geht, sich noch einmal umdreht, ehe sie verschwindet.

Ich gehe auf die Veranda hinaus, und da ist er. Drei Monate nach unserem Date steht auf der vorderen Veranda unseres Hauses Stuart Whitworth persönlich, in Khakihosen, blauem Blazer und rotem Schlips wie für ein Sonntagsmahl.

Arschloch.

»Was führt Sie hierher«, frage ich, lächle aber nicht. Ihn werde ich nicht anlächeln.

»Ich ... wollte nur mal vorbeischauen.«

»Tja, dann. Kann ich Ihnen etwas zu trinken anbieten? Oder soll ich einfach die ganze Flasche Old Kentucky holen?«

Er zieht die Augenbrauen zusammen. Seine Nase und seine Stirn sind gerötet, als hätte er in der Sonne gearbeitet. »Hören Sie, ich weiß, es ... ist schon eine ganze Weile her, aber ich bin hier, um mich zu entschuldigen.«

»Wer hat Sie geschickt – Hilly? William?« Auf unserer Veranda stehen acht freie Schaukelstühle. Ich biete ihm keinen davon an.

Er schaut zum westlichen Baumwollfeld hinüber, wo die Sonne gerade die Erde berührt. Er gräbt die Hände in die Hosentaschen wie ein Schuljunge. »Ich weiß, ich war ... an dem Abend sehr unhöflich, und ich habe viel darüber nachgedacht und ...«

Ich lache auf. Es ist mir so peinlich, dass er hier aufkreuzt und das alles noch einmal aufleben lässt.

»Hören Sie«, fügt er hinzu, »ich habe Hilly zehnmal gesagt, ich sei noch nicht bereit für irgendein Date. Ich war noch nicht annähernd so weit ...«

Ich beiße die Zähne zusammen. Es darf doch nicht wahr sein, dass mir Tränen in den Augen brennen, das Date ist

Monate her. Aber mir ist nur allzu präsent, wie gedemütigt ich mich an dem Abend gefühlt habe, wie lächerlich aufgedonnert – für ihn. »Warum sind Sie dann überhaupt gekommen?«

»Keine Ahnung«, sagt er kopfschüttelnd. »Sie wissen ja, wie Hilly sein kann.«

Ich stehe da und warte, was er denn nun will. Er fährt sich mit den Fingern durchs hellbraune Haar. Es ist so dick, richtiges Drahthaar. Er sieht müde aus.

Ich schaue weg, weil er auf seine jungenhafte Art durchaus etwas Anziehendes hat und ich darüber jetzt wirklich nicht nachdenken will. Ich will, dass er geht – ich will dieses schreckliche Gefühl nicht noch einmal durchmachen, höre mich aber sagen: »Was heißt nicht so weit?«

»Einfach noch nicht so weit. Nach dem, was passiert war.«

Ich starre ihn an. »Muss ich raten?«

»Nach der Sache mit Patricia van Devender und mir. Wir hatten uns letztes Jahr verlobt, und dann … Ich dachte, Sie wüssten es.«

Er lässt sich in einen Schaukelstuhl sinken. Ich setze mich nicht zu ihm. Sage ihm aber auch nicht, er soll gehen.

»Was? Hat sie sich einen anderen angelacht?«

»Ach.« Er legt den Kopf in die Hände, murmelt: »Das wäre eine verflixte Mardi-Gras-Party, verglichen mit dem, was war.«

Ich verkneife mir, was ich eigentlich sagen will – dass es ihm vermutlich recht geschehen ist –, weil er so jämmerlich wirkt. Jetzt, wo sein ganzes markiges Bourbon-und-noch-mehr-Bourbon-Gehabe verflogen ist, frage ich mich, ob er immer so jämmerlich ist.

»Wir sind miteinander gegangen, seit wir fünfzehn waren. Sie wissen doch, wie das ist, wenn man so lange mit jemandem zusammen war.«

Und ich weiß nicht, warum ich das eingestehe, außer vielleicht, weil ich nichts zu verlieren habe. »Nein, das weiß ich nicht«, sage ich. »Ich bin noch nie mit jemandem gegangen.«

Er schaut mich an, gibt so etwas wie ein Lachen von sich. »Tja, das muss wohl daran liegen.«

»Woran?« Ich wappne mich, denke an Bemerkungen über Düngergeruch und Traktoren.

»Sie sind ... anders. Mir ist noch nie jemand begegnet, der genau das sagt, was er denkt. Jedenfalls keine Frau.«

»Glauben Sie mir, ich hätte noch wesentlich *mehr* zu sagen gehabt.«

Er seufzt. »Als ich Ihr Gesicht gesehen habe, draußen bei dem Pick-up ... Ich bin nicht so. Ich bin wirklich nicht so ein Arschloch.«

Ich schaue verlegen weg. Allmählich dringt zu mir durch, was er gesagt hat, dass ich zwar anders bin, aber vielleicht ja doch nicht im Sinn von seltsam oder abnorm groß. Vielleicht ja in einem positiven Sinn.

»Ich bin hierher gekommen, um Sie zu fragen, ob Sie vielleicht Lust hätten, mit mir in der Stadt essen zu gehen. Wir könnten reden«, sagt er und steht auf. »Wir könnten ... ich weiß nicht, diesmal versuchen, uns gegenseitig zuzuhören.«

Ich stehe da wie vom Donner gerührt. Seine Augen sind blau und klar und sehen mich an, als ob meine Antwort ihm wirklich etwas bedeute. Ich hole tief Luft, um ja zu sagen – wie käme ausgerechnet ich dazu, nein zu sagen –, und er kaut auf seiner Unterlippe, wartet.

Und dann denke ich wieder daran, wie er mich behandelt hat, als wäre ich Luft. Wie er sich sternhagelvoll gesoffen hat, weil es so grässlich für ihn war, mit mir zusammengespannt zu sein. Ich denke daran, wie er gesagt hat, ich röche nach Dünger. Drei Monate habe ich gebraucht, um diese Bemerkung aus meinen Gedanken zu vertreiben.

»Nein«, bricht es aus mir heraus. »Danke. Aber ich kann mir wirklich nichts Schlimmeres vorstellen.«

Er nickt, blickt auf seine Füße. Dann geht er die Verandastufen hinunter.

»Es tut mir leid«, sagt er in der offenen Wagentür. »Das wollte ich Sie wissen lassen, und, na ja, das hab ich nun wohl.«

Ich stehe auf der Veranda, lausche den überdeutlichen Abendgeräuschen – Kies, der unter Stuarts Füßen knirscht, Hunde irgendwo im Dämmerdunkel. Einen Moment denke ich an Charles Gray, den einzigen Kuss meines Lebens. Daran, wie ich mich der Umarmung entzogen habe, irgendwie sicher, dass der Kuss nicht mir galt.

Stuart steigt in seinen Wagen, und die Fahrertür schließt sich. Er hängt den Ellbogen aus dem Fenster. Aber sein Blick bleibt gesenkt.

»Moment«, rufe ich ihm zu. »Ich muss eben noch meinen Pullover holen.«

Niemand sagt Date-unerfahrenen Mädchen wie mir, dass die Erinnerung fast so schön sein kann wie die Sache selbst. Mutter ist eigens ins Dachgeschoss hinaufgestiegen und steht neben meinem Bett, aber ich stelle mich schlafend. Weil ich noch ein bisschen in der Erinnerung schwelgen will.

Wir sind gestern Abend zum Essen ins Robert E. Lee gefahren. Ich hatte mir schnell einen hellblauen Pulli und einen engen weißen Rock angezogen. Ich hatte mir sogar von Mutter die Haare bürsten lassen und dabei ihre komplizierten, nervösen Ratschläge zu überhören versucht.

»Und vergiss nicht zu lächeln. Männer wollen keine Mädchen, die den ganzen Abend trübsinnig dreinschauen, und sitz nicht da wie eine Indianersquaw, schlag die …«

»Was noch mal, die Beine oder die Fußgelenke?«

»Die Fußgelenke. Hast du denn Missus Rheimers gesamten Benimmkurs vergessen? Und lüg einfach, sag, du gehst jeden Sonntag in die Kirche, und zerkau auf gar keinen Fall bei Tisch deine Eiswürfel, das ist abscheulich. Ach ja, und wenn euch die Gesprächsthemen ausgehen, erzähl ihm von unserem Vetter, der im Stadtrat von Kosciusko sitzt …«

Während sie mein Haar in stetem Wechsel bürstete und glatt strich, wollte Mutter immer wieder wissen, wie ich ihn kennengelernt hatte und was bei unserem letzten Date passiert war, aber ich schaffte es, ihr zu entwischen und die Treppe hinunterzuflitzen, selbst ganz zittrig vor Nervosität. Als Stuart und ich schließlich das Hotel betraten, an einem Tisch Platz nahmen und uns die Servietten über den Schoß breiteten, erklärte der Ober, sie würden gleich schließen. Es gebe nur noch Dessert.

Dann wurde Stuart still.

»Was ... willst du, Skeeter?«, fragte er, was mich in eine gewisse Anspannung versetzte. Ich hoffte, dass er nicht wieder vorhatte, sich zu betrinken.

»Ich hätte gern eine Co-Cola. Mit viel Eis.«

»Nein.« Er lächelte. »Ich meine ... im Leben. Was willst du?«

Ich holte tief Luft, wohl wissend, was ich nach Mutters Meinung jetzt zu sagen hatte: hübsche, gesunde Kinder, einen Ehemann, den ich umsorgen kann, funkelnagelneue Küchengeräte, um schmackhafte und dennoch gesunde Mahlzeiten zu kochen. »Ich möchte schreiben«, sagte ich. »Vielleicht als Journalistin. Vielleicht als Schriftstellerin. Vielleicht auch beides.«

Er hob den Kopf und blickte mir direkt in die Augen.

»Das finde ich gut«, sagte er und sah mich immer weiter an. »Ich habe über dich nachgedacht. Du bist gescheit, du bist hübsch, du bist« – er lächelte – »groß.«

Hübsch?

Wir aßen Erdbeersoufflee und tranken je ein Glas Chablis. Er erklärte mir, wie man feststellen kann, ob unter einem Baumwollfeld Öl ist, und ich erzählte ihm, dass die Vorzimmerdame und ich die einzigen Frauen bei der Zeitung sind.

»Ich hoffe, du schreibst mal was richtig Gutes. Etwas, wovon du wirklich überzeugt bist.«

»Danke. Das ... hoffe ich auch.« Ich sagte nichts von Aibileen und Missus Stein.

Ich habe noch nicht allzu viele Männergesichter aus nächster Nähe gesehen, und mir fiel auf, dass seine Haut dicker war als meine und von einer appetitlichen Farbe, wie Toast. Die steifen blonden Härchen auf seinem Kinn und seinen Wangen schienen vor meinen Augen zu sprießen. Er roch nach Wäschestärke. Und Kiefernnadeln. Seine Nase war doch nicht so spitz.

Der Ober stand gähnend in der Ecke des Raums, aber wir beachteten ihn nicht, sondern blieben einfach sitzen und redeten weiter. Und als ich mir allmählich wünschte, ich hätte mir am Morgen die Haare gewaschen, statt nur zu baden, und zutiefst froh war, dass ich mir wenigstens die Zähne geputzt hatte, beugte er sich aus heiterem Himmel zu mir und küsste mich. Mitten im Restaurant des Robert E. Lee Hotels küsste er mich ganz langsam mit geöffnetem Mund, und alles an mir – meine Haut, meine Schlüsselbeine, meine Kniekehlen, mein gesamtes Inneres – fing an zu leuchten.

An einem Montagnachmittag, ein paar Wochen nach meinem Date mit Stuart, gehe ich auf dem Weg zum League-Treffen noch in die Bibliothek. Dort riecht es wie in der Grundschule – nach Langeweile, Klebstoff, mit Lysol aufgewischtem Erbrochenem. Ich will noch ein paar Bücher für Aibileen ausleihen und nachsehen, ob je jemand etwas über Hausmädchen geschrieben hat.

»Hey, hallo, Skeeter!«

Guter Gott. Susie Pernell. Im Highschool-Jahrbuch hätte sie zu derjenigen gekürt werden müssen, die am ehesten ihr Leben lang zu viel reden wird. »Hey ... Susie. Was machst du denn hier?«

»Ich helfe doch ehrenamtlich, für die League. Du solltest auch mitmachen, Skeeter, es ist wirklich toll! Man kann immer die neuesten Zeitschriften lesen und Sachen ablegen und sogar die Bibliotheksausweise einschweißen.« Susie posiert neben der riesigen braunen Maschine, als wäre sie bei *The Price is Right.*

»Wie aufregend.«

»Und? Womit kann ich dienen, Ma'am? Wir haben Kriminalromane, Liebesromane, Schminkratgeber, *Frisuren*ratgeber.« Sie hält inne, grinst. »Bücher über Rosenzucht, Inneneinrichtung und Heimdekoration …«

»Ich möchte nur ein bisschen stöbern, danke.« Ich eile davon. Ich werde mich selbst zurechtfinden. Ich kann ihr unmöglich sagen, was ich suche. Ich höre sie schon bei den League-Treffen wispern: *Ich habe ja gleich gewusst, dass mit dieser Skeeter Phelan etwas nicht stimmt – all diese Bücher über Neger, die sie haben wollte …*

Ich suche Karteikästen durch und Regalfächer ab, finde aber nichts über Hauspersonal. In der Sachbuchabteilung entdecke ich ein einziges Exemplar von Frederick Douglass' *Mein Leben als Sklave in Amerika.* Ich nehme es mir, freue mich schon darauf, es Aibileen zu bringen, doch als ich es aufschlage, sehe ich, dass jemand den ganzen Mittelteil herausgerissen hat. Auf dem Vorsatzblatt steht in blutroter Buntstiftschrift NIGGERBUCH. Mehr als das Wort beunruhigt mich die Tatsache, dass die Schrift wie die eines Drittklässlers aussieht. Ich schaue mich um, lasse das Buch in meine Büchertasche gleiten. Das erscheint mir besser, als es wieder ins Regal zu stellen.

Im Raum für die Geschichte Mississippis suche ich nach irgendetwas, das im Entferntesten mit dem Verhältnis zwischen Schwarz und Weiß zu tun haben könnte. Ich finde nur Bücher über den Bürgerkrieg, Landkarten und alte Telefonbücher. Ich stelle mich auf die Zehenspitzen, um sehen zu können, was im obersten Fach ist. Da entdecke ich ein Heftchen, das quer auf dem *Hochwasserindex für das Mississippi-Tal* liegt. Ein normalgroßer Mensch würde es niemals finden. Ich fische es herunter, um einen Blick auf das Deckblatt zu werfen. Es ist eine schmale Broschüre, auf dünnem Papier gedruckt, mit Klammern geheftet; die Seiten wellen sich. »Jim-Crow-Gesetze der Südstaaten« steht vorne drauf. Ich schlage das raschelnde Heftchen auf.

Es ist einfach eine Liste von Gesetzen, die regeln, was Farbige in den verschiedenen Staaten des amerikanischen Südens dürfen und nicht dürfen. Ich überfliege die erste Seite, rätsle, warum dieses Heftchen hier liegt. Die Gesetze sind weder drohend noch freundlich im Ton, sie benennen einfach nur Fakten:

Von einer weiblichen weißen Person darf nicht verlangt werden, Pflegedienste auf Krankenstationen oder in Krankenzimmern zu leisten, wo männliche Neger untergebracht sind.

Ehen zwischen weißen und nicht-weißen Personen sind ungesetzlich. Jedwede Eheschließung, die gegen diese Bestimmung verstößt, gilt als nichtig.

Farbigen Friseuren ist es untersagt, Friseurtätigkeiten an weißen Frauen oder Mädchen vorzunehmen.

Die Bestattung farbiger Personen auf Friedhofsgelände, das der Bestattung von Weißen dient, ist untersagt.

Der Austausch von Schulbüchern zwischen Schulen für Weiße und solchen für Farbige ist untersagt. Die Bücher sind von derjenigen Rasse weiter zu verwenden, die sie zuerst benutzt hat.

Ich lese vier der fünfundzwanzig Seiten durch, fasziniert von der Vielzahl von Rassentrennungsgesetzen. Neger und Weiße dürfen keine gemeinsamen Trinkbrunnen, öffentlichen Toiletten, Telefonzellen, Sportplätze benutzen, nicht dasselbe Kino oder dieselbe Zirkusvorstellung besuchen. Neger dürfen nicht in dieselbe Apotheke gehen oder ihre Briefmarken am selben Postschalter kaufen wie ich. Ich muss daran denken, wie wir einmal Constantine nach Memphis mitgenommen haben: Der Highway war größtenteils unterspült, aber wir mussten bis Memphis durchfahren, weil klar war, dass kein Hotel sie einlassen würde. Ich muss daran denken, wie niemand im Wagen es offen aussprach. Wir alle kennen diese Gesetze, wir leben ja hier, aber wir reden nie darüber. Das ist das erste Mal, dass ich sie niedergeschrieben sehe.

Imbisstheken, Volksfeste, Billardtische, Krankenhäuser. Nummer siebenundvierzig muss ich zweimal lesen, wegen der Ironie, die darin steckt.

Die Schulbehörde hat ein separates Gebäude auf einem separaten Grundstück für die Unterrichtung sämtlicher farbigen Blinden bereitzustellen.

Nach etlichen Minuten zwinge ich mich aufzuhören. Ich will das Heftchen zurücklegen, weil ich mir sage, dass ich schließlich kein Buch über die Gesetze der Südstaaten schreibe und hiermit nur meine Zeit vergeude. Doch plötzlich, als ob in meinem Kopf etwas aufbräche, wird mir klar, dass zwischen diesen Gesetzen und Hillys Beharren auf dem Einbau einer gesonderten Toilette für Aibileen in der Garage kein Unterschied besteht, außer ein paar offiziellen Unterzeichnungsakten.

Auf der letzten Seite sehe ich den Stempel *Eigentum der juristischen Staatsbibliothek von Mississippi.* Das Heftchen wurde in der falschen Bibliothek zurückgegeben. Ich notiere meine Eingebung auf einem Zettel und stecke ihn in das Heftchen: *Jim Crow und Hillys Toilettenaktion – wo ist da der Unterschied?* Ich lasse das Heftchen in meine Büchertasche gleiten. Susie niest hinterm Aufsichtstresen am anderen Ende des Raums.

Ich strebe in Richtung Ausgang. In einer halben Stunde habe ich ein League-Treffen. Ich lächle Susie besonders freundlich zu. Sie flüstert gerade ins Telefon. Die gestohlenen Bücher in meiner Tasche fühlen sich an, als pulsierten sie vor Hitze.

»Skeeter«, zischt mir Susie mit weit aufgerissenen Augen zu. »Habe ich richtig gehört, *du* triffst dich mit Stuart Whitworth?« Sie betont das *du* ein bisschen zu sehr, als dass ich mein Lächeln aufrechterhalten könnte. Ich tue, als hätte ich nichts gehört, und trete in die helle Sonne hinaus. Ich habe in meinem ganzen Leben nie etwas gestohlen – bis eben. Es ist mir eine gewisse Genugtuung, dass es während Susies Aufsichtsdienst passiert ist.

Die Menschen suchen an ganz unterschiedlichen Orten Trost und Zuflucht, und das gilt natürlich auch für meine Freundinnen und mich. Elizabeth sitzt an ihrer Nähmaschine, versucht sich ein Leben zu schneidern, das aussieht wie ladenneu. Mein Refugium ist die Schreibmaschine, an der ich Dinge auf den Punkt bringe, die laut zu sagen ich nie den Mumm hätte. Und Hillys Kraftort ist ein Rednerpult, wo sie fünfundsechzig Frauen erklärt, dass drei gestiftete Konservendosen pro Mitglied nicht reichen, um all die AHKAs satt zu bekommen. Die armen hungernden Kinder Afrikas sind gemeint. Mary Joline Walker hingegen findet drei vollauf genug.

»Ist es denn nicht auch teuer, diese ganzen Dosen um die halbe Welt bis nach Äthiopien zu verfrachten?«, fragt Mary Joline. »Wäre es nicht sinnvoller, einfach einen Scheck zu schicken?«

Die Versammlung ist noch nicht offiziell eröffnet, aber Hilly steht schon hinter ihrem Pult. In ihrem Blick liegt etwas Getriebenes. Es ist keins unserer normalen Abendtreffen, sondern eine nachmittägliche Sonderversammlung, die Hilly einberufen hat. Im Juni verreisen viele Mitglieder in die Sommerferien. Und im Juli fährt Hilly selbst wie jedes Jahr drei Wochen an die Küste. Es muss schwer für sie sein, darauf zu vertrauen, dass das Leben in dieser Stadt ohne sie geordnet weitergeht.

Hilly verdreht die Augen. »Man kann diesen Eingeborenen kein Geld geben, Mary Joline. In der Ogaden-Wüste gibt es keinen Jitney 14. Und woher wüssten wir, dass sie davon über-

haupt Essen für ihre Kinder kaufen? Sie würden wahrscheinlich ins nächste Voodoo-Zelt gehen und sich von unserem
Geld irgendeine satanische Tätowierung machen lassen.«

»Wenn du meinst.« Mary Joline zuckelt davon, mit aus-
druckslosem Gesicht und leerem Blick, als hätte sie gerade
eine Gehirnwäsche hinter sich. »Du weißt es ja wohl am besten.« Die Gabe, andere in diesen Zombie-Zustand zu versetzen, macht Hilly wohl zu einer so erfolgreichen League-Präsidentin.

Ich arbeite mich durch den dicht gefüllten Versammlungs-
raum, spüre die Aufmerksamkeit auf mir wie einen warmen
Scheinwerferstrahl. Der Raum ist voller Kuchen essender, Li-
monade trinkender, Zigaretten rauchender Frauen meines
Alters. Manche tuscheln, schauen verstohlen her.

»*Skeeter*«, sagt Liza Presley, ehe ich an den Kaffeespendern
vorbeigelangen kann, »habe ich richtig gehört – du warst vor
ein paar Wochen im Robert E. Lee?«

»Stimmt das? Triffst du dich wirklich mit Stuart Whitworth?«, fragt Frances Greenbow.

Die meisten Fragen sind nicht spitz, anders als Susies Gezi-
schel in der Bibliothek. Trotzdem zucke ich nur die Achseln,
versuche nicht zur Kenntnis zu nehmen, dass ein Date eines
normalen jungen Mädchens mit einem Mann eine Informa-
tion ist, ein Date zwischen Skeeter Phelan und einem Mann
hingegen eine *Sensation*.

Aber es stimmt. Ich treffe mich mit Stuart Whitworth, drei
Wochen schon. Zweimal waren wir im Robert E. Lee, wenn
man das Desasterdate mitrechnet, und dreimal haben wir auf
unserer Vorderveranda gesessen und etwas getrunken, bevor
er nach Vicksburg zurückfuhr. Mein Vater ist sogar bis nach
zwanzig Uhr aufgeblieben, um mit ihm zu reden. »Nacht,
mein Sohn. Sagen Sie dem Senator, wir rechnen es ihm wirklich hoch an, dass er dieses Farmsteuergesetz abgebogen hat.«
Mutter zitterte regelrecht, hin- und hergerissen zwischen der

Angst, ich könnte es vermurksen, und der Freude darüber, dass ich tatsächlich Männer mag.

Der weiße Scheinwerferkegel der Verwunderung folgt mir, als ich mich Hilly nähere. Mädels lächeln und nicken mir zu.

»Wann seht ihr euch wieder?« Das ist Elizabeth, die eine Papierserviette zusammenzwirbelt, die Augen so weit aufgerissen, als wäre sie gerade Zeuge eines Autounfalls. »Hat er was gesagt?«

»Morgen Abend. Sobald er herkommen kann.«

»Gut.« Hilly lächelt wie ein dickes Kind am Eisdielenfenster. Ihre rote Kostümjacke spannt. »Dann machen wir ein Doppeldate draus.«

Ich antworte nicht. Ich will nicht, dass Hilly und William mitkommen. Ich möchte mit Stuart allein zusammensitzen, möchte, dass er mich und nur mich ansieht. Zweimal hat er mir, als wir allein waren, das Haar aus dem Gesicht gestrichen. Das wird er womöglich nicht tun, wenn sie dabei sind.

»William ruft Stuart heute Abend an. Wir können ja ins Kino gehen.«

»Okay«, seufze ich.

»Ich möchte unbedingt *Eine total, total verrückte Welt* sehen. Das wird doch lustig«, sagt Hilly. »Du und ich und William und Stuart.«

Die Anordnung der Namen kommt mir verdächtig vor. Als ob es darum ginge, dass William und Stuart sich treffen und nicht Stuart und ich. Ich weiß, das ist paranoid. Aber im Moment macht mich alles misstrauisch. Vorgestern Abend, gleich hinter der Farbigenbrücke, hat mich ein Polizist angehalten. Er leuchtete mit der Stablampe in den Pick-up, auf die Büchertasche. Verlangte meinen Führerschein und fragte, wo ich hinwolle. »Ich muss zu meinem Dienstmädchen … Constantine. Ihr einen Scheck bringen. Ich habe vergessen, ihr ihr Geld zu geben.« Ein zweiter Polizist fuhr heran, kam an mein Seitenfenster. »Warum haben Sie mich angehalten?«, fragte ich, und meine Stimme kam etwa zehn Töne zu hoch heraus. »Ist was passiert?« Mein Herz hämmerte gegen meine Rippen. Wenn sie jetzt in meine Büchertasche schauten?

»Paar ungewaschene Yankees, die Unruhe stiften. Aber die kriegen wir, Ma'am«, sagte er und tätschelte seinen Schlagstock. »Erledigen Sie, was Sie zu erledigen haben, und sehen Sie zu, dass Sie wieder auf die andere Seite rüberkommen.«

In Aibileens Straße parkte ich noch ein Stück weiter von ihrem Haus entfernt als beim letzten Mal. Ich ging zu ihrer Hintertür herum, statt vorn zu klopfen. Noch eine ganze Stunde lang zitterte ich so heftig, dass ich die Fragen an Minny, die ich mir notiert hatte, kaum ablesen konnte.

Hilly gibt mit ihrem Hammer das Noch-fünf-Minuten-Signal. Ich zwänge mich zu meinem Platz durch, hieve die Büchertasche auf meinen Schoß. Ich kontrolliere rasch den Inhalt, weil ich mir plötzlich der gestohlenen Jim-Crow-Broschüre nur allzu bewusst bin. Außerdem enthält meine Büchertasche unsere gesamte bisherige Arbeit – die Interviews mit Aibileen und Minny, das Buch-Exposee, eine Liste eventuell in Frage kommender Dienstmädchen, eine scharfe, nie abgeschickte Erwiderung auf Hillys Toiletteninitiative – alles, was ich nicht zu Hause lassen kann, weil ich befürchten muss, dass Mutter in meinen Sachen herumschnüffelt. Es steckt in einer Reißverschluss-Seitentasche mit Klappe. Sie beult sich.

»Skeeter, diese Popelinehosen sind sagenhaft, warum kenne ich die noch gar nicht?«, sagt Carroll Ringer ein paar Stühle weiter, und ich schaue sie lächelnd an und denke: *Weil ich es nie wagen würde, in alten Sachen zu einem League-Treffen zu gehen, so wenig wie du.* Kommentare über meine Kleidung irritieren mich, weil Mutter mich damit schon so viele Jahre verfolgt.

Ich spüre eine Hand auf meiner Schulter, drehe mich wieder um, und da steht Hilly, den Zeigefinger in meiner Büchertasche, genau auf der Broschüre. »Hast du den Entwurf für den nächsten Newsletter da? Ist er das?« Ich habe sie gar nicht kommen sehen.

»Nein, warte!«, rufe ich und stecke das Heftchen zwischen meine Papiere. »Ich … ich muss noch was korrigieren. Ich bringe ihn dir nachher.«

Ich atme tief durch.

Zurück am Rednerpult schaut Hilly auf die Uhr und spielt mit ihrem Hammer herum, als könnte sie es nicht erwarten, endlich damit loszuschlagen. Ich schiebe die Büchertasche unter meinen Stuhl. Schließlich beginnt die Versammlung.

Ich schreibe mit, was es Neues zu den AHKA gibt, wer auf der Ermahnungsliste steht, wer seine Dosen noch nicht beigebracht hat. Der Terminausblick ist dicht gefüllt mit Komiteesitzungen und Baby-Partys, und ich rutsche unruhig auf meinem Holzstuhl herum, hoffe, dass die Versammlung bald zu Ende ist. Ich muss Mutter spätestens um drei den Wagen zurückbringen.

Eineinhalb Stunden später, um Viertel vor drei, renne ich schließlich aus dem heißen Raum hinaus zum Cadillac. Ich werde wegen vorzeitigen Gehens auf die Ermahnungsliste kommen, aber, Gott, was ist schlimmer, Mutters Zorn oder Hillys?

Fünf vor drei betrete ich das Haus. Ich summe »Love Me Do« vor mich hin und denke, dass ich mir vielleicht so einen kurzen Rock kaufen sollte, wie ihn Jenny Foushee heute anhatte. Sie sagt, sie hat ihn von Bergdorf Goodman's in New York. Mutter würde tot umfallen, wenn ich am Samstag, wenn Stuart mich abholt, in einem Rock erschiene, der überm Knie endet.

»Bin wieder da, Mama«, rufe ich den Flur entlang.

Ich nehme mir eine Co-Cola aus dem Kühlschrank, seufze, lächle, fühle mich blendend, stark. Ich gehe zur Vordertür, meine Büchertasche holen, um Minnys Geschichten weiter zu einem Ganzen zusammenzustricken. Es ist deutlich zu merken, dass sie darauf brennt, über Celia Foote zu sprechen, aber sie hört jedes Mal sofort wieder auf und wechselt das Thema. Das Telefon klingelt, und ich schnappe mir den Hörer, aber es ist für Pascagoula. Ich frage, wer dran ist, um es aufzuschreiben, damit sie zurückrufen kann. Es ist Yule May, Hillys Mädchen.

»Hey, Yule May«, sage ich und denke, wie klein diese Stadt doch ist. »Ich richte es ihr aus, sobald sie zurückkommt.« Ich lehne mich an die Arbeitsplatte, wünschte, Constantine wäre hier so wie früher. Wie gern würde ich ihr haarklein von meinem Tag erzählen.

Ich seufze und trinke meine Cola aus, gehe dann zur Vordertür. Meine Büchertasche ist nicht da. Ich gehe hinaus und sehe im Wagen nach, aber da ist sie auch nicht. *Hä?*, denke ich und gehe die Treppe hinauf, fühle mich jetzt weit weniger blühend, eher gelblich blass. War ich schon oben? Ich suche mein Zimmer ab, aber die Tasche ist nirgends. Schließlich stehe ich reglos in meinem stillen Zimmer, und Panik kriecht langsam mein Rückgrat hinauf. In der Tasche ist *alles.*

Mutter, denke ich und haste nach unten, schaue ins Fernsehzimmer. Doch plötzlich wird mir klar, dass nicht Mutter die Tasche hat – der Schock lähmt meinen ganzen Körper. Ich habe sie im Versammlungshaus der League stehen lassen. Ich hatte es so eilig, Mutter den Wagen zurückzubringen. Und noch während das Telefon klingelt, weiß ich, dass es Hilly ist.

Ich reiße den Hörer vom Wandapparat. Mutter ruft von der Vordertür herüber, dass sie jetzt geht.

»Hallo?«

»Wie konntest du dieses schwere Ding vergessen?«, fragt Hilly. Hilly hatte noch nie Skrupel, in anderer Leute Sachen herumzukramen. Im Gegenteil, es macht ihr Spaß.

»Mutter, warte noch einen Moment!«, brülle ich aus der Küche.

»Guter Gott, Skeeter, was ist denn da drin?«, fragt Hilly. Ich muss Mutter noch erwischen, aber Hillys Stimme klingt weiter entfernt, als ob sie sich bückt, um die Tasche zu öffnen.

»Nichts! Nur … die ganzen Miss-Myrna-Briefe, du weißt ja.«

»Na ja, ich habe sie mit zu mir geschleppt, also komm bei Gelegenheit vorbei und hol sie.«

Mutter lässt draußen den Wagen an. »Lass sie … einfach da. Ich hol sie, so schnell ich kann.«

Ich renne nach draußen, aber Mutter ist schon ein ganzes Stück die Zufahrt hinunter. Ich schaue über den Hof, aber der alte Pick-up ist auch weg, Baumwollsaat auf die Felder bringen. Die Angst in meinem Magen ist hart und heiß wie ein Ziegelstein in der Sonne.

Unten an der Straße sehe ich den Cadillac abbremsen, dann abrupt halten. Er fährt wieder an. Bleibt wieder stehen. Stößt zurück, in Schlangenlinien wieder die Zufahrt herauf. Durch ein Wunder Gottes, den ich nie sonderlich gemocht und an den ich noch weniger geglaubt habe, kommt meine Mutter tatsächlich *zurück.*

»Jetzt habe ich doch Sue Annes Auflaufform vergessen …«

Ich werfe mich regelrecht auf den Beifahrersitz, warte, dass sie wieder einsteigt. Sie umfasst das Lenkrad.

»Fährst du mich bei Hilly vorbei? Ich muss etwas abholen.« Ich presse mir die Hand auf die Stirn. »O Gott, beeil dich, Mutter. Bevor ich zu spät komme.«

Der Wagen rührt sich nicht vom Fleck. »Skeeter, ich habe heute tausend Dinge zu tun …«

Die Panik steigt jetzt meine Kehle empor. »Mama, bitte, *fahr* …«

Aber der Deville steht reglos auf dem Schotter, tickend wie eine Zeitbombe.

»Jetzt hör mal zu«, sagt Mutter. »Ich habe persönliche Dinge zu erledigen und kann dich dabei wirklich nicht gebrauchen.«

»Es kostet dich fünf Minuten. Jetzt fahr schon, Mama!«

Mutter sitzt da, die weißbehandschuhten Hände am Lenkrad, die Lippen aufeinandergepresst.

»Zufällig habe ich heute etwas Wichtiges und Vertrauliches zu tun.«

Es kann doch im Leben meiner Mutter nichts geben, was wichtiger wäre als der Schlund des Verderbens, in den ich starre. »Was denn? Gibt's eine Mexikanerin, die den *Daughters of the American Revolution* beitreten will? Ist jemand beim Lesen des *New American Dictionary* erwischt worden?«

Mutter seufzt, sagt »Also gut« und schiebt den Automatikhebel vorsichtig in Fahrstellung. »Fahren wir.« Wir rollen mit etwa einer Zehntelmeile pro Stunde die Zufahrt entlang, damit der Split nicht auf den Lack spritzt. Am Ende der Zufahrt setzt sie den Blinker, als nähme sie eine Gehirnoperation vor, und der Cadillac schleicht auf die Landstraße. Ich habe die Fäuste geballt. Trete auf mein imaginäres Gaspedal. Mutter fährt immer, als wäre es das erste Mal.

Auf der Landstraße beschleunigt sie auf fünfzehn Meilen und umklammert das Lenkrad, als rasten wir mit hundertfünf dahin.

»Mama«, sage ich schließlich, »lass mich fahren.«

Sie seufzt. Zu meiner Überraschung zieht sie ins hohe Gras hinüber und hält.

Ich steige aus und renne um den Wagen herum, während sie hinüberrutscht. Ich schalte auf D, beschleunige auf siebzig und bete: *Bitte, Hilly, widersteh der Versuchung, in meinen Sachen zu kramen ...*

»Und was ist das nun so Geheimes, was du heute vorhast?«, frage ich.

»Ich ... muss zu Doktor Neal, ein paar Tests machen lassen. Reine Routine, aber dein Vater soll es nicht wissen. Du weißt ja, wie er sich jedes Mal aufregt, wenn jemand zum Arzt muss.«

»Was für Tests?«

»Nur ein Jodtest, wegen meiner Magengeschwüre, wie jedes Jahr. Setz mich am *Baptist* ab, dann kannst du selbst zu Hilly fahren. So habe ich wenigstens keine Probleme mit dem Parken.«

Ich schaue sie an, ob da mehr dahintersteckt, aber sie sitzt aufrecht und frisch gestärkt da, in ihrem hellblauen Kleid, die Fußgelenke gekreuzt. Ich weiß nichts von solchen Tests im letzten Jahr. Auch wenn ich die meiste Zeit am College war – Constantine hätte es mir geschrieben. Mutter muss es verheimlicht haben.

Fünf Minuten später, vor dem *Baptist Hospital,* gehe ich auf ihre Seite herum und helfe ihr beim Aussteigen.

»Eugenia, bitte. Nur weil das hier ein Krankenhaus ist, bin ich noch lange nicht siech.«

Ich halte ihr die Glastür auf und sie marschiert hocherhobenen Hauptes hinein.

»Ist es … dir lieber, wenn ich mitkomme?«, frage ich in dem Wissen, dass das nicht geht – ich muss zu Hilly, aber plötzlich will ich sie nicht einfach so hier abliefern.

»Es ist *reine* Routine. Fahr du zu Hilly, und hol mich in einer Stunde wieder ab.«

Ich sehe ihr nach, wie sie in dem langen Flur immer kleiner wird, ihre Handtasche fest umklammert, und ich weiß, ich sollte mich umdrehen und losrennen. Doch ehe ich es tue, wundere ich mich, wie zerbrechlich und unbedeutend meine Mutter geworden ist. Früher füllte sie einen Raum allein durch ihr Atmen, und jetzt scheint da einfach … weniger von ihr da zu sein. Sie geht um die Ecke und verschwindet hinter den blassgelben Wänden. Ich schaue noch eine Sekunde hin, ehe ich zum Wagen haste.

Eineinhalb Minuten später klingle ich an Hillys Tür. Normalerweise würde ich Hilly das mit Mama erzählen. Aber ich darf sie nicht ablenken. Der erste Moment wird mir alles sagen. Hilly ist eine hervorragende Lügnerin, nur nicht in der Sekunde, direkt bevor sie spricht.

Hilly macht die Tür auf. Ihr Mund ist starr und rot. Ich schaue auf ihre Hände. Sie sind ineinander verknotet. Ich komme zu spät.

»Na, das ging ja schnell«, sagt sie, und ich folge ihr ins Haus. Mein Herz setzt aus. Ich bin mir nicht sicher, ob ich überhaupt noch atme.

»Da ist es, das hässliche Ding. Ich hoffe, es stört dich nicht, ich musste etwas im Versammlungsprotokoll nachsehen.«

Ich starre sie an, meine beste Freundin, versuche zu erkennen, was sie da in meinen Sachen gelesen hat. Aber ihr Lächeln ist, wenn auch nicht strahlend, so doch professionell. Der verräterische Moment ist vorbei.

»Kann ich dir etwas zu trinken anbieten?«

»Nein, danke.« Dann setze ich hinzu: »Lust auf eine Runde Tennis nachher im Club? Es ist so herrlich draußen.«

»William hat eine Wahlkampfbesprechung, und danach gehen wir in *Eine total, total verrückte Welt.*«

Ich mustere sie. Hat sie nicht vor zwei Stunden gesagt, wir sollten morgen zu viert in diesen Film gehen? Langsam schiebe ich mich zum Ende des Esstischs vor, als könnte sie sich auf mich stürzen, wenn ich mich zu schnell bewege. Sie nimmt eine Sterlingsilbergabel vom Sideboard, klimpert mit dem Zeigefinger auf den Zinken.

»Ja, äh, Spencer Tracy soll wirklich göttlich sein«, sage ich. Beiläufig überprüfe ich die Papiere in meiner Büchertasche. Die Mitschriften der Interviews mit Aibileen und Minny stecken immer noch tief in der Seitentasche, die Klappe ist zu, die Schließe eingerastet. Aber Hillys Toiletteninitiative ist im offenen Mittelfach, zusammen mit dem Zettel, auf dem ich notiert habe: *Jim Crow oder Hillys Toilettenaktion – wo ist da der Unterschied?* Daneben steckt der Newsletter-Entwurf, den

Hilly bereits inspiziert hat. Aber die Broschüre, die Aufstellung der Gesetze – ich forsche noch einmal mit dem Zeigefinger nach … sie ist weg.

Hilly legt den Kopf schief, mustert mich mit verengten Augen. »Weißt du, ich musste gerade daran denken, wie Stuarts Daddy direkt neben Ross Barnett stand, als sie diesem farbigen Burschen den Zutritt zur Ole Miss verwehrt haben. Sie sind ziemlich gut befreundet, Senator Whitworth und Gouverneur Barnett.«

Ich öffne den Mund, um irgendetwas zu sagen, aber in dem Moment tapst der zweijährige William junior herein.

»Da bist du ja.« Hilly nimmt ihn hoch, stupst ihn mit der Nase am Hals. »Mein süßer Kleiner!«, sagt sie. William sieht mich an und schreit.

»Also dann, viel Spaß im Kino«, murmle ich und gehe zur Haustür.

»Okay«, sagt sie. Ich gehe die Stufen hinunter. Hilly winkt in der Haustür, wedelt mit Williams Hand. Sie knallt die Tür zu, noch ehe ich bei meinem Wagen bin.

Aibileen

KAPITEL 14

Ich hab ja schon paar heikle Situationen erlebt, aber Minny auf der einen Seite von meinem Wohnzimmer und Miss Skeeter auf der anderen, während es noch dazu drum geht, wie sich's anfühlt, Negerin zu sein und für eine Weiße zu arbeiten – Gott im Himmel, es ist wirklich ein Wunder, dass es da keine Verletzten gegeben hat.

Paarmal war's allerdings ganz schön knapp.

Letzte Woche zum Beispiel, wie mir Miss Skeeter Miss Hillys Gründe gezeigt hat, warum Farbige ihre eigenen Klos brauchen.

»Könnt grad vom KKK sein«, sag ich zu Miss Skeeter. Wir sind in meinem Wohnzimmer, und langsam ist es nachts ganz schön warm. Minny ist in die Küche gegangen, sich vor den Eisschrank stellen. Minny hört grad mal fünf Minuten im Januar mit Schwitzen auf und vielleicht nicht mal dann.

»Hilly will, dass ich es im League-Newsletter bringe«, sagt Miss Skeeter und schüttelt angeekelt den Kopf. »Tut mir leid, ich hätte es Ihnen wahrscheinlich nicht zeigen sollen. Aber ich kann es sonst niemandem erzählen.«

Kurz drauf kommt Minny aus der Küche wieder. Ich schau Miss Skeeter warnend an, also schiebt sie das Blatt unter ihr Notizheft. Minny sieht nicht grad abgekühlt aus. Sie sieht aus, als wär ihr noch heißer wie vorher.

»Minny, sprechen Sie und Leroy jemals über die Bürgerrechtsbewegung?«, fragt Miss Skeeter. »Wenn er von der Arbeit nach Hause kommt?«

Minny hat einen großen blauen Fleck am Arm, weil es das ist, was Leroy macht, wenn er heimkommt. Er geht auf sie los.

»Nein«, sagt Minny nur. Minny mag's gar nicht, wenn Leute die Nase in ihre Angelegenheiten stecken.

»Ach, wirklich? Er spricht nie darüber, wie er über die Märsche und die Rassentrennung denkt? Vielleicht in Zusammenhang mit seiner Arbeit, seinen Vorgesetz…«

»Hören Sie auf mit Leroy.« Minny verschränkt die Arme, damit man den blauen Fleck nicht sieht.

Ich tret Miss Skeeter gegen den Fuß. Aber Miss Skeeter guckt so, wie sie guckt, wenn sie ganz auf irgendeiner Schiene ist.

»Aibileen, meinen Sie nicht, es wäre interessant, wenn wir auch ein wenig die Sicht des Ehemannes darstellen könnten? Minny, vielleicht …«

Minny steht so wütend auf, dass der Lampenschirm wackelt. »Ich mach nimmer weiter. Das ist mir zu persönlich. Ich hab keine Lust, Weißen zu erzählen, wie sich was anfühlt.«

»Minny, okay, tut mir leid«, sagt Miss Skeeter. »Wir brauchen nicht über Ihre Familie zu reden.«

»Nein. Ich hab's mir anders überlegt. Sie müssen sich jemand anders suchen, der alles ausplappert.« Das haben wir schon paarmal gehabt. Aber diesmal schnappt Minny ihre Handtasche und ihren Beerdigungsfächer, der untern Stuhl gefallen ist, und sagt: »'tschuldigung, Aib. Aber ich kann das nimmer.«

Da krieg ich Panik. Sie will wirklich weg. Minny kann nicht aussteigen. Sie ist das einzige Dienstmädchen außer mir, das gesagt hat, es macht mit.

Also beug ich mich hin und zieh Miss Hillys Blatt unter Miss Skeeters Notizbuch vor. Ich schieb es direkt vor Minny hin.

Sie guckt drauf. »Was ist das?«

Ich mach mein leeres Gesicht. Zuck mit den Schultern. Ich kann nicht zeigen, dass ich will, dass sie's liest, weil sie's dann garantiert nicht tut.

Minny nimmt das Blatt und fängt an, drüber zu lesen. Nicht lang, und ich seh ihre Vorderzähne. Aber nicht, weil sie lächelt.

Dann guckt sie Miss Skeeter an, lang und ernst. Sagt: »Vielleicht machen wir doch weiter. Aber Sie halten sich aus meinen Privatsachen raus, verstanden?«

Miss Skeeter nickt. Sie lernt.

Ich mach einen Eiersalat für Miss Leefolt und die Kleine zu Mittag, leg so winzige Gürkchen an den Rand, damit's netter aussieht. Miss Leefolt setzt sich zu Mae Mobley an den Küchentisch, fängt an, ihr zu erzählen, dass im Oktober das Baby kommt und sie hoffentlich nicht grad beim Ole-Miss-Eröffnungsspiel ins Krankenhaus muss, dass Mae Mobley dann ein Brüderchen oder Schwesterchen hat und dass sie noch überlegen, wie es heißen soll. Es ist schön, wie sie mal so miteinander reden. Den halben Vormittag hat Miss Leefolt am Telefon gehangen und mit Miss Hilly getratscht und die Kleine gar nicht bemerkt. Und wenn erst das neue Baby da ist, hat sie für Mae Mobley wohl nicht mal mehr einen Klaps über.

Nach dem Mittagessen nehm ich die Kleine mit raus in den Garten und lass das grüne Plastikplanschbecken voll. Es hat jetzt schon fünfunddreißig Grad draußen. Das Wetter in Mississippi hat gar keine rechte Ordnung. Im Februar hat's an einem Tag zehn Grad unter null, und man wünscht sich, der Frühling würd kommen, und am nächsten sind's über dreißig Grad für die kommenden neun Monate.

Die Sonne scheint. Mae Mobley sitzt in ihrer Badehose mitten im Planschbecken. Als Erstes hat sie das Oberteil ausgezogen. Miss Leefolt kommt raus und sagt: »Das sieht aus, als ob es Spaß macht! Ich werde Hilly anrufen, dass sie doch Heather und Klein Will herbringen soll.«

Und eh ich mich's verseh, planschen alle drei Kinder in dem Becken rum und haben jede Menge Spaß.

Heather, die Kleine von Miss Hilly, ist ein aufgewecktes Ding. Sie ist ein halbes Jahr älter wie Mae Mobley, und Mae Mobley liebt sie über alles. Heather hat einen Schopf von glänzenden, dunklen Locken und kleine Sommersprossen und redet wie ein Buch. Sie ist im Grund Miss Hilly in Klein, nur dass das bei einem Kind niedlicher ist. William junior ist zwei. Er ist ein Flachskopf und sagt gar nichts. Watschelt nur wie eine Ente hinter den zwei Mädchen her, zu dem scharfen Palmgras am Rand vom Garten, zu der Schaukel, die mir immer eine Mordsangst macht, weil sie sich auf einer Seite verheddert, wenn man zu fest schaukelt, und wieder zurück zum Planschbecken.

Eins muss man Miss Hilly lassen, sie liebt ihre Kinder. Alle fünf Minuten küsst sie Klein Will auf den Kopf. Oder fragt Heather, ob sie's hier lustig findet. Oder will, dass sie herkommt und ihrer Mama einen Kuss gibt. Und sie sagt ihr die ganze Zeit, sie wär das hübscheste Mädchen auf der Welt. Und Heather liebt ihre Mama auch. Sie schaut zu Miss Hilly auf, wie wenn sie die Freiheitsstatue wär. Mir kommen immer schier die Tränen, wenn ich die Art Liebe seh. Selbst wenn sie Miss Hilly gilt. Weil ich an Treelore denken muss, da dran, wie er mich geliebt hat. Ich hab ein Gefühl dafür, wenn ein Kind seine Mama anbetet.

Wir Erwachsenen sitzen im Schatten vom Magnolienbaum, während die Kinder spielen. Ich halt ein Stück Abstand von den Ladys, wie sich's schickt. Sie haben Handtücher unter sich auf den schwarzen Eisenstühlen, die immer so heiß werden. Ich sitz gern in dem Klappstuhl mit dem grünen Plastik. Da bleiben meine Beine kühl.

Ich guck zu, wie Mae Mobley die nackte Barbiepuppe vom Planschbeckenrand ins Wasser hopsen lässt. Aber ich hab auch die Ladys im Blick. Mir fällt auf, dass Miss Hilly immer ganz nett und fröhlich tut, wenn sie was zu Heather oder William sagt, aber so ein abfälliges Gesicht kriegt, sowie sie mit Miss Leefolt redet.

»Aibileen, würden Sie mir bitte noch etwas Eistee bringen?«, sagt Hilly. Ich geh den Krug aus dem Kühlschrank holen.

»Und genau das ist es, was ich nicht verstehe«, hör ich Miss Hilly sagen, wie ich wieder nah genug dran bin. »Niemand will sich doch auf eine Toilettenbrille setzen, die er mit ihnen teilen muss.«

»Stimmt schon«, sagt Miss Leefolt, ist dann aber still, wie ich komm, um ihnen nachzugießen.

»Oh, danke«, sagt Miss Hilly. Dann guckt sie mich an, wie wenn sie wirklich ganz verwirrt wär, und sagt: »Aibileen, Sie finden es doch schön, Ihre eigene Toilette zu haben, oder?«

»Ja, Ma'am.« Sie redet immer noch von dem Klo, obwohl's jetzt schon ein halbes Jahr da ist.

»Getrennt, aber gleich«, sagt Miss Hilly, jetzt wieder zu Miss Leefolt. »Gouverneur Ross Barnett sagt, das ist richtig, und was die *Regierung* sagt, stimmt doch wohl.«

Miss Leefolt klatscht sich mit der rechten Hand auf den Schenkel, wie wenn ihr grad ganz was Interessantes eingefallen wär. Ich bin auch dafür, von was anderem zu reden. »Habe ich dir schon erzählt, was Raleigh neulich gesagt hat?«

Aber Miss Hilly schüttelt den Kopf. »Aibileen, Sie würden doch nicht in eine Schule mit lauter Weißen gehen wollen, oder?«

»Nein, Ma'am«, murmle ich. Ich steh auf und mach der Kleinen das Haargummi ab. Wenn das Haar nass wird, verheddert sich's in den grünen Plastikkugeln. Aber eigentlich will ich ihr die Ohren zuhalten, damit sie das Gerede nicht hört. Und vor allem nicht, wie ich dem auch noch zustimm.

Aber dann denk ich: Warum? Warum muss ich hier stehen und Ja und Amen sagen? Und wenn Mae Mobley mich hört,

hört sie wenigstens was Vernünftiges. Ich hol Luft. Mein Herz pocht. Und ich sag, so höflich ich kann: »Nicht in eine Schule nur mit Weißen. Aber in eine, wo Farbige und Weiße zusammen sind.«

Hilly und Miss Leefolt starren mich an. Ich guck rüber zu den Kindern.

»Aber *Aibileen*« – Miss Hilly hat jetzt so ein kaltes Lächeln –, »Farbige und Weiße sind doch so … *verschieden.*« Sie kraust die Nase.

Ich fühl, wie meine Oberlippe hochgeht. Natürlich sind wir verschieden! Jeder weiß doch, dass farbige Menschen und weiße Menschen nicht gleich sind. Aber wir sind doch alle Menschen! Ja, ich hab doch sogar gehört, dass Jesus dort draußen in der Wüste dunkle Haut gehabt hat. Ich press die Lippen fest zusammen.

Ist aber sowieso egal, weil Miss Hilly schon bei was anderem ist. Was ich denk, zählt für sie nicht. Sie redet jetzt wieder leise mit Miss Leefolt. Aus dem Nichts zieht plötzlich eine dicke, dunkle Wolke vor die Sonne. Wir kriegen wohl gleich einen Guss.

»… Regierung weiß es doch wohl am besten, und wenn Skeeter glaubt, dass sie mit diesem Farbigenunsinn …«

»Mama! Mama! Guck mal!«, ruft Heather vom Planschbecken rüber. »Guck mal meine Rattenschwänze!«

»Ich seh's. Ich seh dich! Jetzt, wo William nächstes Jahr kandidiert …«

»Mama, ich will deinen Kamm! Ich will Friseur spielen!«

»… kann ich mir unmöglich Freundinnen leisten, die mit den Farbigen gemeinsame Sache machen …«

»Mamaaaaa! Du sollst mir deinen Kamm geben! Ich brauch deinen Kamm!«

»Ich habe es gelesen. Ich habe es in ihrer Büchertasche gefunden, und ich gedenke, Maßnahmen zu ergreifen.«

Und dann sagt Miss Hilly nichts mehr, kramt nur in ihrer Handtasche nach dem Kamm. Drüben über South Jackson donnert's, und weit weg jault die Tornadosirene. Ich versuch, mir einen Reim auf das zu machen, was Miss Hilly grad gesagt hat: *Miss Skeeter. Ihre Büchertasche. Ich habe es gelesen.*

Ich hol die Kinder aus dem Planschbecken, wickel sie in Handtücher. Jetzt kracht der Donner über uns.

Kaum dass es dunkel ist, sitz ich an meinem Küchentisch und spiel nervös mit meinem Bleistift rum. Der *Huckleberry Finn* aus der Weißenbibliothek liegt vor mir, aber ich kann nicht lesen. Ich hab einen üblen Geschmack im Mund, bitter, wie Satz im letzten Schluck Kaffee. Ich muss mit Miss Skeeter reden.

Ich hab nie bei ihr angerufen, außer zwei Mal, wie's nicht anders ging: wie ich ihr gesagt hab, dass ich bei den Geschichten mitmach, und dann, um zu sagen, dass Minny auch mitmacht. Ich weiß, es ist riskant. Trotzdem steh ich auf und fass ans Wandtelefon. Aber wenn ihre Mama drangeht oder ihr Daddy? Ihr Dienstmädchen ist bestimmt schon längst gegangen. Wie soll Miss Skeeter erklären, dass eine Farbige sie anruft?

Ich setz mich wieder hin. Miss Skeeter war erst vor drei Tagen hier, um mit Minny zu reden. Da war's, wie wenn alles in Ordnung wär. Nicht so wie vor paar Wochen, wie die Polizei sie angehalten hat. Von Miss Hilly hat sie nichts gesagt.

Ich sitz eine Weile kribblig auf meinem Stuhl, wollt, das Telefon würde klingeln. Ich spring auf und jag einen Kakerlak mit meinem Arbeitsschuh quer durch die Küche. Der Kakerlak gewinnt. Er krabbelt unter die Tragetasche mit Kleidern, die mir Miss Hilly gegeben hat und die jetzt seit Wochen da steht.

Ich starr die Tüte an, spiel wieder mit meinem Bleistift. Irgendwas muss ich mit der Tüte machen. Ich bin's ja gewöhnt, dass mir Ladys Kleider geben – hab haufenweise Weißenladysachen, musst mir seit dreißig Jahren nichts mehr kaufen. Es braucht immer eine Weile, bis sie sich anfühlen wie *meine* Sachen. Wie Treelore noch klein war, hab ich mal so einen Mantel angezogen, von einer Lady, wo ich gearbeitet hab, und Treelore hat mich komisch angeguckt und sich vor mir verkrochen. Hat gesagt, ich riech weiß.

Aber mit dieser Tüte ist es was anderes. Selbst das, was mir passen würd, kann ich nicht anziehen. Kann's auch keinen Freundinnen geben. Jedes Stück in der Tüte – der Hosenrock, die Bluse mit dem Peter-Pan-Kragen, die rosa Jacke mit dem Soßenfleck, sogar die Socken – hat die eingenähten Buchstaben H.W.H. Hübsche, rote Schreibschriftbuchstaben. Ich nehm an, Yule May hat sie einnähen müssen. Wenn ich die Sachen tragen würd, käm ich mir vor wie ein persönliches Besitzstück von Hilly W. Holbrook.

Ich steh auf und tret gegen die Tüte, aber der Kakerlak kommt nicht drunter vor. Also nehm ich mein Schreibheft raus und will mit meinen Gebeten anfangen, aber mir geht immerzu Miss Hilly im Kopf rum. Was hat sie gemeint, wie sie gesagt hat: *Ich habe es gelesen?*

Nach einer Weile sind meine Gedanken dahin gewandert, wo ich sie gar nicht haben will. Ich glaub, ich weiß ziemlich genau, was passieren würd, wenn die weißen Ladys rausfinden würden, dass wir über sie schreiben, dass wir sagen, wie sie wirklich sind. Frauen sind anders wie Männer. Eine Frau drischt nicht mit einem Prügel auf dich ein. Miss Hilly würd nicht mit einer Pistole auf mich schießen. Miss Leefolt würd nicht kommen und mein Haus anzünden.

Nein, weiße Frauen machen sich nicht die Hände dreckig. Sie haben einen Satz hübsches, feines Werkzeug, spitz und scharf wie Hexenkrallen und so ordentlich aufgereiht wie die silbernen Dinger vom Zahnarzt. Die benutzen sie und lassen sich Zeit dabei.

Das Erste, was eine weiße Lady mit dir macht: Sie feuert

dich. Das ist schlimm, aber du sagst dir, du findst schon einen neuen Job, wenn die Sache erst mal verraucht ist, wenn die weiße Lady vergisst. Du hast ja gespartes Geld für eine Miete. Die Leute bringen dir Kürbisauflauf rum.

Aber dann, eine Woche, nachdem du gefeuert worden bist, steckt da so ein kleiner gelber Briefumschlag in deiner Fliegentür. Auf dem Blatt steht RÄUMUNGSBEFEHL. Alle Hausvermieter in Jackson sind weiß, und alle sind mit weißen Frauen verheiratet, und die haben weiße Freundinnen. Da kriegst du dann doch Panik. Du hast immer noch keinen Job in Aussicht. Wo du's auch versuchst, knallt dir die Tür vor der Nase zu. Und jetzt hast du auch keine Wohnung mehr.

Dann geht's immer schneller.

Wenn dein Auto noch nicht abbezahlt ist, nehmen sie's dir wieder weg.

Wenn du einen Strafzettel nicht bezahlt hast, kommst du ins Gefängnis.

Wenn du eine Tochter hast, ziehst du vielleicht zu ihr. Sie arbeitet selbst bei einer weißen Familie. Aber paar Tage später kommt sie heim und sagt: »Mama? Grad haben sie mich gefeuert.« Sie guckt gekränkt und geschockt. Sie versteht nicht warum. Du musst ihr erklären, dass es wegen dir ist.

Wenigstens hat ihr Mann Arbeit. Wenigstens können sie dem Kleinen zu essen geben.

Dann feuern sie ihren Mann. Noch so ein kleines, scharfes Werkzeug, fein und glänzend.

Sie zeigen beide mit dem Finger auf dich, weinen, wollen wissen, warum du's getan hast. Du weißt selbst nicht mehr warum. Wochen vergehen, nichts, kein Job, kein Geld, kein Haus. Du hoffst, dass es das war, dass sie genug hat, dass sie jetzt endlich vergisst.

Dann klopft's irgendwann an deiner Tür, mitten in der Nacht. Es ist nicht die weiße Lady. So was macht sie nicht selbst. Aber wie der Alptraum anfängt, die Streichhölzer, die

Messer, die Knüppel loslegen, wird dir klar, was du immer schon gewusst hast: Die weiße Lady vergisst *nie*.

Und sie wird nicht aufhören, eh du tot bist.

Am nächsten Morgen hält Miss Skeeters Cadillac in Miss Leefolts Einfahrt. Ich hab die Hände voll mit rohem Huhn und eine Gasflamme an, und Mae Mobley quengelt, weil sie am Verhungern ist, aber ich halt's keinen Moment länger aus. Ich geh ins Esszimmer, die dreckigen Hände in der Luft.

Miss Skeeter fragt grad Miss Leefolt nach den Frauen in einem Komitee, und Miss Leefolt sagt: »Die Leitung des Cupcake-Komitees hat Eileen«, und Miss Skeeter sagt: »Aber die Vorsitzende des Cupcake-Komitees ist doch Roxanne«, und Miss Leefolt sagt: »Nein, Roxanne ist die stellvertretende Vorsitzende des Cupcake-Komitees, und die Vorsitzende ist Eileen«, und dieses ganze Cupcake-Geschwätz macht mich so verrückt, dass ich Miss Skeeter am liebsten mit meinem huhnverschmierten Zeigefinger stupsen würd, aber ich weiß, sie unterbrechen wär das Letzte, was ich tun sollt, also tu ich's nicht. Über die Büchertasche fällt kein Wort.

Eh ich's mich verseh, ist Miss Skeeter zur Tür raus.

Heiliger.

An dem Abend, nach dem Essen, starren wir uns quer durch die Küche an, der Kakerlak und ich. Er ist groß, drei Zentimeter mindestens. Und schwarz. Schwärzer wie ich. Er knistert mit den Flügeln. Ich hab den Schuh in der Hand.

Da klingelt das Telefon, und wir fahren beide zusammen.

»Hey, Aibileen«, sagt Miss Skeeter, und ich hör, wie eine Tür zugeht. »Entschuldigung, dass ich so spät noch anrufe.«

Ich atme laut aus. »Bin froh, dass Sie's tun.«

»Ich wollte nur wissen, ob Sie … irgendetwas Neues haben. Von irgendwelchen anderen Dienstmädchen meine ich.«

Miss Skeeter klingt komisch. So verkrampft. In letzter Zeit hat sie immer geleuchtet wie ein Glühwürmchen vor lauter Verliebtheit. Mein Herz fängt an zu bummern. Trotzdem schieß ich nicht gleich los mit meinen Fragen. Weiß nicht genau, warum.

»Ich hab Corrine gefragt, die bei den Cooleys arbeitet. Sie sagt nein. Dann Rhonda und Rhondas Schwester, die bei den Millers ist ... aber die haben auch beide nein gesagt.«

»Was ist mit Yule May? Haben Sie ... in letzter Zeit mal mit ihr gesprochen?«

Jetzt frag ich mich, ob Miss Skeeter darum so komisch ist. Ich hab Miss Skeeter nämlich angeschwindelt. Vor einem Monat hab ich gesagt, ich hätt Yule May gefragt, aber das hab ich nicht. Nicht nur, weil ich Yule May kaum kenn. Vor allem, weil sie das Dienstmädchen von Miss Hilly Holbrook ist und weil mich alles, was mit der zu tun hat, nervös macht.

»In letzter Zeit nicht grad. Vielleicht ... probier ich's noch mal«, lüg ich und hass mich dafür.

Dann spiel ich wieder mit meinem Bleistift rum. Hol Luft, um ihr zu sagen, was Miss Hilly erzählt hat.

»Aibileen«, flüstert Miss Skeeter, und ihre Stimme ist jetzt ganz zittrig, »ich muss Ihnen etwas sagen.«

Miss Skeeter ist still, und es fühlt sich an wie die unheimlichen Sekunden, eh ein Tornadoschlauch aus den Wolken fällt.

»Was ist passiert, Miss Skeeter?«

»Ich ... habe meine Tasche vergessen. Bei der League-Versammlung. Hilly hat sie mitgenommen.«

Ich blinzel, glaub, ich hör nimmer richtig. »Die rote?«

Sie sagt nichts.

»Oh ... Herr im Himmel.« Auf einmal ergibt alles einen schrecklichen Sinn.

»Die Geschichten waren in einer geschlossenen Seitentasche, in einem Extraordner. Ich glaube, gesehen hat sie nur die Jim-Crow-Gesetze, so ein ... Heftchen, das ich aus der Bibliothek mitgenommen hatte, aber ... sicher weiß ich es nicht.«

»Oh, Miss *Skeeter*«, sag ich und mach die Augen zu. Gott, hilf mir. Gott, hilf *Minny* ...

»Ich weiß. Ich *weiß*«, sagt Miss Skeeter und fängt an, ins Telefon zu schluchzen.

»Okay. O*kay*.« Ich versuch, meinen Ärger runterzuschlucken. Es war ein Versehen, sag ich mir, jetzt auf ihr rumzuhacken nützt auch nichts.

Trotzdem.

»Es tut mir so leid, Aibileen.«

Paar Sekunden hör ich nichts wie das Pumpen von meinem Herz. Ganz langsam fängt mein Hirn an zu klicken, arbeitet sich durch die paar Sachen, die sie gesagt hat, und durch das, was ich selber weiß.

»Wie lang ist das her?«, frag ich.

»Drei Tage. Ich wollte erst herausfinden, was sie weiß, bevor ich es Ihnen sage.«

»Sie haben mit Miss Hilly geredet?«

»Nur ganz kurz, als ich die Tasche geholt habe. Aber ich habe mit Elizabeth gesprochen und mit Lou Anne und vielleicht noch vier Frauen, die Hilly kennen. Keine hat irgendetwas erwähnt. Deshalb ... deshalb habe ich eben wegen Yule May gefragt«, sagt sie. »Ich dachte, vielleicht hätte sie ja bei der Arbeit etwas gehört.«

Ich hol Luft, sag gar nicht gern, was ich ihr zu sagen hab. »Ich hab's gehört. Gestern. Miss Hilly hat mit Miss Leefolt drüber geredet.«

Miss Skeeter sagt nichts. Ich fühl mich, wie wenn ich wart, dass ein Backstein durch mein Fenster kracht.

»Sie hat gesagt, dass Mister Holbrook doch jetzt kandidiert und dass Sie mit Farbigen gemeinsame Sache machen und dass ... sie was gelesen hat.« Jetzt, wo ich's laut aussprech, zitter ich am ganzen Leib. Und spiel immer noch mit dem Bleistift rum.

»Hat sie etwas von Dienstmädchen gesagt?«, fragt Miss

Skeeter. »Ich meine, hat sie sich nur über mich aufgeregt, oder hat sie auch Sie oder Minny erwähnt?«

»Nein, nur ... Sie.«

»Okay.« Miss Skeeter pustet ihre Atemluft ins Telefon. Sie klingt nervös, aber sie weiß ja gar nicht, was Minny und mir passieren kann. Sie weiß nichts von dem feinen, scharfen Werkzeug, das weiße Ladys benutzen. Nichts von dem Klopfen spät in der Nacht. Nichts von den weißen Männern da draußen, die nur danach *gieren*, dass jemand sagt, wer Farbiges hätt sich mit Weißen angelegt. Die schon bereitstehen mit ihren Knüppeln und Streichhölzern. Da reicht die kleinste Kleinigkeit.

»Ich ... ich kann es nicht mit hundertprozentiger Sicherheit sagen ...«, murmelt Miss Skeeter, »aber wenn Hilly etwas von dem Buch wüsste oder von Ihnen und *erst recht* von Minny, würde sie es in der ganzen Stadt herumerzählen.«

Ich denk da drüber nach, will's ihr so gern glauben. »Stimmt, Minny Jackson kann sie nicht grad leiden.«

»Aibileen«, sagt Miss Skeeter, und ich hör, wie ihre Stimme wieder zittrig wird. »Wir können aufhören. Ich verstehe es vollkommen, wenn Sie nicht weitermachen wollen.«

Wenn ich nimmer mitmach, dann wird alles, was ich aufgeschrieben hab und was ich noch aufzuschreiben hab, nie gesagt. *Nein,* denk ich. Ich will *nicht* aufhören. Ich bin überrascht, wie laut ich's denk.

»Wenn Miss Hilly es weiß, weiß sie's«, sag ich. »Aufhören hilft uns jetzt auch nimmer.«

Zwei Tage seh, hör und riech ich nichts von Miss Hilly. Selbst wenn ich gar keinen Bleistift in der Hand hab, machen meine Finger damit rum, in meiner Tasche zum Beispiel, oder klopfen damit auf die Arbeitsplatte. Ich muss rauskriegen, was in Miss Hillys Kopf vor sich geht.

Miss Leefolt hat dreimal bei Miss Hilly angerufen, aber Yule

May erklärt jedes Mal, sie sei in Mister Holbrooks Büro – *in der »Wahlkampfzentrale«*, sagt Miss Hilly dazu. Miss Leefolt hängt seufzend ein, wie wenn sie nicht wüsst, wie ihr Hirn funktionieren soll, wenn Miss Hilly nicht da ist und die Denkknöpfe drückt. Die Kleine hat zehnmal gefragt, wann Heather wieder rüberkommt, im Planschbecken spielen. Die zwei werden sicher mal gute Freundinnen, wenn sie größer sind und Miss Hilly ihnen beiden beibringt, was wie auf der Welt ist. Aber an dem Nachmittag wandern wir alle im Haus rum, können die Finger nicht stillhalten und fragen uns, wann Miss Hilly wieder auftaucht.

Schließlich fährt Miss Leefolt ins Stoffgeschäft. Sie will einen Überzug nähen, sagt sie. Wofür weiß sie nicht. Mae Mobley guckt mich an, und wir denken wohl beide dasselbe: Wenn sie könnt, würde die Frau uns zwei auch unter einen Überzug stecken.

An dem Tag muss ich bis ganz spät bleiben. Ich mach der Kleinen Abendessen und bring sie ins Bett, weil Mister und Miss Leefolt in einen Film im Lamar gehen. Mister Leefolt hat's ihr versprochen, und sie hat drauf bestanden, obwohl's nur noch Karten für die Spätvorstellung gab. Wie sie heimkommen, sind sie am Gähnen und die Grillen am Zirpen. Woanders hätt ich im Dienstmädchenzimmer schlafen können, aber hier gibt's ja keins. Ich steh noch bisschen rum, weil ich denk, vielleicht fragt Mister Leefolt ja, ob er mich heimfahren soll, aber er geht schnurstracks ins Bett.

Draußen lauf ich im Dunkeln die zehn Minuten bis zum Riverside Drive, wo noch ein Spätbus für die Arbeiter vom Wasserwerk fährt. Es geht genug Wind, dass die Moskitos Ruh geben. Ich setz mich an den Rand vom Park, ins Gras unter der Straßenlaterne. Nach einer Weile kommt der Bus. Sind nur vier Leute drin, zwei Farbige und zwei Weiße, alles Männer. Ich kenn keinen davon. Ich setz mich auf den Fensterplatz hinter einem dünnen Farbigen. Er hat einen braunen Anzug an und einen braunen Hut auf, ist ungefähr so alt wie ich.

Wir fahren über die Brücke und in Richtung Farbigenkrankenhaus, wo der Bus kehrtmacht. Ich hab mein Gebetsheft rausgeholt, damit ich paar Sachen aufschreiben kann. Ich konzentrier mich auf Mae Mobley, versuch nicht an Miss Hilly zu denken. *Zeig mir, wie ich der Kleinen beibringen kann, gut zu sein, sich selbst zu lieben und andere zu lieben, solang ich noch die Zeit mit ihr hab ...*

Ich schau auf. Der Bus hat mitten auf der Straße gehalten. Ich beug mich in den Gang, seh paar Blocks vor uns Blaulicht, seh Leute rumstehen, eine Straßensperre.

Der weiße Busfahrer starrt gradaus. Er stellt den Motor ab, und es ist ein komisches Gefühl, dass mein Sitz nimmer zittert. Der Fahrer rückt seine Busfahrermütze grad und steht auf. »Alle sitzen bleiben. Ich sehe mal nach, was da los ist.«

Also sitzen wir alle in dem stillen Bus und warten. Draußen bellt ein Hund, kein Haushund, sondern die Sorte, die bellt, wie wenn sie einen anbrüllt. Es dauert volle fünf Minuten, bis der Fahrer wieder einsteigt und den Motor anlässt. Er hupt, wedelt mit der Hand zum Fenster raus und fährt ganz langsam rückwärts.

»Was ist denn da vorn los?«, ruft der Farbige vor mir dem Fahrer zu.

Der Fahrer sagt nichts. Fährt weiter rückwärts. Die Blaulichter werden kleiner, das Gebell wird leiser. Auf der Farish wendet der Fahrer den Bus. An der nächsten Ecke hält er an. »Farbige hier aussteigen, letzter Halt für euch!«, brüllt er in den Rückspiegel. »Weiße bitte sagen, wo Sie hinmüssen. Ich bring Sie so nah ran, wie ich kann.«

Der Farbige dreht sich zu mir um. Wir haben wohl beide kein gutes Gefühl. Er steht auf, also steh ich auch auf. Geh hinter ihm her zur vorderen Tür. Es ist richtig gespenstisch still, kein Mucks, nur unsere Schritte.

Einer von den Weißen beugt sich zum Fahrer vor und fragt: »Was ist los?«

Ich folg dem Farbigen die Busstufen runter. Hinter mir hör ich den Busfahrer sagen: »Keine Ahnung, auf irgendeinen Nigger ist geschossen worden. Wo müssen Sie hin?«

Die Tür geht zischend zu. O Gott, denk ich, bitte lass es keinen sein, den ich kenne.

In der Farish Street ist es ganz still, kein Mensch bis auf uns zwei. Der Mann guckt mich an. »Schaffen Sie's heim? Haben Sie's noch weit?«

»Geht schon. Hab's nicht weit.« Es sind sieben Blocks bis zu mir.

»Soll ich Sie heimbringen?«

Irgendwie hätt ich's schon gern, aber ich schüttel den Kopf. »Nein, danke. Nicht nötig.«

Ein Fernsehwagen saust vorbei, über die Kreuzung, wo der Bus abgebogen ist. Auf der Seite steht groß WLBT-TV.

»Gott, hoffentlich ist's nicht so schlimm, wie's …« Aber der Mann ist schon weg. Keine Menschenseele mehr da außer mir. Ich hab plötzlich das Gefühl, von dem's immer heißt, dass man's hat, kurz eh man überfallen wird. Meine Strümpfe reiben so schnell aneinander, dass es sich anhört wie ein Reißverschluss. Stück weiter vorn seh ich drei Leute, die genauso schnell laufen wie ich. Alle drei biegen ab, gehen in Häuser, machen die Tür zu.

Mir ist klar, ich will keine Sekunde länger allein sein. Ich nehm die Abkürzung zwischen Mule Catos Haus und der Rückseite von der Autowerkstatt und dann durch Oney Blacks Garten, stolper im Dunkeln über einen Schlauch. Ich komm mir vor wie ein Einbrecher. Seh in den Häusern Licht und gesenkte Köpfe, wo doch um die Zeit gar kein Licht mehr brennen sollt. Was auch passiert ist, alle reden entweder drüber oder hören's im Radio.

Endlich seh ich Minnys helle Küche. Die Tür ist auf, die

Fliegentür zu. Sie quietscht, wie ich sie aufmach. Minny sitzt am Tisch, mit allen fünf Kindern: Leroy, Sugar, Felicia, Kindra und Benny. Leroy senior ist wohl auf der Arbeit. Alle starren auf das große Radio mitten auf dem Tisch. Wie ich reinkomm, fängt es an zu rauschen und zu knattern.

»Was ist?«, frag ich. Minny runzelt die Stirn und dreht am Senderknopf rum. Ich guck mich in der Küche um: eine Scheibe Schinken, rot und wellig, in der Pfanne. Eine Dose auf der Arbeitsplatte, mit offenem Deckel. Dreckige Teller in der Spüle. Sieht Minnys Küche gar nicht ähnlich.

»Was ist los?«, frag ich noch mal.

Die Stimme vom Radiosprecher kommt wieder, brüllt regelrecht: »... *fast zehn Jahre Bezirkssekretär der N-AA-C-P. Noch immer keine Nachricht aus dem Krankenhaus, aber es heißt, die Verletzungen seien ...*«

»Wer?«, frage ich.

Minny starrt mich an, als hätt ich sie nicht alle. »Medgar Evers. Wo bist du denn gewesen?«

»Medgar Evers? Was ist passiert?« Ich hab Myrlie Evers, seine Frau, letzten Herbst getroffen, wie sie mit Mary Bones Familie unsere Kirche besucht hat. Sie hatte so ein schickes rot-schwarzes Halstuch um. Ich weiß noch, wie sie mir in die Augen geguckt und gelächelt hat, wie wenn sie sich wirklich freuen würd, mich kennenzulernen. Medgar Evers ist hier in der Gegend so eine Art Berühmtheit, weil er so ein hohes Tier in der NAACP ist.

»Setz dich«, sagt Minny. Ich lass mich auf einen Holzstuhl nieder. Alle schauen aus, wie wenn sie ein Gespenst gesehen hätten, und starren auf das Radio. Es ist ungefähr halb so groß wie ein Automotor, aus Holz, mit vier Knöpfen. Selbst Kindra sitzt still auf Sugars Schoß.

»Der KKK hat auf ihn geschossen. In seinem Vorgarten. Vor einer Stunde.«

Ein Schauer läuft mir über den Rücken. »Wo wohnt er?«

»In der Guynes«, sagt Minny. »Die Ärzte haben ihn in unser Krankenhaus gebracht.«

»Ich … hab's gesehen«, sag ich, weil ich an den Bus denken muss. Die Guynes ist mit dem Auto keine fünf Minuten von hier.

»… *laut Augenzeugenberichten ein einzelner Mann, ein Weißer, der aus dem Gebüsch hervorstürzte. Gerüchte, der Ku-Klux-Klan stecke hinter dem Anschlag …*«

Jetzt ist im Radio ein Stimmengewirr, Leute rufen, es klingt nach einem Durcheinander. Ich erstarr, wie wenn uns jemand von draußen beobachten würd. Jemand Weißes. Der KKK war in der Näh, nur fünf Minuten von hier, Jagd auf einen Farbigen machen. Ich möcht die Hintertür zumachen.

»*Soeben wurde mir mitgeteilt*«, sagt der Sprecher schnaufend, »*dass Medgar Evers tot ist.*«

»*Medgar Evers.*« Es hört sich an, wie wenn der Sprecher mitten in einem Gedrängel wär, überall ringsrum Stimmen. »*Soeben kam die Nachricht. Ist tot.*«

Oh, Gott im Himmel.

Minny guckt Leroy junior an. Ihre Stimme ist leis und ruhig.

»Bring deine Geschwister ins Schlafzimmer. Geht ins Bett. Und bleibt da.« Es schüchtert einen erst recht ein, wenn jemand, der eigentlich gern brüllt, leis redet.

Obwohl Leroy junior bestimmt lieber dableiben würd, schaut er die anderen an, und sie verschwinden alle miteinander ohne ein Wort. Der Radiosprecher ist auch still. Einen Augenblick lang ist da nur ein Kasten aus Holz und Drähten. »*Medgar Evers*«, sagt der Sprecher, und seine Stimme klingt, wie wenn sie in seinen Hals reingeht, statt rauszukommen, »*der NAACP-Bezirkssekretär, ist tot.*« Er seufzt. »*Medgar Evers ist tot.*«

Ich schluck einen Mundvoll Spucke runter und starr auf Minnys geweißte Wand, die ganz gelb ist von Speckfett,

Babyhänden und Leroys Pall Malls. Kein Bild, kein Kalender an Minnys Wänden. Ich versuch, nichts zu denken. Ich will nicht dran denken, wie ein Farbiger stirbt. Das erinnert mich nur an Treelore.

Minny hat die Fäuste geballt. Sie knirscht mit den Zähnen. »Erschossen, direkt vor seinen *Kindern*, Aibileen.«

»Wir werden für die Everses beten, wir werden für Myrlie beten ...« Aber es klingt so hohl, also lass ich's.

»Im Radio haben sie gesagt, seine Familie ist rausgerannt, wie sie die Schüsse gehört haben. Sie sagen, er ist rumge- wankt, blutüberströmt, und die Kinder waren auch ganz voll Blut ...« Sie schlägt mit der Hand auf den Tisch, dass das Radio wackelt.

Ich halt die Luft an, aber mir ist ganz schwindlig. Ich muss stark sein. Ich muss was tun, damit meine Freundin nicht durchdreht.

»In dieser Stadt ändert sich nie was, Aibileen. Wir leben in der Hölle, wir sind drin *gefangen*. Unsre *Kinder* sind drin gefangen.«

Die Stimme vom Radiosprecher kommt wieder, sagt: »*... überall Polizei, die Straße ist abgesperrt. Es wird damit ge- rechnet, dass Bürgermeister Thompson in Kürze eine Pressekonfe- renz ...*«

Da hab ich plötzlich einen Kloß im Hals. Die Tränen laufen mir nur so übers Gesicht. Es sind die ganzen Weißen, die mir den Rest geben. Weiße, die in den Farbigenstraßen rumstehen. Weiße mit Gewehren, die auf Farbige zielen. Weil, wer soll uns denn beschützen? Gibt ja keine farbigen Polizisten.

Minny starrt auf die Tür, wo die Kinder rausgegangen sind. Schweiß rinnt ihr die Schläfen runter.

»Was werden sie mit uns machen, Aibileen? Wenn sie uns er- wischen ...«

Ich hol tief Luft. Sie redet von den Geschichten. »Wir wissen beide, dass das schlimm wär.«

»Aber was würden sie machen? Uns an einen Pick-up binden und hinterherschleifen? Mich in meinem Hof erschießen, vor meinen Kindern? Oder uns einfach verhungern lassen?«

Bürgermeister Thompson ist jetzt im Radio, spricht der Familie Evers sein Beileid aus. Ich schau auf die offene Hintertür und hab wieder das Gefühl, dass ich beobachtet werd, jetzt, wo die Stimme von einem Weißen um mich ist.

»Unser … Wir machen ja nichts mit Bürgerrechten. Wir erzählen doch nur Sachen, so wie sie wirklich passieren.«

Ich stell das Radio aus, nehm Minnys Hand. So sitzen wir da: Minny guckt auf die zerquetschte braune Motte an der Wand, ich guck auf den Lappen von rotem Fleisch, der in der Pfanne vor sich hin dörrt.

Minny sieht wie der einsamste Mensch auf der Welt aus. »Wenn Leroy nur da wär«, flüstert sie.

Ich glaub nicht, dass das hier im Haus schon mal wer gesagt hat.

Tagelang ist Jackson, Mississippi, wie ein Topf mit brodelndem Wasser. In Miss Leefolts Fernseher ziehen am Tag nach Mister Evers' Trauerfeier Scharen von Farbigen die High Street lang. Dreihundert werden festgenommen. In der Farbigenzeitung steht, Tausende waren beim Gottesdienst, aber die Weißen konnt man an einer Hand abzählen. Die Polizei weiß, wer ihn erschossen hat, sagt aber keinen Namen.

Ich erfahr, dass die Familie Evers Medgar nicht in Mississippi begräbt. Sein Leichnam wird nach Washington gebracht, auf den Arlington-Friedhof, und ich denk mir, dass Myrlie da bestimmt stolz drauf ist. Kann sie auch sein. Aber ich an ihrer Stelle würd ihn hier haben wollen, in der Näh. In der Zeitung les ich, dass sogar der Präsident der Vereinigten Staaten Bürgermeister Thompson erklärt hat, er muss was verbessern. Ein Komitee aus Schwarzen und Weißen zusammenstellen und die Probleme hier unten lösen. Aber Bürgermeister Thompson hat gesagt – zu *Präsident Kennedy* –: »Ich werde kein gemischtrassiges Komitee einsetzen. Machen wir uns doch nichts vor. Ich glaube an die Rassentrennung, und so wird es bleiben.«

Paar Tage drauf ist der Bürgermeister wieder im Radio. »Jackson, Mississippi, ist der Ort, der dem Himmel am nächsten kommt«, sagt er. »Und so wird es für den Rest unseres Lebens sein.«

Zum zweiten Mal in zwei Monaten ist Jackson, Mississippi, im *Life*-Magazin. Aber diesmal sind wir sogar auf der Titelseite.

———

KAPITEL 15

In Miss Leefolts Haus fällt kein Wort über Medgar Evers. Ich stell einen anderen Sender ein, als sie von ihrem Lunch-Treffen wiederkommt. Wir tun, wie wenn's ein ganz normaler schöner Sommernachmittag wär. Von Miss Hilly hab ich immer noch nichts gesehen oder gehört, und dass mir die Sache mit der Tasche die ganze Zeit im Kopf rumgeht, macht mich ganz krank.

Am Tag nach der Trauerfeier für Medgar Evers kommt Miss Leefolts Mama vorbei. Sie wohnt in Greenwood, Mississippi, und will runter nach New Orleans. Sie klopft nicht, o nein, Miss Fredericks kommt einfach ins Wohnzimmer marschiert, wo ich grad am Bügeln bin. Begrüßt mich mit einem zitronensauren Lächeln. Ich geh Miss Leefolt sagen, wer da ist.

»Mama! Du bist schon hier! Du musst ja im Morgengrauen aufgestanden sein, hoffentlich hast du dich nicht überanstrengt!«, sagt Miss Leefolt, rennt ins Wohnzimmer und sammelt Spielsachen auf, so schnell sie kann. Sie guckt mich an, und ihr Blick sagt: *Los.* Ich tu Mister Leefolts verknitterte Hemden in einen Korb und hol einen Lappen, um der Kleinen das Gelee vom Gesicht zu wischen.

»Und du siehst so chic und flott aus, Mama.« Miss Leefolt lächelt so verkrampft, dass ihr die Augen rausquellen. »Freust du dich auf deinen Einkaufsausflug?«

Nach dem Buick, den sie fährt, und ihren feinen Schnallenpumps zu urteilen, würd ich sagen, Miss Fredericks hat um einiges mehr Geld wie Mister und Miss Leefolt.

»Ich wollte die Fahrt unterbrechen. Und ich hatte gehofft, du würdest mit mir im Robert E. Lee zu Mittag essen«, sagt Miss Fredericks. Ich weiß nicht, wie die Frau sich selbst ertragen kann. Ich hab Mister und Miss Leefolt schon paarmal streiten hören, weil sie immer, wenn sie hier ist, mit Miss Leefolt ins schickste Restaurant der Stadt will und sich dann zurücklehnt und Miss Leefolt die Rechnung zahlen lässt.

Miss Leefolt sagt: »Ach, warum lassen wir uns nicht hier von Aibileen etwas machen? Wir haben so schönen Schinken und ...«

»Ich bin vorbeigekommen, um essen zu gehen. Nicht um hier zu essen.«

»Schon gut, Mama, ich muss nur eben meine Handtasche holen.«

Miss Fredericks guckt auf Mae Mobley runter, die auf dem Boden mit ihrer Babypuppe Claudia spielt. Sie bückt sich, umarmt die Kleine und sagt: »Mae Mobley, hat dir das Smockkleid gefallen, das ich dir letzte Woche geschickt habe?«

»Mm-hmm«, sagt die Kleine zu ihrer Granmama. Mir war's arg, wie ich Miss Leefolt hab zeigen müssen, dass das Kleid um den Bauch rum ganz schön eng ist. Die Kleine wird dicker.

Miss Fredericks schaut streng auf Mae Mobley runter. »Das heißt *Ja, Ma'am,* Fräuleinchen. Hast du mich verstanden?«

Mae Mobley macht ein leeres Gesicht und sagt: »Ja, Ma'am.« Aber ich weiß, was sie denkt. Sie denkt: *Toll. Grad das, was mir noch gefehlt hat. Noch eine Lady im Haus, die mich nicht mag.*

Sie gehen zur Tür raus, und Miss Fredericks kneift Miss Leefolt hinten in den Arm. »Du verstehst es nicht, geeignete Dienstboten einzustellen, Elizabeth. Es ist ihr Job, Mae Mobley *Manieren* beizubringen.«

»Ja, Mama, wir werden daran arbeiten.«

»Du kannst nicht einfach irgendjemanden nehmen und hoffen, dass du Glück hast.«

Nach einer Weile mach ich der Kleinen das Schinkensandwich, für das sich Miss Fredericks zu gut war. Aber Mae Mobley beißt nur ein Mal ab und schiebt es dann weg.

»Ich mag nicht. Ich hab Halpfeh, Aibee.«

Ich weiß, was Halpfeh ist, und ich weiß, was man dagegen tun kann. Die Kleine kriegt eine Sommererkältung. Ich mach ihr eine Tasse heißes Wasser mit Honig, mit bisschen Zitrone, damit's schmeckt. Aber was die Kleine wirklich braucht, ist eine Geschichte zum Einschlafen. Ich nehm sie hoch. Gott, sie wird langsam ganz schön schwer. Sie ist bald drei, paar Monate noch, und rund wie ein Kürbis.

Jeden Tag vor ihrem Mittagsschlaf setz ich mich mit der Kleinen in den Schaukelstuhl. Und jedes Mal sag ich ihr: *Du bist lieb, du bist gescheit, du bist wichtig.* Aber sie wird immer größer, und ich weiß, bald reichen die paar Worte nimmer.

»Aibee? Liest du mir was vor?«

Ich guck die Bücher durch, was ich ihr vorlesen soll. *Coko, der neugierige Affe* kann ich nicht noch mal vorlesen, weil sie's nicht hören will. *Hühnchen Junior* und *Madeline* auch nicht.

Also schaukeln wir erst mal nur. Mae Mobley lehnt den Kopf an meine Uniform. Wir schauen zu, wie die Regentropfen in das Wasser im grünen Planschbecken fallen. Ich sag ein Gebet für Myrlie Evers, wollt, ich hätt für die Trauerfeier frei gehabt. Ich denk dran, dass mir jemand erzählt hat, ihr zehnjähriger Sohn hätt die ganze Zeit leis geweint. Ich schaukel und bet und bin auf einmal so traurig, ich weiß nicht, irgendwas kommt über mich. Die Wörter flutschen einfach von selbst raus.

»Es waren mal zwei kleine Mädchen«, sag ich. »Das eine hatte schwarze Haut und das andere weiße.«

Mae Mobley guckt hoch. Sie hört zu.

»Und das farbige kleine Mädchen sagt zu dem weißen kleinen Mädchen: ›Warum ist deine Haut so hell?‹ Und das weiße Mädchen sagt: ›Ich weiß nicht. Warum ist deine Haut so schwarz? Was meinst du, was das heißt?‹

Aber keins von den beiden kleinen Mädchen weiß es. Also sagt das weiße kleine Mädchen: ›Lass mal gucken. Du hast Haare, ich hab Haare.‹« Ich wuschel Mae Mobley durchs Haar.

»Und das farbige kleine Mädchen sagt: ›Ich hab eine Nase, du hast eine Nase.‹« Ich zwick sie sacht in die Nasenspitze. Sie langt hoch und zwickt mich sacht in meine.

»Und das weiße kleine Mädchen sagt: ›Ich hab Zehen, du hast Zehen.‹« Und ich mach das Spielchen mit ihren Zehen, aber sie kommt nicht an meine dran, weil ich meine weißen Arbeitsschuh anhab.

»»Dann sind wir ja gleich. Nur die Farbe ist anders‹, sagt das farbige kleine Mädchen. Und das weiße kleine Mädchen sagt: ›Ja, du hast recht.‹ Und so sind die beiden Freundinnen geworden. Ende.«

Die Kleine guckt mich nur an. Gott im Himmel, war das eine jämmerliche Geschichte! Hat noch nicht mal eine richtige Handlung gehabt. Aber Mae Mobley lacht mich an und sagt: »Noch mal.«

Also fang ich noch mal von vorn an. Beim vierten Mal schläft sie. Ich flüster: »Nächstes Mal erzähl ich dir eine bessre.«

»Haben wir keine anderen Handtücher mehr, Aibileen? Das hier geht ja, aber dieses lumpige alte Ding können wir nicht mitnehmen, da schäme ich mich doch zu Tode. Dann bleibt es wohl bei dem einen.«

Miss Leefolt macht sich bald ins Hemd vor Aufregung. Sie und Mister Leefolt sind in keinem Schwimmbadclub, nicht mal in dem vom schäbigen Broadmoore-Pool. Heut Morgen hat Miss Hilly angerufen und gefragt, ob sie und die Kleine zum Schwimmen mit in den Jackson Country Club wollen, und so eine Einladung hat Miss Leefolt erst ein, zwei Mal gekriegt. Ich war wahrscheinlich schon öfter dort wie sie.

Man kann da nicht mit Geld bezahlen, man muss Mitglied sein und es sich auf die Rechnung setzen lassen, und eins weiß ich über Miss Hilly: Sie zahlt nicht gern für andere Leute. Ich schätz, sie hat paar Ladys, mit denen sie sonst in den Country Club geht, welche, die selbst Mitglied sind.

Wegen der Büchertasche haben wir immer noch kein Wort gehört. Ich hab Miss Hilly jetzt schon fünf Tage nicht mehr gesehen. Miss Skeeter auch nicht, und das ist ein schlechtes Zeichen. Wo sie doch eigentlich beste Freundinnen sind. Miss Skeeter hat gestern das erste Minny-Kapitel rumgebracht. Miss Walters war kein Honigschlecken, und wenn Miss Hilly irgendwas gelesen hat, was mit der zu tun hat, weiß ich nicht, was uns passiert. Ich hoff nur, Miss Skeeter traut sich, mir's zu sagen, wenn sie was hört.

Ich zieh der Kleinen den gelben Bikini an. »Du musst aber das Oberteil anlassen. Im Country Club dürfen keine nackigen Kinder schwimmen.« Und keine Neger oder Juden. Ich hab mal bei den Goldmans gearbeitet. Die Juden von Jackson gehen im Colonial Country Club schwimmen, die Neger im May's Lake.

Ich geb der Kleinen grad noch ein Erdnussbutterbrot, da klingelt das Telefon.

»Bei Miss Leefolt.«

»Aibileen, hey, hier ist Skeeter. Ist Elizabeth da?« Ich guck zu Miss Leefolt rüber, will ihr den Hörer geben, aber sie wedelt mit den Händen, schüttelt den Kopf und macht lautlos: *Nein. Sagen Sie, ich bin nicht da.*

»Sie … sie ist weg, Miss Skeeter«, sag ich und guck Miss Leefolt ins Gesicht, während ich lüg. Ich versteh's nicht. Miss Skeeter ist Mitglied im Club, wär doch kein Problem, sie zu fragen, ob sie auch kommen will.

So um zwölf steigen wir alle drei in Miss Leefolts blauen Ford Fairlane. Neben mir auf dem Rücksitz hab ich eine Tragetasche mit einer Thermosflasche Apfelsaft, Käsekräckern, Erdnüssen und zwei Flaschen Co-Cola, die so heiß sein werden, dass man denkt, es ist Kaffee. Ich nehm an, Miss Leefolt ist klar, dass uns Miss Hilly nicht grad drängen wird, uns was an der Snack-Bar zu holen. Weiß der Himmel, warum sie sie heut eingeladen hat.

Die Kleine sitzt auf meinem Schoß. Ich kurbel das Fenster runter, lass uns die warme Luft ins Gesicht wehen. Miss Leefolt bauscht immer wieder ihre Haare auf. Sie fährt ruckelig, mir ist schon halb schlecht, und ich wollt, sie würd beide Hände am Lenkrad lassen.

Wir fahren am Ben-Franklin-Kaufhaus vorbei und am Drive-Through Seale-Lily. Die haben hinten noch ein Fenster, damit wir Farbigen uns auch Eis kaufen können. Ich schwitz an den Beinen, weil die Kleine auf mir drauf sitzt. Nach einer Weile sind wir auf einer langen, holprigen Straße mit rechts und links Viehweiden, wo Kühe mit dem Schwanz nach Fliegen schlagen. Wir zählen die Kühe, kommen auf sechsundzwanzig, aber nach den ersten neun ruft Mae Mobley immer nur »zehn«, weil sie weiter noch nicht zählen kann.

Nach einer Viertelstunde biegen wir in eine geteerte Zufahrt. Der Club ist ein niedriges, weißes Haus mit Dornsträuchern ringsrum, nicht halb so vornehm, wie die Leute immer erzählen. Davor sind jede Menge Parkplätze frei, aber Miss Leefolt überlegt kurz und parkt dann ein Stück weiter weg.

Wir steigen aus, auf den Teerplatz, und die Hitze legt sich auf uns wie eine Decke. Ich hab die Tragetasche in der einen Hand und Mae Mobleys Hand in der andern, und wir trotten los, über den siedend heißen Parkplatz. Durch die Linien kommt man sich vor wie auf einem Grill, und wir sind die Maiskolben, die drauf geröstet werden. Mein Gesicht spannt sich. Die Kleine lässt sich hinter mir herziehen, guckt so geschockt, wie wenn sie grad eine Ohrfeige gekriegt hätt. Miss Leefolt schnappt nach Luft und starrt missmutig auf den Eingang, der immer noch zwanzig Meter weg ist, fragt sich vermutlich, warum sie am anderen Ende geparkt hat. Mein Scheitel brennt und fängt an zu jucken, aber ich kann mich nicht kratzen, weil ich beide Hände voll hab, und dann *wusch!* bläst jemand die Flamme aus. Die Eingangshalle ist dunkel und kühl, der reinste Himmel. Wir stehen erst mal blinzelnd da.

Miss Leefolt guckt sich um, halbblind und schüchtern, also zeig ich auf die Tür an der Seite. »Zum Pool geht's da lang, Ma'am.«

Sie scheint froh, dass ich mich hier auskenn und sie nicht fragen müssen wie arme Leute.

Wir drücken die Tür auf, und wieder blendet uns die Sonne, aber hier ist es nett, nicht so heiß. Das Schwimmbecken ist leuchtend blau. Die schwarz-weiß gestreiften Sonnenmarkisen sehen immer pieksauber aus. Die Luft riecht wie Waschmittel. Kinder planschen und lachen, und Ladys liegen im Badeanzug und mit Sonnenbrille da und lesen Illustrierte.

Miss Leefolt hält sich die Hand über die Augen und guckt sich nach Miss Hilly um. Sie trägt einen weißen Schlapphut, ein schwarz-weißes Pünktchenkleid und klotzige weiße Korksandaletten, die ihr eine Nummer zu groß sind. Sie runzelt die Stirn, weil sie sich fehl am Platz fühlt, lächelt aber, damit es niemand merkt.

»*Da* ist sie.« Wir folgen Miss Leefolt um den Pool rum, dahin, wo Miss Hilly in einem roten Badeanzug leuchtet. Sie liegt in einem Deckstuhl und guckt ihren Kindern beim Planschen zu. Ich seh zwei Dienstmädchen, die ich kenn, mit andern Familien, aber keine Yule May.

»Da seid ihr ja«, sagt Miss Hilly. »Hey, Mae Mobley, du siehst ja aus wie eine kleine Butterkugel in diesem Bikini. Aibileen, die Kinder sind da drüben im Planschbecken. Sie können sich dort in den Schatten setzen und nach ihnen schauen. Aber passen Sie auf, dass William nicht immer die Mädchen nassspritzt.«

Miss Leefolt legt sich auf den Deckstuhl neben dem von Miss Hilly, und ich setz mich an den Tisch unter einem Sonnenschirm paar Schritte hinter ihnen. Ich lupf die Strümpfe von meinen Beinen, damit der Schweiß trocknet. Von meinem Platz aus kann ich gut hören, was sie reden.

»Yule May«, sagt Miss Hilly kopfschüttelnd zu Miss Leefolt. »Schon wieder frei heute. Ich sage dir, dieses Mädchen treibt es noch zu weit.« Aha, ein Rätsel ist schon mal gelöst. Miss Hilly hat Miss Leefolt an den Pool eingeladen, weil sie gewusst hat, dass sie mich mitbringt.

Miss Hilly schmiert noch mehr Kakaobutter auf ihre molligen, braunen Beine und verreibt sie. Sie glänzt sowieso schon vor Fett. »Ich bin wirklich reif fürs Meer«, sagt Miss Hilly. »Drei Wochen Strand.«

»Ich wollte, Raleighs Familie hätte dort auch ein Haus.« Miss Leefolt seufzt. Sie zieht ihr Kleid bisschen hoch, damit ihre weißen Knie Sonne abkriegen. Sie kann keinen Badeanzug anziehen, weil sie ja schwanger ist.

»Natürlich müssen wir Yule May an den Wochenenden den Bus hier herauf zahlen. *Acht* Dollar. Ich sollte es ihr vom Lohn abziehen.«

Die Kinder rufen, dass sie jetzt ins große Becken wollen. Ich zieh Mae Mobleys Styropor-Schwimmgürtel aus der Tragetasche, mach ihn ihr um den Bauch. Miss Hilly streckt mir noch zwei Schwimmgürtel hin, und ich mach sie William und Heather um. Sie gehen in den großen Pool und treiben rum wie Angelkorken. Miss Hilly guckt mich an und sagt: »Sind sie nicht süß?«, und ich nick. Sie sind wirklich süß. Sogar Miss Leefolt nickt.

Sie reden, und ich hör zu, aber sie sagen nichts über Miss Skeeter oder eine Büchertasche. Nach einer Weile schickt mich Miss Hilly zum Snack, Kirsch-Co-Colas für alle holen, sogar für mich. Dann fangen langsam die Heuschrecken in den Bäumen mit Zirpen an, der Schatten wird kühler, und ich fühl, wie mir die Augenlider schwer werden, während ich auf die Kinder im Pool starr.

»Aibee, guck mal! Guck, was ich mach!« Ich reiß die Augen auf, lächel Mae Mobley zu, die im Becken Quatsch macht.

Und da seh ich Miss Skeeter, hinterm Pool, auf der anderen Seite vom Zaun. Sie hat ihren Tennisrock an und einen Tennisschläger in der Hand. Sie starrt zu Miss Hilly und Miss Leefolt rüber, hat den Kopf schief gelegt, wie wenn sie an irgendwas rumknobelt. Miss Hilly und Miss Leefolt haben sie nicht gesehen, sie reden immer noch über Biloxi. Ich seh, wie Miss Skeeter zum Tor reinkommt, um den Pool rumgeht. Dann steht sie genau vor ihnen, aber sie sehen sie immer noch nicht.

»Hey zusammen«, sagt Miss Skeeter. Schweiß rinnt ihr die Arme runter. Ihr Gesicht ist rot und verquollen von der Sonne.

Miss Hilly schaut auf, bleibt aber auf ihrem Deckstuhl liegen, die Illustrierte in der Hand. Miss Leefolt springt auf.

»Hey, Skeeter! Was – ich … Wir haben versucht, dich anzurufen …« Sie lächelt so verkrampft, dass ihre Zähne fast anfangen zu klappern.

»Hey, Elizabeth.«

»Tennis?«, fragt Miss Leefolt und nickt wie so ein Püppchen auf dem Armaturenbrett. »Mit wem spielst du?«

»Ich habe nur Bälle gegen die Übungswand geschlagen«, sagt Miss Skeeter. Sie will sich eine Haarsträhne aus der Stirn blasen, aber sie klebt fest. Trotzdem geht sie nicht aus der Sonne.

»Hilly«, sagt Miss Skeeter, »hat dir Yule May ausgerichtet, dass ich angerufen habe?«

Hilly lächelt mit dünnen Lippen. »Sie hat heute frei.«

»Gestern habe ich auch angerufen.«

»Hör zu, Skeeter, ich hatte keine Zeit. Ich war seit Mittwoch pausenlos in der Wahlkampfzentrale und habe Umschläge an so ziemlich alle Weißen in ganz Jackson adressiert.«

»Okay.« Miss Skeeter nickt. Dann kneift sie die Augen halb

zusammen und sagt: »Hilly, ist ... habe ich ... irgendwas gemacht, was dich ärgert?« Und ich fühl, wie meine Finger wieder mit diesem unsichtbaren Bleistift rummachen.

Miss Hilly klappt ihre Zeitschrift zu und legt sie auf den Boden, damit sie keine Fettflecken kriegt. »Darüber reden wir besser ein andermal, Skeeter.«

Miss Leefolt setzt sich schnell wieder hin. Sie hebt Miss Hillys *Good Housekeeping* auf und fängt an zu lesen, wie wenn sie noch nie so was Wichtiges gesehen hätt.

»Na gut.« Miss Skeeter zuckt mit den Schultern. »Ich dachte nur ... was immer es ist, wir könnten drüber reden, bevor du verreist.«

Miss Hilly will sie erst abwimmeln, aber dann lässt sie einen tiefen Seufzer los. »Warum sagst du mir nicht einfach die Wahrheit, Skeeter?«

»Die Wahrheit wo...«

»Hör zu, ich habe diese *Utensilien* von dir gefunden.« Ich schlucke. Miss Hilly versucht zu flüstern, aber darin ist sie nicht besonders gut.

Miss Skeeter guckt Hilly ganz ruhig an. Sie hat wirklich Nerven, schaut kein einziges Mal zu mir rüber. »Von was für *Utensilien* sprichst du?«

»In deiner Büchertasche? Als ich das Protokoll gesucht habe? Und, Skeeter ...« Sie dreht die Augen zum Himmel und wieder zurück. »Ich weiß nicht. Ich weiß wirklich nicht mehr.«

»Hilly, wovon sprichst du? Was war da in meiner Büchertasche?«

Ich guck zu den Kindern rüber, Gott, die hätt ich beinah vergessen. Ich hab das Gefühl, ich fall gleich in Ohnmacht von dem, was ich hör.

»Diese *Gesetze,* die du mit dir herumgetragen hast? Was die ...« Miss Hilly dreht sich zu mir um. Ich schau stur auf den Pool. »Was diese *anderen* Leute dürfen und was nicht, und, offen gesagt«, zischt sie, »ich finde das wirklich unmöglich von dir. Zu meinen, du wüsstest es besser als unsere Regierung? Als Ross Barnett?«

»Wann habe ich je ein Wort gegen Ross Barnett gesagt?«, fragt Miss Skeeter.

Miss Hilly fuchtelt jetzt mit dem Zeigefinger auf Miss Skeeter ein. Miss Leefolt starrt die ganze Zeit auf dieselbe Seite, dieselbe Zeile, dasselbe Wort. Ich seh's aus dem Augenwinkel.

»Du bist kein Politiker, Skeeter Phelan.«

»Du auch nicht, Hilly.«

Miss Hilly steht auf. Der Finger zeigt jetzt auf den Boden. »Ich werde aber demnächst die Frau eines Politikers sein, es sei denn, du kommst mir dazwischen. Wie soll William je nach Washington kommen, wenn wir integrationistische Freundinnen im Schrank haben?«

»Washington?« Miss Skeeter verdreht die Augen. »William kandidiert für den hiesigen Senat, Hilly. Und es könnte sein, dass er nicht gewählt wird.«

Oh, Herr im Himmel. Jetzt guck ich doch zu Miss Skeeter rüber. Warum machen Sie das? Warum drücken Sie noch ihr Explodierknöpfchen?

Jetzt ist Miss Hilly richtig sauer. Ihr Kopf ruckt hoch. »Du weißt so gut wie ich, dass es in dieser Stadt anständige weiße Menschen gibt, brave Steuerzahler, die dich dafür bis aufs Messer bekämpfen würden. Du willst *sie* in unsere Schwimmbäder lassen? In unsere Lebensmittelgeschäfte, damit sie dort alles anfassen?«

Miss Skeeter schaut Miss Hilly lang und durchdringend an. Dann guckt sie kurz zu mir rüber, sieht, wie meine Augen sie anflehen. Ihre Schultern lockern sich bisschen. »Oh, Hilly, das ist doch nur eine Broschüre. Ist mir in der Bibliothek untergekommen. Ich will doch nichts an irgendwelchen Gesetzen ändern, ich habe das Ding nur mitgenommen, um es zu *lesen*.«

Miss Hilly verdaut das erst mal. »Aber wenn du dich mit diesen *Gesetzen* beschäftigst«, sie zieht am Beinausschnitt von ihrem Badeanzug, der ihr hinten hochgerutscht ist, »muss ich mich doch fragen, was du *noch* im Schilde führst.«

Miss Skeeter guckt weg, fährt sich mit der Zunge über die Lippen. »*Hilly.* Du kennst mich besser als irgendjemand sonst auf der Welt. Wenn ich irgendwas im Schilde führen würde, hättest du mich in einer halben Sekunde durchschaut.«

Miss Hilly schaut sie nur an. Da fasst Miss Skeeter Miss Hillys Hand und drückt sie. »Ich mache mir Sorgen um dich. Du bist eine ganze Woche wie vom Erdboden verschluckt, arbeitest dich tot in diesem Wahlkampf. Guck dir das an.« Miss Skeeter dreht Miss Hillys Handteller nach oben. »Du hast eine Blase von der Adressenschreiberei.«

Und ganz langsam lässt Miss Hillys Körper locker, erschlafft regelrecht. Sie guckt, ob Miss Leefolt auch wirklich nichts mitkriegt.

»Ich habe einfach solche Angst«, flüstert Miss Hilly durch die Zähne. Ich versteh nimmer viel. »... so viel Geld in diesen Wahlkampf gesteckt ... wenn William es nicht schafft ... Tag und Nacht gearbeitet und ...«

Miss Skeeter legt Miss Hilly die Hand auf die Schulter und sagt was zu ihr. Miss Hilly nickt und schaut sie mit einem müden Lächeln an.

Nach einer Weile sagt Miss Skeeter, sie muss jetzt los. Sie geht davon, schlängelt sich zwischen den Liegen und Handtüchern durch. Miss Leefolt guckt mit großen Augen zu Miss Hilly rüber, wie wenn sie sich nicht traut zu fragen.

Ich lehn mich in meinem Stuhl zurück, wink Mae Mobley, die sich im Wasser im Kreis rumdreht. Ich versuch, mir das Kopfweh wegzumassieren. Miss Skeeter guckt noch mal zu mir zurück. Um uns rum sind alle am Sonnenbaden und Lachen, und kein Mensch käm drauf, dass die farbige Frau und die weiße Frau mit dem Tennisschläger das Gleiche denken: Sind wir blöd, dass wir erst mal erleichtert sind?

———————

KAPITEL 16

Wie Treelore ungefähr ein Jahr tot war, bin ich das erste Mal zum »Gemeinschaftsbelange«-Treffen in die Kirche gegangen. Ich glaub, anfangs wollt ich nur die Zeit rumbringen. Am Abend nicht so einsam sein. Obwohl mir Shirley Boon mit ihrem Besserwisserlächeln irgendwie auf die Nerven geht. Minny kann Shirley auch nicht leiden, geht aber meistens trotzdem hin, um aus dem Haus zu kommen. Aber heut Abend hat Benny wieder Asthma, darum wird sie wohl nicht können.

In letzter Zeit geht's bei den Treffen mehr um Bürgerrechte wie ums Sauberhalten von den Straßen oder um den Dienst in der Kleiderkammer. Es ist eigentlich keine zornige Stimmung, die meisten reden nur über das alles, beten dafür. Aber seit Mr Evers vor einer Woche erschossen worden ist, sind viele Farbige in unserer Stadt wütend. Vor allem die Jüngeren, die gegen so was noch keine Hornhaut haben. Die ganze Woche gab's jeden Abend Treffen. Ich hab gehört, da waren viel Wut, Gebrüll und Tränen. Ich komm heute seit dem Mord das erste Mal her.

Ich geh die Stufen ins Kellergeschoss runter. Normalerweise ist es da kühler wie in der Kirche, aber heut ist es hier unten heiß. Die Leute tun Eiswürfel in ihren Kaffee. Ich guck mich um, wer alles da ist, weil ich mir sag, ich frag besser noch paar Dienstmädchen, ob sie uns helfen, jetzt wo's aussieht, wie wenn uns Miss Hilly womöglich hochgehen lässt. Fünfunddreißig haben schon nein gesagt, und ich komm mir vor, wie wenn ich was verkauf, was keiner haben will. Was Teures, Stinkiges, so wie Kiki Brown mit ihrem Zitronenduft-Putzzeug. Aber was ich wirklich mit Kiki gemeinsam hab, ist, dass ich trotzdem stolz auf das bin, was ich verkauf. So ist es nun mal. Wir erzählen Geschichten, die erzählt gehören.

Ich wollt, Minny könnt mir helfen, die anderen zu fragen. Minny weiß, wie man was verkauft. Aber wir haben ja gleich am Anfang beschlossen, keinem zu sagen, dass Minny mitmacht. Es wär einfach zu gefährlich für ihre Familie. Dass Miss Skeeter diejenige ist, dachten wir, müssen wir sagen. Keine von den anderen würd mitmachen, wenn sie nicht wüsst, wer die weiße Lady ist, weil jede sich fragen würd, ob sie sie kennt und vielleicht schon mal bei ihr gearbeitet hat. Aber Miss Skeeter kann nicht selber mit unserer Ware hausieren gehen. Sie würd alle verschrecken, noch eh sie den Mund aufmacht. Also hängt es an mir, und seit ich die ersten fünf, sechs Dienstmädchen gefragt hab, weiß jede schon, was ich will, noch eh ich drei Worte draußen hab. Sie sagen, es lohnt das Risiko nicht. Fragen mich, warum ich mich in Gefahr bring, wenn es sowieso nichts nützen wird. Ich schätz mal, sie denken allmählich, im Schrank von der alten Aibileen sind nimmer viele Tassen übrig.

Heut Abend sind die ganzen Holzstühle besetzt. Über fünfzig Leute sind da, hauptsächlich Frauen.

»Setz dich zu mir, Aibileen«, sagt Bertrina Bessemer. »Goldella, lass mal den älteren Leuten die Stühle.«

Goldella springt auf, winkt mir, dass ich mich setzen soll. Wenigstens behandelt mich Bertrina noch so, als wär ich halbwegs normal.

Ich setz mich. Heut Abend sitzt Shirley Boon auch, und der Diakon steht vorn. Er sagt, diesmal brauchen wir ein stilles Gebetstreffen. Die heilende Kraft des Gebets, sagt er. Ich bin froh drüber. Wir machen die Augen zu, und der Diakon führt uns ins Gebet für die Everses, für Myrlie, für die Söhne. Paar

Leute flüstern, murmeln zu Gott, und eine leise Energie füllt den Raum, wie summende Bienen auf einer Honigwabe. Ich sag meine Gebete im Stillen. Wie ich fertig bin, atme ich tief durch, wart, dass die andern auch fertig werden. Wenn ich nachher heimkomm, werd ich meine Gebete auch noch aufschreiben. Das hier ist den doppelten Zeitaufwand wert.

Yule May, Hillys Dienstmädchen, sitzt vor mir. Yule May ist von hinten leicht zu erkennen, weil sie so gutes Haar hat, glatt, kein bisschen kraus. Ich hab gehört, sie hat den größten Teil vom College gemacht. Klar haben wir in unsrer Kirche eine Menge gescheite Leute mit Collegeabschluss. Ärzte, Anwälte, Mr Cross, dem die *Southern Times* gehört, die Farbigenzeitung, die einmal die Woche rauskommt. Aber Yule May ist wohl das gebildetste Dienstmädchen in unsrer Gemeinde. Jetzt, wo ich sie seh, denk ich wieder an die Lüge, die ich gutmachen muss.

Der Diakon öffnet die Augen, guckt uns ganz ruhig an. »Die Gebete, die wir sprechen …«

»Diakon Thoroughgood«, dröhnt eine tiefe Stimme durch die Stille. Ich dreh mich um – alle drehn sich um –, und da steht Jessup, Plantain Fidelias Enkelsohn, in der Tür. Er dürft so zweiundzwanzig sein. Hat die Fäuste geballt.

»Ich will wissen«, sagt er langsam und zornig, »was wir *tun* werden.«

Der Diakon guckt ihn streng an, wie wenn er da drüber schon mit Jessup geredet hätt. »Heute Abend erheben wir unsere Gebete zu Gott. Am Donnerstag werden wir friedlich durch die Straßen von Jackson marschieren. Und im August will ich dich in Washington sehen, beim Marsch mit Doktor King.«

»Das reicht nicht!«, sagt Jessup und haut mit der Faust in seine andre Hand. »Sie haben ihn von hinten abgeknallt wie einen Hund!«

»Jessup.« Der Diakon hebt die Hand. »Heute Abend beten

wir. Für die Familie. Für die Anwälte, die mit dem Fall befasst sind. Ich verstehe deinen Zorn, mein Sohn, aber …«

»Beten? Soll das heißen, ihr alle wollt nur hier rumsitzen und beten?«

Er schaut uns an, wie wir da sitzen.

»Ihr glaubt, *Beten* wird die Weißen davon abhalten, uns zu töten?«

Niemand antwortet, nicht mal der Diakon. Jessup dreht sich um und geht raus. Wir hören, wie er die Treppe raufstampft und dann über unseren Köpfen aus der Kirche marschiert.

Es ist ganz still im Raum. Diakon Thoroughgoods Blick geht paar Zentimeter über unsre Köpfe weg. Das ist komisch. Er ist keiner, der einem nicht in die Augen guckt. Alle starren ihn an, fragen sich, was er denkt, dass er uns nicht ins Gesicht gucken kann. Dann seh ich, wie Yule May den Kopf schüttelt, ganz leicht, aber trotzdem entschieden, und ich hab das Gefühl, dass der Diakon und Yule May dasselbe denken. Sie denken über das nach, was Jessup gefragt hat. Und Yule May hat die Frage grad beantwortet.

Das Treffen ist so um acht zu Ende. Die, die Kinder haben, gehen, und wir andren holen uns Kaffee an dem Tisch hinten im Raum. Viel geredet wird nicht. Die Leute sind alle still. Ich hol Luft und geh zu Yule May, die am Kaffeespender steht. Ich will diese Lüge wegkriegen, die an mir klebt wie eine Klette. Sonst werd ich hier keine fragen. Heut Abend kauft eh niemand mein stinkiges Duftzeug.

Yule May nickt mir zu und lächelt höflich. Sie ist ungefähr vierzig und groß und dünn. Hat sich ihre Figur bewahrt. Sie ist noch in ihrer weißen Uniform, und die sitzt richtig schick um ihre Taille. Yule May trägt immer Ohrringe, so kleine Goldreifen.

»Hab gehört, eure Zwillinge gehen nächstes Jahr aufs Tougaloo College. Glückwunsch.«

»Wir hoffen, dass es klappt. Müssen noch ein bisschen zusammensparen. Zwei auf einmal ist eine ganze Menge.«

»Du hast selbst das meiste vom College gemacht, oder?«

Sie nickt, sagt: »Jackson College.«

»Ich bin gern in die Schule gegangen. Hab das Lesen und das Schreiben gemocht. Nur nicht das Rechnen. Damit hatt ich's nicht so.«

Yule May lächelt. »Englisch war auch mein Lieblingsfach. Das Schreiben.«

»Ich ... hab in letzter Zeit auch bisschen was geschrieben.«

Yule May guckt mich an, und ich merk, dass sie weiß, was ich sagen will. Einen Augenblick seh ich die Scham, die sie jeden Tag runterschlucken muss, weil sie da arbeitet, wo sie arbeitet. Die Angst. Ich hab Hemmungen, sie zu fragen.

Aber Yule May sagt's, eh ich es sagen muss. »Ich weiß von den Geschichten, an denen du arbeitest. Mit dieser Freundin von Miss Hilly.«

»Ist schon gut, Yule May. Ich weiß, du kannst nicht mitmachen.«

»Es ist ... im Moment einfach zu riskant. Wo wir das Geld fast zusammenhaben.«

»Das versteh ich«, sag ich und lächel, um ihr zu zeigen, dass ich sie nicht weiter drängen will. Aber Yule May rührt sich nicht vom Fleck.

»Die Namen ... ich hab gehört, die veränderst ihr?«

Das fragen alle, weil sie neugierig sind.

»Stimmt. Und den Namen von der Stadt auch.«

Sie guckt auf den Boden. »Dann würd ich also erzählen, wie es ist, Dienstmädchen zu sein, und sie würd's aufschreiben? Und überarbeiten ... oder so?«

Ich nick. »Wir wollen alle möglichen Geschichten. Über gute Sachen und über schlechte. Jetzt grad arbeitet sie an den Geschichten von ... einem andren Dienstmädchen.«

Yule May fährt sich mit der Zunge über die Lippen, sieht

aus, wie wenn sie sich's vorstellt – erzählen, wie's ist, bei Miss Hilly zu arbeiten.

»Können wir ... nochmal drüber reden? Wenn ich mehr Zeit hab?«

»Klar«, sag ich und seh an ihren Augen, dass es nicht nur Höflichkeit ist.

»Tut mir leid, aber Henry und die Jungen warten auf mich«, sagt sie. »Aber darf ich dich anrufen? Noch mal in Ruhe drüber reden?«

»Jederzeit, wann du magst.«

Sie berührt mich am Arm und guckt mir wieder direkt in die Augen. Was ich da seh, kann ich kaum glauben. Es ist, wie wenn sie die ganze Zeit drauf gewartet hätt, dass ich sie frag.

Dann geht sie zur Tür raus. Ich steh noch bisschen in der Ecke und trink Kaffee, der für das Wetter viel zu heiß ist. Ich lach und murmle vor mich hin, auch wenn mich jetzt erst recht alle für verrückt halten.

Minny

KAPITEL 17

»*Gehen Sie raus hier,* damit ich putzen kann.«

Miss Celia zieht sich die Decke über die Brust, wie wenn sie Angst hätt, ich schmeiß sie aus dem Bett. Neun Monate bin ich jetzt hier, und ich weiß immer noch nicht, ob sie krank am Körper ist oder sich mit dem Haarfärbezeug den Verstand weggeätzt hat. Aber sie sieht besser aus wie am Anfang, wie ich hier war. Ihr Bauch ist bisschen dicker geworden, und ihre Wangen sind nicht mehr so hohl wie in der Zeit, wo sie sich und Mister Johnny beinah hat verhungern lassen.

Eine Zeitlang hat Miss Celia ja immerzu im Garten gearbeitet, aber jetzt lungert diese verrückte Lady wieder nur noch auf ihrem Bett rum. Früher war ich froh, wenn sie sich in ihrem Zimmer verkrochen hat. Aber jetzt, wo ich Mister Johnny getroffen hab, bin ich bereit, *richtig* zu arbeiten. Und ich bin verflixt nochmal auch bereit, Miss Celia Beine zu machen.

»Sie treiben mich in den Wahnsinn, wenn Sie fünfundzwanzig Stunden am Tag hier im Haus rumhängen. Machen Sie was. Hacken Sie den armen Mimosenbaum um, den Sie so hassen«, sag ich, weil Mister Johnny den Baum nie umgehackt hat.

Aber Miss Celia rührt sich nicht von der Matratze, also weiß ich, es ist Zeit, die schweren Geschütze aufzufahren. »Wann sagen Sie Mr Johnny das mit mir?« Weil sie das immer in Bewegung bringt. Manchmal frag ich's nur zu meiner eigenen Unterhaltung.

Ich glaub's nicht, dass wir das Theater immer noch spielen, dass Miss Celia jetzt, wo Mister Johnny längst von mir weiß, ihre verrückte Komödie immer noch abzieht. Wen wundert's, dass sie am Weihnachtstag gebettelt hat, ich soll ihr noch Zeit lassen? Oh, ich hab ihr den Kopf gewaschen, aber dann hat sie angefangen zu heulen, also hab ich nachgegeben, nur damit sie still ist, und ihr gesagt, es wär mein Weihnachtsgeschenk für sie. Eigentlich hätt sie ja einen Strumpf voll mit Kohlen kriegen müssen, für alles, was sie zusammengelogen hat.

Gott sei Dank ist Miss Hilly bis jetzt nicht zum Bridge aufgekreuzt, obwohl Mister Johnny vor zwei Wochen nochmal versucht hat, es einzufädeln. Das weiß ich, weil Aibileen mir erzählt hat, dass Miss Hilly und Miss Leefolt sich drüber lustig gemacht haben. Miss Celia hat's ganz ernst genommen, hat mich gefragt, was wir kochen sollen, wenn die Frauen kommen. Hat sich ein Buch bestellt, *Bridge für Anfänger*. *Bridge für Blöde* wär besser. Wie's heute Morgen mit der Post kam, hat sie keine zwei Sekunden drin gelesen, eh sie gefragt hat: »Bringen Sie es mir bei, Minny? Dieses Bridgebuch versteht doch kein Mensch.«

»Ich kann kein Bridge«, sag ich.

»Doch, können Sie.«

»Woher wollen Sie wissen, was ich kann?« Ich fang an, mit Töpfen rumzuscheppern, weil mich schon der dämliche rote Buchdeckel ganz nervös macht. Endlich hab ich Mister Johnny aus dem Weg, und jetzt muss ich fürchten, dass Miss Hilly herkommt und dafür sorgt, dass ich rausflieg. Klar wird sie Miss Celia sagen, was ich gemacht hab. Gütiger, sogar ich würd mich dafür feuern.

»Weil Missus Walters mir erzählt hat, dass Sie am Samstagvormittag immer mit ihr geübt haben.«

Ich scheuer den großen Topf. Meine Fingerknöchel bummern gegen die Topfwand.

»Kartenspielen ist Teufelszeug«, sag ich. »Und außerdem hab ich so schon zu viel zu tun.«

»Aber ich werde so dumm dastehen, wenn alle diese Frauen kommen, um es mir beizubringen. Können Sie mir nicht wenigstens ein bisschen was zeigen?«

»Nein.«

Miss Celia seufzt laut. »Nur weil ich so eine schlechte Köchin bin, stimmt's? Jetzt denken Sie, ich kann gar nichts lernen.«

»Was wollen Sie denn machen, wenn Miss Hilly und die Ladys Ihrem Mann sagen, dass Sie hier ein Dienstmädchen haben? Fliegt dann nicht alles auf?«

»Da habe ich mir schon etwas überlegt. Ich werde Johnny sagen, ich nehme mir für den einen Tag eine Hilfe, damit es hier für die anderen Ladys richtig proper aussieht.«

»Mm-hmm.«

»Und dann werde ich ihm sagen, Sie haben mir so gut gefallen, dass ich Sie ganz einstellen möchte. Ich meine, das sage ich ihm dann ... in ein paar Monaten.«

Jetzt fang ich an zu schwitzen. »Was glauben Sie denn, wann die Ladys zu Ihrer Bridgeparty kommen?«

»Ich warte nur auf Hillys Rückruf. Johnny hat ihrem Mann gesagt, ich würde mich melden. Ich habe ihr zweimal eine Nachricht hinterlassen, also müsste sie mich jeden Moment zurückrufen.«

Ich steh da und überleg, wie ich das verhindern kann. Ich starr das Telefon an und bet, dass es nie wieder klingelt.

Wie ich am nächsten Morgen zur Arbeit erschein, kommt Miss Celia aus ihrem Zimmer. Ich denk, sie will sich nach oben schleichen, wie sie's in letzter Zeit wieder macht, aber dann hör ich sie am Telefon in der Küche nach Miss Hilly fragen. Mir wird ganz schlecht.

»Ich wollte nur mal hören, wie es mit unserer Bridgerunde steht!«, sagt sie ganz aufgekratzt, und ich rühr mich nicht, eh ich sicher bin, dass Yule May dran ist und nicht Miss Hilly selbst. Miss Celia gibt ihre Telefonnummer durch, wie wenn's ein Werbe-Jingle für ein Bodenputzmittel wär. »Emerson zwo-sechs-sechs-null-neun!«

Und eine halbe Minute drauf macht sie, was sie jetzt jeden zweiten Tag macht: ruft wieder einen anderen Namen von der Rückseite von diesem blöden Heftchen an. Ich weiß, es ist der Newsletter von der Ladys-League, und so wie er aussieht, hat sie ihn auf dem Parkplatz vom Ladysclub gefunden. Er ist ganz rau und wellig, wie wenn er ein Unwetter mitgemacht hätt, nachdem er jemand aus der Handtasche geflattert ist.

Bis jetzt hat keine von den Frauen zurückgerufen, aber so-wie das Telefon klingelt, stürzt sie sich drauf wie ein Hund auf einen Waschbär. Es ist immer Mister Johnny.

»Na gut … richten Sie ihr … richten Sie ihr einfach aus, ich hätte nochmal angerufen«, sagt Miss Celia ins Telefon.

Ich hör sie leis einhängen. Wenn's mich kümmern würd, was es nicht tut, würd ich ihr sagen, diese Ladys sind es nicht wert. »Diese Ladys sind es nicht wert, Miss Celia«, hör ich mich sa-gen. Aber sie tut, wie wenn sie mich nicht hört. Sie geht wieder in ihr Zimmer und macht die Tür zu.

Ich überleg, ob ich anklopfen soll, gucken, ob sie irgend-was braucht. Aber was geht's mich an, ob's Miss Celia schafft, das beliebteste Mädel der Stadt zu werden, oder nicht. Ich hab weiß Gott andere Sorgen. Medgar Evers ist vor seiner Haus-tür erschossen worden, und Felicia bearbeitet mich wegen dem Führerschein, jetzt, wo sie fünfzehn ist – sie ist ein braves Mä-del, aber ich bin mit Leroy junior schwanger geworden, wie ich nicht viel älter war wie sie, und da hatte ein Buick was da-mit zu tun. Und zu allem hab ich jetzt auch noch Miss Skeeter und ihre Geschichten am Hals.

Ende Juni kommt eine Hitzewelle mit siebenunddreißig Grad und rührt sich nicht wieder weg. Es ist, wie wenn jemand eine Wärmflasche auf den Farbigenteil von Jackson gelegt hätt, zehn Grad schlimmer als im Rest der Stadt. So heiß ist es, dass Mister Dunns Hahn zu meiner Tür reinspaziert und sich direkt vor meinen Küchenventilator hockt. Ich komm rein, und er guckt mich an, wie wenn er sagt, *Ich geh nirgends hin, Lady.* Er würd sich lieber mit einem Besen schlagen lassen, wie sich wieder raus in den Irrsinn zu verziehen.

Draußen in Madison County macht die Hitze Miss Celia endgültig zum faulsten Menschen in den ganzen Staaten. Sie holt nicht mal mehr die Post aus dem Briefkasten, ich darf's machen. Es ist ihr sogar zu heiß, um draußen am Pool zu sitzen. Was für mich ein Problem ist.

Also, wenn Gott gewollt hätt, dass weiße und farbige Leute so viele Stunden am Tag so eng zusammen sind, hätt er uns farbenblind geschaffen. Und während Miss Celia grinst und »Guten Morgen« und »Schön, dass Sie da sind« flötet, frag ich mich, wie sie im Leben bis hierher gekommen ist, ohne zu wissen, wo die Grenzen sind. Ich mein, dass so ein knallrosa Landmädel die Society-Ladys anruft, ist ja schon schlimm genug. Aber seit ich hier arbeit, hat sie sich jeden Mittag zu mir gesetzt und mit mir gegessen. Ich mein nicht in einem Zimmer, ich mein an einem Tisch. Dem kleinen am Fenster. Jede weiße Frau, wo ich bisher gearbeitet hab, hat im Esszimmer gegessen, so weit weg von ihrem farbigen Dienstmädchen, wie's irgend ging. Und mir war das recht.

»Aber warum denn? Ich will nicht allein dort drinnen essen, wenn ich hier mit Ihnen essen kann«, sagt Miss Celia. Ich hab gar nicht erst versucht, es ihr zu erklären. Es gibt so viele Sachen, von denen Miss Celia einfach keine Ahnung hat.

Jede andre weiße Frau weiß auch, dass es eine Zeit im Monat gibt, in der man Minny *nicht* anspricht. Selbst Miss Walters hat gewusst, wann der Minny-Warnzeiger auf Rot stand. Sie hat das Karamell auf dem Herd gerochen und sich sofort an ihrem Krückstock zur Tür raus verzogen. Hat nicht mal Miss Hilly ins Haus gelassen.

Letzte Woche war Miss Celias Haus von dem Zucker und

293

der Butter voll mit Weihnachtsduft, mitten im brütend heißen Juni. Ich war angespannt wie immer, wenn ich den Zucker zu Karamell brenn. Ich hab sie dreimal *ganz höflich* gefragt, ob ich das bitte allein machen könnt, aber sie wollt unbedingt dableiben. Hat gemeint, es wär ihr zu einsam, den ganzen Tag in ihrem Schlafzimmer.

Ich hab versucht, so zu tun, als wär sie nicht da. Das Problem ist, ich muss mit mir selbst reden, wenn ich eine Karamelltorte mach, sonst werd ich zu nervös.

Ich sag: »Der heißeste Junitag seit Menschengedenken. Vierzig Grad draußen.«

Und sie sagt: »Haben Sie eine Klimaanlage? Gott sei Dank haben wir hier eine, ich bin nämlich ohne aufgewachsen und weiß, was das heißt.«

Und ich sag: »Ich kann mir keine Klimaanlage leisten. Die Dinger fressen Strom wie Baumwollkäfer Baumwolle.« Und ich rühr und rühr, weil der Zucker oben grad braun wird und das der Moment ist, wo man höllisch aufpassen muss, und ich sag: »Wir sind mit der Stromrechnung eh schon in Verzug«, weil ich nicht richtig denken kann, und was sagt sie? Sie sagt: »Oh, Minny, ich wollte, ich könnte Ihnen das Geld leihen, aber Johnny stellt in letzter Zeit immer so komische Fragen«, und ich dreh mich um, um ihr beizubringen, dass eine Negerin, die sich drüber beklagt, was das Leben kostet, noch lang nicht um Geld bettelt, aber eh ich ein Wort rausbring, ist mein verdammtes Karamell angebrannt.

Im Sonntagsgottesdienst stellt sich Shirley Boon vor die Gemeinde hin. Ihre Lippen flattern wie Fahnen, während sie uns dran erinnert, dass am Mittwochabend das Gemeinschaftsbelange-Treffen ist, um über ein Sit-in in der Woolworth-Cafeteria in der Amite Street zu reden. Die kräftige, großnasige Shirley zeigt mit dem Finger auf uns und sagt: »Das Treffen ist um sieben, also seid pünktlich. Keine Ausreden!« Sie kommt mir vor wie eine dicke, hässliche, weiße Schullehrerin. Die Sorte, die keiner heiraten will.

»Kommst du am Mittwoch?«, fragt Aibileen. Wir gehen durch die Drei-Uhr-Hitze nach Haus. Ich halt meinen Beerdigungsfächer in der Hand und wedel so schnell damit, dass es aussieht, wie wenn er einen Motor hätt.

»Ich hab keine Zeit«, sag ich.

»Du willst mich wieder allein hingehen lassen? Ach, komm doch, ich bring Gewürzkuchen mit und …«

»Ich hab doch *gesagt,* ich kann nicht.«

Aibileen nickt und meint: »Na gut.« Sie geht weiter.

»Benny … könnt wieder Asthma kriegen. Ich will ihn nicht allein lassen.«

»Mm-hmm«, sagt Aibileen. »Den wahren Grund sagst du mir, wenn du so weit bist.«

Wir biegen in die Gessum, gehen um ein Auto rum, das auf der Straße am Hitzschlag krepiert ist. »Oh, eh ich's vergess, Miss Skeeter will am Donnerstagabend schon früher kommen«, sagt Aibileen. »So um sieben. Schaffst du das?«

»Gott im Himmel«, ruf ich und werd schon wieder wütend. »Was mach ich da? Ich muss verrückt sein, dass ich die geheimsten Geheimnisse der Farbigen einer Weißen erzähl.«

»Ist doch nur Miss Skeeter, sie ist nicht wie die anderen.«

»Hab das Gefühl, ich red hinter meinem eigenen Rücken«, sag ich. Ich hab mich jetzt mindestens fünf Mal mit Miss Skeeter getroffen. Es wird nicht leichter.

»Willst du nicht mehr kommen?«, fragt Aibileen. »Du sollst nicht das Gefühl haben, du musst.«

Ich sag nichts.

»Bist du noch da, M?«, fragt sie.

»Ich … ich will ja, dass es für die Kinder besser wird«, sag ich. »Aber es ist nun mal eine traurige Tatsache, dass eine Weiße das macht.«

»Komm am Mittwoch mit zum Gemeinschaftsbelange-Treffen. Dann reden wir nochmal drüber«, erwidert Aibileen und lächelt leis.

Ich hab doch gewusst, dass sie nicht einfach davon ablässt. Ich seufz. »Ich hab Ärger dort, okay?«

»Mit wem?«

»Shirley Boon«, sag ich. »Beim letzten Treffen haben sich alle an der Hand gehalten und dafür gebetet, dass Schwarze auf die Weißentoiletten dürfen, und davon geredet, dass sie sich im Woolworth auf einen Hocker setzen und sich nicht wehren wollen, und alle haben gelächelt, wie wenn diese Welt der reinste Himmel werden würd, und da … bin ich geplatzt. Ich hab Shirley Boon gesagt, ihr Hintern passt sowieso auf keinen Hocker im Woolworth.«

»Und was hat Shirley geantwortet?«

Ich hol meine Lehrerinnenstimme raus. *»Wenn man nichts Nettes sagen kann, sollte man gar nichts sagen.«*

Wie wir bei ihrem Haus sind, guck ich zu Aibileen rüber. Sie strengt sich so an, nicht zu lachen, dass sie ganz lila im Gesicht ist.

»Das ist nicht komisch«, fauch ich.

»Ich bin froh, dass du meine Freundin bist, Minny Jackson.« Und sie umarmt mich, bis ich die Augen verdreh und sag, ich muss jetzt gehen.

Ich lauf weiter und bieg um die Ecke. Ich wollt nicht, dass Aibileen das weiß. Niemand soll wissen, wie sehr ich diese Geschichtensache brauch. Jetzt, wo ich nimmer zu Shirley Boons Treffen kann, ist das so ziemlich alles, was ich noch hab. Und ich sag ja auch nicht, dass die Treffen mit Miss Skeeter keinen Spaß machen. Immer wenn ich hinkomm, beschwer ich mich. Ich stöhn. Ich werd sauer und leg einen Wutanfall hin. Aber Tatsache ist: Ich erzähl meine Geschichten gern. Es fühlt sich an, wie wenn ich was gegen das alles mach. Wenn ich wieder geh, ist der Beton in meiner Brust so weit zusammengeschmolzen, dass ich ein paar Tage atmen kann.

Und ich weiß, es gibt jede Menge »Farbigensachen«, die ich noch machen könnt, außer meine Geschichten erzählen oder zu Shirley Boons Treffen gehen – die Massenversammlungen in der Stadt, die Märsche in Birmingham, die Wahlaufrufe droben auf dem Land. Aber die Wahrheit ist: Mir liegt nicht viel am Wählen. Mir liegt nichts dran, an einem Cafeteria-Tresen mit Weißen zu essen. Mir geht's nur darum, ob in zehn Jahren eine weiße Lady meine Töchter dreckig nennt oder sie beschuldigt, ihr Silber zu stehlen.

An dem Abend, zu Haus, hab ich die Butterbohnen so weit und den Schinken in der Pfanne.

»Kindra, hol alle her«, sag ich zu meiner Sechsjährigen. »Essen ist fertig.«

»Eeessennn!«, schreit Kindra, ohne sich vom Fleck zu rühren.

»Hol deinen Daddy, wie sich's gehört!«, schrei ich. »Hab ich dir nicht gesagt, in meinem Haus wird nicht geschrien?«

Kindra verdreht die Augen, wie wenn ich grad das Blödeste von der Welt von ihr verlangt hätt. Sie stapft den Gang lang.

»Eeessenn!«

»Kindra!«

Die Küche ist der einzige Raum im Haus, wo wir alle rein-passen. Sonst sind überall Schlafzimmer. Das von Leroy und mir ist hinten, daneben ist ein kleiner Raum für Leroy junior und Benny, und aus dem Wohnzimmer haben wir ein Schlaf-zimmer für Felicia, Sugar und Kindra gemacht. Also bleibt nur die Küche. Wenn's draußen nicht grad eiskalt ist, steht die Hintertür offen, nur die Fliegentür ist zu. Die ganze Zeit hört man den Lärm von Kindern und Autos und bellenden Hunden.

Leroy kommt und setzt sich neben Benny, der jetzt sieben ist. Felicia gießt Milch oder Wasser in die Gläser. Kindra bringt ihrem Daddy einen Teller Bohnen und Schinken und kommt wieder an den Herd. Ich geb ihr den nächsten Teller.

»Der ist für Benny«, sag ich.

»Benny, steh auf und hilf deiner Mama«, sagt Leroy.

»Benny hat Asthma. Er braucht nichts zu machen.« Aber mein braver Kleiner steht trotzdem auf und nimmt Kindra den Teller ab. Meine Kinder können arbeiten.

Alle sitzen am Tisch, bis auf mich. Drei Kinder sind heut Abend zu Haus. Leroy junior, der im letzten Jahr an der Lenier High ist, packt im Jitney 14 an der Kasse die Sachen ein. Das ist der Weißenladen in Miss Hillys Wohnviertel. Sugar, die Älteste von den Mädchen, ist in der zehnten Klasse und hütet die Kinder von unserer Nachbarin Tallulah, die länger arbeiten muss. Wenn Sugar mit Babysitten fertig ist, kommt sie nach Haus, fährt ihren Daddy zur Spätschicht im Rohrmuffenwerk und holt dann Leroy junior im Jitney ab. Leroy senior kann dann um vier Uhr morgens mit Tallulahs Mann heimfahren. So passt alles.

Leroy isst, starrt aber auf das *Jackson Journal* neben seinem Teller. Er ist nicht der Verträglichste, wenn er grad erst aufwacht. Ich guck vom Herd rüber und seh, dass das Sit-in in Browns Drugstore auf der Titelseite ist. Das ist nicht Shirleys Gruppe, es sind Leute aus Greenwood. Hinter den fünf Demonstranten auf ihren Hockern steht eine Horde weißer Teenager, die alle grinsen und feixen und den Farbigen Ketchup, Senf und Salz auf den Kopf kippen.

»Wie bringen sie das fertig?« Felicia zeigt auf das Foto. »Dasitzen, ohne sich zu wehren?«

»Das ist es, was sie machen sollen«, erwidert Leroy.

»Ich möcht diesen Weißen ins Gesicht spucken, wenn ich das Foto seh«, sag ich.

»Wir reden später drüber.« Leroy faltet die Zeitung zweimal zusammen und steckt sie unter seinen Schenkel.

Felicia sagt zu Benny, nicht leis genug: »Nur gut, dass Mama nicht auf einem von den Hockern gesessen hat. Sonst hätt jetzt keiner von den Weißen mehr Zähne.«

»Und Mama wär im Parchman-Gefängnis«, sagt Benny laut.

Kindra stemmt den Arm in die Hüfte. »Na-ah. Meine Mama steckt keiner ins Gefängnis. Ich verhau diese Weißen mit einem Stock, bis sie bluten.«

Leroy zeigt mit dem Finger auf jedes Kind. »Kein Wort da drüber außerhalb von diesem Haus! Das ist zu gefährlich. Habt ihr mich verstanden? Benny? Felicia?« Dann zeigt er noch mal auf Kindra. »Verstanden?«

Benny und Felicia nicken, gucken auf ihre Teller. Ich bereu, dass ich überhaupt damit angefangen hab, und werf Kindra meinen Halt-ja-den-Mund-Blick zu. Aber die kleine Miss Frechdachs knallt ihre Gabel hin und steigt von ihrem Stuhl. »Ich hass weiße Leute! Und ich sag's jedem, wenn ich will!«

Ich renn ihr nach, den Gang lang. Wie ich sie erwischt hab, schlepp ich sie wie einen Kartoffelsack wieder an den Tisch.

»Tut mir leid, Daddy«, sagt Felicia, weil sie eine von denen ist, die immer für alles die Schuld auf sich nehmen. »Und ich pass auf Kindra auf. Sie weiß ja nicht, was sie redet.«

Aber Leroy haut auf den Tisch. »Niemand lässt sich da reinziehen! Habt ihr gehört?« Und er starrt seine Kinder an, bis sie weggucken. Ich dreh mich zum Herd, damit er mein Gesicht nicht sieht. Gott steh mir bei, wenn er rausfindet, was ich mit Miss Skeeter mach.

Die ganze nächste Woche hör ich Miss Celia in ihrem Schlafzimmer telefonieren. Sie hinterlässt Nachrichten für Miss Hilly, Miss Leefolt, Miss Parker, die beiden Caldwell-Schwestern und noch zehn Society-Ladys. Selbst für Miss Skeeter, was mir gar nicht gefällt. Ich hab Miss Skeeter gesagt: *Kommen Sie ja nicht auf die Idee, sie zurückzurufen. Zurren Sie dieses Netz nicht noch enger, wie's eh schon ist.*

Das Irrste ist: Nach diesen blöden Anrufen, wenn Miss Celia aufgelegt hat, nimmt sie den Hörer gleich wieder ab. Sie horcht, ob auch wirklich das Freizeichen kommt.

»An dem Telefon ist nichts kaputt«, sag ich. Sie lächelt mich nur an, wie sie's jetzt seit einem Monat immerzu tut, wie wenn sie die Taschen voller Geldscheine hätt.

»Warum haben Sie so gute Laune?«, frag ich schließlich. »Ist Mister Johnny so lieb zu Ihnen oder was?« Ich hol schon Luft für mein nächstes »Wann sagen Sie's ihm?«, aber sie kommt mir zuvor.

»Oh, ja, er ist sehr lieb«, antwortet sie. »Und jetzt dauert es nicht mehr lange, bis ich's ihm sage.«

»Gut«, sag ich und mein's auch wahrhaftig. Ich hab dieses Lügenspielchen satt. Ich stell mir immer vor, wie sie Mister Johnny anlächelt, wenn sie ihm meine Schweinskoteletts vorsetzt, wie dieser nette Mann so tun muss, als wär er so was von stolz auf sie, wo er doch weiß, dass ich die bin, die kocht. Sie macht sich zum Narren und ihren netten Mann auch, und mich macht sie zur Lügnerin.

»Minny, würde es Ihnen etwas ausmachen, die Post zu holen?«, fragt sie, obwohl sie fertig angezogen dasitzt und ich Butter an den Händen hab und Geschirr in der Maschine und den Mixer an. Sie ist wie ein Philister am Sonntag, weigert sich, mehr wie soundso viel Schritte zu machen. Nur dass bei ihr jeder Tag Sonntag ist.

Ich wasch mir die Hände, geh raus zum Briefkasten und vergieß unterwegs zwei Liter Schweiß. Ich mein, es hat ja auch nur siebenunddreißig Grad draußen. Neben dem Briefkasten, im Gras, steht ein Riesenpaket. Ich hab sie schon öfters mit solchen großen, braunen Kartons gesehen und denk mir, es sind irgendwelche Schönheitskrems, die sie bestellt hat. Aber wie ich das Paket hochheb, ist es schwer. Und klimpert, wie wenn ich eine Kiste Co-Cola schlepp.

»Da ist was für Sie, Miss Celia.« Ich setz den Karton auf dem Küchenfußboden ab.

So schnell hab ich sie noch nie springen sehen. Sonst macht Miss Celia nie irgendwas schnell, außer sich anziehen. »Das ist nur mein ...« Sie murmelt irgendwas. Sie schleppt den Karton den ganzen Weg bis in ihr Zimmer, und ich hör die Tür zufallen.

Eine Stunde später geh ich in ihr Zimmer, staubsaugen. Miss Celia liegt nicht auf dem Bett, und sie ist auch nicht im Bad. Ich weiß, in der Küche, im Wohnzimmer oder am Pool ist sie nicht, und in den feinen Wohnzimmern eins und zwei hab ich grade Staub gewischt und den Grizzly gesaugt. Das heißt, sie muss oben sein. In diesen unheimlichen Zimmern.

Eh ich gefeuert wurd, weil ich dem weißen Manager auf den Kopf zugesagt hab, dass er ein Haarteil trägt, hab ich die Ballsäle im Robert E. Lee Hotel geputzt. Die riesigen, leeren Räume mit den lippenstiftverschmierten Papierservietten und dem Parfümgeruch in der Luft fand ich immer gruselig. Und genauso ist es mit den Zimmern oben in Miss Celias Haus. Da steht sogar eine alte Wiege mit Mister Johnnys altem Babymützchen und seiner Silberrassel, und ich schwör, ich hör das Ding manchmal ganz von allein klimpern. Und wie ich grad an das Klimpern denk, frag ich mich, ob diese Kartons was damit zu tun haben, dass sie jeden zweiten Tag dort rauf schleicht.

Ich beschließ, dass es Zeit ist raufzugehen und nachzuschauen.

Am nächsten Tag behalt ich Miss Celia im Auge, wart, dass sie sich nach oben schleicht, damit ich gucken kann, was sie da macht. Um zwei etwa streckt sie den Kopf in die Küche und lächelt so komisch. Eine Minute drauf hör ich's über mir knarren.

Ich husch zur Treppe. Obwohl ich auf Zehenspitzen geh, klappert das Geschirr im Sideboard, und die Dielen ächzen. Ich geh so langsam die Treppe rauf, dass ich meinen eigenen Atem hör. Oben geh ich den langen Gang runter. Vorbei an den offenen Türen von Schlafzimmer eins, zwei, drei. Tür

Nummer vier ganz am Ende ist angelehnt. Ich geh bisschen näher ran. Und durch den Spalt seh ich sie.

Sie sitzt auf dem gelben Einzelbett am Fenster und lächelt jetzt nimmer. Das Paket, das ich vom Briefkasten reingeschleppt hab, ist offen, und auf dem Bett liegen ein Dutzend Flaschen mit einer braunen Flüssigkeit drin. Ein Brennen steigt mir die Brust rauf, ins Kinn, in den Mund. Diese flachen Flaschen kenn ich. Ich hab zwölf Jahre lang einen nichtsnutzigen Säufer bedient, und wie mein fauler Blutsauger von Daddy endlich tot war, hab ich mit Tränen in den Augen zu Gott geschworen, dass ich nie einen Trinker heiraten würd. Und hab's dann doch getan.

Und jetzt bin ich hier und bedien auch noch eine verdammte Säuferin. Das sind noch nicht mal Flaschen aus dem Laden, sie sind oben mit rotem Wachs verschlossen, so wie's mein Onkel Toad mit seinem heimlich gebrannten Whiskey gemacht hat. Mama hat mir damals erklärt, richtige Trinker wie mein Daddy würden das selbstgebrannte Zeug trinken, weil's stärker ist. Jetzt weiß ich, Miss Celia ist genauso verrückt wie mein Daddy war und wie's Leroy wird, wenn er sich über den Old Crow hermacht, nur dass sie nicht mit der Bratpfanne hinter mir herjagt.

Miss Celia nimmt eine Flasche in die Hand und guckt sie an, wie wenn da Jesus drin wär und sie's nicht erwarten könnt, endlich erlöst zu werden. Sie macht sie auf, trinkt einen Schluck und seufzt. Dann trinkt sie noch drei große Schlucke und lehnt sich in ihre vornehmen Kissen.

Ich fang am ganzen Leib zu zittern an, wie ich die Erleichterung auf ihrem Gesicht seh. Sie war so scharf drauf, ihren Stoff zu kriegen, dass sie nicht mal die verdammte Tür richtig zugemacht hat. Ich muss die Zähne zusammenbeißen, damit ich sie nicht anschrei. Schließlich zwing ich mich, wieder die Treppe runterzugehen.

Wie Miss Celia zehn Minuten später runterkommt, setzt

sie sich an den Küchentisch und fragt mich, ob ich jetzt mit ihr ess.

»Da sind Schweinskoteletts im Eisfach, und ich ess heut nicht zu Mittag«, sag ich und stapf wütend aus der Küche.

Am Nachmittag sitzt Miss Celia in ihrem Bad auf dem Klodeckel.

Sie hat den Haartrockner auf dem Spülkasten und die Haube auf dem Kopf. Mit dem Ding auf würd sie nicht mal eine Atombombenexplosion hören.

Ich geh mit meinen Öllappen nach oben und mach den Schrank auf. Zwei Dutzend flache Whiskeyflaschen sind hinter paar schäbigen alten Wolldecken versteckt, die Miss Celia aus Tunica County mit hergeschleppt haben muss. Die Flaschen haben kein Etikett, nur den Stempel OLD KENTUCKY im Glas. Zwölf sind voll, bereit für morgen. Zwölf sind leer von letzter Woche. So leer wie die ganzen verdammten Zimmer. Kein Wunder, dass die blöde Kuh keine Kinder hat.

Am ersten Donnerstag im Juli steht Miss Celia um zwölf Uhr mittags vom Bett auf und kommt zu ihrem Kochunterricht. Sie hat einen weißen Pulli an, der so eng ist, dass daneben eine Nutte wie eine Heilige aussehen würd. Ich könnt schwören, ihre Sachen werden jede Woche enger.

Wir gehen auf unsre Plätze, ich am Herd, sie auf ihrem Küchenhocker. Ich hab kaum ein Wort mit ihr geredet, seit ich letzte Woche die Flaschen gefunden hab. Ich tob nicht rum. Ich bin wütend, okay, aber ich hab mir die letzten sechs Tage täglich geschworen, dass ich mich an Mamas Regel Nummer eins halten werd. Was zu sagen, würd heißen, dass es mich kümmert, was mit ihr ist, und das tut's nicht. Es ist nicht meine Sache und nicht meine Sorge, wenn sie ein faules, betrunkenes, dummes Ding ist.

Wir legen die in Eierteig getunkten rohen Hühnerteile auf den Gitterrost. Dann muss ich das Spatzenhirn zum hunderttausendsten Mal dran erinnern, sich die Hände zu waschen, eh sie uns beide umbringt.

Ich guck zu, wie das Huhn schmurgelt. Wenn ich Huhn frittier, kommt mir die Welt immer gleich bisschen besser vor. Ich vergess fast, dass ich bei einer Trinkerin arbeit. Wie die Ladung Huhn fertig ist, tu ich das meiste in den Kühlschrank, fürs Abendessen. Der Rest kommt auf eine Platte für uns zum Mittagessen. Sie setzt sich wie immer zu mir an den Küchentisch.

»Nehmen Sie die Brust«, sagt sie, und ihre blauen Augen gucken mich groß an. »Nur zu.«

»Ich ess den Unter- und den Oberschenkel«, sag ich und nehm mir beides von der Platte. Ich blätter im *Jackson Journal* zum Vermischtes-Teil. Ich knick die Zeitung so vor mir hoch, dass ich Miss Celia nicht anzugucken brauch.

»Aber da ist ja kaum Fleisch dran.«

»Die sind fein. Schön fettig.« Ich les weiter, versuch, sie gar nicht zu beachten.

»Na gut«, sagt sie und nimmt sich die Brust, »dann sind wir wohl perfekte Huhn-Partner.« Und kurz darauf sagt sie: »Ich habe wirklich Glück, Sie zur Freundin zu haben, Minny.«

Ich fühl, wie heißer Ekel in mir hochsteigt. Ich senk die Zeitung und schau sie an. »Nein, Ma'am. Wir sind keine Freundinnen.«

»Oh … klar sind wir's.« Sie lächelt, wie wenn sie mir einen großen Gefallen tun würd.

»Nein, Miss Celia. Sind wir nicht.«

Sie blinzelt mich mit ihren falschen Augenwimpern an. *Hör auf, Minny,* sagt mir mein Inneres. Aber ich weiß schon, dass ich's nicht kann. An den Fäusten, die ich mach, merk ich, dass ich's keine Minute mehr drunten halten kann.

»Sie meinen …« Sie guckt auf ihr Huhn. »Weil Sie farbig sind? Oder weil Sie nicht mit mir befreundet sein wollen?«

»Gibt so viele Gründe. Dass Sie weiß sind und ich farbig bin, ist nur irgendwo mitten drunter.«

Jetzt lächelt sie gar nicht mehr. »Aber … warum?«

»Weil ich Sie nicht um Geld bitt, wenn ich Ihnen erzähl, dass ich mit der Stromrechnung im Verzug bin«, sag ich.

»Oh, Minny …«

»Weil Sie mir noch nicht mal das bisschen Respekt erweisen, Ihrem Mann zu sagen, dass ich hier arbeit. Weil Sie mich wahnsinnig machen, wenn Sie vierundzwanzig Stunden am Tag hier im Haus sind.«

»Sie verstehen das nicht. Ich *kann* nicht. Ich kann nicht weggehen.«

»Aber das ist alles nichts im Vergleich zu dem, was ich jetzt weiß.«

Ihr Gesicht unter dem Make-up wird einen Ton blasser.

»Die ganze Zeit hab ich gedacht, Sie haben Krebs oder was oder sind krank im Kopf. Die arme Miss Celia, den ganzen Tag.«

»Ich weiß, es war schwer …«

»Oh, ich weiß, dass Sie nicht krank sind. Ich hab Sie oben gesehen, mit den Flaschen. Und jetzt führen Sie mich nicht mehr an der Nase rum.«

»Flaschen? O Gott, Minny …«

»Ich sollt die Dinger in den Ausguss kippen. Ich sollt Mister Johnny auf der Stelle sagen …«

Sie steht so wütend auf, dass ihr Stuhl umfällt. »Wagen Sie's ja nicht …«

»Sie tun, wie wenn Sie Kinder wollten, aber Sie trinken genug, um einen Elefanten zu vergiften!«

»Wenn Sie's ihm sagen, sind Sie gefeuert, Minny!« Sie hat Tränen in den Augen. »Wenn Sie diese Flaschen auch nur anrühren, feure ich Sie augenblicklich!«

Aber das Blut pocht zu heiß in meinem Kopf, als dass ich jetzt noch aufhören könnt. Ich steh auf. »Sie mich feuern? Wer sonst soll denn hier rauskommen und heimlich hier arbeiten, während Sie den ganzen Tag betrunken im Haus rumhängen?«

»Sie meinen, ich kann Sie nicht feuern? Sie hören heute hier auf, Minny!« Sie heult jetzt und zeigt mit dem Finger auf mich. »Sie essen Ihr Huhn, und dann gehen Sie nach Hause.«

Sie nimmt ihren Teller mit dem weißen Fleisch und stürmt zur Schwingtür raus. Ich hör sie den Teller auf den langen, feinen Esszimmertisch knallen, hör die Stuhlbeine über den Boden schrappen. Ich sink auf meinen Stuhl zurück, weil meine Knie zittern, und starr auf mein Huhn.

Grad hab ich wieder einen verdammten Job verloren.

Am Samstagmorgen um sieben wach ich auf, mit dröhnendem Kopf und wunder Zunge. Ich muss die ganze Nacht draufgebissen haben.

Leroy guckt mich mit einem Auge an, weil er weiß, dass irgendwas ist. Er hat's schon gestern Abend beim Essen gemerkt und hat's gerochen, wie er heut Morgen um fünf von der Arbeit gekommen ist.

»Was plagt dich? Du hast doch keinen Ärger bei der Arbeit, oder?«, fragt er zum dritten Mal.

»Nichts plagt mich, außer fünf Kindern und einem Mann. Ihr treibt mich die glatte Wand hoch.«

Das Letzte, was er wissen soll, ist, dass ich wieder einer weißen Lady Bescheid gesagt und wieder einen Job verloren hab. Ich zieh meine lila Kittelschürze an und stapf in die Küche. Ich mach sie sauber, wie sie noch nie saubergemacht worden ist.

»Mama, wo gehst du hin?«, ruft Kindra. »Ich hab Hunger.«

»Ich geh zu Aibileen. Mama muss jetzt wo sein, wo mal fünf Minuten keiner an ihr rumzerrt.« Ich marschier an Sugar vorbei, die auf der Vordertreppe sitzt. »Sugar, geh rein und mach Kindra was zum Frühstück.«

»Sie hat schon gefrühstückt. Erst vor einer halben Stunde.«

»Sie hat aber wieder Hunger.«

Ich geh die zwei Blocks zu Aibileens Haus, über die Tick Road in die Farish Street. Obwohl's höllisch heiß ist und der

Teer schon dampft, sind da Kinder, die Ball spielen, Dosen rumkicken, seilspringen. »Hey, Minny«, ruft alle zwanzig Meter jemand. Ich nick, sag aber nichts Freundliches. Nicht heut.

Ich nehm die Abkürzung durch Ida Peeks Garten. Aibileens Küchentür ist offen. Aibileen sitzt an ihrem Tisch und liest eins von den Büchern, die ihr Miss Skeeter aus der Weißenbibliothek geholt hat. Wie die Fliegentür quietscht, schaut sie auf. Sie sieht wohl gleich, dass ich sauer bin.

»Gott im Himmel, was ist dir denn über die Leber gelaufen?«

»Celia Rae Foote, die ist mir über die Leber gelaufen.«

»Was hat sie gemacht?«

Ich erzähl ihr von den Flaschen, die ich gefunden hab. Ich weiß nicht, warum ich's ihr nicht schon vor anderthalb Wochen erzählt hab, wie ich die Flaschen entdeckt hab. Vielleicht wollt ich nicht, dass sie so was Schreckliches über Miss Celia weiß. Vielleicht war's mir auch peinlich, weil Aibileen mir doch den Job besorgt hat. Aber jetzt bin ich so wütend, dass ich einfach alles rauslass.

»Und dann hat sie mich gefeuert.«

»Oje, Minny.«

»Sagt, sie findet schon ein andres Dienstmädchen. Aber wer soll denn bei der Frau arbeiten? Irgend so ein kraushaariges Trampel, das sowieso da draußen wohnt und keine Ahnung hat, dass man von links serviert und von rechts abräumt.«

»Und wenn du dich entschuldigst? Vielleicht gehst du einfach Montagmorgen hin und …«

»Ich entschuldig mich bei keinen Trinkern. Ich hab mich nie bei meinem Daddy entschuldigt, und ich entschuldig mich erst recht nicht bei ihr.«

Wir sind beide still. Ich kipp meinen Kaffee runter, guck zu, wie eine Bremse gegen Aibileens Fliegentür surrt, mit dem hässlichen, harten Kopf dagegenkracht, *fapp, fapp, fapp,* bis sie schließlich auf die Treppenstufe fällt und sich im Kreis dreht, wie wenn sie einen Hirnschaden hätt.

»Kann nicht schlafen. Kann nichts essen«, sag ich.

»Also, diese Celia muss ja wirklich die Schlimmste sein, wo du *je* gearbeitet hast.«

»Die waren alle schlimm. Aber sie ist die Allerschlimmste.«

»Oh, klar. Weißt du noch, wie dir Miss Walters das Geld für das Kristallglas abgeknöpft hat, das dir zerbrochen war? Zehn Dollar von deinem Lohn? Und wie du dann dahintergekommen bist, dass die Gläser bei Carter's nur drei Dollar das Stück kosten?«

»Mm-hmm.«

»Oh, und der verrückte Mister Charlie, der immer Nigger zu dir gesagt hat, wie wenn er's lustig fänd? Und seine Frau, die dich mittags draußen hat essen lassen, sogar mitten im Januar? Sogar, wenn's grad geschneit hat?«

»Ich frier schon, wenn ich nur dran denk.«

»Und …« Aibileen gluckst und versucht, gleichzeitig zu reden. »Diese Miss Roberta? Wie du am Küchentisch hast sitzen müssen, während sie ihr neues Haarfärbezeug an dir ausprobiert hat?« Aibileen wischt sich über die Augen. »Gott, ich hab sonst in meinem ganzen Leben kein blaues Haar an einer schwarzen Frau gesehn. Leroy hat gesagt, du siehst aus wie irgendwas aus dem Weltall.«

»Da ist gar nichts komisch dran. Hat mich drei Wochen und fünfundzwanzig Dollar gekostet, mein Haar wieder schwarz zu kriegen.«

Aibileen schüttelt den Kopf, macht so ein kieksiges »H-hmm« und trinkt von ihrem Kaffee. »Aber diese Miss Celia«, sagt sie. »Wie die dich behandelt? Was zahlt sie dir, damit du Mister Johnny und den Kochunterricht auf dich nimmst? Muss ja weniger sein wie bei allen andren.«

»Du weißt, dass sie mir das Doppelte zahlt.«

»Oh, klar, stimmt. Na ja, trotzdem, wo immer ihre vielen Freundinnen kommen und du die ganze Zeit hinter ihnen herräumen musst.«

Ich guck sie nur an.

»Und die zehn Kinder, die sie hat.« Aibileen hält sich die Serviette an den Mund, um ihr Lachen zu verstecken. »Muss dich doch wahnsinnig machen, das Geschrei den ganzen Tag und die Unordnung in dem großen, alten Haus.«

»Ich glaub, du hast gesagt, was du sagen willst, Aibileen.«

Aibileen tätschelt mir den Arm. »Tut mir leid, aber du bist nun mal meine beste Freundin. Und ich find, du hast es da draußen ganz schön gut. Okay, sie trinkt vielleicht mal einen oder auch zwei, um über den Tag zu kommen. Und wenn? Geh am Montag hin, und red mit ihr.«

Ich fühl, wie sich mein Gesicht zusammenknittert. »Du meinst, sie nimmt mich wieder? Nach allem, was ich gesagt hab?«

»Sonst wird doch keine bei ihr arbeiten. Und das weiß sie auch.«

»Stimmt. Sie ist dumm.« Ich seufz. »Aber blöd ist sie nicht.«

Ich geh heim. Leroy sag ich nicht, was mich plagt, aber ich denk den ganzen Tag und das ganze Wochenend dran. Ich bin öfter gefeuert worden, wie ich Finger zum Abzählen hab. Ich bet zu Gott, dass ich's am Montag schaff, meinen Job wiederzukriegen.

KAPITEL 18

Am Montagmorgen prob ich auf der ganzen Fahrt zur Arbeit. *Ich weiß, ich hab den Mund nicht halten können ...* Ich geh in ihre Küche. *Und ich weiß, ich hab Sachen gesagt, die mir nicht zukommen ...* Ich stell meine Tasche auf den Stuhl, *und ... und ...* Das ist das Schwerste. *Und ich möcht mich entschuldigen.*

Wie ich Miss Celias bloße Füße durchs Haus patschen hör, mach ich mich auf alles gefasst. Ich weiß ja nicht, ob sie toben oder eiskalt sein wird oder ob sie mich auf der Stelle wieder feuert. Ich weiß nur eins: Ich werd *zuerst* reden.

»Morgen«, sagt sie. Sie ist noch im Nachthemd. Hat sich noch nicht mal das Haar gebürstet und erst recht noch nicht das ganze Zeug aufs Gesicht geschmiert.

»Miss Celia, ich ... muss Ihnen was sagen ...«

Sie stöhnt, presst sich die Hand auf den Bauch.

»Ist ... Ihnen nicht gut?«

»Nein.« Sie legt ein Maisbrötchen und bisschen Schinken auf einen Teller, nimmt dann den Schinken wieder runter.

»Miss Celia, ich wollt Ihnen sagen ...«

Aber sie geht einfach raus, während ich noch red, und jetzt weiß ich, ich hab wirklich ein Problem.

Ich mach mich an meine Arbeit. Vielleicht ist es ja verrückt von mir, so zu tun, wie wenn ich den Job noch hätt. Vielleicht gibt sie mir ja für heute gar kein Geld. Nach meinem Mittagessen mach ich Miss Christine in *As the World Turns* an und bügel, was zu bügeln ist. Normal kommt Miss Celia rein und guckt mit mir, aber heut nicht. Wie die Sendung vorbei ist, wart ich eine Zeitlang in der Küche auf sie, aber Miss Celia erscheint nicht mal zu ihrem Kochunterricht. Ihre Zimmertür bleibt zu, und um zwei Uhr fällt mir nichts mehr ein, was ich tun kann, außer ihr Zimmer machen. Ich fühl Angst im Magen, wie wenn ich eine Bratpfanne verschluckt hätt. Ich wollt, ich hätt meine Entschuldigung gleich am Morgen rausgebracht, wie ich die Chance dazu gehabt hab.

Schließlich geh ich nach hinten, starr auf die geschlossene Tür. Ich klopf, aber es kommt keine Antwort. Irgendwann wag ich's, die Tür aufzumachen.

Aber das Bett ist leer. Jetzt hab ich's mit der geschlossenen Badtür zu tun.

»Ich muss jetzt hier drin meine Arbeit machen«, ruf ich. Keine Antwort, aber ich weiß, sie ist da drin. Ich fühl sie hinter der Tür. Ich schwitz. Ich will dieses verdammte Gespräch hinter mich bringen.

Ich geh mit meinem Wäschesack im Zimmer rum und stopf die ganze Ladung Kleider vom Wochenend rein. Die Badtür ist immer noch zu, und von drin kommt kein Mucks. Ich weiß, das Bad ist eine einzige Unordnung. Ich horch auf irgendein Lebenszeichen, während ich die Laken über der Matratze straffzieh. Die hellgelbe Nackenrolle ist das Hässlichste, was ich je gesehen hab, an den Enden zusammengezurrt wie eine große, gelbe Wurst. Ich klatsch sie auf die Matratze, zieh die Tagesdecke glatt.

Ich wisch den Nachttisch ab, stapel auf ihrer Seite die *Look*-Hefte und das Bridgebuch, das sie bestellt hat. Ich rück die Bücher auf Mister Johnnys Seite zurecht. Er liest viel. Ich nehm *Wer die Nachtigall stört* in die Hand und dreh's um.

»Guck einer an.« Ein Buch, in dem Schwarze vorkommen. Ich frag mich, ob ich wohl eines Tags Miss Skeeters Buch auf einem Nachttisch seh. Nicht mit meinem richtigen Namen drin, so viel ist sicher.

Schließlich hör ich ein Geräusch. Irgendwas schubbert an der Badtür. »Miss Celia«, ruf ich wieder. »Ich bin hier draußen. Nur damit Sie's wissen.«

Aber da kommt nichts mehr.

»Es geht dich nichts an, was da drin los ist«, sag ich mir selber. Dann ruf ich: »Ich muss meine Arbeit machen und zusehen, dass ich verschwind, eh Mister Johnny mit der Pistole kommt.« Ich hoff, dass sie das rauslockt. Tut's aber nicht.

»Miss Celia, da ist noch Lady-a-Pinkham unterm Waschbecken. Trinken Sie das und kommen Sie raus, damit ich da drin saubermachen kann.«

Dann steh ich einfach nur da und starr auf die Tür. Bin ich jetzt gefeuert oder nicht? Und wenn nicht, was ist, wenn sie so betrunken ist, dass sie mich nicht hört? Mister Johnny hat gesagt, ich soll auf sie aufpassen. Ich glaub nicht, dass es als Aufpassen zählt, wenn sie besoffen in der Badewanne liegt.

»Miss Celia, sagen Sie doch was, damit ich weiß, dass Sie noch leben.«

»Alles in Ordnung.«

Klingt aber gar nicht so.

»Es ist gleich drei.« Ich steh mitten im Zimmer und wart. »Mister Johnny kommt bald heim.«

Ich muss wissen, was da drin los ist. Ich muss wissen, ob sie besoffen daliegt. Und wenn ich nicht gefeuert bin, muss ich das Bad putzen, damit Mister Johnny nicht denkt, das heimliche Dienstmädchen wird faul, und mich doch feuert.

»Miss Celia, haben Sie wieder was mit dem Haarfärbemittel falsch gemacht? Ich hab Ihnen doch letztes Mal auch geholfen, es wieder hinzukriegen, wissen Sie noch? Am End sah's ja ganz hübsch aus.«

Die Klinke bewegt sich. Langsam geht die Tür auf. Miss

Celia sitzt auf dem Boden, rechts von der Tür. Sie hat die Beine unterm Nachthemd angezogen.

Ich geh bisschen weiter rein. Von der Seite kann ich sehen, dass ihr Gesicht die Farbe von Weichspüler hat, so bläulich -milchig.

Und ich seh auch das Blut in der Kloschüssel. Eine Menge Blut.

»Haben Sie Ihre Tage, Miss Celia?«, flüster ich. Ich fühl, wie sich meine Nasenlöcher blähen.

Miss Celia dreht sich nicht her. Am Saum von ihrem Nachthemd ist Blut, wie wenn sie's in die Kloschüssel gehängt hätt.

»Soll ich Mister Johnny anrufen?«, frag ich. Ich will's nicht, aber ich muss die ganze Zeit auf die rot gefüllte Kloschüssel gucken. Weil da noch was ist, tief drunten in der roten Flüssigkeit. Was ... Festes.

»*Nein*«, sagt Miss Celia und starrt auf die Wand. »Holen Sie ... mein Adressbuch.«

Ich renn in die Küche, schnapp mir das Adressbuch vom Tisch, renn wieder zurück. Aber wie ich es Miss Celia geben will, wedelt sie's weg.

»Rufen Sie an, bitte«, sagt sie. »Unter T, Doktor Tate. Ich kann es nicht noch mal machen.«

Ich blätter die dünnen Seiten durch. Ich weiß, wer Doktor Tate ist. Er ist der Arzt von den meisten weißen Ladys, bei denen ich gearbeitet hab. Und Elaine Fairley kriegt immer seine »Spezialbehandlung«, dienstags, wenn seine Frau ihren Friseurtermin hat. *Taft ... Taggert ... Tann. Gott sei Dank.*

Mit zittrigen Fingern dreh ich die Wählscheibe. Eine Weiße nimmt ab. »Celia Foote, am Highway zweiundzwanzig draußen in Madison County«, erklär ich ihr, so gut ich kann, ohne auf den Fußboden zu kotzen. »Ja, Ma'am, da kommt jede Menge Blut raus ... Weiß er, wie er herkommt?« Ja, natürlich, sagt sie und hängt ein.

»Kommt er?«, fragt Celia.

»Er kommt«, sag ich. Eine neue Welle von Übelkeit rollt an. Es wird lang dauern, bis ich die Kloschüssel wieder putzen kann, ohne dass es mich würgt.

»Möchten Sie eine Co-Cola? Ich hol Ihnen eine.«

In der Küche nehm ich eine Flasche Co-Cola aus dem Kühlschrank. Ich geh damit zurück, stell sie auf den Fliesenboden und weich zurück. So weit von der rot gefüllten Kloschüssel weg, wie ich kann, ohne Miss Celia allein zu lassen.

»Vielleicht sollten wir Sie ins Bett schaffen, Miss Celia. Glauben Sie, Sie können aufstehen?«

Miss Celia beugt sich vor, versucht sich hochzustemmen. Ich tret an sie ran, um ihr zu helfen, und seh, dass das Blut durch ihr Nachthemd unter sie gesickert ist. Der blaue Fliesenboden ist voll mit was, das aussieht wie roter Kleister und in den Fugen sitzt. Flecken, die man nicht leicht wieder wegkriegt.

Wie ich sie auf den Beinen hab, rutscht Miss Celia auf einem Blutfleck aus, hält sich grad noch am Rand von der Kloschüssel fest. »Lassen Sie mich – ich will hierbleiben.«

»Na gut.« Ich geh rückwärts ins Schlafzimmer. »Doktor Tate wird gleich da sein. Die haben ihn daheim angerufen.«

»Kommen Sie her, Minny? Setzen Sie sich zu mir, bitte?«

Aber von dem Klo kommt warme, eklige Luft rüber. Ich überleg, setz mich dann so, dass ich mit dem halben Hintern im Bad sitz und mit der anderen Hälfte draußen. Aber so auf Klohöhe riech ich's jetzt richtig. Es riecht wie Fleisch, wie Hackfleisch, das auf der Arbeitsplatte auftaut. Ich krieg so eine Art Panikanfall.

»Kommen Sie da raus, Miss Celia. Sie brauchen Luft.«

»Ich darf den Teppich nicht vollbluten ... sonst merkt es Johnny.« Die Adern an Miss Celias Arm schimmern richtig schwarz durch die Haut. Ihr Gesicht wird immer weißer.

»Sie sehen langsam komisch aus. Trinken Sie bisschen von der Co-Cola.«

Sie nimmt einen Schluck, sagt: »Oh, Minny.«

»Wie lang bluten Sie schon?«

»Seit heute Morgen«, antwortet sie und fängt an, in ihre Armbeuge zu weinen.

»Ist ja gut, das wird wieder«, sag ich, und ich kling wirklich beruhigend und zuversichtlich, aber mein Herz hämmert wie wild. Klar, Doktor Tate kommt, um Miss Celia zu helfen, aber was ist mit dem Ding da im Klo? Was soll ich damit machen, runterspülen? Und wenn's im Rohr steckenbleibt? Man muss es rausfischen. O Gott im Himmel, wie soll ich mich dazu bringen?

»Da ist so viel Blut«, jammert sie und lehnt sich an mich.

»Warum ist da diesmal so viel Blut?«

Ich heb den Kopf und guck nur ganz bisschen in die Klo-schüssel. Aber ich muss schnell wieder wegschauen.

»Johnny darf es nicht sehen. O Gott, wenn ... wie spät ist es?«

»Fünf vor drei. Wir haben noch Zeit.«

»Was sollen wir damit machen?«, fragt Miss Celia.

Wir. Vergib mir, Gott, aber ich wollt, da wär jetzt grad kein »Wir«.

Ich mach die Augen zu, sag: »Eine von uns muss es wohl rausholen.«

Miss Celia guckt mich mit ihren rotgeränderten Augen an. »Und wohin tun?«

Ich kann sie nicht anschauen. »Ich denk ... in den Müll-eimer.«

»Bitte, tun Sie's jetzt gleich.« Miss Celia legt den Kopf auf die Knie, wie wenn sie sich schämt.

Nun sind da nicht mal mehr *wir.* Jetzt heißt es, *tun Sie's.* Fischen *Sie* mein totes Baby aus der Kloschüssel.

Und was bleibt mir andres übrig?

Ich hör ein Wimmern aus mir rauskommen. Der Fliesen-boden quetscht meinen Hintern. Ich setz mich anders hin, stöhn, versuch drüber nachzudenken. Ich mein, ich hab schon

Schlimmeres gemacht, oder? Mir fällt nichts ein, aber irgendwas muss es doch gegeben haben.

»Bitte«, sagt Miss Celia, »ich … ertrage den Anblick nicht mehr.«

»Okay.« Ich nick, wie wenn ich wüsst, was ich tu. »Ich kümmer mich um das da.«

Ich steh auf, versuch, praktisch zu denken. Wo ich's hintu, weiß ich – in den weißen Mülleimer neben dem Klo. Und dann das ganze Ding draußen in den Müll. Aber womit soll ich's rausholen? Mit der Hand?

Ich beiß mir auf die Unterlippe, versuch ruhig zu bleiben. Vielleicht sollt ich einfach warten. Vielleicht … vielleicht will der Arzt es ja mitnehmen, wenn er da ist! Um's zu untersuchen. Wenn ich Miss Celia fünf Minuten davon ablenken kann, brauch ich mich vielleicht gar nicht drum zu kümmern.

»Das machen wir gleich«, sag ich, wieder mit der beruhigenden Stimme. »Was meinen Sie, wie weit Sie schon waren?« Ich schieb mich langsam näher an die Kloschüssel ran, trau mich nicht, mit Reden aufzuhören.

»Im fünften Monat? Ich weiß nicht.« Miss Celia hält sich ein Handtuch vors Gesicht. »Ich habe geduscht und gespürt, wie es so nach unten gedrückt hat, richtig schmerzhaft. Also habe ich mich auf die Toilette gesetzt, und es ist einfach herausgerutscht. Als ob es aus *mir* herauswollte.« Sie fängt wieder an zu schluchzen, dass ihre Schultern zucken.

Ganz vorsichtig mach ich den Klodeckel zu, und setz mich wieder auf den Boden.

»Als ob es lieber tot sein wollte, als noch eine Sekunde in mir drin zu bleiben.«

»Jetzt hören Sie aber mal, das sind einfach nur Gottes Wege. Wenn bei Ihnen innendrin irgendwas falsch läuft, muss die Natur halt was machen. Beim zweiten Mal wird's sicher klappen.«

»Das war … das zweite Mal.«

»O Heiliger.«

»Wir haben geheiratet, weil ich schwanger war«, sagt Miss Celia, »aber da ... ist es auch einfach rausgerutscht.«

Ich kann keine Sekunde mehr an mich halten. »Aber warum zum Teufel trinken Sie dann? Sie wissen doch, dass Sie kein Baby drinnen behalten können, wenn Sie einen halben Liter Whiskey im Leib haben.«

»Whiskey?«

Oh, bitte. Ich kann dieses »Welcher Whiskey?«-Gesicht nicht ertragen. Wenigstens ist der Geruch nimmer so schlimm, jetzt, wo der Klodeckel zu ist. Wann kommt dieser blöde Doktor endlich?

»Sie dachten, ich ...« Sie schüttelt den Kopf. »Es ist ein Tonikum gegen Fehlgeburten.« Sie macht die Augen zu. »Von einer Choctaw drüben in Feliciana Parish ...«

»Choctaw?« Ich starr sie verdutzt an. Sie ist noch dümmer, wie ich gedacht hab. »Den Indianern kann man nicht trauen. Wissen Sie nicht, dass wir denen ihren Mais vergiftet haben? Und wenn die jetzt Sie vergiften wollen?«

»Doktor Tate sagt, es ist nur Melasse und Wasser«, heult sie in ihr Handtuch. »Aber ich musste es versuchen. Ich *musste*.«

Na gut. Ich staun, wie sich mein Körper lockert, wie erleichtert ich bin. »Macht doch nichts, wenn Sie sich Zeit lassen, Miss Celia, glauben Sie mir, ich hab fünf Kinder.«

»Aber Johnny will jetzt Kinder. Oh, Minny.« Sie schüttelt den Kopf. »Was wird er mit mir machen?«

»Er wird drüber wegkommen, das wird er machen. Er wird die abgegangenen Babys vergessen, Männer sind in so was richtig gut. Er wird aufs nächste hoffen.«

»Er weiß nichts von diesem hier. Und von dem vorigen auch nicht.«

»Sie haben doch gesagt, er hat Sie deswegen geheiratet.«

»Beim ersten Mal hat er es ja gewusst.« Miss Celia seufzt tief. »Das hier ist in Wirklichkeit ... das vierte Mal.«

Sie hört auf zu heulen, und ich hab nichts Tröstendes mehr

zu sagen. Eine Weile sind wir einfach nur zwei Menschen, die sich fragen, warum die Welt so ist, wie sie ist.

»Ich dachte«, flüstert sie, »wenn ich ganz viel Ruhe halten würde, wenn ich jemanden hätte, der den Haushalt macht und kocht, würde ich es diesmal vielleicht behalten.« Sie weint in ihr Handtuch. »Ich habe mir so gewünscht, dass dieses Kind wie Johnny aussieht.«

»Mister Johnny sieht ja auch gut aus. Hat schönes Haar …«

Miss Celia nimmt das Handtuch vom Gesicht.

Ich wedel mit der Hand, weil mir aufgeht, was ich da grad gesagt hab. »Ich brauch Luft. Heiß hier drin.«

»Woher wissen Sie …«

Ich guck im Bad rum, versuch mir eine Lüge auszudenken, aber schließlich seufz ich einfach nur. »Er weiß es. Mister Johnny ist mal heimgekommen und hat mich erwischt.«

»*Was?*«

»Ja, Ma'am. Er hat gesagt, ich soll's Ihnen nicht erzählen, damit Sie weiter denken, er wär stolz auf Sie. Er liebt Sie so, Miss Celia. Ich hab's an seinem Gesicht gesehen.«

»Aber … wie lange weiß er es schon?«

»Paar … Monate.«

»Monate? War er … war er sauer, weil ich ihn angelogen hatte?«

»Kein bisschen. Er hat mich sogar paar Wochen später daheim angerufen, weil er sicher sein wollt, dass ich nicht vorhab zu kündigen. Hat gesagt, er hat Angst, er verhungert, wenn ich geh.«

»Oh, Minny«, sagt sie ganz aufgelöst. »Es tut mir leid. Es tut mir ja alles so leid.«

»Ich hab schon Schlimmeres erlebt.« Ich denk an die blaue Haarfarbe. An Mittagessen in der Eiseskälte. Und an das jetzt. Da ist immer noch das Baby im Klo, mit dem jemand was machen muss.

»Ich weiß nicht, was ich tun soll, Minny.«

»Wenn Doktor Tate sagt, Sie sollen es weiter probieren, sollten Sie's wohl weiter probieren.«

»Der schnauzt mich nur an. Sagt, ich vergeude meine Zeit im Bett.« Sie schüttelt den Kopf. »Er ist ein gemeiner, schrecklicher Mensch.«

Sie presst sich das Handtuch auf die Augen. »Ich kann nicht mehr.« Und je heftiger sie weint, umso weißer wird sie.

Ich versuch, ihr noch paar Schlucke Co-Cola einzuflößen, aber sie will nicht. Sie kann kaum die Hand heben, um die Flasche wegzuschieben.

»Mir ist schlecht. Ich muss …«

Ich schnapp den Mülleimer, guck zu, wie Miss Celia reinkotzt. Und dann fühl ich was Nasses an mir und guck runter, und das Blut kommt jetzt so schnell, dass es bis hierher gelaufen ist, wo ich sitz. Jedes Mal, wenn sie würgt, schießt Blut aus ihr raus. Ich weiß, sie verliert mehr Blut, wie ein Mensch verkraften kann.

»Setzen Sie sich auf, Miss Celia! Holen Sie tief Luft«, sag ich, aber sie kippt gegen mich.

»Na-ah, nicht hinlegen. Kommen Sie.« Ich will sie wieder hochschieben, aber sie ist ganz schlaff, und mir schießen Tränen in die Augen, weil der verdammte Doktor inzwischen doch hier sein müsst. Er hätt einen Krankenwagen schicken sollen. In den fünfundzwanzig Jahren, die ich jetzt die Häuser von anderen Leuten saubermach, hat mir keiner gesagt, was man macht, wenn die weiße Lady, bei der man arbeitet, halbtot auf einen drauf fällt.

»Wachen Sie auf, Miss Celia!«, schrei ich, aber sie ist ein weicher, weißer Klumpen neben mir, und ich kann nichts machen, wie dasitzen und zittern und warten.

Viele Minuten vergehen, eh's endlich an der Hintertür klingelt. Ich lass Miss Celias Kopf auf ein Handtuch runter, zieh die Schuh aus, damit ich das Blut nicht im ganzen Haus verteil, und renn zur Tür.

»Sie ist ohnmächtig!«, ruf ich dem Doktor zu, und die Krankenschwester zwängt sich an mir vorbei und marschiert nach hinten, wie wenn sie sich hier auskennt. Sie zieht das Riechsalz raus und hält es Miss Celia unter die Nase, und Miss Celia ruckt mit dem Kopf, stößt einen kleinen Schrei aus und macht die Augen auf.

Die Schwester hilft mir, Miss Celia das blutige Nachthemd auszuziehen. Miss Celia hat die Augen offen, kann aber kaum aufstehen. Ich tu alte Handtücher auf das Bett, und wir legen sie hin. Ich geh in die Küche, wo Doktor Tate sich grad die Hände wäscht.

»Sie ist im Schlafzimmer«, sag ich. *Nicht in der Küche, du Schlange.* Er ist über fünfzig, der Doktor Tate, und einen halben Meter größer wie ich. Er hat ganz weiße Haut und ein langes, schmales Gesicht, das nicht das kleinste Gefühl zeigt. Schließlich geht er nach hinten zum Schlafzimmer.

Wie er grad die Tür aufmachen will, berühr ich ihn am Arm. »Ihr Mann soll es nicht wissen. Er kriegt es doch nicht mit, oder?«

Er guckt mich an, wie wenn ich nur ein Nigger wär, und sagt: »Meinen Sie nicht, dass es ihn etwas angeht?« Er tritt ins Schlafzimmer und macht mir die Tür vor der Nase zu.

Ich lauf in der Küche auf und ab. Eine halbe Stunde vergeht, eine Stunde, und mir pocht der Schädel, weil ich so Angst hab, Angst, dass Mister Johnny heimkommt und alles mitkriegt, Angst, dass Doktor Tate ihn anruft, Angst, dass sie das tote Baby in der Kloschüssel mir überlassen. Endlich macht Doktor Tate die Tür auf.

»Wie geht's ihr?«

»Sie ist hysterisch. Ich habe ihr eine Beruhigungstablette gegeben.«

Die Schwester geht um uns rum und zur Hintertür raus. Sie trägt einen weißen Blechkasten. Ich stoß den Atem aus, hab das Gefühl, ich tu's zum ersten Mal seit Stunden.

»Beobachten Sie sie morgen«, sagt er und gibt mir eine weiße Papiertüte. »Geben Sie ihr noch eine Tablette, wenn sie zu unruhig wird. Die Blutungen werden noch anhalten. Aber rufen Sie mich nur dann an, wenn sie stark sind.«

»Sie sagen doch Mister Johnny nicht wirklich was, oder, Doktor Tate?«

Er zischt so fies durch die Zähne. »Sorgen Sie dafür, dass sie am Freitag ihren Termin nicht versäumt. Ich fahre nicht den ganzen Weg hier heraus, nur weil sie zu faul ist, zu mir zu kommen.«

Er marschiert raus und knallt die Tür hinter sich zu.

Auf der Küchenuhr ist es schon fünf. In einer halben Stunde kommt Mister Johnny. Ich schnapp mir das Clorox und die Lappen und einen Eimer.

Miss Skeeter

Kapitel 19

Wir haben 1963. Das Weltraumzeitalter, sagen die Leute. Ein Mensch hat in einem Raumschiff die Erde umkreist, es gibt seit neuestem eine Pille, damit verheiratete Frauen nicht schwanger werden müssen. Bierdosen öffnet man jetzt mit einem Finger statt mit einem Dosenöffner. Aber im Haus meiner Eltern ist es immer noch genauso heiß wie 1899, als Urgroßvater es erbaut hat.

»Bitte, Mama«, flehe ich, »wann kriegen wir eine Klimaanlage?«

»Wir haben bis jetzt ohne elektrische Kühlung überlebt, und ich gedenke nicht, mir so einen scheußlichen Kasten ins Fenster setzen zu lassen.«

Und so bin ich, als der Juni ins Land geht, gezwungen, aus meinem Dachzimmer auf ein Klappbett auf der vergitterten Veranda umzuziehen. Als Carlton und ich noch Kinder waren, hat Constantine im Sommer immer mit uns hier draußen geschlafen, wenn Mama und Daddy zu einer Hochzeit weggefahren waren. Constantine schlief in einem altmodischen weißen Nachthemd, verhüllt vom Hals bis zu den Zehen, auch wenn es so heiß war wie im Hades. Sie sang uns zum Einschlafen immer vor. Ihre Stimme war so schön – ich konnte kaum glauben, dass sie nie Gesangsunterricht bekommen hatte. Mutter hatte mir doch immer erklärt, ohne richtigen Unterricht könne der Mensch nichts lernen. Es kommt mir so unwirklich vor, dass sie hier war, auf dieser Veranda, und jetzt nicht mehr hier ist. Und niemand will mir irgendetwas sagen. Ich frage mich, ob ich sie je wiedersehe.

Jetzt steht neben meinem Klappbett meine Schreibmaschine auf einem rostigen, weiß emaillierten Waschtisch. Darunter liegt meine Büchertasche. Ich nehme Daddys Taschentuch und wische mir die Stirn, presse gesalzenes Eis auf meine Handgelenke. Selbst hier auf der hinteren Veranda steigt das Avery-Bauholz-Thermometer von zweiunddreißig über fünfunddreißig auf satte siebenunddreißig Grad. Zum Glück kommt Stuart nie tagsüber, wenn die Hitze am schlimmsten ist.

Ich starre auf meine Schreibmaschine, habe nichts zu tun, nichts zu schreiben. Minnys Geschichten sind schon fertig getippt. Es ist ein elendes Gefühl. Vor zwei Wochen hat Aibileen gesagt, Yule May, Hillys Mädchen, würde uns vielleicht helfen, sie zeige jedes Mal mehr Interesse, wenn sie mit ihr spreche. Aber jetzt, wo Medgar Evers ermordet wurde und die Polizei Farbige festnimmt und niederknüppelt, ist das Mädchen sicher zu Tode verängstigt.

Vielleicht sollte ich zu Hilly rüberfahren und Yule May selbst fragen. Aber nein, Aibileen hat recht, ich würde ihr wohl nur noch mehr Angst machen und es endgültig verpatzen.

Unterm Haus gähnen die Hunde, winseln in der Hitze. Einer rafft sich zu einem halbherzigen *Wuff* auf, als Daddys Feldarbeiter, fünf Neger, auf einem Lastwagen vorfahren. Die Männer springen von der Pritsche, wirbeln beim Landen Staub auf. Sie bleiben erst einmal stehen, mit ausdruckslosen Gesichtern, wie betäubt. Der Vorarbeiter wischt sich mit einem roten Tuch über die schwarze Stirn, die Lippen, den Nacken. Es ist so gnadenlos heiß, ich weiß nicht, wie sie es aushalten, dort draußen in der Sonne zu braten.

Ein verirrter Windhauch bewegt die Seiten meines *Life-*Hefts. Von der Titelseite lächelt Audrey Hepburn mit gänzlich schweißfreier Oberlippe. Ich hebe das Heft auf, blättere mich durch die verknitterten Seiten bis zu dem Artikel über das sowjetische Weltraum-Girl. Was direkt dahinter kommt, weiß ich schon. Auf der Rückseite ihres Gesichts ist ein Foto von Carl Roberts, einem farbigen Lehrer aus Pelahatchie, vierzig Meilen von hier. »Im April erklärte Carl Roberts Washingtoner Journalisten, was es heißt, ein Schwarzer in Mississippi zu sein. Er nannte den Gouverneur einen ›erbärmlichen Menschen mit der Moral einer Straßendirne‹. Man fand Roberts, mit einem Brandzeichen versehen, an einem Pekanbaum aufgeknüpft.«

Sie haben Carl Roberts getötet, weil er den Mund aufgemacht hat. Fürs *Reden.* Ich muss daran denken, wie leicht ich es mir vor drei Monaten vorgestellt habe, ein Dutzend Dienstmädchen dazu zu bringen, mit mir zu reden. Als hätten sie die ganze Zeit nur darauf gewartet, einer Weißen ihre Geschichten zu erzählen. Wie dumm ich doch war.

Als ich die Hitze keine Sekunde länger aushalten kann, flüchte ich mich auf das einzig kühle Plätzchen von ganz Longleaf. Ich drehe den Zündschlüssel, mache die Seitenfenster zu, ziehe mein Kleid über der Unterwäsche hoch und lasse die Zwei-Zonen-Klimaanlage mit voller Kraft auf mich einblasen. Als ich den Kopf zurücklehne, driftet die Welt im leisen Duft von Kältemittel und Cadillac-Leder davon. Ich höre einen Pick-up in der Einfahrt halten, mache aber die Augen nicht auf. Eine Sekunde später wird meine Beifahrertür geöffnet.

»Fühlt sich verdammt gut an hier drinnen.«

Ich ziehe mein Kleid blitzartig runter. »Was machst du denn hier?«

Stuart schließt die Wagentür, küsst mich flüchtig auf den Mund. »Ich habe nur eine Minute, muss runter an die Küste, zu einem Meeting.«

»Für wie lange?«

»Drei Tage. Um mit einem Mann von der Öl- und Gasbehörde zu reden. Ich wollte, ich hätte es früher gewusst.«

Er nimmt meine Hand, und ich lächle. Wir gehen jetzt immer zweimal die Woche miteinander aus, zwei Monate schon, das Horrordate nicht mitgerechnet. Wahrscheinlich finden andere Mädchen das kurz. Aber es ist das Längste, was mir je passiert ist, und im Moment fühlt es sich auch wie das Beste an.

»Willst du mitkommen?«, fragt er.

»Nach Biloxi? Jetzt?«

»Jetzt sofort«, sagt er und legt seine kühle Hand auf mein Bein. Wie immer zucke ich leicht zusammen. Ich schaue auf seine Hand, dann nach draußen, um sicherzugehen, dass Mutter uns nicht hinterherspioniert.

»Komm doch mit, hier ist es viel zu heiß. Ich wohne im Edgewater, direkt am Strand.«

Ich lache, und es fühlt sich gut an nach der ganzen ängstlichen Grübelei der letzten Wochen. »Du meinst, ins Edgewater … mit dir? In einem Zimmer?«

Er nickt. »Meinst du, du kannst dich davonmachen?«

Elizabeth wäre entsetzt bei dem bloßen Gedanken, mit einem Mann ein Zimmer zu teilen, bevor man verheiratet ist. Hilly würde sagen, dass ich dumm bin, wenn ich auch nur darüber nachdenke. Sie haben beide so grimmig an ihrer Jungfräulichkeit festgehalten wie ein Kind an einem Spielzeug, das es nicht teilen will. Und dennoch denke ich drüber nach.

Stuart rutscht näher an mich heran. Er riecht nach Kiefernadeln und Tabak, teurer Seife, wie sie in meiner Familie unbekannt ist. »Mama würde einen Anfall kriegen, Stuart, außerdem habe ich alles Mögliche zu tun …« Aber, großer Gott, er riecht so gut. Er sieht mich an, als wollte er mich aufessen, und ich erschauere unter dem Cadillac-Gebläse.

»Sicher?«, flüstert er und küsst mich dann auf den Mund, nicht so höflich zurückhaltend wie eben. Seine Hand liegt immer noch auf dem oberen Viertel meines Oberschenkels, und ich ertappe mich wieder dabei, wie ich mich frage, ob er das mit seiner Verlobten, Patricia, auch gemacht hat. Ich weiß nicht mal, ob sie zusammen im Bett waren oder nicht. Beim Gedanken an Berührungen zwischen ihnen wird mir ganz mulmig, und ich entziehe mich ihm.

»Ich ... kann einfach nicht«, sage ich. »Du weißt, dass ich Mama nicht die Wahrheit erzählen könnte ...«

Er seufzt tief, und ich liebe diesen Ausdruck auf seinem Gesicht, diese Enttäuschung. Jetzt weiß ich, warum Mädchen nein sagen, einfach nur um dieses süßen, traurigen Gesichtsausdrucks willen. »Lüg sie nicht an«, sagt er. »Du weißt, ich hasse Lügen.«

»Rufst du mich aus dem Hotel an?«, frage ich.

»Mache ich«, sagt er. »Tut mir leid, dass ich so Hals über Kopf weg muss. Oh, und fast hätte ich's vergessen, in drei Wochen, Samstagabend. Meine Eltern möchten, dass ihr alle zum Essen kommt.«

Ich setze mich auf. Ich habe seine Eltern noch nie getroffen. »Was heißt ... wir alle?«

»Du und deine Eltern. Dass ihr rüberkommt und meine Familie kennenlernt.«

»Aber ... warum wir alle?«

Er zuckt die Achseln. »Meine Eltern wollen deine kennenlernen. Und ich will, dass sie dich kennenlernen.«

»Aber ...«

»Tut mir leid, Baby«, sagt er und streicht mir das Haar hinters Ohr. »Ich muss los. Ich ruf dich morgen Abend an, ja?«

Ich nicke. Er steigt aus in die Hitze und fährt davon, winkt Daddy zu, der gerade die staubige Zufahrt entlangkommt.

Ich bleibe im Cadillac zurück, allein mit meinen beunruhigenden Visionen. Abendessen im Haus des Senators. Mit Mutter, die tausend Fragen stellt. Verzweiflung, mich betreffend, ausstrahlt. Den Treuhandfonds aufs Tapet bringt.

Drei quälend lange, heiße Nächte später, als ich immer noch nichts von Yule May oder irgendwelchen anderen Dienstmädchen gehört habe, kommt abends Stuart, direkt von seinem Meeting an der Küste. Ich bin es leid, an der Schreibmaschine zu sitzen und nichts zu tippen außer Newsletter- und Miss-Myrna-Zeug. Ich renne die Treppe hinunter, und er umarmt mich, als wären es Wochen gewesen.

Stuart hat Sonnenbrand unter dem weißen Hemd mit den aufgerollten Ärmeln und dem von der Autofahrt zerknitterten Rücken. Und er hat die ganze Zeit ein fast schon lausbübisches Grinsen im Gesicht. Wir sitzen beide sehr aufrecht auf gegenüberliegenden Seiten des Fernsehzimmers und starren uns an. Warten, dass Mutter zu Bett geht. Daddy ist schon bei Sonnenuntergang schlafen gegangen.

Stuarts Augen hängen an meinen, während Mutter immer weiterplaudert, über die Hitze, darüber, dass Carlton endlich »die Richtige« gefunden hat.

»Und wir freuen uns ja so auf das Essen bei Ihren Eltern, Stuart. Bitte bestellen Sie das Ihrer Mutter.«

»Ja, Ma'am. Mache ich.«

Er lächelt wieder mich an. Da ist so vieles, was ich an ihm liebe. Er schaut mir beim Reden direkt in die Augen. Seine Hände sind schwielig, aber seine Nägel sind sauber und gepflegt. Ich liebe das raue Gefühl seiner Handfläche in meinem Nacken. Und es wäre gelogen, wenn ich nicht zugäbe, dass es schön ist, jemanden zu haben, mit dem man zu Hochzeiten und auf Partys gehen kann. Nicht Raleigh Leefolts Blick ertragen zu müssen, wenn er sieht, dass ich wieder allein mitkomme. Die verdrossene Resignation, wenn er außer Elizabeth auch noch mir den Mantel abnehmen und einen Drink holen muss.

Und dann ist da Stuart bei uns zu Hause. Ab dem Moment, in dem er zur Tür hereinkommt, bin ich geschützt, gefeit. Vor ihm krittelt Mutter nicht an mir herum, aus Angst, es könnte ihn auf meine Fehler aufmerksam machen. Vor ihm unterlässt sie jegliches Nörgeln, weil sie weiß, ich würde unerfreulich reagieren, zetern. Meine Chancen schmälern. Für Mutter ist das alles ein großes Spiel: nur eine Seite von mir zu präsentieren, mein wahres Ich nicht zum Vorschein kommen zu lassen, ehe es »zu spät« ist.

Endlich, um halb zehn, streicht Mutter ihren Rock glatt und faltet eine Wolldecke so langsam und penibel zusammen wie einen kostbaren Brief. »Tja, für mich ist Schlafenszeit. Ich lasse euch junge Leute jetzt allein. Eugenia?« Sie sieht mich scharf an. »Nicht mehr zu lange, ja?«

Ich lächle liebreizend. Ich bin verdammt noch mal dreiundzwanzig. »Natürlich nicht, Mama.«

Sie verlässt das Zimmer, und wir sitzen da, starren uns an, lächeln.

Warten.

Mutter geht in der Küche umher, macht ein Fenster zu, lässt Wasser laufen. Ein paar Sekunden verstreichen, dann hören wir das Klack-Klick ihrer Schlafzimmertür. Stuart steht auf, sagt: »Komm *her*«, ist mit einem Satz auf meiner Seite des Zimmers, legt meine Hände auf seine Hüften und küsst mich auf den Mund, als wäre ich der Drink, nach dem er sich den ganzen Tag gesehnt hat, und ich habe andere Mädchen sagen hören, es sei ein Gefühl, als ob man schmilzt. Aber ich finde, es ist wie emporzuschweben, noch größer zu werden und über eine Hecke zu schauen, Farben zu sehen, die man noch nie gesehen hat.

Ich muss mich von ihm losmachen. Ich habe Dinge zu sagen. »Komm, setz dich.«

Wir sitzen nebeneinander auf dem Sofa. Er will mich wieder küssen, aber ich ziehe den Kopf weg. Ich versuche, nicht zur Kenntnis zu nehmen, wie der Sonnenbrand seine Augen noch blauer macht. Wie golden die gebleichten Härchen auf seinen Armen sind.

»Stuart ...« Ich schlucke, mache mich bereit, um die beängstigende Frage zu stellen. »Als du verlobt warst, waren deine

Eltern da enttäuscht? Als … was auch immer zwischen dir und Patricia passiert ist … passiert ist?«

Sofort wird sein Mund hart. Er schaut mich an. »Mutter war enttäuscht. Sie haben sich gut verstanden.«

Ich bereue schon, dass ich es angeschnitten habe, aber ich muss es wissen. »Wie gut?«

Er sieht sich im Zimmer um. »Habt Ihr irgendwas zu trinken im Haus? Bourbon?«

Ich gehe in die Küche, gieße ihm aus Pascagoulas Kochflasche einen Whiskey ein und fülle das Glas mit reichlich Wasser auf. Schon als Stuart das erste Mal auf unserer Veranda auftauchte, hat er klargestellt, dass seine Verlobte ein ganz schlechtes Thema ist. Aber ich muss wissen, was da passiert ist. Nicht nur aus Neugier. Ich hatte noch nie eine Beziehung. Ich muss wissen, was zu einer endgültigen Trennung führt. Ich muss wissen, wie viele Regeln man brechen kann, ehe man verstoßen wird, und was für Regeln das überhaupt sind.

»Sie waren also richtige Freundinnen?«, frage ich. In zwei Wochen werde ich seiner Mutter begegnen. Mutter hat bereits für morgen unseren Shopping-Trip zu Kennington's anberaumt.

Er nimmt einen ausgiebigen Schluck, runzelt die Stirn. »Sie konnten sich stundenlang über Blumenarrangements unterhalten und darüber, wer wen geheiratet hat.« Jetzt ist da keine Spur mehr von seinem lausbübischen Lächeln. »Mutter war ziemlich erschüttert. Als … es zu Ende war.«

»Dann … wird sie mich also mit Patricia vergleichen?«

Stuart weicht für einen Moment meinem Blick aus. »Wahrscheinlich schon.«

»Na toll. Ich kann es kaum erwarten.«

»Mutter ist nur … wie Mütter nun mal so sind. Sie hat Angst, ich könnte wieder verletzt werden.« Er schaut weg.

»Wo ist Patricia jetzt? Lebt sie noch hier oder …«

»Nein. Sie ist weggezogen. Nach Kalifornien. Können wir nun von etwas anderem sprechen?«

Ich seufze, lasse mich in die Sofapolster sinken.

»Aber ... wissen denn deine Eltern wenigstens, was passiert ist? Ich meine, falls ich so viel erfahren darf.« Es ärgert mich jetzt, dass er mir etwas so Wichtiges nicht erzählen will.

»Skeeter, ich habe dir doch gesagt, ich will nicht darüber ...« Aber er presst die Kiefer aufeinander, senkt dann die Stimme. »Dad weiß es nur zum Teil. Mutter kennt die ganze Geschichte, genau wie Patricias Eltern. Und *sie* natürlich.« Er kippt den Rest seines Drinks. »Sie weiß, was sie getan hat, so viel ist verdammt nochmal sicher.«

»Stuart, ich will es doch nur wissen, damit ich nicht dasselbe tue.«

Er schaut mich an, versucht zu lachen, aber es kommt eher wie ein Schnauben heraus. »Nicht in einer Million Jahren würdest du tun, was sie getan hat.«

»Was denn? Was hat sie getan?«

»Skeeter.« Er seufzt und stellt sein Glas ab. »Ich bin müde. Ich fahre jetzt besser nach Hause.«

Am nächsten Morgen gehe ich in die dampfige Küche, fürchte schon den Tag, der vor mir liegt. Mutter ist in ihrem Zimmer, macht sich fertig für unseren Shopping-Trip. Es gilt ja, uns beide für das Essen bei den Whitworths auszustatten. Ich habe Bluejeans an und eine Bluse locker darüber.

»Morgen, Pascagoula.«

»Morgen, Miss Skeeter. Möchten Sie Ihr Frühstück wie immer?«

»Ja, bitte«, sage ich.

Pascagoula ist klein und flink. Ich habe ihr letztes Jahr im Juni erklärt, dass ich meinen Kaffee am liebsten schwarz mag und meinen Toast mit ganz wenig Butter, und sie brauchte nie wieder zu fragen. Darin ist sie wie Constantine, die so etwas auch nie vergaß. Ich frage mich, wie viele Frühstücksgewohnheiten weißer Frauen Pascagoula in ihrem Gehirn gespeichert hat. Ich frage mich, wie es sich wohl anfühlt, sein ganzes Leben damit zuzubringen, anderer Leute Vorlieben in Sachen Buttermenge, Wäschestärke und frischen Bettlaken im Kopf zu behalten.

Sie stellt mir meinen Kaffee hin, reicht ihn mir nicht. Aibileen hat mir erklärt, dass man das nicht macht, weil sich dabei die Hände berühren könnten.

»Danke«, sage ich. »Vielen Dank.«

Sie sieht mich einen Moment verdutzt an, sagt dann mit einem schwachen Lächeln: »Nichts ... zu danken.« Mir wird klar, dass das gerade das erste Mal war, dass ich mich aufrichtig bei ihr bedankt habe. Sie wirkt verlegen.

»Skeeter, bist du so weit?«, höre ich Mutter brüllen. Ich rufe zurück, dass ich fertig bin. Ich esse meinen Toast und hoffe, dass wir diesen Shopping-Trip schnell hinter uns bringen. Ich bin zehn Jahre zu alt, um mir meine Kleider noch von meiner Mutter aussuchen zu lassen. Ich schaue auf und merke, dass mich Pascagoula von der Spüle aus beobachtet. Sie dreht sich schnell weg.

Ich überfliege das *Jackson Journal,* das auf dem Tisch liegt. Meine nächste Miss-Myrna-Kolumne erscheint erst am Montag und lüftet das Geheimnis der Kalkfleckenbeseitigung. Bei den nationalen Nachrichten ist ein Artikel über eine neue Pille, »Valium« heißt sie, und sie soll »Frauen helfen, die Anforderungen des täglichen Lebens zu bewältigen«. Gott, im Moment könnte ich zehn von diesen Pillen gebrauchen.

Ich schaue auf, und zu meiner Überraschung steht Pascagoula direkt neben mir.

»Ist ... möchten Sie etwas, Pascagoula?«

»Ich muss Ihnen was sagen, Miss Skeeter. Was wegen diesen ...«

»Du kannst nicht in Arbeitshosen zu Kennington's«, ruft Mutter in der Küchentür. Lautlos verschwindet Pascagoula hinüber zur Spüle, spannt einen schwarzen Gummischlauch vom Wasserhahn zur Geschirrspülmaschine.

»Geh nach oben und zieh dir etwas Anständiges an.«

»Mutter, so kleide ich mich nun mal. Warum muss man sich herausputzen, um sich neue Sachen zu kaufen?«

»Eugenia, bitte, machen wir es doch nicht komplizierter, als es ist.«

Mutter geht wieder in ihr Zimmer, aber ich weiß, das war es noch nicht. Das *Wuuusch* der Geschirrspülmaschine erfüllt die Küche. Der Boden vibriert unter meinen bloßen Füßen, und das Rumpeln ist beruhigend, laut genug, um ein Gespräch zu übertönen. Ich beobachte Pascagoula an der Spüle.

»Wollten Sie mir etwas sagen, Pascagoula?«, frage ich.

Pascagoula schaut zur Tür. Sie ist winzig, praktisch halb so groß wie ich. Ihre ganze Art ist so schüchtern, dass ich den Kopf senke, wenn ich mit ihr spreche. Sie kommt ein bisschen näher.

»Yule May ist meine *Cousine*«, sagt Pascagoula durch das Rauschen der Maschine. Sie flüstert, aber ihr Ton hat jetzt gar nichts Schüchternes.

»Das ... wusste ich gar nicht.«

»Wir sind nah verwandt, und sie kommt jedes zweite Wochenend zu mir nach Haus, nach mir sehen. Sie hat mir erzählt, was Sie machen.« Sie verengt die Augen, und ich denke, gleich wird sie mir sagen, ich soll ihre Cousine in Ruhe lassen.

»Ich ... wir ändern die Namen. Das hat sie Ihnen doch auch gesagt, oder? Ich möchte niemanden in Schwierigkeiten bringen.«

»Sie hat mir am Samstag erzählt, sie will Ihnen helfen. Sie wollt Aibileen anrufen, hat sie aber nicht erreicht. Ich hätt's Ihnen ja schon eher gesagt, aber ...« Wieder schaut sie zur Tür.

Ich bin verblüfft. »Sie macht es? Sie *will*?« Ich stehe auf. Wider alle Vernunft muss ich sie einfach fragen. »Pascagoula, würden ... möchten Sie auch bei den Geschichten mitmachen?«

Sie sieht mir lange und fest in die Augen. »Sie meinen, Ihnen erzählen, wie's ist, bei ... Ihrer Mama zu arbeiten?«

Wir schauen uns an, denken vermutlich das Gleiche. Wie unwohl ihr beim Erzählen wäre und mir beim Zuhören.

»Nicht über Mutter«, sage ich schnell. »Über andere Jobs, die Sie vorher hatten.«

»Das hier ist mein erster Job im Haushalt. Vorher war ich im Altenheim, Essen servieren. Eh es nach Flowood rausgezogen ist.«

»Wollen Sie sagen, Mutter hat Sie eingestellt, obwohl das Ihr erster Haushaltsjob ist?«

Pascagoula blickt auf den roten Linoleumboden, jetzt wieder schüchtern. »Will ja sonst keine für sie arbeiten«, sagt sie. »Nach dem, was mit Constantine war.«

Ich lege vorsichtig die Hand auf den Tisch. »Und wie denken Sie über … darüber?«

Pascagoulas Gesicht wird ausdruckslos. Ihre Augen huschen ein paarmal hin und her. Sie hat sichtlich nicht vor, auf meinen Trick hereinzufallen. »Ich weiß da nichts drüber. Ich wollt Ihnen nur sagen, was Yule May sagt.« Sie geht an den Kühlschrank, macht ihn auf und beugt sich hinein.

Ich atme die angehaltene Luft aus. Eins nach dem anderen.

Das Einkaufen mit Mutter ist nicht so unerträglich wie sonst, vermutlich, weil ich wegen der Nachricht von Yule May so guter Laune bin. Mutter sitzt auf einem Stuhl vor den Kabinen, und ich entscheide mich für das erste Lady-Day-Kostüm, das ich anprobiere, hellblauer Popeline, die Jacke mit Rundkragen. Wir nehmen es nicht gleich mit, weil der Saum noch herausgelassen werden muss. Zu meiner Überraschung probiert Mutter nichts an. Obwohl das Ganze nur eine halbe Stunde gedauert hat, erklärt sie, sie sei müde, also fahre ich uns nach Longleaf zurück. Mutter geht direkt in ihr Zimmer, um sich hinzulegen.

Ich rufe mit pochendem Herzen bei Elizabeth an, aber sie nimmt selbst ab. Ich traue mich nicht zu fragen, ob ich Aibi-

leen sprechen kann. Nach dem Schrecken mit der Büchertasche habe ich mir gelobt, vorsichtiger zu sein.

Also warte ich bis zum Abend, rufe dann bei Aibileen zu
Hause an, in der Hoffnung, dass sie da ist. Ich sitze auf meiner Mehlkiste, und meine Finger kneten einen Sack Reis. Sie
nimmt beim ersten Klingeln ab.

»Sie will uns helfen, Aibileen. Yule May hat ja gesagt.«

»Tatsache? Wann haben Sie's erfahren?«

»Heute Vormittag. Pascagoula hat es mir gesagt. Yule May
konnte Sie nicht erreichen.«

»Herrje, mein Telefon war abgestellt, weil ich die letzte
Rechnung noch nicht bezahlt gehabt hab. Haben Sie schon
mit Yule May geredet?«

»Nein. Ich dachte, es wäre besser, Sie sprechen zuerst mit
ihr.«

»Das Komische ist, ich hab heut Nachmittag von Miss Leefolt aus bei Miss Hilly angerufen, aber sie hat gesagt, Yule May
arbeitet nicht mehr da, und hat eingehängt. Ich hab rumge-
fragt, aber niemand weiß was.«

»Hat Hilly sie gefeuert?«

»Ich weiß nicht. Ich hoff, sie ist selber gegangen.«

»Ich werde Hilly anrufen und es herauskriegen. Gott, hoffentlich hat sie keine Probleme bekommen.«

»Und jetzt, wo mein Telefon wieder geht, versuch ich weiter
Yule May anzurufen.«

Ich rufe viermal bei Hilly an, aber niemand geht dran.
Schließlich rufe ich Elizabeth an, und sie sagt mir, Hilly sei
über Nacht in Port Gibson. Williams Vater sei krank.

»War irgendwas … mit ihrem Dienstmädchen?«, frage ich so
beiläufig wie möglich.

»Ach ja, sie hat irgendwas über Yule May gesagt, aber dann
meinte sie, sie sei schon so spät dran und müsse jetzt den
Wagen packen.«

Den Rest des Abends verbringe ich auf der hinteren Veranda damit, mir Fragen zurechtzulegen, nervös beim Gedanken, was mir Yule May wohl über Hilly erzählen wird. Trotz unserer Meinungsverschiedenheiten ist Hilly immer noch eine meiner besten Freundinnen. Aber das Buch ist, jetzt wo es damit weitergeht, wichtiger als alles andere.

Ich liege um Mitternacht auf meinem Klappbett. Draußen vor den Fliegengittern zirpen die Grillen. Ich lasse meinen Körper tief in die dünne Matratze sinken, bis ich die Sprungfedern spüre. Meine Füße hängen über die Kante, wippen. Zum ersten Mal seit Monaten Erleichterung. Es ist kein Dutzend Dienstmädchen, aber es ist eins mehr.

Am nächsten Tag sitze ich vor dem Fernsehapparat und schaue die Zwölf-Uhr-Nachrichten. Charles Warring berichtet, dass in Vietnam sechzig amerikanische Soldaten gefallen sind. Das macht mich so traurig. Sechzig Männer, in einer fernen Weltgegend, weit weg von all ihren Lieben, mussten sterben. Es ist wegen Stuart, sage ich mir, dass es mir so an die Nieren geht. Charles Warring hingegen wirkt geradezu unheimlich aufgekratzt.

Ich nehme mir eine Zigarette, lege sie wieder hin. Ich versuche ja nicht zu rauchen, aber ich bin so nervös wegen heute Abend. Mutter liegt mir die ganze Zeit in den Ohren wegen meiner Raucherei, und ich weiß, ich sollte aufhören, aber es wird mich ja nicht *gleich* umbringen. Ich wollte, ich könnte Pascagoula genauer fragen, was Yule May gesagt hat, aber Pascagoula hat heute Morgen angerufen und gesagt, sie habe ein Problem und könne erst heute Nachmittag kommen.

Ich höre, wie Mutter draußen auf der Veranda Jameso hilft, Eiskrem zu machen. Bis in den vorderen Teil des Hauses dringt das mahlende Geräusch der Eismaschine, das Knacken von zermalmtem Eis, das Knirschen von Salz. Es klingt so köstlich, dass ich auf der Stelle Eis essen möchte, aber es wird noch Stunden dauern, bis es fertig ist. Natürlich macht kein

Mensch an einem heißen Tag um zwölf Uhr mittags Eiskrem, das ist eine Arbeit für die Nacht, aber Mutter hat es sich nun mal in den Kopf gesetzt, Pfirsicheis zu machen, also pfeif auf die Hitze.

Ich gehe auf die hintere Veranda und schaue zu. Die große, silberne Eismaschine ist kalt und beschlagen. Der Verandaboden vibriert. Jameso sitzt auf einem umgedrehten Eimer, die Maschine zwischen den Knien, und dreht mit behandschuhten Händen die hölzerne Kurbel.

»Ist Pascagoula schon da?«, fragt Mama, die noch mehr Sahne in die Maschine füllt.

»Noch nicht«, erwidere ich. Mutter schwitzt. Sie streicht sich eine lose Haarsträhne hinters Ohr. »Ich kann doch eine Zeitlang Sahne zugeben, Mama. Du siehst aus, als ob dir heiß wäre.«

»Du machst es nicht richtig. Ich muss es selbst tun«, sagt sie und scheucht mich wieder ins Haus.

In den Nachrichten steht Roger Sticker vor dem Postamt von Jackson, mit dem gleichen dümmlichen Grinsen wie vorhin der Kriegsberichterstatter. »... dieses moderne Postleitzahlensystem nennt sich Z-Z-ZIP-Code, ganz recht, ich sagte Z-Z-ZIP-Code, das sind fünf Zahlen, die Sie hier unten auf den Umschlag schreiben ...«

Er hält einen Brief hoch, demonstriert den Zuschauern, wo die Zahlen hinkommen. Ein zahnloser Mann im Arbeitsoverall sagt: »Die Zahlen da benutzt doch keiner. Die Leute sind ja immer noch damit beschäftigt, sich ans Telefonieren zu gewöhnen.«

Ich höre die Vordertür zufallen. Eine Minute später kommt Pascagoula ins Fernsehzimmer.

»Mutter ist auf der hinteren Veranda«, erkläre ich ihr, aber Pascagoula lächelt nicht, schaut mich nicht mal an. Sie reicht mir nur einen kleinen Briefumschlag.

Der Brief ist an mich adressiert, kein Absender darauf. Und

schon gar kein ZIP-Code. Pascagoula verschwindet in Richtung Hinterveranda.

Ich öffne den Brief. Er ist mit schwarzem Kugelschreiber geschrieben, auf blau liniertem Schulpapier:

Liebe Miss Skeeter,
Sie sollen wissen, wie leid es mir tut, dass ich Ihnen nicht bei Ihren Geschichten helfen kann. Aber das geht jetzt nicht mehr, und ich möchte Ihnen selbst sagen warum. Wie Sie ja wissen, habe ich bei einer Freundin von Ihnen gearbeitet. Ich habe nicht gern dort gearbeitet und wollte oft kündigen, habe mich aber nicht getraut. Ich hatte Angst, nie eine andere Arbeit zu finden, wenn sie sich einmischt.
Sie wissen wahrscheinlich nicht, dass ich nach der Highschool auf dem College war. Ich hätte meinen Abschluss gemacht, wenn ich nicht vorher beschlossen hätte zu heiraten. Das gehört zu den wenigen Sachen in meinem Leben, die ich bereue, dass ich den Abschluss nicht gemacht habe. Aber ich habe Zwillingssöhne, für die es sich doch gelohnt hat. Zehn Jahre haben mein Mann und ich gespart, um sie aufs Tougaloo College schicken zu können, aber so hart wir auch gearbeitet haben, wir hatten immer noch nicht genug Geld für beide. Meine Jungen sind beide gleich intelligent, wollen gleich gern studieren. Aber wir hatten nur das Geld für einen, und ich frage Sie: Wie entscheidet man, welchen von seinen Zwillingen man aufs College schickt und welchen man Straßenarbeiter werden lässt? Wie sagt man dem einen, dass man ihn genauso lieb hat wie den anderen, dass er aber keine Chance auf ein besseres Leben kriegt? Gar nicht. Man findet einen Weg, es möglich zu machen. Irgendeinen Weg. Sie können das hier wohl als ein schriftliches Geständnis ansehen. Ich habe dieser Frau etwas gestohlen. Einen hässlichen Rubinring, in der Hoffnung, dass er genug für den Rest der Studiengebühren bringen würde. Etwas, was sie nie getragen hat, und was sie mir in meinen Augen schuldig war, für alles, was

ich in dem Job bei ihr ertragen habe. Jetzt wird natürlich keiner von meinen Söhnen aufs College gehen. Die Geldstrafe ist fast so viel wie das, was wir gespart haben.

Mit besten Grüßen
Yule May Crookle
Frauenblock 9
Staatsgefängnis Mississippi

Im *Staatsgefängnis.* Mich schaudert. Ich schaue mich nach Pascagoula um, aber die ist ja hinausgegangen. Ich will sie fragen, wann das passiert ist, wieso es so schnell ging. Was man tun kann. Aber Pascagoula ist auf der Veranda, um Mutter zu helfen. Dort draußen können wir nicht reden. Mir ist schlecht. Ich schalte den Fernseher aus.

Ich denke an Yule May, sehe sie in einer Gefängniszelle sitzen und diesen Brief schreiben. Ich glaube, ich weiß sogar, welchen Ring sie meint – Hilly hat ihn von ihrer Mutter zum achtzehnten Geburtstag bekommen. Sie hat ihn vor ein paar Jahren schätzen lassen und festgestellt, dass es gar kein Rubin ist, nur Granat, so gut wie nichts wert. Hilly hat ihn nie getragen. Meine Hände ballen sich zu Fäusten. Das Geräusch der Eismaschine draußen klingt, als würden Knochen zermalmt. Ich gehe in die Küche, um auf Pascagoula zu warten, mehr zu erfahren. Ich werde es Daddy erzählen. Fragen, ob er etwas tun kann. Ob er einen Anwalt kennt, der bereit wäre, ihr zu helfen.

Um acht Uhr an diesem Abend gehe ich Aibileens Eingangsstufen hinauf. Heute hätte unser erstes Interview mit Yule May sein sollen, und obwohl ich weiß, dass daraus nichts wird, habe ich beschlossen, trotzdem herzukommen. Es regnet und windet stark, und ich raffe meinen Regenmantel um mich und die Büchertasche. Ich hatte die ganze Zeit vor, Aibileen anzurufen und mit ihr über die Situation zu reden, habe es aber nicht über mich gebracht. Stattdessen habe ich Pascagoula regelrecht nach oben geschleift, damit Mutter uns nicht sehen konnte, und sie ausgefragt. »Yule May hat ja einen guten Anwalt gehabt«, erklärte Pascagoula, »aber alle sagen, die Frau vom Richter ist eine gute Freundin von Miss Holbrook, und für so geringfügigen Diebstahl würd man normal sechs Monate kriegen, aber Miss Holbrook hat's auf vier Jahre hochgeboxt. Die Gerichtsverhandlung war schon vorbei, eh sie richtig losgegangen war.«

»Ich könnte Daddy fragen. Er könnte ihr vielleicht einen … weißen Anwalt besorgen.«

Pascagoula schüttelte den Kopf. »Es *war* ein weißer Anwalt.«

Ich klopfe an Aibileens Haustür, und Scham überkommt mich. Ich dürfte nicht an meine eigenen Probleme denken, wenn Yule May im Gefängnis sitzt, aber ich weiß, was das für das Buch bedeutet. Wenn die Dienstmädchen gestern noch Angst hatten, uns zu helfen, dann versetzt sie der Gedanke heute in helle Panik.

Die Tür geht auf, und da steht ein Farbiger und mustert mich von oben bis unten. Sein weißer Pfarrerskragen schimmert im Dunkeln. Ich höre Aibileen sagen: »Ist okay, Reverend.« Er zögert, tritt dann aber beiseite, um mich einzulassen.

Drinnen drängen sich mindestens zwanzig Leute in dem winzigen Wohnzimmer und im Flur. Der Fußboden ist nicht mehr zu sehen. Aibileen hat die Küchenstühle geholt, aber die meisten Leute stehen. In der Ecke entdecke ich Minny, noch in ihrer Dienstmädchenuniform. Neben ihr erkenne ich Lou Anne Templetons Mädchen, Louvenia, aber sonst sind mir alle fremd.

»Hey, Miss Skeeter«, flüstert Aibileen. Auch sie trägt noch ihre weiße Uniform und weiße Gesundheitsschuhe.

»Soll ich …?« Ich zeige hinter mich. »Ich komme später wieder«, flüstere ich.

Aibileen schüttelt den Kopf. »Yule May ist was Schreckliches passiert.«

»Ich weiß«, sage ich. Im Zimmer ist es ganz still, bis auf ein paar Huster. Ein Stuhl knarrt. Auf dem kleinen Holztisch stapeln sich Gesangbücher.

»Ich hab's heut erst rausgefunden«, sagt Aibileen. »Sie ist am Montag festgenommen worden, Dienstag schon ins Gefängnis gekommen. Sie sagen, die ganze Gerichtsverhandlung hat grad mal eine Viertelstunde gedauert.«

»Sie hat mir einen Brief geschrieben«, erwidere ich. »Mir von ihren Söhnen erzählt. Pascagoula hat mir den Brief gegeben.«

»Hat sie Ihnen gesagt, dass ihr nur noch fünfundsiebzig Dollar für die Studiengebühren gefehlt haben? Sie hat Miss Hilly gefragt, ob sie ihr das Geld leiht. Sie würd ihr jede Woche was zurückzahlen. Aber Miss Hilly hat nein gesagt. Eine wahre Christin würd keinem Almosen geben, der gesund und arbeitsfähig ist. Es würd den Leuten mehr helfen, sie ihre Probleme selber lösen zu lassen.«

Gott, ich kann mir Hillys verdammte Predigt genau vorstellen. Ich bringe es kaum fertig, Aibileen ins Gesicht zu sehen.

»Aber die Kirchen haben sich zusammengetan. Sie werden ihre beiden Söhne aufs College schicken.«

Im Zimmer herrscht Totenstille, bis auf unser Geflüster. »Meinen Sie, ich kann irgendetwas tun? Irgendwie helfen? Mit Geld oder …«

»Nein. Die Kirche hat schon einen Plan gemacht, wie sie den Anwalt bezahlen können. Damit er noch für sie eintritt, wenn sie zur Bewährung ansteht.« Aibileen lässt den Kopf hängen. Sicher ist es der Kummer wegen Yule May, aber sie weiß wohl auch, dass das Buch jetzt gestorben ist. »Die Buben sind dann schon fast mit dem College fertig, wenn sie rauskommt. Vier Jahre hat sie gekriegt und fünfhundert Dollar Geldstrafe.«

»Es tut mir so leid, Aibileen«, sage ich. Ich blicke mich im Zimmer um. Die Leute halten die Köpfe gesenkt, als könnte es ihnen die Augen verbrennen, mich anzusehen. Ich schaue zu Boden.

»Die Frau ist das leibhaftige Böse!«, blafft Minny von der

anderen Seite des Sofas, und ich zucke zusammen, hoffe, sie meint nicht mich.

»Hilly Holbrook ist vom Teufel hier raufgeschickt, damit sie so viele Leben zerstört, wie sie nur kann!« Minny wischt sich die Nase mit dem Ärmel.

»Ist schon gut, Minny«, sagt der Reverend. »Wir werden etwas finden, was wir für sie tun können.« Ich schaue in die schmerzgezeichneten Gesichter, frage mich, was das wohl sein könnte.

Wieder wird es unerträglich still im Raum. Die Luft ist heiß und riecht nach verbranntem Kaffee. Ich komme mir wie ein absoluter Sonderling vor, hier an diesem Ort, wo ich mich fast schon zu Hause gefühlt habe. Jetzt fühle ich mich abgelehnt und schuldig.

Der kahlköpfige Reverend wischt sich mit einem Taschentuch über die Augen. »Danke, Aibileen, dass wir zum Gebet in Ihr Haus kommen durften.« Die Leute regen sich, sagen sich mit ernstem Nicken gute Nacht. Handtaschen werden ergriffen, Hüte aufgesetzt. Der Reverend öffnet die Tür, lässt die schwüle Außenluft herein. Eine Frau mit lockigem grauem Haar und einem schwarzen Mantel kommt dicht hinter ihm her, bleibt aber vor mir stehen.

Ihr Regenmantel öffnet sich, enthüllt eine weiße Uniform.

»Miss Skeeter«, sagt sie, ohne zu lächeln, »ich werd Ihnen bei den Geschichten helfen.«

Ich drehe mich um und sehe Aibileen an. Ihre Augenbrauen gehen in die Höhe, ihr Mund klappt auf. Ich wende mich wieder der Frau zu, aber die ist schon in der Tür.

»Ich helf Ihnen, Miss Skeeter.« Das ist eine andere Frau, groß und schlank, mit dem gleichen ruhigen Gesichtsausdruck wie die erste.

»Ähm, danke … vielen Dank«, erwidere ich.

»Ich auch, Miss Skeeter. Ich helf Ihnen auch.« Eine Frau in einem roten Mantel geht schnell an mir vorbei, schaut mich nicht einmal an.

Nach der nächsten fange ich an zu zählen. Fünf. Sechs. Sieben. Ich nicke ihnen zu, kann nichts sagen außer danke. Danke. Ja, danke. Jeder Einzelnen. Die Erleichterung ist bitter, weil Yule May im Gefängnis landen musste, damit es dazu kam.

Acht. Neun. Zehn. Elf. Keine lächelt, als sie mir sagt, sie wolle mithelfen. Der Raum leert sich, nur Minny steht in der hintersten Ecke, die Arme trotzig verschränkt. Als alle weg sind, hebt sie den Blick und schaut mich nicht mal eine Sekunde an, ehe sie den Kopf abrupt zu den fest zusammengesteckten braunen Vorhängen dreht. Aber ich sehe es noch, das kurze Zucken um ihren Mund, eine Spur von etwas Weichem unter ihrem Zorn. Minny hat das bewirkt.

Da immer jemand verreist war, haben wir einen Monat nicht Bridge gespielt. An diesem Mittwoch treffen wir uns bei Lou Anne Templeton, zur Begrüßung werden Hände getätschelt, Bekundungen von Wiedersehensfreude ausgetauscht.

»Lou Anne, du Arme, bei dieser Hitze mit langen Ärmeln. Ist es wieder das Ekzem?«, fragt Elizabeth, weil Lou Anne trotz der Sommerhitze ein graues Wollkleid trägt.

Lou Anne blickt, sichtlich verlegen, auf ihren Schoß. »Ja, es wird immer schlimmer.«

Doch als Hilly mich umarmen will, kann ich die Berührung nicht ertragen. Ich entziehe mich, und sie tut, als bemerkte sie es nicht. Aber beim Bridge mustert sie mich immer wieder mit schmalen Augen.

»Was willst du jetzt machen?«, fragt Elizabeth Hilly. »Du kannst die Kinder natürlich jederzeit bringen, aber ... na ja ...«

Vor dem Bridgekränzchen hat Hilly Heather und William bei Elizabeth abgeliefert, damit Aibileen auf sie aufpasst, während wir spielen. Doch mir ist klar, was Elizabeths säuerliches Lächeln besagt: Sie betet Hilly an, hat aber keine Lust, ihr Dienstmädchen mit irgendjemandem zu teilen.

»Ich hab's gewusst. Ich wusste vom ersten Tag an, dass dieses Mädchen eine Diebin ist.« Als Hilly uns von der Sache mit Yule May erzählt, formt sie mit Daumen und Zeigefinger einen Kreis, um anzuzeigen, wie riesig und unvorstellbar wertvoll der »Rubin« war.

»Ich habe sie dabei erwischt, wie sie die abgelaufene Milch mitgenommen hat, so fängt es nämlich an, zuerst ist es Waschpulver, dann arbeiten sie sich zu Handtüchern und Mänteln vor. Und eh man sich's versieht, klauen sie Erbstücke und verhökern sie gegen Schnaps. Weiß der Himmel, was sie noch alles hat mitgehen lassen.«

Ich muss gegen den Drang ankämpfen, jeden einzelnen ihrer grabbelnden Finger zu brechen, aber ich halte meine Zunge im Zaum. Lasse sie in dem Glauben, dass ich ganz auf ihrer Seite bin. Das ist für alle sicherer.

Nach dem Bridge fahre ich schnell nach Hause, um mich auf die Sitzung heute Abend bei Aibileen vorzubereiten. Zum Glück ist niemand im Haus. Ich blicke kurz auf Pascagoulas Notizen, wer für mich angerufen hat – meine Tennispartnerin Patsy, Celia Foote, die ich kaum kenne. Warum sollte mich Johnny Footes Frau anrufen? Minny hat mich schwören lassen, sie auf gar keinen Fall zurückzurufen, und ich habe jetzt keine Zeit, darüber nachzudenken. Ich muss mich mit meinen Interviewfragen beschäftigen.

Um achtzehn Uhr an diesem Abend sitze ich in Aibileens Küche. Wir haben abgemacht, dass ich jetzt abends nach Möglichkeit immer komme, bis wir fertig sind. Jeden zweiten Abend klopft eine andere farbige Frau an Aibileens Hintertür und setzt sich zu mir an den Tisch, um mir ihre Geschichten zu erzählen. Elf Dienstmädchen haben sich bereiterklärt, mit uns zu reden, Aibileen und Minny nicht mitgerechnet. Das sind insgesamt dreizehn Interviews, und Missus Stein wollte ein Dutzend, also sind wir wohl aus dem Schneider. Aibileen steht im Hintergrund und hört zu. Das erste Dienstmädchen heißt Alice. Nach den Nachnamen frage ich nicht.

Ich erkläre Alice, unser Ziel sei eine Sammlung wahrer Geschichten von Dienstmädchen darüber, wie sie ihre Arbeit bei weißen Familien erleben. Ich gebe ihr einen Umschlag mit vierzig Dollar, finanziert von meinen gesparten Miss-Myrna-Honoraren, dem monatlichen Taschengeld, das mir meine Eltern geben, und Extrabeträgen, die mir Mutter für Schönheitssalontermine aufgedrängt hat, zu denen ich nie erschienen bin.

»Es ist gut möglich, dass das Buch nie veröffentlicht wird«, erkläre ich jeder Einzelnen, »und selbst wenn, wird es kaum Geld bringen.« Als ich das zum ersten Mal sage, blicke ich beschämt zu Boden, ohne zu wissen warum. Als Weiße fühle ich mich irgendwie verpflichtet, ihnen zu helfen.

»Das hat Aibileen gleich gesagt«, erzählen mehrere. »Ich mach's nicht deswegen.«

Ich erkläre ihnen nochmal, was sie längst unter sich beschlossen haben. Dass sie niemandem außerhalb der Gruppe etwas erzählen dürfen. Dass ihre Namen auf dem Papier geändert werden, ebenso der Name der Stadt und die Namen der Leute, bei denen sie gearbeitet haben. Ich wollte, ich könnte als letzte Frage hinzumogeln: »Ach, übrigens, kannten Sie Constantine Bates?« Aber ich bin mir ziemlich sicher, dass Aibileen das gar nicht gut fände. Sie sind alle auch so schon ängstlich genug.

»Also, mit Eula wird's sein, wie wenn Sie eine tote Miesmuschel aufkriegen wollen.« Aibileen präpariert mich vor jedem Interview. Sie hat genauso viel Angst wie ich, dass ich die Frauen verschrecke, ehe wir richtig angefangen haben. »Werden Sie nicht ungeduldig, wenn sie nicht viel sagt.«

Eula, die tote Miesmuschel, fängt an zu reden, noch ehe sie sitzt, ehe ich irgendetwas erklären kann, und hört vor zehn Uhr nicht wieder auf.

»Wie ich um eine Lohnerhöhung gebeten hab, hab ich sie gekriegt. Wie ich ein Haus gebraucht hab, haben sie mir eins gekauft. Doktor Tucker ist selbst zu mir nach Hause gekommen und hat meinem Mann eine Kugel aus dem Arm geholt, weil er befürchtet hat, im Farbigenkrankenhaus würd Henry sich noch irgendwas holen. Vierundvierzig Jahre bin ich jetzt bei Doktor Tucker und Miss Sissy. Sie sind so gut zu mir. Ich wasch ihr jeden Freitag die Haare. Ich hab kein einziges Mal gesehen, dass die Frau sich selbst die Haare gewaschen hätt.« Sie hält zum ersten Mal am ganzen Abend inne, wirkt plötzlich einsam und ängstlich. »Falls ich vor ihr sterb, weiß ich nicht, wie Miss Sissy ihr Haar gewaschen kriegen soll.«

Ich bemühe mich, nicht übereifrig zu lächeln. Ich will auf keinen Fall argwöhnisch wirken. Alice, Fanny Amos und Winnie sind schüchtern, brauchen sanftes Nachfragen, halten den Blick gesenkt. Flora Lou und Cleontine öffnen die Schleusentore, und die Worte schießen regelrecht heraus, während ich tippe, so schnell ich kann, und sie alle fünf Minuten inständig bitte, ein bisschen langsamer zu machen. Viele Geschichten sind traurig und bitter. Das habe ich erwartet. Aber da sind auch überraschend viele positive Geschichten. Und jede der Frauen dreht sich irgendwann zu Aibileen um, als wollte sie fragen: *Bist du sicher? Kann ich das wirklich einer Weißen erzählen?*

»Aibileen? Was passiert, wenn … das gedruckt wird und die Leute rausfinden, wer wir sind?«, fragt die schüchterne Winnie. »Was glaubst du, was sie mit uns machen?«

Unsere Blicke bilden ein Dreieck in der Küche. Ich hole Luft, um ihr zu versichern, wie vorsichtig wir sind.

»Die Cousine von meinem Mann … der haben sie die Zunge rausgeschnitten. Vor einer Weile war das. Weil sie mit so Leuten aus Washington über den Klan geredet hat. Meinst du, sie schneiden uns auch die Zunge raus? Weil wir mit euch geredet haben?«

Ich weiß nicht, was sagen. *Die Zunge …* Gott, dieser Gedanke ist mir noch gar nicht gekommen. Ich habe nur an Gefängnis gedacht, an fingierte Anschuldigungen vielleicht und an Geldstrafen. »Ich ... wir werden äußerst vorsichtig sein«, sage ich, aber es klingt lahm und wenig überzeugend. Ich schaue zu Aibileen hinüber, doch auch sie wirkt betroffen.

»Das können wir nicht wissen, eh es passiert, Winnie«, sagt Aibileen sanft. »Wird aber nicht so sein, wie man's in den Nachrichten sieht. Eine weiße Lady macht so was nicht auf die gleiche Art wie ein weißer Mann.«

Ich sehe Aibileen an. Sie hat mir nie gesagt, was genau ihrer Meinung nach passieren würde. Ich möchte das Thema wechseln. Hierüber zu reden, bringt uns nicht weiter.

»Na-ah.« Winnie schüttelt den Kopf. »Das nicht. Ich würd sagen, eine weiße Lady macht's auf noch schlimmere Art.«

»Wo willst du hin?«, ruft Mutter aus dem Fernsehzimmer. Ich habe meine Büchertasche über der Schulter und die Pick-up-Schlüssel in der Hand. Ich eile zur Haustür.

»Ins Kino«, rufe ich.

»Du warst doch gestern Abend erst im Kino. Komm her, Eugenia.«

Ich gehe wieder zurück, bleibe in der Tür zum Fernsehzimmer stehen. Mutters Magengeschwüre machen ihr zu schaffen. Ihr Abendessen bestand nur aus Hühnerbrühe, und sie tut mir leid. Daddy ist schon vor einer Stunde schlafen gegangen, aber ich kann nicht bei ihr bleiben. »Tut mir leid, Mutter, bin schon spät dran. Soll ich dir irgendwas bringen?«

»In welchen Film und mit wem? Du warst diese Woche fast jeden Abend aus.«

»Nur ... mit ein paar Freundinnen. Um zehn bin ich wieder da. Kommst du zurecht?«

»Ich komme bestens zurecht«, seufzt sie. »Geh du nur.«

Ich laufe zum Auto, habe ein schlechtes Gewissen, weil ich Mutter allein lasse, wenn es ihr nicht gut geht. Gott sei Dank ist Stuart in Texas, weil ich bezweifle, dass ich ihn so leicht belügen könnte. Als er vorvorgestern Abend da war, saßen wir auf der Verandaschaukel und lauschten den Grillen. Ich hatte in der Nacht davor so lange gearbeitet, dass ich kaum die Augen offen halten konnte, wollte aber nicht, dass er ging. Ich lag da, den Kopf in seinem Schoß. Ich langte hinauf und rieb meine Hand an seinen Bartstoppeln.

»Wann lässt du mich mal was lesen, was du geschrieben hast?«, fragte er.

»Du kannst die Miss-Myrna-Kolumne lesen. Letzte Woche habe ich ein Meisterwerk über Stockflecken verfasst.«

Er lächelte, schüttelte den Kopf. »Nein, ich möchte lesen, was du *denkst*. Ich bin mir ziemlich sicher, dass es da nicht um Haushaltsdinge geht.«

Und plötzlich fragte ich mich: Weiß er, dass ich ihm etwas verheimliche? Ich fürchtete mich davor, dass er das mit den Geschichten herausfinden könnte, und ich freute mich darüber, dass er sich überhaupt für meine Schreiberei interessierte.

»Wenn du so weit bist. Ich will dich nicht drängen«, sagte er.

»Irgendwann vielleicht«, erwiderte ich und fühlte meine Augen zufallen.

»Schlaf, Baby«, sagte er und strich mir das Haar aus dem Gesicht. »Lass mich einfach nur ein bisschen so mit dir hier sitzen.«

Jetzt, wo Stuart die nächsten sechs Tage weg ist, kann ich mich ganz auf die Interviews konzentrieren. Ich gehe jeden Abend zu Aibileen, so nervös wie beim ersten Mal. Die Frauen sind groß, klein, asphaltschwarz oder karamellbraun. Wenn deine Haut zu hell ist, erfahre ich, kriegst du keine Arbeit. Je schwärzer, desto besser. Manchmal werden die Themen sehr prosaisch: der niedrige Lohn, die lange Arbeitszeit, die verzogenen Kinder. Aber dann wieder erzählen sie von weißen Babys, die in ihren Armen gestorben sind, vom sanften, leeren Blick der immer noch blauen Augen.

»Olivia hat sie geheißen, so ein winziges Baby. Klammert die kleinen Händchen um meine Finger und atmet so schwer«, sagt Fanny Amos bei unserem vierten Interview. »Ihre Mama war nicht zu Haus, war losgefahren, Mentholsalbe kaufen. Nur ich war da und ihr Daddy. Er wollt nicht, dass ich sie ableg, wollt, dass ich sie halt, bis der Doktor da ist. Das Baby ist in meinen Armen kalt geworden.«

Da ist unverhohlener Hass auf weiße Frauen, da ist unerklärliche Liebe. Faye Belle, tattrig und grauhäutig, erinnert sich nicht mehr, wie alt sie ist. Ihre Geschichten entfalten sich wie zartes Leinen. Sie erinnert sich, mit einem kleinen weißen Mädchen in einem Schrankkoffer gekauert zu haben, während Yankee-Soldaten durchs Haus stapften. Vor zwanzig Jahren hat sie dieses weiße Mädchen, inzwischen eine alte Frau, auf dem Sterbebett in den Armen gehalten. Beide erklärten einander, wie gern sie sich hatten. Schworen einander, dass der Tod daran nichts ändern würde. Dass die Hautfarbe nichts zu sagen hatte. Der Enkel der weißen Frau zahlt immer noch Faye Belles Miete. Wenn sie sich stark fühlt, geht sie manchmal hinüber und räumt seine Küche auf.

Louvenia ist mein fünftes Interview. Sie ist Lou Anne Templetons Dienstmädchen, und ich kenne sie, weil sie mich schon beim Bridgekränzchen bedient hat. Louvenia erzählt mir, wie ihr Enkel Robert vor Monaten von einem Weißen blindgeprügelt wurde, weil er eine Weißentoilette benutzt hatte. Ich erinnere mich, in der Zeitung so etwas gelesen zu haben, und Louvenia nickt und wartet, dass ich mit Tippen hinterherkomme. In ihrer Stimme ist keinerlei Zorn. Ich erfahre, dass Lou Anne, die ich immer für seicht und langweilig gehalten und nicht weiter beachtet habe, Louvenia zwei Wochen bezahlten Urlaub gegeben hat, damit sie sich um ihren Enkel kümmern konnte. Siebenmal hat sie Louvenia in dieser Zeit einen Auflauf vorbeigebracht. Sie hat Louvenia ins Farbigenkrankenhaus gefahren, als der Anruf wegen Robert kam, und hat sechs Stunden dort mit ihr gewartet, bis die Operation beendet war. Davon hat uns Lou Anne nie etwas erzählt. Und ich verstehe vollkommen warum.

Es kommen zornige Geschichten über weiße Männer, die sich über sie hergemacht haben. Winnie sagt, sie sei immer wieder gezwungen worden. Cleontine erzählt, sie habe sich gewehrt, bis sein Gesicht blutete, und er habe es nie wieder versucht. Aber was mich am meisten verblüfft, ist das widersprüchliche Nebeneinander von Zuneigung und Geringschätzung. Die meisten dürfen bei den Hochzeiten »ihrer« weißen Kinder anwesend sein, aber nur in ihrer Dienstmädchenuniform. Das weiß ich alles, aber aus dem Mund einer Farbigen ist es, als hörte ich es zum ersten Mal.

Wir sind minutenlang sprachlos, nachdem Gretchen gegangen ist.

»Wir machen einfach mit der Nächsten weiter«, sagt Aibileen schließlich. »Das ... brauchen wir ja nicht zu nehmen.«

Gretchen ist Yule Mays Cousine. Sie war vor Wochen beim Gebetstreffen für Yule May in Aibileens Haus, gehört aber zu einer anderen Kirchengemeinde.

»Ich verstehe nicht, warum sie mitmachen wollte, wenn ...« Ich will nach Hause. Die Muskelstränge an meinem Hals sind hart. Meine Finger zittern vom Tippen und vom Zuhören.

»Tut mir leid, ich hatt keine Ahnung, dass sie das machen würd.«

»War nicht Ihre Schuld«, sage ich. Ich will sie fragen, wie viel von dem, was Gretchen gesagt hat, stimmt. Aber ich kann nicht. Ich kann Aibileen nicht ins Gesicht sehen.

Ich hatte Gretchen die »Regeln« erklärt, genau wie den anderen. Gretchen hatte sich auf ihrem Stuhl zurückgelehnt. Ich dachte, sie überlegte sich ihre Geschichte. Aber sie sagte: »Wissen Sie, was Sie sind? Noch so eine weiße Lady, die Farbige ausnutzt.«

Ich drehte mich zu Aibileen um, unsicher, was ich darauf

sagen sollte. Hatte ich das mit dem Geld nicht klargestellt? Aibileen hielt den Kopf schief, als wäre sie sich nicht sicher, ob sie richtig gehört hatte.

»Glauben Sie, das Zeug wird je jemand lesen?« Gretchen lachte. Sie war adrett in ihrem Dienstmädchenkleid. Sie trug Lippenstift, denselben Rosaton, den meine Freundinnen und ich trugen. Sie war jung. Sie sprach von der Intonation und Artikulation her wie eine Weiße. Aus irgendeinem Grund machte es das noch schlimmer.

»Die farbigen Frauen, die Sie interviewt haben, waren alle nett zu Ihnen, was?«

»Ja«, sagte ich. »Sehr nett.«

Gretchen sah mir genau in die Augen. »Sie hassen Sie. Das ist Ihnen doch klar, oder? Jede kleinste Kleinigkeit an Ihnen. Aber Sie sind so blöd, sich einzubilden, Sie täten ihnen einen Gefallen.«

»Sie müssen nicht mitmachen«, sagte ich. »Sie haben sich ja freiwillig …«

»Wissen Sie, was das Netteste war, was je eine Weiße für mich getan hat? Dass sie mir den Kanten von ihrem Brot gegeben hat. Die farbigen Frauen, die hierherkommen, machen Ihnen doch nur was vor. Die werden Ihnen nie die Wahrheit sagen, Lady.«

»Sie haben doch gar keine Ahnung, was mir die anderen Frauen erzählt haben«, erwiderte ich, verblüfft, wie geballt sich mein Zorn anfühlte und wie leicht er hervorschnellte.

»Sagen Sie's, Lady, sagen Sie das Wort, das Sie jedes Mal denken, wenn eine von uns zur Tür reinkommt. *Nigger.*«

Aibileen stand von ihrem Hocker auf. »Das ist genug, Gretchen. Geh jetzt heim.«

»Und du, Aibileen, weißt du was? Du bist genauso blöd wie sie«, sagte Gretchen.

Ich erschrak, als Aibileen auf die Tür zeigte und zischte: *»Mach jetzt sofort, dass du aus meinem Haus kommst.«*

Gretchen ging, aber durch die Fliegentür schoss sie noch einen so wütenden Blick auf mich ab, dass es mir kalt über den Rücken lief.

Zwei Abende später sitze ich Callie gegenüber. Sie hat krauses, fast graues Haar. Sie ist siebenundsechzig und trägt noch ihre Dienstmädchenuniform. Sie ist breit und massig, und ihr Gesäß hängt über den Stuhl. Ich bin immer noch nervös nach dem Interview mit Gretchen.

Ich warte, während Callie ihren Tee umrührt. In der Ecke von Aibileens Küche steht eine Papiertragetasche. Sie ist voll mit Kleidern, oben hängt eine weiße Hose heraus. Sonst ist es bei Aibileen sehr ordentlich. Ich weiß nicht, warum sie nicht endlich mal etwas mit der Tüte macht.

Callie fängt an zu reden, und ich tippe mit, dankbar für ihr gemächliches Tempo. Sie starrt in die Ferne, als sähe sie irgendwo hinter mir auf einer Filmleinwand die Szenen, die sie beschreibt.

»Achtunddreißig Jahre war ich bei Miss Margaret. Sie hatte ein Baby, ein kleines Mädchen, das hat immer Bauchweh gehabt, und das Einzige, was geholfen hat, war, die Kleine rumzutragen. Also hab ich mir eine Tragschlinge gemacht. Ich hab sie mir auf den Bauch gebunden und den ganzen Tag rumgetragen, ein Jahr lang. Mir ist schier der Rücken durchgebrochen. Hab jeden Abend Eisbeutel drauf getan und tu's immer noch. Aber ich hab die Kleine gern gehabt. Und Miss Margaret auch.«

Sie trinkt einen Schluck von ihrem Tee, während ich ihre letzten Worte tippe. Dann schaue ich auf, und sie spricht weiter.

»Miss Margaret hat immer gewollt, dass ich mir ein Kopftuch umbind, hat gesagt, sie weiß, dass Farbige sich nie die Haare waschen. Hat immer das Silber nachgezählt, wenn ich mit dem Putzen fertig war. Wie Miss Margaret nach dreißig

Jahren am Frauenleiden gestorben ist, war ich auf der Beerdigung. Ihr Mann hat mich umarmt, hat an meiner Schulter geheult. Wie's vorbei war, hat er mir einen Umschlag gegeben. Drin war ein Brief von Miss Margaret. Da stand: ›Danke. Dass Sie meinem Baby geholfen haben. Das habe ich nie vergessen.‹«

Callie nimmt die Brille mit dem schwarzen Gestell ab, wischt sich die Augen.

»Wenn mal eine weiße Lady meine Geschichte liest, ist es das, was sie wissen soll. Danke sagen, wenn man's wirklich meint. Wenn man nicht vergessen kann, was jemand für einen getan hat« – sie schüttelt den Kopf, blickt auf die zerkratzte Tischplatte –, »das tut dem andern so gut.«

Callie schaut auf, aber ich kann ihr nicht in die Augen sehen.

»Kleinen Augenblick«, sage ich. Ich presse mir die Hand auf die Stirn. Ich muss an Constantine denken. Ich habe ihr nie gedankt, nicht richtig. Ich bin gar nicht auf die Idee gekommen, dass ich irgendwann nicht mehr die Möglichkeit dazu haben könnte.

»Alles okay, Miss Skeeter?«, fragt Aibileen.

»Ich … alles okay«, sage ich. »Machen wir weiter.«

Callie beginnt mit ihrer nächsten Geschichte. Hinter ihr auf der Arbeitsplatte steht der gelbe Dr.-Scholl-Schuhkarton, immer noch voller Umschläge. Bis auf Gretchen wollten alle zehn Frauen, dass das Geld Yule Mays Söhnen für ihr Studium zukommt.

———

KAPITEL 20

Familie Phelan steht angespannt auf den Steinstufen vor Senator Whitworths Haus. Das Haus liegt im Zentrum, in der North Street. Es ist hoch, mit weißen Säulen und angemessener Azaleenpracht. Ein goldenes Schild verkündet, dass es sich um ein historisches Denkmal handelt. Trotz der heißen Sechs-Uhr-Sonne flackern Gaslaternen.

»Mutter«, flüstere ich, weil ich es nicht oft genug sagen kann. »Bitte, bitte vergiss nicht, was wir besprochen haben.«

»Ich sagte doch, ich werde es mit keinem Wort erwähnen, Schatz.« Sie berührt ihre Haarnadeln. »Außer, es ergibt sich.«

Ich habe das neue hellblaue Lady-Day-Kostüm an. Daddy trägt seinen schwarzen Beerdigungsanzug. Sein Gürtel ist so eng zusammengezurrt, dass es mit Sicherheit nicht bequem ist, geschweige denn modisch. Mutter trägt ein schlichtes weißes Kleid – wie eine ländliche Braut in einem weitergereichten Brautkleid, denke ich plötzlich, und mich überflutet Panik, dass wir allesamt overdressed sind. Mutter wird doch den Hässliche-Mädchen-Treuhandfonds aufs Tapet bringen, und wir sehen aus wie eine Familie vom Land bei einem aufregenden Stadtausflug.

»Daddy, schnall deinen Gürtel lockerer, er zieht dir die Hosen viel zu hoch.«

Er schaut stirnrunzelnd an sich hinunter. Noch nie habe ich meinem Daddy gesagt, was er tun soll. Die Tür geht auf.

———

»Guten Abend.« Eine Farbige in weißer Dienstmädchenuniform nickt uns zu. »Sie werden erwartet.«

Wir treten in die Eingangshalle, und das Erste, was ich sehe, ist der Kronleuchter, funkelnd und flirrend von Licht. Mein Blick folgt der Windung der Treppe, und ich komme mir vor wie in einem riesigen Seeschneckenhaus.

»Oh, hallo.«

Aus meinem verträumten Staunen gerissen, sehe ich Missus Whitworth in die Halle stöckeln, beide Hände ausgestreckt. Zum Glück trägt sie ein ähnliches Kostüm wie ich, aber in Karmesinrot. Als sie uns zunickt, bewegt sich ihr graublondes Haar überhaupt nicht.

»Hallo, Missus Whitworth, ich bin Charlotte Boudreau Cantrelle Phelan. Haben Sie vielen Dank für die Einladung.«

»Es ist mir ein Vergnügen«, sagt sie und schüttelt meinen Eltern die Hand. »Francine Whitworth. Willkommen in unserem Haus.«

Sie wendet sich mir zu. »Und Sie müssen Eugenia sein. Ich freue mich, Sie endlich kennenzulernen.« Missus Whitworth fasst mich an beiden Armen und sucht meinen Blick. Ihre Augen sind blau und schön, wie kalte Seen. Ihr Gesicht drum herum ist vergleichsweise unscheinbar. Sie ist fast so groß wie ich in ihren Peau-de-Soie-Stöckelschuhen.

»Ganz meinerseits«, sage ich. »Stuart hat mir schon so viel von Ihnen und Senator Whitworth erzählt.«

Sie lächelt und streicht mir mit der Hand den Arm hinunter. Ich zucke zusammen, als mich ein Zacken ihres Rings kratzt.

»Da ist sie ja!« Hinter Missus Whitworth kommt ein großer, bulliger Mann auf mich zu. Er zieht mich an seine mächtige Brust, stößt mich dann ebenso schnell wieder von sich. »Einen Monat schon sage ich Little Stu, er soll dieses Mädel endlich mal herbringen. Aber, offen gestanden« – er senkt die Stimme –, »er ist immer noch ein bisschen schussscheu nach dieser anderen.«

Ich stehe verdattert da. »Schön, Sie kennenzulernen, Sir.«

Der Senator lacht schallend. »War nur ein kleiner Scherz«, sagt er, drückt mich wieder kräftig an sich, klopft mir auf den Rücken. Ich lächle, versuche, wieder zu Atem zu kommen. Rufe mir in Erinnerung, dass er ja nur Söhne hat.

Er wendet sich Mutter zu, verbeugt sich feierlich und streckt ihr die Hand hin.

»Guten Abend, Senator Whitworth«, sagt Mutter. »Ich bin Charlotte.«

»Freut mich sehr, Charlotte. Und nennen Sie mich Stooley. Alle meine Freunde nennen mich so.«

»Senator«, sagt Daddy und schüttelt ihm kräftig die Hand. »Wir sind Ihnen sehr dankbar für alles, was Sie wegen diesem Farmgesetz getan haben. Das ist für uns wirklich wichtig.«

»Und ob. Dieser Billups wollte sich die Schuhe darauf abtreten, und ich habe ihm gesagt, Chico, habe ich gesagt, wenn Mississippi keine Baumwolle hat, Teufel noch mal, dann hat Mississippi *nichts.*«

Er haut Daddy auf die Schulter, und mir fällt auf, wie klein mein Vater neben ihm wirkt.

»Hereinspaziert«, sagt der Senator. »Ich kann nicht über Politik reden ohne einen Drink in der Hand.«

Der Senator marschiert auf eine Türöffnung zu. Daddy folgt ihm, und ich zucke zusammen, als ich den feinen Dreckrand hinten an seinem einen Schuh sehe. Einmal mit dem Lappen drüber, und er wäre weg gewesen, aber Daddy ist es nicht gewohnt, an einem Samstag gute Schuhe zu tragen.

Mutter geht ebenfalls hinterher, und ich werfe noch einen letzten Blick zu dem funkelnden Kronleuchter empor. Als ich mich umdrehe, ertappe ich das Dienstmädchen dabei, wie es mich von der Tür aus anstarrt. Ich lächle, und das Dienstmädchen lächelt zurück. Es nickt noch einmal und schlägt dann die Augen nieder.

Oh. Meine Nervosität steigt mir die Kehle empor wie ein

Triller, als mir aufgeht: *Sie weiß es.* Ich stehe wie angewurzelt da, überwältigt vom Ausmaß meines Doppellebens. Sie könnte bei Aibileen auftauchen und mir erzählen, wie es ist, den Senator und seine Frau zu bedienen.

»Stuart ist noch auf dem Weg von Shreveport hierher«, donnert der Senator. »Habe gehört, er hat dort einen großen Deal in der Mache.«

Ich versuche nicht an das Dienstmädchen zu denken und atme tief durch. Ich lächle, als wäre das alles hier ganz selbstverständlich. Als wäre es keineswegs das erste Mal, dass ich den Eltern meines Freunds vorgestellt werde.

Wir betreten einen Salon mit aufwändigem Stuck, grünen Samtsofas und so vielen mächtigen Möbeln, dass ich kaum Fußboden sehe.

»Was darf ich Ihnen zu trinken anbieten?« Mister Whitworth grinst, als böte er Kindern Süßigkeiten an. Er hat eine wuchtige, breite Stirn und die Schultern eines alternden Footballverteidigers. Seine Augenbrauen sind dick und borstig. Sie wackeln, wenn er spricht.

Daddy bittet um einen Kaffee, Mutter und ich möchten Eistee. Das Grinsen des Senators fällt in sich zusammen, und er bedeutet dem Dienstmädchen, diese prosaischen Getränke herbeizuschaffen. In der Ecke gießt er sich und seiner Frau etwas Braunes ein. Das Samtsofa ächzt, als er sich draufsetzt.

»Ihr Haus ist wirklich wundervoll. Ich habe gehört, es ist das Herzstück der Tour.« Diesen Satz loszuwerden, konnte Mutter kaum erwarten, seit sie von der Einladung erfahren hat. Mutter ist seit Ewigkeiten im Geschichtserbe-Komitee von Ridgeland County, nennt aber die Historische-Privathäuser-Tour von Jackson »ein ganz anderes Kaliber« als die ihres Vereins. »Kostümieren Sie sich denn auch für die Besichtigungen oder stellen Sie historische Szenen nach?«

Senator Whitworth und seine Gattin sehen sich an. Dann

lächelt Missus Whitworth. »Wir haben es dieses Jahr aus der Tour genommen. Es war einfach … zu viel.«

»Ach! Aber es ist doch eins der wichtigsten historischen Häuser in Jackson. Sogar Sherman soll doch gesagt haben, es sei zu schön, um es in Brand zu stecken.«

Missus Whitworth nickt nur, bläht leise die Nüstern. Sie ist zehn Jahre jünger als meine Mutter, sieht aber älter aus, vor allem jetzt, wo ihr Gesicht lang und verkniffen wird.

»Aber man empfindet doch irgendwo eine gewisse Verpflichtung, der Geschichte gegenüber …«, sagt Mutter, und ich werfe ihr einen drohenden Blick zu.

Eine Sekunde sagt niemand etwas, dann lacht der Senator laut. »Die Lage war ein bisschen verzwickt«, erklärt er. »Patricia van Devenders Mutter ist die Vorsitzende des Komitees, und nach diesem ganzen … Kuddelmuddel mit den Kindern haben wir beschlossen, doch besser aus der Tour auszusteigen.«

Ich schaue zur Tür, bete, dass Stuart bald kommt. Das ist schon das zweite Mal, dass *sie* im Raum steht. Missus Whitworth richtet einen tödlichen Blick auf den Senator.

»Was sollen wir denn tun, Francine? Nie wieder von ihr sprechen? Wir haben den verdammten Pavillon im Garten extra für die Hochzeit bauen lassen.«

Missus Whitworth holt tief Luft, und ich muss daran denken, was Stuart gesagt hat: dass der Senator nur einen Teil der Geschichte kennt, seine Mutter aber alles weiß. Und was sie weiß, muss wesentlich mehr sein als nur »Kuddelmuddel«.

»Eugenia« – Missus Whitworth lächelt jetzt –, »wenn ich es recht verstanden habe, möchten Sie Schriftstellerin werden. Was schreiben Sie denn so?«

Ich setze mein Lächeln wieder auf. Von einem großartigen Thema zum nächsten! »Ich schreibe die Miss-Myrna-Kolumne im *Jackson Journal*. Sie erscheint jeden Montag.«

»Oh, ich glaube, Bessie liest das, stimmt doch, Stooley? Ich muss sie fragen, wenn ich in die Küche komme.«

Na ja, wenn sie's bisher nicht getan hat, wird sie's jetzt garantiert tun.« Der Senator lacht.

»Stuart sagt, Sie versuchen sich auch an ernsthafteren Themen. Gibt es da etwas Bestimmtes?«

Jetzt schauen mich alle an, einschließlich des Dienstmädchens – ein anderes als das an der Tür –, das mir gerade ein Glas Tee reicht. Ich blicke der Farbigen nicht ins Gesicht, weil ich Angst vor dem habe, was ich dort sehen könnte. »Ich arbeite an ... an ...«

»Eugenia schreibt über das Leben Jesu«, platzt Mutter dazwischen, und mir fällt wieder ein, dass das meine jüngste Erklärung für meine allabendliche Abwesenheit war – »Recherche« habe ich es genannt.

»Oh«, sagt Missus Whitworth allem Anschein nach beeindruckt, »das ist fraglos ein ehrbares Thema.«

Ich versuche zu lächeln, angewidert von meiner eigenen Stimme. »Und so ein ... wichtiges.« Ich schaue zu Mutter hinüber. Sie strahlt.

Die Haustür fällt mit solcher Wucht zu, dass sämtliche Glasleuchter erregt klimpern.

»Tut mir leid, dass ich jetzt erst komme.« Stuart stürmt mit großen Schritten herein, zerknittert von der Autofahrt, schlüpft im Gehen in seinen marineblauen Blazer. Wir stehen alle auf, und seine Mutter breitet die Arme aus, aber er kommt direkt zu mir. Er legt mir die Hände auf die Schultern und küsst mich auf die Wange. »Entschuldige«, flüstert er, und ich atme aus, entspanne mich endlich um ein, zwei Zentimeter. Ich drehe mich um und sehe seine Mutter lächeln, als hätte ich mir gerade ihr bestes Gästehandtuch geschnappt, um meine dreckigen Hände daran abzuputzen.

»Nimm dir etwas zu trinken, Junge, setz dich«, sagt der Senator. Als Stuart seinen Drink hat, setzt er sich neben mich aufs Sofa, drückt meine Hand und lässt sie nicht mehr los.

Missus Whitworth wirft einen Blick auf unser händchenhaltendes Idyll und sagt: »Charlotte, was halten Sie davon, wenn ich Ihnen und Eugenia das Haus zeige?«

Eine Viertelstunde lang folge ich Mutter und Missus Whitworth von einem prächtigen Raum in den anderen. Mutter bestaunt verzückt das Originaleinschussloch einer Yankee-Kugel im vorderen Empfangszimmer. Die Kugel steckt noch im Holz. Da sind Briefe von Konföderierten-Soldaten auf einem Föderalzeit-Schreibtisch, strategisch platzierte uralte Brillen und Taschentücher. Das Haus ist ein Schrein für den Krieg zwischen den Bundesstaaten, und ich frage mich, wie es für Stuart gewesen sein muss, in einem Zuhause aufzuwachsen, wo man nichts anfassen darf.

Im dritten Stock gerät Mutter in Verzückung über ein Himmelbett, in dem Robert E. Lee geschlafen hat. Als wir schließlich über eine »Geheimtreppe« wieder herunterkommen, bleibe ich bei Familienfotos im Flur stehen. Ich sehe Stuart und seine beiden Brüder als Babys. Stuart mit einem roten Ball. Stuart im Taufkleid, im Arm einer farbigen Frau in einer weißen Dienstmädchenuniform.

Mutter und Missus Whitworth gehen den Flur entlang, aber ich betrachte immer noch die Fotos, weil Stuarts Kindergesicht so süß und rührend ist. Er hat dicke Pausbacken und die gleichen leuchtend blauen Augen wie jetzt. Sein Haar ist weißblond, wie Pusteblumenflaum. Mit neun oder zehn hält er ein Jagdgewehr und eine Wildente. Mit fünfzehn steht er neben einem erlegten Reh. Da schon sieht er auf männliche Art gut aus. Ich bete zu Gott, dass er meine Teenagerfotos nie sieht.

Ich gehe ein paar Schritte weiter und sehe seine Highschool-Abschlussfeier, dann Stuart stolz in der Uniform einer Militärakademie. In der Mitte der Wand ist eine leere Stelle, ein Tapetenrechteck, eine Spur dunkler als seine Umgebung. Hier ist ein Bild abgenommen worden.

»Dad, das ist jetzt wirklich genug über …«, höre ich Stuart unwirsch sagen. Aber dann ist es ebenso plötzlich wieder still.

»Es ist serviert«, höre ich ein Dienstmädchen verkünden, und ich arbeite mich wieder ins Wohnzimmer zurück. Wir wandern in ein Esszimmer mit einem langen, dunklen Tisch. Die Phelans sind auf der einen Seite platziert, die Whitworths auf der anderen. Ich sitze Stuart diagonal gegenüber, so weit von ihm weg wie möglich. Die Vertäfelungspaneele im gesamten Zimmer zeigen gemalte Szenen aus Vor-Bürgerkriegszeiten: fröhliche Neger beim Baumwollpflücken, Pferdefuhrwerke, weißbärtige Staatsmänner auf den Stufen unseres Kapitols. Wir warten, weil der Senator noch im Wohnzimmer zurückgeblieben ist. »Ich komme gleich, fangt schon mal an.« Ich höre Eiswürfel klimpern, zweimal das dumpfe Klacken der Flasche auf dem Bartisch, ehe er schließlich hereinkommt und sich ans Kopfende des Tischs setzt.

Waldorfsalat wird serviert. Stuart schaut alle paar Minuten zu mir herüber und lächelt mich an. Senator Whitworth beugt sich zu Daddy und sagt: »Ich habe mit nichts angefangen, wissen Sie. Ich komme aus Jefferson County, Mississippi. Mein Dad hat Erdnüsse getrocknet, für elf Cent das Pfund.«

Daddy schüttelt den Kopf. »Viel ärmer als Jefferson County geht es kaum.«

Ich beobachte, wie Mutter sich ein winziges Apfelstückchen abschneidet und in den Mund steckt. Sie zögert, kaut ewig, zuckt zusammen, als sie schließlich schluckt. Sie wollte partout nicht, dass ich Stuarts Eltern von ihren Magenproblemen erzähle. Vielmehr umgarnt sie jetzt Missus Whitworth mit Komplimenten über den Salat. Mutter betrachtet dieses Essen als wichtigen Zug in dem Spiel namens »Angelt sich meine Tochter Ihren Sohn?«.

»Die *jungen Leute* fühlen sich ja so wohl miteinander.« Mutter lächelt. »Stuart kommt uns ja meistens zweimal die Woche besuchen.«

»Ach ja?«, sagt Missus Whitworth.

»Wir würden uns sehr freuen, wenn Sie und der Senator irgendwann auch einmal zu uns auf die Plantage hinauskämen, zum Abendessen und vielleicht zu einem kleinen Spaziergang durch den Obstgarten?«

Ich schaue Mutter an. *Plantage* ist ein veraltetes Wort, das sie gern benutzt, um der Farm mehr Glanz zu verleihen, und der »Obstgarten« besteht aus einem Apfelbaum, der nicht mehr trägt, und einem Birnbaum mit wurmstichigen Birnen.

Aber Missus Whitworths Mundpartie hat sich verhärtet. »Zweimal die Woche? Stuart, ich wusste ja gar nicht, dass du so oft in der Stadt bist.«

Stuarts Gabel verharrt in der Luft. Er sieht seine Mutter verlegen an.

»Ach, ihr seid doch noch so jung.« Missus Whitworth lächelt. »Genießt eure Jugend. Man sollte es mit der Ernsthaftigkeit nicht übereilen.«

Der Senator stützt die Ellbogen auf den Tisch. »Und das von der Frau, die diesem anderen Mädel den Heiratsantrag praktisch selbst gemacht hat, so eilig hatte sie's.«

»*Dad*«, sagt Stuart durch die zusammengebissenen Zähne und haut mit seiner Gabel auf den Teller.

Es herrscht Schweigen am Tisch, bis auf Mutters gründliches, systematisches Kauen, mit dem sie feste Nahrung in Brei zu verwandeln sucht. Ich berühre den immer noch roten Kratzer an meinem Arm.

Das Dienstmädchen legt uns Presshuhn auf, krönt es mit einem Tupfer Mayonnaise-Dressing, und wir lächeln alle, froh, dass die peinliche Situation durchbrochen wurde. Während wir weiteressen, reden Daddy und der Senator über Baumwollpreise und Baumwollkäfer. Auf Stuarts Gesicht sehe ich immer noch den Zorn von vorhin, als sein Vater Patricia erwähnte. Ich schaue ihn alle paar Minuten an, aber der Zorn scheint nicht zu verfliegen. Ich frage mich, ob es das war, worüber sie gestritten haben, während ich im Flur stand.

Der Senator lehnt sich zurück. »Haben Sie diesen Artikel in

Life gesehen? In dem vor dem Bericht über Medgar Evers, über diesen Wie-hieß-er-noch? Carl ... Roberts?«

Ich blicke auf und stelle überrascht fest, dass der Senator diese Frage mir gestellt hat. Ich sehe ihn verwirrt an, hoffe, es ist wegen meines Jobs bei der Zeitung. »Er ... er wurde gelyncht. Weil er gesagt hatte, der Gouverneur sei ...« Ich verstumme, nicht weil ich vergessen habe, was er gesagt hat, sondern weil ich mich nur zu genau daran erinnere.

»*Ein erbärmlicher Mensch*«, sagt der Senator, jetzt an meinen Vater gewandt. »*Mit der Moral einer Straßendirne.*«

Ich atme aus, erleichtert, dass die Aufmerksamkeit nicht mehr auf mich gerichtet ist. Ich schaue zu Stuart hinüber, will seine Reaktion sehen. Ich habe ihn nie gefragt, wie er zur Bürgerrechtsbewegung steht. Aber er scheint dem Gespräch gar nicht zu folgen. Der Zorn um seinen Mund ist jetzt starr und kalt.

Mein Vater räuspert sich. »Um ehrlich zu sein«, sagt er langsam. »Es macht mich ganz krank, wenn ich von solchen Brutalitäten höre.« Daddy legt leise seine Gabel hin. Er sieht Senator Whitworth in die Augen. »Ich habe fünfundzwanzig Neger, die auf meinen Feldern arbeiten, und wenn jemand denen auch nur ein Haar krümmen würde oder ihren Frauen und Kindern ...« Daddys Blick ist fest. Dann schaut er auf seinen Teller. »Ich schäme mich manchmal, Senator. Für das, was in Mississippi passiert.«

Mutter starrt Dad mit geweiteten Augen an. Für mich ist es ein Schock zu erfahren, dass Dad so denkt, und erst recht, ihn es hier an diesem Tisch sagen zu hören, zu einem Politiker. Bei uns zu Hause werden Zeitungen so gefaltet, dass man die Fotos nicht sieht, wird der Fernseher umgeschaltet, sobald die Rassenfrage zur Sprache kommt. Plötzlich bin ich unendlich stolz auf meinen Daddy, aus vielen Gründen. Und ich könnte schwören, dass ich für einen Moment diesen Stolz auch in Mutters Augen sehe, unter der Angst, dass

Vater soeben meine Zukunft ruiniert hat. Ich schaue Stuart an, und sein Gesicht zeigt jetzt Beteiligung, aber welcher Art, weiß ich nicht.

Der Senator mustert Daddy.

»Ich will Ihnen was sagen, Carlton«, sagt der Senator. Er schwenkt die Eiswürfel in seinem Glas. »Bessie, bringen Sie mir bitte noch einen, ja?« Er gibt das Glas dem Mädchen, das in Windeseile mit einem vollen zurückkommt.

»Das waren keine klugen Worte über unseren Gouverneur«, sagt der Senator.

»Da bin ich voll und ganz Ihrer Meinung«, erwidert Daddy.

»Aber was ich mich in letzter Zeit frage, ist, sind sie wahr?«

»*Stooley*«, zischt Missus Whitworth. Aber dann lächelt sie sofort und richtet sich auf. »Stooley«, sagt sie wie zu einem Kind, »unsere Gäste wollen nicht politisieren, während wir hier beim …«

»Francine, lass mich sagen, was ich denke. Ich kann es weiß Gott den ganzen Tag über nicht, also lass es mich wenigstens in meinem eigenen Haus tun.«

Missus Whitworths Lächeln bleibt unerschüttert, aber eine ganz, ganz leise Röte steigt ihr in die Wangen. Sie mustert die weißen Floradora-Rosen in der Tischmitte. Stuart starrt wieder auf seinen Teller, mit dem gleichen kalten Zorn wie vorher. Er hat mich seit dem Presshuhn nicht mehr angesehen. Alles schweigt, dann lenkt jemand das Gespräch aufs Wetter.

Als das Essen endlich vorbei ist, werden wir zu Kaffee und After-Dinner-Drinks auf die rückwärtige Veranda gebeten. Stuart und ich bleiben im Flur hinter den anderen zurück. Ich berühre ihn am Arm, aber er zieht ihn weg.

»Ich wusste, dass er sich betrinkt und die ganze Zeit davon anfängt.«

»Ist doch okay, Stuart«, sage ich in der Meinung, dass er von politischen Dingen spricht. »Wir amüsieren uns alle prima.«

Aber Stuart schwitzt und sieht fiebrig aus. »Patricia dies, Patricia das, den ganzen Abend«, sagt er. »Wie oft schafft er es noch, von ihr zu reden?«

»Mach dir nichts draus, Stuart. Es ist alles bestens.«

Er fährt sich mit der Hand durchs Haar und schaut überallhin, nur nicht mir ins Gesicht. Langsam habe ich das Gefühl, dass ich für ihn gar nicht da bin. Und dann wird mir plötzlich bewusst, was ich schon den ganzen Abend weiß. Er ist mit mir hier, aber er denkt an … *sie.* Sie ist überall. Im Zorn in Stuarts Augen, auf der Zunge des Senators und der seiner Frau, an der Wand, wo ihr Foto gehangen haben muss.

Ich sage ihm, ich müsse mal verschwinden.

Er dirigiert mich den Flur hinunter. »Wir sehen uns draußen«, murmelt er, lächelt aber nicht. Im Bad starre ich mein Spiegelbild an, sage mir, dass es nur dieser Abend hier ist. Alles wird wieder gut, sobald wir aus diesem Haus sind.

Als ich wieder herauskomme, gehe ich am Wohnzimmer vorbei, wo der Senator sich gerade einen weiteren Drink eingießt. Er schmunzelt über sich selbst, tupft an seinem Hemd herum, schaut sich dann um, ob jemand seine Kleckerei gesehen hat. Ich versuche, unentdeckt an der Türöffnung vorbei zu kommen.

»*Da* sind Sie!«, höre ich ihn rufen, als ich es gerade geschafft zu haben glaube. Ich mache zögernd ein paar Schritte rückwärts bis zur Türöffnung, und sein Gesicht leuchtet auf. »Was ist? Verlaufen?« Er kommt in den Flur heraus.

»Nein, Sir, ich … wollte gerade zu den anderen.«

»Kommen Sie her, Mädchen.« Er legt den Arm um mich, und Bourbondunst brennt mir in den Augen. Ich sehe, dass seine ganze Hemdbrust mit Whiskey getränkt ist. »Amüsieren Sie sich?«

»Ja, Sir. Danke.«

»Hören Sie, Stuarts Mama, lassen Sie sich von ihr nicht verschrecken. Sie will ihn nur behüten, weiter nichts.«

»Oh, nein, sie ist … sehr nett. Wirklich.« Ich schaue den Flur entlang, in Richtung ihrer Stimmen.

Er seufzt, starrt ins Leere. »Wir hatten ein ganz schön schweres Jahr mit Stuart. Er hat Ihnen ja sicher erzählt, was passiert ist.«

Ich nicke, fühle ein nervöses Kribbeln auf der Haut.

»Oh, es war schlimm«, sagt er. »Richtig schlimm.« Dann lächelt er plötzlich. »Wen haben wir denn da? Schauen Sie, wer Ihnen guten Tag sagen möchte.« Er nimmt ein winziges weißes Hündchen hoch, drapiert es sich über den Arm wie ein Tennishandtuch. »Sag hallo, Dixie«, gurrt er. »Sag Miss Eugenia hallo.« Der Hund zappelt, biegt den Kopf vom Alkoholgeruch des Hemds weg.

Der Senator sieht mich mit leerem Blick an. Es ist, als hätte er vergessen, was ich hier mache.

»Ich wollte gerade zur hinteren Veranda«, sage ich.

»Kommen Sie, kommen Sie hier herein.« Er zieht mich am Ellbogen, bugsiert mich durch eine getäfelte Tür. Ich lande in einem kleinen Raum mit einem wuchtigen Schreibtisch und einer gelben Lampe, die die dunkelgrünen Wände in ein kränkliches Licht taucht. Er stößt die Tür hinter mir zu, und sofort ist es stickig und beengend.

»Ich weiß ja, Mädel, alle sagen, ich rede zu viel, wenn ich ein paar Drinks intus habe, aber …« Der Senator schaut mich verschwörerisch an. »Ich will Ihnen was erzählen.«

Der Hund hat jeden Widerstand aufgegeben, vermutlich sediert vom Whiskeydunst des Hemds. Ich will auf einmal unbedingt zu Stuart und mit ihm reden, als ob ihn jede Sekunde, die ich nicht bei ihm bin, weiter von mir entfernt. Ich weiche zurück.

»Ich glaube … ich sollte jetzt …« Ich taste nach der Türklinke. Bestimmt bin ich schrecklich unhöflich, aber ich halte die Luft hier drinnen nicht aus, diesen Alkohol- und Zigarrengeruch.

Der Senator seufzt, nickt, als ich die Klinke umfasse. »Oh. Sie also auch?« Er lehnt sich niedergeschlagen an den Schreibtisch.

Ich will die Tür öffnen, aber da ist dieser verlorene Ausdruck auf dem Gesicht des Senators, der gleiche wie auf Stuarts Gesicht, als er auf der Veranda unseres Hauses auftauchte. Ich fühle mich gezwungen zu fragen: »Ich auch … was … Sir?«

Der Senator blickt zu der gemalten Missus Whitworth hinüber, die riesig und kalt an seiner Arbeitszimmerwand hängt wie eine Warnung. »Ich seh's doch. An Ihren Augen.« Er lacht bitter. »Und dabei hatte ich gehofft, Sie würden vielleicht die Einzige sein, die den Alten halbwegs leiden kann. Falls Sie je ein Mitglied dieser alten Familie werden.«

Jetzt sehe ich ihn an, und mein ganzer Körper summt von seinen Worten … *ein Mitglied dieser alten Familie.*

»Ich … habe nichts gegen Sie, Sir«, sage ich und trete nervös von einem meiner flachen Schuhe auf den anderen.

»Ich will Sie nicht mit unseren Problemen zuschütten, aber wir hatten eine ganz schön schwere Zeit hier, Eugenia. Wir waren krank vor Sorge nach dem ganzen Schlamassel letztes Jahr. Mit dieser anderen.« Er schüttelt den Kopf, schaut auf das Glas in seiner Hand. »Stuart ist einfach auf und davon, hat seine Wohnung in Jackson aufgegeben und ist mit Sack und Pack in unser Jagdhaus in Vicksburg gezogen.«

»Ich weiß, er war … sehr erschüttert«, sage ich, obwohl ich in Wirklichkeit so gut wie nichts weiß.

»Wie tot trifft es besser. Teufel noch mal, wenn ich zu ihm rausgefahren bin, hat er einfach nur da am Fenster gesessen und Pekannüsse geknackt. Hat sie nicht gegessen, nur geknackt und dann in den Mülleimer geworfen. Er wollte weder mit mir noch mit seiner Mama reden … *monatelang.«*

Er sinkt in sich zusammen, dieser riesige Bulle von Mann, und ich möchte flüchten und ihn gleichzeitig beruhigen, weil er so jämmerlich aussieht, aber dann schaut er mich mit seinen blutunterlaufenen Augen an und sagt: »Scheint mir erst zehn Minuten her, dass ich ihm gezeigt habe, wie man ein Gewehr lädt, ihm geholfen habe, seiner ersten Wildtaube den Hals umzudrehen. Aber seit der Sache mit diesem Mädchen ist er … anders. Er erzählt mir nichts mehr. Ich will einfach nur wissen, ist mein Sohn wieder in Ordnung?«

»Ich … ich glaube schon. Aber ich … weiß es nicht so genau.« Ich schaue weg. Mir wird allmählich klar, dass ich Stuart gar nicht kenne. Wenn ihn das so tief getroffen hat und er nicht mal mit mir darüber redet, was bin ich dann für ihn? Nur eine Zerstreuung? Etwas, das neben ihm sitzt und ihn von dem ablenkt, was ihn innerlich zerfrisst?

Ich blicke den Senator an, versuche irgendetwas Tröstliches zu finden, das ich sagen kann, etwas, das meine Mutter sagen würde. Aber da ist nur Totenstille.

»Francine würde mir das Fell über die Ohren ziehen, wenn sie wüsste, dass ich Sie das gefragt habe.«

»Ist schon gut, Senator«, sage ich. »Es macht mir nichts aus.«

Er sieht jetzt völlig erschöpft aus, versucht aber zu lächeln. »Danke, Mädel. Gehen Sie jetzt zu meinem Sohn. Ich komme auch gleich nach.«

Ich gelange auf die hintere Veranda, stelle mich neben Stuart. Wetterleuchten taucht den Garten für Sekundenbruchteile in gespenstisches Licht, dann verschluckt ihn das Dunkel wieder. Der Pavillon ragt skelettartig am Ende des Gartenwegs auf. Mir ist übel von dem Glas Sherry, das ich nach dem Essen getrunken habe.

Der Senator kommt heraus, wirkt im Vergleich zu eben erstaunlich nüchtern, in einem frischen Hemd, kariert und gebügelt, haargenau wie das vorige. Mutter und Missus Whitworth gehen ein paar Schritte, zeigen auf irgendeine seltene Rose, die den Kopf übers Verandageländer reckt. Stuart legt mir die Hand auf die Schulter. Er scheint jetzt irgendwie besserer Stimmung, aber meine wird immer schlechter.

»Können wir …?« Ich deute nach drinnen, und Stuart folgt mir hinein. Ich bleibe in dem Flur mit der Geheimtreppe stehen.

»Ich weiß so vieles nicht über dich, Stuart«, sage ich.

Er zeigt auf die Wand mit den Fotos hinter mir, einschließlich der leeren Stelle. »Da, da hast du alles.«

»Stuart, dein Daddy hat mir erzählt …« Ich suche nach einer Formulierung.

Er mustert mich mit schmalen Augen. »Was hat er dir erzählt?«

»Wie schlimm es war. Wie schwer für dich«, sage ich. »Das mit Patricia.«

»Er weiß *nichts*. Er weiß weder, um wen oder was es ging, noch …«

Er lehnt sich an die Wand und verschränkt die Arme, und ich sehe jetzt wieder diesen alten Zorn, tief und rot. Er ist ganz darin eingehüllt.

»Stuart. Du brauchst es mir nicht jetzt zu sagen. Aber irgendwann werden wir darüber reden müssen.« Ich staune, wie selbstsicher ich klinge, wo ich es doch überhaupt nicht bin.

Er sieht mir tief in die Augen, zuckt die Achseln. »Sie hat mit einem anderen geschlafen. Da hast du's.«

»Jemandem … den du kennst?«

»Niemand kannte ihn. Er war einer von diesen Schmarotzern, die an der Uni herumhängen und die Dozenten bearbeiten, dass sie was für die Integrationsgesetze tun sollen. Na ja, sie hat jedenfalls was getan.«

»Du meinst … es war ein Aktivist? Ein Bürgerrechtler …?«

»Ja. Jetzt weißt du's.«

»War er … farbig?« Ich schnappe nach Luft bei dem Gedanken, denn selbst für mich wäre das entsetzlich, eine Katastrophe.

»*Nein,* er war nicht farbig. Er war dreckiger Abschaum. So ein Yankee aus New York, die Sorte, die man im Fernsehen sieht, mit langen Haaren und Friedenszeichen.«

Ich suche in meinem Kopf nach der richtigen Frage, aber da ist nichts.

»Und weißt du, was das Verrückteste ist, Skeeter? Ich hätte drüber wegkommen können. Ich hätte ihr verzeihen können. Sie hat mich um Verzeihung gebeten, mir gesagt, wie leid es ihr tut. Aber ich wusste, wenn je herauskommt, dass Senator Whitworths Schwiegertochter mit einem gottverdammten Yankee-Aktivisten im Bett war, würde es meinen Vater ruinieren. Dann wäre seine Karriere …« Er schnippt mit den Fingern.

»Aber dein Vater, vorhin bei Tisch, da hat er doch gesagt, Ross Barnett sei im Unrecht.«

»Du weißt doch, dass es darum nicht geht. Es geht nicht darum, was er denkt oder nicht denkt. Es geht darum, was Mississippi denkt. Er kandidiert diesen Herbst für den US-Senat, und unseligerweise weiß ich, was das heißt.«

»Dann hast du wegen deinem Vater mit ihr Schluss gemacht?«

»Nein, Schluss gemacht habe ich, weil sie mich betrogen hat.« Er schaut auf seine Hände, und ich sehe die Scham, die ihn quält. »Aber dass ich ihr keine zweite Chance gegeben habe, das war wegen … meinem Vater.«

»Stuart, bist du … liebst du sie noch?«, frage ich und versuche zu lächeln, als sei das nichts weiter, einfach nur eine Frage, obwohl mir alles Blut in die Füße sackt und ich das Gefühl habe, gleich in Ohnmacht zu fallen.

Sein Körper an der goldgemusterten Tapete lockert sich ein bisschen, seine Stimme wird weicher.

»Du würdest das nie tun. Jemanden so anlügen. Weder mich noch sonst jemanden.«

Er hat ja keine Ahnung, wie viele Menschen ich anlüge.

Aber darum geht es nicht. »Antworte mir, Stuart. Liebst du sie noch?«

Er reibt sich die Schläfen, spannt dazu Daumen und Finger übers Gesicht. Versteckt seine Augen, denke ich.

»Ich glaube, wir sollten uns eine Weile nicht sehen«, flüstert er.

Ich strecke reflexhaft die Hand nach ihm aus, aber er weicht zurück. »Ich brauche ein bisschen Zeit, Skeeter. Raum, denke ich. Ich muss richtig arbeiten, nach Öl bohren und ... meinen Kopf klar kriegen.«

Ich fühle, wie mir die Kinnlade herunterfällt. Vom Eingangsflur her höre ich unsere Eltern dezent rufen. Es ist Zeit zu gehen.

Ich folge Stuart nach vorn. Die Eltern Whitworth bleiben innerhalb der schneckenhausförmigen Eingangshalle, und wir drei Phelans treten zur Haustür hinaus. In einem wattigen Koma höre ich, wie alle geloben, das Beisammensein zu wiederholen, das nächste Mal draußen bei den Phelans. Ich sage auf Wiedersehen und Danke schön, und meine eigene Stimme hört sich fremd an. Stuart winkt von den Eingangsstufen und lächelt mir zu, damit unsere Eltern nichts merken.

———

KAPITEL 21

Wir stehen im Fernsehzimmer, Mutter, Daddy und ich, und starren den silbernen Kasten im Fenster an. Er ist so groß wie ein Lastwagenmotor, mit Knöpfen bestückt, chromglänzend, eine Verheißung von Moderne. *Fedders,* steht darauf.

»Wer sind diese Fedders überhaupt?«, fragt Mutter. »Wo kommt die Familie her?«

»Jetzt wirf sie schon an, Charlotte.«

»Nein, ich kann nicht. Das ist zu stillos.«

»Du gute Güte, Mutter, Doktor Neal hat gesagt, du brauchst sie. Also geh jetzt beiseite.« Meine Eltern funkeln mich empört an. Sie wissen nicht, dass Stuart nach dem Essen bei den Whitworths mit mir Schluss gemacht hat. Wissen nicht, wie sehr ich mich nach Erleichterung durch diese Maschine sehne. Wissen nicht, dass die Verletzung jede einzelne Minute in mir brennt, so heiß, dass ich fürchte, in Flammen aufzugehen.

Ich drehe den Knopf auf »1«. Die Birnen des Deckenleuchters werden schwächer. Das Rauschen steigt langsam an, als mühte es sich einen Berg hinauf. Ich sehe, wie sich ein paar feine Strähnchen von Mutters Haar sacht heben.

»Oh ...«, sagt Mutter und schließt die Augen. Sie ist in letzter Zeit immer so müde, und ihre Magengeschwüre verschlimmern sich. Doktor Neal hat uns erklärt, wenn es im Haus kühler wäre, hätte sie es wenigstens angenehmer.

»Sie läuft noch längst nicht auf voller Kraft«, sage ich und

———

drehe den Knopf weiter auf »2«. Es bläst jetzt etwas stärker, kälter, und wir lächeln alle drei, während der Schweiß auf unseren Gesichtern verdunstet.

»Ach, zum Teufel, wenn schon, denn schon«, sagt Daddy und dreht den Knopf auf »3«, was die höchste, kälteste, himmlischste Stufe ist, und Mutter kichert. Wir stehen mit offenen Mündern da, als könnten wir die Kühle essen. Das Licht wird wieder hell, das Rauschen lauter, unser Lächeln noch entzückter, und dann, plötzlich – Stille. Dunkel.

»Was … ist passiert?«, fragt Mutter.

Daddy schaut an die Decke. Geht hinaus in den Flur.

»Das verdammte Ding hat die Leitungen überlastet.«

Mutter fächelt sich den Hals mit dem Taschentuch. »Um Himmels willen, Carlton, dann geh und bring das wieder in Ordnung.«

Eine Stunde lang höre ich Daddy und Jameso Schalter an- und ausknipsen, mit Werkzeug klirren, auf der Vorderveranda herumpoltern. Als der Strom wieder da ist und Daddy mir einen Vortrag gehalten hat, dass das Ding nie wieder auf »3« gestellt werden darf, weil es sonst das Haus in Schutt und Asche legt, schauen Mutter und ich zu, wie sich ein eisiger Beschlag auf den Fensterscheiben ausbreitet. Mutter döst in ihrem blauen Queen-Anne-Sessel, die grüne Wolldecke über die Brust gezogen. Ich warte, dass sie richtig einschläft, horche auf das leise Schnarchen, beobachte ihre gekrauste Stirn. Auf Zehenspitzen gehe ich herum und knipse alles aus, sämtliche Lampen, den Fernseher, jeden Stromverbraucher im ganzen Erdgeschoss bis auf den Kühlschrank. Ich stelle mich vors Fenster und knöpfe meine Bluse auf. Vorsichtig drehe ich den Knopf auf »3«. Weil ich nichts mehr fühlen will. Ich will innerlich gefrieren. Ich will, dass der Kasten die eisige Luft direkt auf mein Herz bläst.

Es dauert etwa drei Sekunden, bis es die Sicherung heraushaut.

Die nächsten zwei Wochen stürze ich mich auf die Interviews. Ich habe die Schreibmaschine auf der hinteren Veranda stehen, arbeite fast den ganzen Tag und bis spät in die Nacht. Durch die Fliegenfenster sehen der grüne Garten und die Felder dunstig-verschwommen aus. Manchmal ertappe ich mich dabei, wie ich zwar dort hinausstarre, aber gar nicht wirklich hier bin. Ich bin in den alten Küchen von Jackson, mit den Dienstmädchen, die in ihren weißen Uniformen schwitzen. Ich fühle die zarten Körper weißer Babys an meinem Körper atmen. Ich fühle, was Constantine gefühlt hat, als Mutter mit mir aus dem Krankenhaus nach Hause kam und mich ihr übergab. Ich lasse mich von diesen Farbigen-Erinnerungen aus meinem eigenen elenden Leben hinaustragen.

»Skeeter, wir haben seit Wochen nichts von Stuart gehört«, sagt Mutter zum achten Mal. »Ihr habt euch doch nicht gestritten, oder?«

Im Moment schreibe ich gerade die Miss-Myrna-Kolumne. Nachdem ich zeitweise um drei Monate voraus war, habe ich es jetzt irgendwie geschafft, um ein Haar den Abgabetermin zu versäumen. »Es ist alles in Ordnung, Mutter. Er muss doch nicht von morgens bis abends anrufen.« Aber dann bemühe ich mich um einen freundlicheren Ton. Sie kommt mir mit jedem Tag dünner vor. Ihre hervortretenden Schlüsselbeine genügen, um meinen Ärger über ihre Einmischung zu dämpfen. »Er ist nur auf Reisen, Mama, weiter nichts.«

Das scheint sie für den Moment zu beruhigen. Dasselbe erzähle ich Elizabeth und, mit ein paar zusätzlichen Details, auch Hilly, wobei ich mich in den Arm kneife, um ihr schales Lächeln zu ertragen. Aber was ich mir selbst erzählen soll, weiß ich nicht. Stuart braucht »Raum« und »Zeit«, als ginge es hier um einen physikalischen Vorgang und nicht um eine zwischenmenschliche Beziehung.

Statt mich also den ganzen Tag in Selbstmitleid zu suhlen, arbeite ich. Ich tippe. Ich schwitze. Wer hätte gedacht, dass ein gebrochenes Herz so gottverdammt viel Hitze erzeugt. Wenn Mutter sich auf ihr Bett legt, stelle ich meinen Stuhl vor die Klimaanlage und starre in den Kasten. Im Juli wird er ein silberner Schrein. Ich finde Pascagoula dabei vor, wie sie so tut, als wischte sie mit einer Hand Staub, während sie mit der anderen ihre Zöpfchen in den Luftstrom hält. Klimaanlagen sind ja nicht gerade eine neue Erfindung, aber jeder Laden in der Stadt, der eine hat, verkündet es auf einem Schild im Schaufenster und wirbt damit in seinen Anzeigen, weil es von so lebenswichtiger Bedeutung ist. Ich male ein Pappschild für unser Haus, hänge es an die Klinke der Eingangstür, JETZT KLIMATISIERT. Mutter lächelt, tut aber so, als fände sie es gar nicht lustig.

An einem der seltenen Abende, die ich zu Hause verbringe, sitze ich mit Mutter und Daddy am Esstisch. Mutter pickt an ihrem Essen herum. Sie hat den ganzen Nachmittag alles getan, um vor mir zu verbergen, dass sie sich erbrechen musste. Jetzt presst sie sich die Zeigefinger auf die Nasenwurzel, um die Kopfschmerzen zurückzudämmen, und sagt: »Ich dachte an den Fünfundzwanzigsten, meinst du, das ist zu bald für die Gegeneinladung?«, und ich bringe es immer noch nicht über mich, ihr zu sagen, dass Stuart und ich Schluss gemacht haben.

Ich sehe Mutter an, dass es ihr heute Abend wirklich schlecht geht. Sie ist blass und versucht sichtlich, länger aufzubleiben, als sie eigentlich möchte. Ich nehme ihre Hand und sage: »Ich schaue mal in meinen Kalender, Mama. Der Fünfundzwanzigste ist bestimmt ganz prima.« Sie lächelt zum ersten Mal an diesem Tag.

Aibileen betrachtet den Blätterstapel auf ihrem Küchentisch. Er ist fast zwei Finger dick, in doppeltem Zeilenabstand beschrieben, und sieht allmählich wirklich wie etwas aus, das eines Tages auf einem Bücherbord stehen könnte. Aibileen ist sicher noch erschöpfter als ich, weil sie ja den ganzen Tag arbeitet und dann den Abend noch mit den Interviews zubringt.

»Guck sich das einer an«, sagt sie lächelnd. »Das ist ja beinah schon ein *Buch*.«

Ich nicke, versuche zurückzulächeln, aber es ist noch so viel zu tun. Wir haben schon fast August, und wenn das Manuskript auch erst im Januar fertig sein muss, sind da doch noch fünf Interviews zu bearbeiten. Mit Aibileens Hilfe habe ich fünf Kapitel, darunter auch das von Minny, strukturiert und in Form gebracht, aber Arbeit erfordern auch die noch. Zum Glück ist Aibileens Teil fertig. Es sind einundzwanzig Seiten, schlicht und wunderschön geschrieben.

Inzwischen sind da mehrere Dutzend erfundener Namen für Weiße und Farbige, und manchmal ist es schwer, den Überblick zu behalten. Aibileen ist schon von Anfang an Sarah Ross. Minny hat sich Gertrude Black ausgesucht, warum weiß ich nicht. Ich firmiere unter Anonymus, auch wenn Elaine Stein es noch nicht weiß. Niceville, Mississippi, heißt unsere Stadt, weil es keinen Ort dieses Namens gibt, wir aber befunden haben, dass ein tatsächlich existierender Bundesstaat Interesse wecken würde, und da Mississippi nun mal der schlimmste ist, schien es uns richtig, dabei zu bleiben.

Leichter Abendwind weht zum Fenster herein, und die obersten Blätter flattern. Wir patschen beide mit der Hand darauf, um sie festzuhalten.

»Glauben Sie ... sie wird's drucken wollen?«, fragt Aibileen. »Wenn's fertig ist?«

Ich versuche, Zuversicht auszustrahlen, die ich gar nicht habe. »Ich hoffe doch«, sage ich, so munter ich kann. »Sie fand die Idee interessant, und ... na ja, dann ist doch der Marsch und ...«

Ich höre, wie sich meine Stimme verliert. Ich weiß nicht, ob Missus Stein es veröffentlichen wollen wird. Ich weiß nur, dass die Verantwortung für das Projekt auf meinen Schultern lastet, und ich sehe an den abgearbeiteten Gesichtern, wie sehr sich die Frauen wünschen, dass dieses Buch erscheint. Sie schauen alle fünf Minuten zur Hintertür, haben Angst, dabei erwischt zu werden, wie sie mit mir reden. Angst, zusammengeschlagen zu werden wie Louvenias Enkel oder gar vor ihrer Haustür umgebracht zu werden wie Medgar Evers. Dass sie dieses Risiko eingehen, beweist doch, wie viel ihnen daran liegt, dass dieses Buch erscheint.

Ich fühle mich nicht mehr geschützt, nur weil ich weiß bin. Ich schaue mich immer wieder um, wenn ich mit dem Pickup zu Aibileen fahre. Die Erfahrung mit dem Polizisten, von dem ich vor ein paar Monaten angehalten wurde, hat es mir eingeschärft: Ich bin jetzt eine Gefahr für jede weiße Familie in dieser Stadt. Auch wenn so viele Geschichten positiv sind und die emotionalen Bande zwischen den Frauen und den Familien bezeugen, werden es doch die negativen Geschichten sein, die die Aufmerksamkeit der Weißen erregen. Die ihr Blut zum Kochen bringen, sie die Fäuste schwingen lassen. Wir müssen das Ganze absolut geheim halten.

Ich komme absichtlich fünf Minuten zu spät zum Montagabendtreffen der League, dem ersten seit einem Monat. Hilly, die unten an der Küste war, würde es nie riskieren, ein Treffen in ihrer Abwesenheit stattfinden zu lassen. Sie ist braungebrannt und bereit, Führung auszuüben. Sie hält ihren Hammer wie eine Waffe. Um mich herum sitzen Frauen und rauchen, sie benutzen Glasaschenbecher, die auf dem Boden stehen. Ich kaue an den Nägeln, um mich davon abzuhalten, mir eine anzuzünden. Ich habe schon sechs Tage nicht mehr geraucht.

Ich bin nicht nur deshalb nervös, weil mir die Zigarette in der Hand fehlt, sondern auch wegen der Gesichter im Raum. Ich kann auf Anhieb sieben Frauen ausmachen, die mit jemandem im Buch verwandt sind, wenn nicht gar selbst darin vorkommen. Ich will hier raus und wieder an die Arbeit, aber zwei lange, heiße Stunden vergehen, ehe Hilly schließlich mit ihrem Hammer das Treffen beschließt. Inzwischen scheint selbst sie ihrer Stimme müde.

Frauen stehen auf und strecken sich. Manche streben direkt hinaus, haben es eilig, sich um ihre Männer zu kümmern. Andere trödeln noch herum – die mit einer Küche voller Kinder und einem Dienstmädchen, das schon nach Hause gegangen ist. Ich packe schnell meine Sachen zusammen, in der Hoffnung, jedem Gespräch aus dem Weg gehen zu können, vor allem mit Hilly.

Doch ehe ich entkommen kann, erspäht mich Elizabeth und winkt mir. Ich habe sie seit Wochen nicht gesehen und kann nicht umhin, mit ihr zu reden. Ich habe ein schlechtes Gewissen, weil ich kein einziges Mal bei ihr war. Sie umfasst ihre Stuhllehne und stemmt sich hoch. Sie ist jetzt am Ende des sechsten Monats und benebelt von den Schwangerschaftstranquilizern.

»Wie geht es dir?«, frage ich. Alles an ihrem Körper ist genau wie immer, bis auf den riesigen Bauch. »Ist es diesmal besser?«

»Gott, nein, es ist furchtbar, und ich habe noch drei Monate vor mir.«

Wir schweigen beide. Elizabeth stößt leise auf, schaut auf die Uhr. Schließlich nimmt sie ihre Tasche, als wollte sie gehen, fasst dann aber meine Hand. »Ich hab's gehört«, flüstert sie, »das mit dir und Stuart. Es tut mir ja so leid.«

Ich schaue auf den Boden. Mich erstaunt nicht, dass sie es weiß, mich erstaunt nur, dass es so lange gedauert hat, bis jemand dahintergekommen ist. Ich habe es niemandem erzählt, aber Stuart vermutlich. Heute Morgen erst musste ich Mutter anlügen, ihr sagen, die Whitworths seien am Fünfundzwanzigsten – dem geplanten Termin für ihre »Gegeneinladung« – nicht da.

»Entschuldige, dass ich's dir nicht erzählt habe«, sage ich. »Ich spreche nicht gern darüber.«

»Verstehe. Oje, ich muss los, Raleigh hat wahrscheinlich schon einen Nervenzusammenbruch, weil er mit ihr allein ist.« Sie schaut zu Hilly hinüber. Die lächelt und entlässt sie mit einem Nicken.

Ich nehme rasch meine Sachen, will zur Tür. Doch ehe ich es geschafft habe, höre ich ihre Stimme hinter mir.

»Moment noch, ja, Skeeter?«

Ich seufze, drehe mich um und stelle mich Hilly. Sie trägt ein marineblaues Matrosenkleid, wie man es einer Fünfjährigen anziehen würde. Die Falten über ihren Hüften sind auseinandergezogen wie ein Akkordeonbalg. Jetzt sind nur noch wir beide im Raum.

»Können wir bitte über das hier reden?« Sie hält den letzten Newsletter hoch, und ich weiß, was kommt.

»Ich muss gehen. Mutter ist krank ...«

»Ich habe dir vor *fünf Monaten* gesagt, du sollst meine Initiative bringen, und jetzt ist wieder eine Woche vergangen, ohne dass du dich an meine Anweisung gehalten hast.«

Ich starre sie an, und plötzlich packt mich die Wut. Alles, was ich monatelang heruntergeschluckt habe, kommt hoch und birst aus meiner Kehle.

»Ich werde diese Initiative *nicht* bringen.«

Sie schaut mich an, ihr Gesicht ist vollkommen unbewegt. »Ich will diese Initiative vor den Wahlen im Newsletter haben«, sagt sie und zeigt an die Decke, »sonst geht die Sache nach oben, Missy.«

»Wenn du mich aus der League zu werfen versuchst, rufe ich persönlich Genevieve von Hapsburg in New York an«, zische ich, weil ich zufällig weiß, dass Genevieve Hillys Idol ist. Sie ist die jüngste nationale League-Präsidentin aller Zeiten und vielleicht die einzige Person auf dieser Welt, vor der Hilly Angst hat. Aber Hilly zuckt mit keiner Wimper.

»Um ihr was zu sagen, Skeeter? Dass du deinen Job nicht machst? Dass du Negeraktivistenmaterial mit dir herumträgst?«

Ich bin zu wütend, um mich dadurch einschüchtern zu lassen. »Ich will es *wiederhaben,* Hilly. Du hast es an dich genommen, obwohl es dir nicht gehört.«

»Natürlich habe ich es an mich genommen. Du hast so etwas nicht mit dir herumzutragen. Stell dir vor, jemand hätte es gesehen.«

»Wie kommst du dazu, mir zu sagen, was ich mit mir herumtragen darf und was …«

»Es ist mein Job, Skeeter! Du weißt so gut wie ich, dass niemand auch nur eine Scheibe Pfundkuchen von einer Organisation kaufen würde, die Integrationisten in ihren Reihen hat!«

»Hilly.« Ich muss es einfach aus ihrem Mund hören. »An *wen* soll dieses ganze Pfundkuchengeld denn gehen?«

Sie verdreht die Augen. »An die armen hungernden Kinder Afrikas?«

Ich warte, dass ihr die Ironie aufgeht: farbigen Menschen auf einem anderen Erdteil helfen zu wollen, aber nicht denen am anderen Ende der Stadt. Doch dann fällt mir etwas Besseres ein: »Ich werde Genevieve jetzt gleich anrufen. Und ihr sagen, was für eine scheinheilige Heuchlerin du bist.«

Hilly richtet sich ruckartig auf. Ich glaube bereits, eine Schwachstelle in ihrem Panzer getroffen zu haben. Aber dann fährt sie sich mit der Zunge über die Lippen und schnaubt laut und verächtlich.

»Es ist wirklich kein Wunder, dass dich Stuart Whitworth abserviert hat.«

Ich beiße die Zähne fest aufeinander, damit sie nicht sieht, was diese Worte mit mir machen. Innerlich bin ich eine langsam sinkende Messsäule, alles in mir verschwindet im Fußboden. »Ich will diese Gesetze wiederhaben«, sage ich mit zittriger Stimme.

»Dann bring die Initiative.«

Ich drehe mich um und gehe zur Tür hinaus. Ich hieve meine Büchertasche in den Cadillac und zünde mir eine Zigarette an.

Als ich nach Hause komme, bin ich froh, dass bei Mutter kein Licht mehr brennt. Ich schleiche durch den Flur auf die hintere Veranda und mache vorsichtig die quietschende Fliegentür zu. Ich setze mich an meine Schreibmaschine.

Aber ich kann nicht tippen. Ich starre auf die winzigen grauen Quadrate der Fliegengitter. Ich starre so intensiv darauf, dass ich hindurchschlüpfe. Ich fühle, wie etwas in mir aufbricht. Ich bin flüchtig wie Dampf. Ich bin verrückt. Ich bin taub für dieses blöde, schweigende Telefon. Taub für Mutters Würgen im Haus. Für ihre Stimme, die durchs Fenster dringt: »Alles in Ordnung, Carlton, es ist wieder vorbei.« Ich höre das alles, und trotzdem höre ich nichts. Nur ein hohes Sirren in meinen Ohren.

Ich greife in die Büchertasche und ziehe das Blatt mit Hillys Toiletteninitiative heraus. Das Papier ist schlaff von der Luftfeuchtigkeit. Eine Motte landet auf einer Ecke, flattert dann wieder davon und hinterlässt braunen Flügelstaub.

Langsam, mit einzelnen Anschlägen, beginne ich den Newsletter zu tippen: Sarah Shelbys bevorstehende Eheschließung mit Robert Pryor; Babymodenschau bei Mary Katherine Simpson, der Tee zu Ehren unserer hiesigen Förderinnen. Dann tippe ich Hillys Initiative. Ich platziere sie auf der zweiten Seite, direkt gegenüber von den Event-Fotos. Dort werden sie alle sehen, nachdem sie sich selbst beim Sommerfest betrachtet haben. Und während ich tippe, ist alles, was ich denken kann: *Was würde Constantine von mir halten?*

Aibileen

KAPITEL 22

»*Wie alt bist du heut*, großes Mädel?«

Mae Mobley ist noch im Bett. Sie hält verschlafen zwei Finger hoch und sagt: »Mae Mobley zwei.«

»Na-ah, ab heut sind wir drei!« Ich bieg noch einen von ihren Fingern hoch und sag ihr vor, was mein Daddy mir immer am Geburtstag vorgesagt hat: »Drei kleine Jägerlein, die gehn in einer Reih, der eine will nicht weitergehn, da tragen ihn die zwei.«

Sie zieht die Nase kraus, weil sie ab jetzt dran denken muss, dass die Antwort Mae Mobley drei heißt, wo's doch, so lang sie denken kann, immer Mae Mobley *zwei* war. Wenn man klein ist, fragen einen die Leute nur zwei Sachen, wie man heißt und wie alt man ist, also sollt man sich das besser richtig merken.

»Ich bin Mae Mobley drei«, sagt sie. Sie klettert aus dem Bett, und ihr Haar ist ein einziges Rattennest. Der kahle Fleck, den sie als Baby gehabt hat, kommt wieder. Meistens kann ich Haare drüberbürsten und ihn paar Minuten verstecken, aber nie für lang. Die Locken gehen jetzt raus, und ihr Haar ist dünn. Bis zum Abend wird's ganz strähnig. Mir macht's nichts aus, dass sie nicht niedlich ist, aber ich versuch immer, sie für ihre Mama so hübsch herzurichten, wie's geht.

»Komm in die Küche«, sag ich. »Wir machen dir ein Geburtstagsfrühstück.«

Miss Leefolt ist beim Friseur. Sie hält's nicht für nötig, da zu sein, wenn ihr einziges Kind am ersten Geburtstag, den's richtig mitkriegt, aufwacht und aufsteht. Aber wenigstens hat ihr Miss Leefolt das gekauft, was sie sich wünscht. Sie hat mich in ihr Schlafzimmer geführt und auf einen großen Karton am Boden gezeigt.

»Da wird sie sich freuen«, hat Miss Leefolt gesagt. »Die kann laufen und sprechen und sogar weinen.«

Und der Karton hat große rosa Punkte drauf. Und vorn Zellophan, und drinnen ist die Babypuppe, die so groß ist wie Mae Mobley. Allison heißt sie. Sie hat blondes Lockenhaar und blaue Augen. Und ein rosa Rüschenkleid an. Jedes Mal, wenn die Reklame im Fernsehen war, ist Mae Mobley hingerannt, hat den Karton mit beiden Händen angefasst und das Gesicht an den Fernseher gedrückt und ganz ernst reingeguckt. Wie Miss Leefolt da in ihrem Zimmer gestanden und auf die Puppe runtergeschaut hat, hat sie ausgesehen, wie wenn sie selbst gleich weinen würd. Ich denk mir, ihre böse alte Mama hat ihr früher nie das geschenkt, was sie sich gewünscht hat.

In der Küche mach ich Maisgrütze ohne was dran und tu so kleine Marshmallows obendrauf. Ich überback das Ganze kurz, damit's bisschen knusprig wird. Dann garnier ich's noch mit einer kleingeschnittenen Erdbeere. Das ist Maisgrütze nämlich und mehr nicht: eine Unterlage. Für das, was man eigentlich gern essen möcht.

Die drei kleinen rosa Kerzen, die ich von zu Haus mitgebracht hab, sind in meiner Handtasche. Ich nehm sie raus, wickel sie aus dem Wachspapier, das ich drumgemacht hab, damit sie sich nicht verbiegen. Nachdem ich sie angezündet hab, trag ich die Maisgrütze rüber zu dem weißen Linoleumtisch mitten in der Küche, wo die Kleine auf ihrem erhöhten Stuhl sitzt.

Ich sag: »Alles Gute zum Geburtstag, Mae Mobley zwei!«
Sie lacht und sagt: »Ich bin Mae Mobley drei!«

»Und ob du das bist! Und jetzt blas die Kerzen aus, Baby Girl. Sonst laufen sie in dein Frühstück.«

Sie starrt selig in die kleinen Flammen.

»Pusten, mein großes Mädel.«

Sie pustet sie glattweg um. Sie leckt die Maisgrütze von den Kerzen und fängt an mit essen. Nach einer Weile guckt sie mich an und sagt: »Wie alt bist du?«

»Aibileen ist dreiundfünfzig.«

Sie kriegt ganz große Augen. Für sie ist das so viel wie tausend.

»Hast du ... auch Geburtstag?«

»Klar.« Ich lach. »Ist mir gar nicht recht, aber ich hab auch Geburtstag. Mein Geburtstag ist nächste Woche.« Ich kann's nicht glauben, dass ich dann vierundfünfzig werd. Wo geht das noch hin?

»Hast du auch Babys?«, fragt sie.

Ich lach. »Ich hab siebzehn Stück.«

Sie kann noch nicht ganz bis siebzehn zählen, aber sie weiß, dass das viel ist.

»Das sind genug, dass die ganze Küche hier voll wär«, sag ich.

Ihre braunen Augen sind so groß und rund. »Wo sind deine Babys?«

»Sie sind überall in der Stadt. Die ganzen Babys, um die ich mich gekümmert hab.«

»Warum kommen sie nicht mit mir spielen?«

»Weil die meisten schon groß sind. Viele haben selbst schon Babys.«

Herr im Himmel, guckt sie jetzt verwirrt. Sie denkt scharf nach, wie wenn sie das alles nachrechnen würd. Schließlich sag ich: »Du bist auch eins davon. Alle Babys, für die ich gesorgt hab, die sind für mich meine Babys.«

Sie nickt und verschränkt die Arme.

Ich fang an abzuwaschen. Die Geburtstagsparty heut Abend

ist nur mit der Familie, und ich muss die Kuchen backen. Zuerst mach ich den mit Erdbeercreme. Wenn's nach Mae Mobley ging, wär jedes Essen mit Erdbeeren. Dann mach ich den anderen.

»Backen wir doch einen Schokoladenkuchen«, hat Miss Leefolt gestern gesagt. Sie ist jetzt im achten Monat und isst am liebsten Schokolade.

Aber ich hab das schon letzte Woche genau geplant. Hab schon alles besorgt, was ich brauch. Das ist zu wichtig, um sich's erst am Tag vorher auszudenken. »Mm-hmm. Wie wär's mit Erdbeer? Das würd Mae Mobley am liebsten mögen.«

»Oh, nein, sie wünscht sich Schokolade. Ich fahre heute einkaufen und bringe alles Nötige mit.«

Schokolade, dass ich nicht lach! Also hab ich mir gedacht, ich mach einfach beides. Dann kann sie wenigstens zweimal Kerzen ausblasen.

Ich nehm ihr den Teller weg. Geb ihr Traubensaft zu trinken. Sie hat ihre alte Babypuppe in der Küche, die, die sie Claudia getauft hat, mit dem aufgemalten Haar und den Schlafaugen. Die quietscht ganz jämmerlich, wenn man sie runterfallen lässt.

»Das da ist dein Baby«, sag ich, und sie patscht ihr auf den Rücken, wie wenn sie sie Bäuerchen machen lässt, und nickt.

Dann sagt sie: »Aibee, du bist meine richtige Mama.« Sie guckt mich nicht mal an, sagt's einfach nur so, wie wenn sie übers Wetter reden würd.

Ich knie mich zu ihr auf den Boden. »Deine Mama ist beim Friseur, ihr Haar machen lassen. Du weißt doch, wo deine Mama ist, Baby Girl.«

Aber sie schüttelt den Kopf, drückt die Puppe an sich. »Ich bin *dein* Baby«, sagt sie.

»Hör mal, Mae Mobley, ich hab dich da nur verkohlt, mit den siebzehn Babys, die alle meine sind. Sie sind nicht wirklich meine. Ich hab in meinem Leben nur ein Kind gekriegt.«

»Weiß ich«, sagt sie. »Ich bin in echt dein Kind. Die andern sind nur erfunden.«

Es ist ja nicht das erste Mal, dass ich erleb, wie ein Kind da durcheinander kommt. John Green Dudley, das erste Wort von dem Jungen war Mama, und dabei hat er mich angeguckt. Aber dann hat er ziemlich bald alle Mama genannt, auch sich selber und seinen Daddy. Hat sich keiner groß was dabei gedacht. Aber wie er dann angefangen hat, mit den Rüschenröcken von seiner Schwester Verkleiden zu spielen und sich Chanel Nummer 5 aufzutupfen, da waren wir doch alle bisschen besorgt.

Bei den Dudleys war ich zu lang, über sechs Jahre. Sein Daddy hat ihn immer mit in die Garage genommen und versucht, mit dem Gartenschlauch das Mädel aus dem Jungen rauszudreschen, bis ich's nimmer ertragen hab. Ich hab Treelore fast erstickt, wenn ich heimgekommen bin, so fest hab ich ihn umarmt. Wie wir mit den Geschichten angefangen haben, hat mich Miss Skeeter gefragt, was der schlimmste Tag in meiner Arbeit als Dienstmädchen war. Ich hab ihr gesagt, es wär ein totgeborenes Baby gewesen. Aber das stimmt nicht. Es war jeder einzelne Tag von 1941 bis 1947, wenn ich an der Fliegentür gewartet hab, dass das Dreschen aufhört. Ich wollt bei Gott, ich hätt John Green Dudley gesagt, dass er nicht in die Hölle kommt. Dass er keine Missgeburt ist, weil er Jungen mag. Ich wollt bei Gott, ich hätt ihm lauter gute Sachen gesagt, so wie ich's bei Mae Mobley versuch. Aber ich hab nur in der Küche gesessen und gewartet, dass ich ihm Salbe auf die Striemen schmieren kann.

In dem Moment fährt draußen Miss Leefolt in den Carport. Ich krieg bisschen Angst, was Miss Leefolt machen wird, wenn sie das Mamazeug hört. Mae Mobley auch. Ihre Hände flattern wie die Flügel von einem Huhn. »Sch-scht! Nicht sagen!«, ruft sie. »Sie haut mich.«

Also hat sie die Diskussion schon mit ihrer Mama gehabt. Und Miss Leefolt hat's gar nicht gefallen.

Wie Miss Leefolt mit ihrer neuen Frisur reinkommt, sagt ihr Mae Mobley nicht mal hallo, rennt nur in ihr Zimmer. Wie wenn sie Angst hätt, ihre Mama könnt hören, was in ihrem Kopf ist.

Mae Mobleys Geburtstagsparty ist ein voller Erfolg, jedenfalls sagt mir das Miss Leefolt am nächsten Tag. Wie ich am Freitagmorgen komm, stehen noch drei Viertel von dem Schokoladenkuchen auf der Arbeitsplatte. Der Erdbeerkuchen ist weg. An dem Nachmittag kommt Miss Skeeter vorbei, Miss Leefolt irgendwelche Papiere geben. Sowie Miss Leefolt ins Bad watschelt, schlüpft Miss Skeeter schnell in die Küche.

»Treffen wir uns heut Abend?«, frag ich.

»Ja, ich komme.« Miss Skeeter lächelt nicht oft, seitdem Mister Stuart und sie nimmer zusammen sind. Ich hab Miss Hilly und Miss Leefolt lang und breit drüber reden hören.

Miss Skeeter nimmt sich eine Co-Cola aus dem Kühlschrank und sagt leis: »Heute Abend machen wir das Interview mit Winnie zu Ende, und am Wochenende fange ich an, alles noch mal durchzugehen. Aber dann kann ich nicht bis nächsten Donnerstag. Ich habe Mama versprochen, sie nach Natchez zu fahren, zu so einer *Daughters of the American Revolution*-Sache.« Miss Skeeter kneift die Augen halb zusammen, wie sie's immer macht, wenn sie über was Wichtiges nachdenkt. »Ich werde drei Tage weg sein, okay?«

»Gut«, sag ich. »Sie brauchen mal bisschen Erholung.«

Sie geht wieder raus ins Esszimmer, dreht sich aber noch mal um. »Nicht vergessen. Ich fahre am Montagmorgen und bin dann drei Tage weg, okay?«

»Ja, Ma'am«, antworte ich und wunder mich, dass sie meint, sie muss das zweimal sagen.

Es ist erst halb neun am Montagmorgen, aber Miss Leefolts Telefon klingelt sich schon halb tot.

»Bei Miss Lee…«

»Holen Sie Elizabeth ans Telefon!«

Ich geh Miss Leefolt Bescheid sagen. Sie steigt aus dem Bett, schlappt in die Küche, im Nachthemd und mit ihren Lockenwicklern drin, und nimmt den Hörer ans Ohr. Miss Hilly klingt, wie wenn sie in ein Megafon redet und nicht in ein Telefon. Ich versteh jedes Wort.

»Warst du hier bei uns?«

»Was? Wovon sprichst du?«

»Sie hat das mit den Toiletten in den Newsletter gesetzt. Ich habe ausdrücklich gesagt, alte Mäntel sind bei mir abzugeben, nicht …«

»Lass mich erst mal … meine Post holen, ich habe keine Ahnung, was du …«

»Wenn ich sie erwische, bringe ich sie eigenhändig um.«

Der Hörer wird aufgeknallt. Miss Leefolt steht da und starrt ihren an, zieht sich dann schnell einen Hausmantel über. »Ich muss *los*«, sagt sie und sucht ihre Wagenschlüssel. »Bin bald wieder da.«

Sie rennt, hochschwanger wie sie ist, zur Tür raus, plumpst in ihr Auto und rast davon. Ich guck Mae Mobley an und sie mich.

»Frag mich nicht, Baby Girl. Ich weiß es auch nicht.«

Ich weiß nur, dass Miss Hilly und ihre Familie heut Morgen aus Memphis zurückgekommen sind, wo sie übers Wochenend waren. Wenn Miss Hilly weg ist, ist das immer das Einzige, worüber Miss Leefolt redet: wo sie ist und wann sie wieder zurückkommt.

»Komm, Baby Girl«, sag ich nach einer Weile. »Wir machen einen Spaziergang und schauen mal, was da los ist.«

Wir gehen die Devine lang, dann links und nochmal links und Miss Hillys Straße hoch, die Myrtle. Trotz August ist es schön zu laufen, noch nicht so heiß. Vögel flattern von einem Busch zum andern und singen. Mae Mobley hält mich an der

Hand, und wir schwingen die Arme und sind richtig fröhlich. Ein Haufen Autos fahren heut an uns vorbei, das ist komisch, weil die Myrtle eine Sackgasse ist.

Wir gehen um die Kurve zu Miss Hillys großem, weißem Haus. Und da sehen wir's.

Mae Mobley zeigt mit dem Finger hin und lacht. »Guck mal, Aibee!«

So was hab ich mein Lebtag noch nicht gesehen. Es sind bestimmt drei Dutzend. Klos. Da auf Miss Hillys Rasen. Alle möglichen Farben und Formen und Größen. Paar sind blau, paar rosa, paar weiß. Manche haben keine Klobrille, andre keinen Spülkasten. Es sind alte dabei und jüngere, welche mit Ziehketten und welche mit einem Griff zum Spülen. Sie sehen fast aus wie eine Versammlung von Leuten, manche mit hochgeklapptem Deckel, wie wenn sie reden, andere mit dem Deckel zu, wie wenn sie die sind, die zuhören.

Wir gehen rüber in den Straßengraben, weil auf der kleinen Straße jetzt richtig Verkehr ist. Leute fahren bis ganz runter und dann mit offenen Autofenstern um die kleine Grasinsel am Ende, immer im Kreis. Sie lachen laut und sagen: »Schaut euch Hillys Haus an«, »Guckt doch bloß, die ganzen Dinger da.« Starren die Klos an, wie wenn sie noch nie eins gesehen hätten.

»Eins, zwei, drei«, fängt Mae Mobley an zu zählen. Wie sie bei zwölf ist, muss ich weitermachen. »Neunundzwanzig, dreißig, einunddreißig. Zweiunddreißig Toiletten, Baby Girl.«

Wir gehen noch bisschen näher ran, und jetzt seh ich, dass nicht nur der ganze Vorgarten voll ist. Zwei stehen nebeneinander in der Einfahrt wie ein altes Ehepaar. Eine steht auf der Eingangstreppe, wie wenn sie wartet, dass Miss Hilly ihr aufmacht.

»Die ist doch lustig, da, mit dem …«

Aber die Kleine hat sich von meiner Hand losgerissen. Sie rennt in den Vorgarten, zu dem rosa Klo in der Mitte, und klappt den Deckel hoch. Eh ich mich's versieh, hat sie sich die

Unterhosen runtergezogen und in das Klo gepinkelt, und ich renn ihr nach, während ein halbes Dutzend Autos hupen und ein Mann mit einem Hut Fotos macht.

Miss Leefolts Auto steht in der Einfahrt hinter dem von Miss Hilly, aber beide sind nirgends zu sehen. Sie sind wohl drin und zetern rum, was sie jetzt mit der Bescherung machen sollen. Die Vorhänge sind zu, und an keinem Fenster bewegt sich was. Ich kreuz die Finger und hoff ganz fest, dass sie nicht mitgekriegt haben, wie die Kleine in das Klo gemacht hat, wo halb Jackson sie hat sehen können. Es ist Zeit, dass wir heimgehen.

Auf dem ganzen Heimweg löchert mich die Kleine wegen den Klos. Warum sind die da? Wo kommen die her? Ob sie zu Heather kann, noch bisschen mit den Klos spielen?

Wie ich wieder in Miss Leefolts Haus bin, klingelt das Telefon den Rest vom Morgen in einem durch. Ich geh nicht dran. Ich wart, dass es mal lang genug Pause macht, dass ich Minny anrufen kann. Aber wie Miss Leefolt dann in die Küche stampft, hängt sie sich ans Telefon und redet wie ein Wasserfall. Ich brauch nicht lang, um mir aus dem, was ich hör, die Geschichte zusammenzupuzzeln.

Miss Skeeter hat Miss Hillys Ankündigung wegen der Klosache brav in dem Newsletter abgedruckt. Die ganze Latte von Gründen, warum Weiße und Farbige nicht dieselbe Klobrille benutzen können. Und dann, direkt drunter, hat sie den Aufruf für die Mäntelsammlung gesetzt, oder jedenfalls hätt's das sein sollen. Aber statt dem mit den Mänteln steht da so was wie: »Geben Sie Ihre alten Toiletten in der Myrtle Street 228 ab. Wir sind nicht da, aber Sie können sie einfach vor der Haustür hinterlassen.« Sie hat nur ein Wort verwechselt, das ist alles. Jedenfalls nehm ich mal an, dass sie das sagen wird.

Pech für Miss Hilly, dass es sonst keine Nachrichten gibt. Nichts über Vietnam oder die Wehrpflicht. Und auch nichts

Neues über den großen Marsch auf Washington, der jetzt bald ist, mit dem Reverend King. Am nächsten Tag ist Miss Hillys Haus mit den ganzen Klos auf der ersten Seite vom *Jackson Journal.* Ich muss sagen, das ist schon ein lustiger Anblick. Ich wollt nur, es wär in Farbe, damit man die ganzen verschiedenen Sorten Rosa und Blau und Weiß sehen könnt. Aufhebung der Klorassentrennung sollten sie's nennen.

Die Schlagzeile heißt: EIN ORT VOLLER ÖRTCHEN! Es gibt keinen Artikel dazu. Nur das Foto und eine kleine Bildunterschrift: »Das Heim von Hilly und William Holbrook in Jackson, Mississippi, bot heute Morgen einen sehenswerten Anblick.«

Und wenn ich sag, es war sonst nichts los, mein ich nicht nur in Jackson, sondern in den ganzen USA. Lottie Freeman, die im Haus vom Gouverneur arbeitet, wo sie die ganzen großen Zeitungen kriegen, hat mir erzählt, sie hat's im Gesellschaftsteil von der *New York Times* gesehen. Und überall ist gestanden: »Das Heim von Hilly und William Holbrook in Jackson, Mississippi.«

Die Woche heißt's für Miss Leefolt ganz schön viel ins Telefon horchen. Und ganz schön viel nicken, wie wenn ihr Miss Hilly die Ohren heißredet. Ein Teil von mir will über die Klos lachen, ein andrer Teil will heulen. Es war furchtbar riskant von Miss Skeeter, sich mit Miss Hilly anzulegen. Heut Abend kommt sie aus Natchez wieder, und ich hoff, sie ruft an. Ich denk, ich weiß jetzt, warum sie weggefahren ist.

Am Donnerstagmorgen hab ich immer noch nichts von Miss Skeeter gehört. Ich stell mein Bügelbrett im Wohnzimmer auf. Miss Leefolt bringt Miss Hilly mit heim, und sie setzen sich an den Esszimmertisch. Ich hab Miss Hilly seit dem Klo-Spektakel nimmer gesehen. Ich nehm an, sie geht nicht so viel aus dem Haus. Ich stell den Fernseher leis und spitz die Ohren.

»Hier, das ist es. Das, wovon ich dir erzählt habe.« Miss Hilly hat ein kleines Heftchen aufgeschlagen. Sie fährt mit dem Finger die Zeilen lang.

Miss Leefolt schüttelt den Kopf.

»Du weißt, was das heißt, oder? Sie will diese Gesetze ändern. Warum sollte sie sie sonst mit sich herumtragen?«

»Das kann ich nicht glauben«, sagt Miss Leefolt.

»Ich kann nicht beweisen, dass sie die Klos absichtlich in meinen Garten hat kippen lassen. Aber das hier« – sie tippt mit dem Finger auf das Heftchen –, »das ist ein hieb- und stichfester Beweis, dass sie etwas im Schilde führt. Und das gedenke ich auch Stuart Whitworth zu erzählen.«

»Aber sie sind doch gar nicht mehr zusammen.«

»Na und? Er muss es trotzdem wissen. Für den Fall, dass er irgendwelche Anwandlungen verspürt, sich doch wieder mit ihr einzulassen. Senator Whitworths Karriere steht auf dem Spiel.«

»Aber vielleicht war es ja wirklich ein Versehen, das mit dem Newsletter. Vielleicht hat sie ja …«

»Elizabeth.« Hilly verschränkt die Arme vor der Brust. »Ich spreche nicht von den Klos. Ich spreche von den Gesetzen dieses großartigen Staates. Jetzt frag dich doch mal selbst, möchtest du, dass Mae Mobley im Englischunterricht neben einem farbigen Jungen sitzt?« Miss Hilly guckt zu mir und meinem Bügelbrett rüber. Sie spricht zwar jetzt leiser, aber im Flüstern war Miss Hilly noch nie gut. »Möchtest du, dass Farbige hier in deiner Nachbarschaft wohnen? Dass sie deinen Hintern streifen, wenn ihr auf der Straße aneinander vorbeigeht?«

Ich schau auf und seh, dass es jetzt langsam bei Miss Leefolt ankommt. Sie stellt sich kerzengerade hin wie Miss Rühr-mich-nicht-an in Person.

»William hat einen Anfall gekriegt, als er gesehen hat, was sie mit unserem Grundstück gemacht hat, und ich kann es mir nicht leisten, mich noch weiter mit ihr abzugeben, nicht jetzt, wo die Wahl bevorsteht. Ich habe schon Jeanie Caldwell gefragt, ob sie Skeeters Platz beim Bridgekränzchen einnehmen will.«

»Du hast sie aus dem Bridgekränzchen rausgeworfen?«

»Allerdings hab ich das. Und ich habe erwogen, sie auch aus der League zu werfen.«

»Kannst du das denn?«

»Natürlich kann ich das. Aber ich habe beschlossen, sie soll in diesem Raum mit uns sitzen und sehen, wohin sie sich gebracht hat.« Miss Hilly nickt. »Sie muss lernen, dass sie so nicht weitermachen kann. Ich meine, wenn wir es mitkriegen, ist das eine Sache, aber wenn es gewisse andere Leute erfahren, ist sie ernsthaft in Schwierigkeiten.«

»Das stimmt. Es gibt echte Rassisten in dieser Stadt.«

Miss Hilly nickt. »O ja, die gibt es dort draußen.«

Nach einer Weile stehen sie auf und fahren zusammen weg. Ich bin froh, dass ich ihre Gesichter eine Weile nicht sehen muss.

Am Mittag kommt Mister Leefolt zum Lunch heim, was selten passiert. Er setzt sich an den kleinen Frühstückstisch. »Aibileen, machen Sie mir doch bitte etwas zu essen.« Er nimmt die Zeitung, klappt sie nach hinten zusammen, damit sie grad bleibt. »Ich hätte gern etwas Roastbeef.«

»Ja, Sir.« Ich leg ihm ein Platzdeckchen, eine Serviette und Silberbesteck hin. Er ist groß und sehr dünn. Dauert nimmer lang, dann ist er ganz kahl. Hat noch einen schwarzen Ring um den Kopf, aber obendrauf nichts mehr.

»Sie bleiben doch, um Elizabeth mit dem Baby zu helfen?«, fragt er, während er Zeitung liest. Normal beachtet er mich gar nicht.

»Ja, Sir«, sag ich.

»Weil ich gehört habe, Sie wechseln oft die Stelle.«

»Ja, Sir«, sag ich. Das stimmt. Die meisten Dienstmädchen

bleiben ihr ganzes Leben bei einer Familie, aber ich nicht. Ich hab meine Gründe, warum ich woanders hingeh, wenn die Kinder so acht oder neun sind. Hab ein paar Jobs gebraucht, um's zu lernen. »Ich kann's am besten mit Babys.«

»Dann sehen Sie sich also nicht als Dienstmädchen. Sie sind eher ein Kindermädchen für kleine Kinder.« Er legt die Zeitung hin und guckt mich an. »Sie sind Spezialistin, so wie ich Spezialist bin.«

Ich sag nichts, nick nur leicht.

»Wissen Sie, ich mache nämlich nur Steuerberatung für Firmen, nicht für irgendwelche Privatleute, die ihre Steuererklärung ausfüllen müssen.«

Langsam werd ich nervös. So viel hat er noch nie mit mir geredet, und ich bin jetzt drei Jahre hier.

»Muss schwer sein, jedes Mal eine neue Stelle zu finden, wenn die Kinder in die Schule kommen.«

»Irgendwas ergibt sich immer.«

Darauf sagt er nichts, also geh ich den Rindsbraten aus dem Kühlschrank nehmen.

»Da braucht man sicher gute Zeugnisse, wenn man immer wieder den Arbeitgeber wechselt so wie Sie.«

»Ja, Sir.«

»Ich habe gehört, Sie kennen Skeeter Phelan. Elizabeths alte Freundin.«

Ich lass den Kopf gesenkt. Ganz langsam schneid ich Scheiben von dem Lendenstück. Mein Herz schlägt jetzt dreimal so schnell wie normal.

»Sie fragt mich manchmal Putzsachen. Für die Zeitungsartikel.«

»Ach ja?«, sagt Mister Leefolt.

»Ja, Sir. Sie fragt mich nur nach Tipps.«

»Ich möchte nicht, dass Sie je wieder mit dieser Frau sprechen, nicht über Putztipps und nicht einmal, um guten Tag zu sagen, haben wir uns verstanden?«

»Ja, Sir.«

»Wenn mir zu Ohren kommt, dass Sie beide miteinander ge-sprochen haben, können Sie sich auf einen Haufen Probleme gefasst machen. Ist das klar?«

»Ja, Sir«, flüster ich und frag mich, was der Mann weiß.

Mister Leefolt nimmt wieder die Zeitung. »Machen Sie mir mit dem Fleisch ein Sandwich. Mit etwas Mayonnai-se. Und nicht zu lange toasten. Dass es mir ja nicht trocken wird.«

An dem Abend sitzen Minny und ich an meinem Küchen-tisch. Seit heut Mittag zittern meine Hände die ganze Zeit.

»Der hässliche weiße Idiot«, sagt Minny.

»Ich würd nur gern wissen, was er denkt«, sag ich.

Da klopft's an der Hintertür, und wir gucken uns an. Gibt nur eine, die so bei mir anklopft, alle anderen kommen einfach rein. Ich mach auf, und da steht Miss Skeeter. »Minny ist da«, flüster ich, weil's immer sicherer ist, man weiß es, wenn man wo reingeht, wo Minny ist.

Ich bin froh, dass sie gekommen ist. Ich hab ihr so viel zu erzählen, dass ich gar nicht weiß, wo anfangen. Aber dann seh ich überrascht, dass Miss Skeeter regelrecht lächelt. Anschei-nend hat sie noch nicht mit Miss Hilly geredet.

»Hallo, Minny«, sagt sie im Reinkommen.

Minny guckt zum Fenster rüber. »Hallo, Miss Skeeter.«

Eh ich ein Wort sagen kann, setzt sich Miss Skeeter hin und legt sofort los.

»Ich hatte ein paar Ideen, während ich weg war. Ich denke, wir sollten mit Ihrem Kapitel anfangen, Aibileen.« Sie zieht einen Stapel Blätter aus ihrer schäbigen roten Büchertasche. »Und dann tauschen wir Louvenias Kapitel mit dem von Faye Belle, um nicht drei dramatische Geschichten in Folge zu ha-ben. Die Mitte klären wir noch, aber Ihr Teil, Minny, sollte eindeutig den Schluss bilden.«

»Miss Skeeter ... ich muss Ihnen paar Sachen sagen«, werf ich ein.

Minny und ich gucken uns an. »Ich muss los«, sagt Minny und macht ein Gesicht, wie wenn ihr der Stuhl zu hart geworden wär. Sie geht zur Tür, aber unterwegs berührt sie Miss Skeeter ganz kurz an der Schulter. Dabei schaut sie gradaus, wie wenn sie gar nichts machen würd. Dann ist sie draußen.

»Sie waren ja eine Weile weg, Miss Skeeter.« Ich reib mir den Nacken.

Dann erzähl ich ihr, wie Miss Hilly das Heftchen rausgeholt und Miss Leefolt gezeigt hat. Und weiß der Himmel wem seither noch alles.

Miss Skeeter nickt und sagt: »Mit Hilly werde ich schon fertig. Mit Ihnen oder den anderen Dienstmädchen und mit dem Buch hat das gar nichts zu tun.«

Und dann erzähl ich ihr von Mister Leefolt, wie er mir ganz klar gedroht hat, was mir passiert, wenn ich noch mal mit ihr über die Putzsachen red. Ich will ihr das alles nicht erzählen, aber sie wird's sowieso hören, also soll sie's wenigstens zuerst von mir gesagt kriegen.

Sie hört genau zu, stellt paar Fragen. Wie ich fertig bin, sagt sie: »Er ist ein Sack heiße Luft, dieser Raleigh. Aber ich muss von jetzt an noch vorsichtiger sein, wenn ich bei Elizabeth bin. Ich werde nicht mehr in die Küche kommen.« Und ich merk, dass sie gar nicht richtig begriffen hat, was los ist. Wo sie dran ist mit ihren Freundinnen. Wie gefährlich das alles ist. Ich erzähl ihr, wie Miss Hilly gesagt hat, dass sie in der League erleben soll, wohin sie's gebracht hat. Ich erzähl ihr, dass sie sie aus dem Bridgekränzchen geschmissen hat. Ich erzähl ihr, dass Miss Hilly Mister Stuart alles erzählen will, für den Fall, dass er irgendwelche »Anwandlungen« hat, sich wieder mit ihr zu versöhnen.

Miss Skeeter guckt weg und versucht zu lächeln. »Mir liegt sowieso nichts an diesem ganzen alten Kram.« Sie bringt so eine Art Lachen raus, und es tut mir im Herzen weh. Weil da jedem dran liegt. Ob schwarz oder weiß, tief drinnen liegt allen was dran.

»Ich ... ich wollt nur, dass Sie's von mir hören und nicht von irgendjemand«, sag ich. »Damit Sie wissen, was kommt. Damit Sie sich hüten können.«

Sie beißt sich auf die Unterlippe und nickt dann. »Danke, Aibileen.«

KAPITEL 23

Der Sommer rollt hinter uns her wie ein kochend heißer Teerwagen. Alle Farbigen in ganz Jackson sind irgendwo vor einem Fernseher und gucken, wie Martin Luther King in unserer amerikanischen Hauptstadt steht und uns erzählt, dass er einen Traum hat. Ich guck im Keller von der Kirche. Unser Reverend Johnson ist auch dort oben bei dem Marsch, und ich such immer wieder die Massen nach seinem Gesicht ab. Ich kann gar nicht glauben, dass da so viele Menschen sind – zweihundertfünfzig*tausend*. Und der Knaller ist, sechzigtausend davon sind *weiß*.

»Mississippi und die Welt sind zwei Paar Stiefel«, sagt der Diakon, und wir nicken alle, weil's ja offensichtlich stimmt.

Der September kommt, und in Birmingham wird eine Kirche in die Luft gejagt, mit vier kleinen farbigen Mädchen drin. Das wischt uns schnell das Lächeln vom Gesicht. Gott im Himmel, da hören unsre Tränen nimmer auf zu fließen, und es fühlt sich an, wie wenn das Leben unmöglich weitergehen könnt. Aber dann geht's trotzdem weiter.

Jedes Mal, wenn ich Miss Skeeter treff, sieht sie dünner aus und nervöser. Sie versucht zu lächeln, wie wenn's nicht so schlimm für sie wär, dass sie keine Freundinnen mehr hat.

Im Oktober sitzt Miss Hilly an Miss Leefolts Esszimmertisch. Miss Leefolt ist jetzt so schwanger, dass sie kaum noch gradaus gucken kann. Miss Hilly hat einen dicken Pelz um den

Hals, obwohl wir draußen fünfzehn Grad haben. Sie streckt den kleinen Finger vom Teeglas weg und sagt: »Skeeter ist sich so was von gerissen vorgekommen, als sie diese ganzen Toiletten in meinem Vorgarten hat abladen lassen. Tja – der Effekt ist phantastisch. Wir haben schon drei Stück bei Leuten in der Garage oder im Schuppen installiert. Selbst William sagt, es war im Grund ein Segen.«

Das werd ich Miss Skeeter nicht erzählen. Dass sie am End die Sache unterstützt, gegen die sie hat kämpfen wollen. Aber dann merk ich, dass es eh nichts mehr ausmacht, weil Miss Hilly sagt: »Gestern Abend habe ich beschlossen, Skeeter einen Dankesbrief zu schreiben. Ich habe ihr erklärt, dass dank ihrer Unterstützung das Projekt schneller vorankommt, als es sonst je möglich gewesen wäre.«

Weil Miss Leefolt jetzt immer damit beschäftigt ist, Anziehsachen für das neue Baby zu machen, sind Mae Mobley und ich praktisch von morgens bis abends zusammen. Sie wird nun langsam zu schwer, um sie die ganze Zeit rumzutragen, oder vielleicht werd ich auch zu dick. Dafür versuch ich, sie immer mal ordentlich zu drücken.

»Du sollst mir meine Geheimgeschichte erzählen«, flüstert sie und strahlt übers ganze Gesicht. Sie will jetzt immer ihre Geheimgeschichte, sowie ich am Morgen ins Haus komm. Die Geheimgeschichten sind die, die ich mir ausdenk.

Aber da kommt Miss Leefolt rein, ihre Handtasche am Arm und ausgehfertig. »Mae Mobley, ich gehe jetzt. Gib Mama einen Kuss.«

Aber Mae Mobley rührt sich nicht.

Miss Leefolt steht da, die Hand in der Hüfte, und wartet auf ihren Kuss. »Mach's, Mae Mobley«, flüster ich. Ich geb ihr einen kleinen Schubs, und sie geht hin und umarmt ihre Mama, mehr so verzweifelt, aber Miss Leefolt sucht schon in ihrer Tasche nach den Wagenschlüsseln und dreht sich weg.

Mae Mobley scheint's aber nimmer so viel auszumachen wie früher, und das ist es, was ich kaum mit angucken kann.

»Komm, Aibee«, sagt Mae Mobley, wie ihre Mama weg ist. »Erzähl mir meine Geheimgeschichte.«

Wir gehen in ihr Zimmer, wo wir dafür am liebsten sitzen. Ich lass mich auf den großen Stuhl nieder, und sie klettert auf mich drauf und lacht, hüpft bisschen auf meinem Schoß. »Erzähl mir von dem braunen Einwickelpapier. Und von dem Geschenk.« Sie ist ganz zapplig vor Aufregung. Sie muss erst noch mal von mir runterklettern und bisschen rumzappeln, um's loszuwerden. Dann klettert sie wieder auf meinen Schoß.

Das ist ihre Lieblingsgeschichte, denn wenn ich die erzähl, kriegt sie zwei Geschenke. Ich nehm das braune Papier von meiner Piggly-Wiggly-Einkaufstüte und pack was Kleines drin ein, ein Bonbon oder so. Dann nehm ich das weiße Papier von meiner Cole's-Drugstore-Tüte und pack da drin was genau Gleiches ein. Sie nimmt's immer ganz ernst, das Auswickeln, und lässt sich von mir die Geschichte erzählen, die da drum geht, dass es nicht auf die Verpackung ankommt, sondern auf das, was drin ist.

»Heut erzähl ich dir eine andre Geschichte«, sag ich, aber zuerst bin ich still und horch, ob Miss Leefolt nicht noch mal zurückkommt, weil sie irgendwas vergessen hat. Die Luft ist rein.

»Heut erzähl ich dir von einem Mann aus dem Weltall.« Sie liebt Geschichten über Leute aus dem Weltall. Ihre Lieblingssendung im Fernsehen ist *Der Onkel vom Mars.* Ich hol die Antennenhüte raus, die ich gestern Abend aus Alufolie gebastelt hab, und setz sie uns auf. Ihr einen und mir einen. Wir sehen ganz schön komisch aus mit den Dingern.

»Eines Tags kam mal ein kluger Marsmann auf die Erde, weil er den Menschen paar Sachen beibringen wollt«, sag ich.

»Ein Marsmann? Wie groß?«

»Ach, so ein Meter fünfundachtzig war er.«

»Wie hat er geheißen?«

»Marsmann Luther King.«

Sie atmet ganz tief ein und lehnt den Kopf an meine Schulter. Ich fühl ihr kleines Herz an meinem schlagen wie Schmetterlingsflügel.

»Er war ein ganz netter Marsmann, der Mister King. Hat genauso ausgesehen wie wir, Nase, Mund und Haar auf dem Kopf, aber manche Leute haben ihn komisch angeguckt, und manche Leute waren richtig gemein zu ihm.«

Ich könnt ja *so was* von Ärger kriegen für meine kleinen Geschichten, vor allem mit Mister Leefolt. Aber Mae Mobley weiß, dass es unsere »Geheimgeschichten« sind.

»Warum, Aibee? Warum waren sie so gemein zu ihm?«

»Weil er grün war.«

Zweimal an dem Morgen hat Miss Leefolts Telefon geklingelt, und zweimal bin ich nicht rechtzeitig hingekommen. Das eine Mal, weil ich versucht hab, die nackige Kleine im Garten einzufangen, und das andere Mal, weil ich grad auf der Toilette im Carport war, und wo Miss Leefolt jetzt mit dem Baby schon drei Wochen – *drei* volle Wochen – über die Zeit ist, kann ich von ihr nicht erwarten, dass sie ans Telefon rennt. Aber ich hab auch nicht erwartet, dass sie mich anschnauzt, wo ich doch auch nicht hingekonnt hab. Guter Gott, ich hätt's wissen können, wie ich heut Morgen aufgestanden bin.

Gestern Abend haben Miss Skeeter und ich bis Viertel vor zwölf an den Geschichten gearbeitet. Ich bin müd bis in die Knochen, aber wir haben jetzt grad mal Nummer acht fertig und noch vier zu machen. Der zehnte Januar ist der Abgabetag, und ich weiß nicht, ob wir das schaffen.

Wir haben schon den dritten Mittwoch im Oktober, also ist das Bridgekränzchen heut bei Miss Leefolt. Es ist ganz und gar anders, nun, wo sie Miss Skeeter rausgeschmissen haben. Jetzt sind da Miss Jeanie Caldwell, die, die zu allen Schätzchen sagt, und Miss Lou Anne, die für Miss Walters reingekommen ist, und alle sind ganz steif und höflich und zwei Stunden lang immer nur einer Meinung. Es macht nimmer viel Spaß, ihnen zuzuhören.

Wie ich grad den letzten Eistee eingieß, macht plötzlich die Türklingel *Ding-Dong*. Ich geh schnell an die Tür, will Miss Leefolt zeigen, dass ich nicht so lahm bin, wie sie's mir vorgeworfen hat.

Wie ich aufmach, ist das erste Wort, das mir durch den Kopf schießt, *knallrosa*. Ich hab sie noch nie gesehen, aber ich hab oft genug mit Minny geredet, dass ich weiß, das muss sie sein. Wer sonst hier in der Gegend würd einen extragroßen Busen in einen extraengen Pullover quetschen?

»Hallo«, sagt sie und fährt sich mit der Zunge über die knallig angemalten Lippen. Sie streckt mir die Hand hin, und ich denk, sie will mir was geben. Ich lang hin, um's zu nehmen, und da drückt sie mir plötzlich die Hand.

»Mein Name ist Celia Foote, und ich möchte bitte Miss Elizabeth Leefolt sprechen.«

Weil ich so gebannt auf das ganze Knallrosa starr, dauert's paar Sekunden, bis mir aufgeht, dass mich das in Teufels Küche bringen kann. Und Minny auch. Es ist lang her, aber die Lüge ist immer noch in der Welt.

»Ich ... sie ...« Ich würd ihr ja sagen, dass niemand zu Haus ist, aber der Bridgetisch ist keine zwei Meter hinter mir. Ich dreh mich um, und alle vier Ladys starren zur Haustür, die Münder offen, wie wenn sie Fliegen fangen wollten. Miss Caldwell flüstert Miss Hilly was zu. Miss Leefolt rappelt sich vom Stuhl hoch und setzt ein falsches Lächeln auf.

»Hallo, Celia«, sagt Miss Leefolt. »Es ist ja ewig her ...«

Miss Celia räuspert sich und sagt dann irgendwie zu laut: »Hallo, Elizabeth. Ich bin vorbeigekommen, um ...« Ihr Blick huscht zu dem Tisch, wo die anderen Ladys sitzen.

»Oh, ich störe gerade. Ich ... ich komme ein andermal wieder.«

»Nein, nein, was kann ich für Sie tun?«, fragt Miss Leefolt.

Miss Celia holt tief Luft in ihrem engen rosa Rock, und ich glaub, einen Moment lang denken wir alle, dass sie gleich aus den Nähten platzt.

»Ich wollte meine Hilfe für den Wohltätigkeitsball anbieten.«

Miss Leefolt lächelt und sagt: »Oh. Tja, ich …«

»Ich habe wirklich ein Händchen für Blumenarrangements. Also, in Sugar Ditch fanden das alle, und sogar mein Dienstmädchen hat es gesagt, nachdem sie mir erklärt hatte, dass ich die schlechteste Köchin bin, die sie je gesehen hat.« Sie kichert kurz, und ich hab bei dem Wort *Dienstmädchen* vor Schreck die Luft angehalten. Dann wird sie wieder ernst. »Aber ich kann auch Adressen schreiben und Briefmarken kleben und …«

Miss Hilly steht vom Bridgetisch auf. Sie beugt sich vor und sagt: »Wir brauchen wirklich keine Hilfe mehr, aber wir würden uns freuen, Celia, wenn Sie und Johnny zum Wohltätigkeitsball kämen.«

Miss Celia lächelt und guckt so dankbar, dass es einem das Herz bricht. Wenn man eins hat.

»Oh, danke«, sagt sie. »*Liebend* gern.«

»Er findet am Freitag, dem fünfzehnten November, statt, im …«

»… Robert E. Lee Hotel«, sagt Miss Celia. »Ich weiß Bescheid.«

»Wir verkaufen Ihnen gern Karten. Johnny kommt doch sicher mit? Hol ihr Karten, Elizabeth.«

»Und wenn ich doch irgendetwas helfen …«

»Nein, nein«, sagt Miss Hilly lächelnd. »Es ist alles schon geregelt.«

Miss Leefolt kommt mit dem Umschlag wieder. Sie fischt paar Karten raus, aber Miss Hilly nimmt ihr den Umschlag aus der Hand.

»Wo Sie schon hier sind, Celia, möchten Sie nicht auch gleich ein paar Karten für Ihre Freunde kaufen?«

Miss Celia erstarrt. »Äh, na ja …«

»Vielleicht zehn Stück? Für Sie und Johnny und acht Freunde. Dann haben Sie einen Tisch für sich.«

Miss Celia lächelt so verkrampft, dass ihre Lippen zittern. »Ich glaube, zwei reichen.«

Miss Hilly nimmt zwei Karten heraus und gibt den Umschlag Miss Leefolt zurück. Die geht nach hinten, ihn wieder wegpacken.

»Ich stelle eben schnell einen Scheck aus. Ein Glück, dass ich das sperrige Ding heute dabeihabe. Ich habe meinem Mädchen Minny versprochen, ihr aus der Stadt einen Schinkenknochen mitzubringen.«

Miss Celia müht sich ab, den Scheck auf ihren Knien auszuschreiben. Ich steh so still da, wie ich nur kann, und hoff, dass Miss Hilly nicht mitgekriegt hat, was Miss Celia da grad gesagt hat. Die streckt ihr den Scheck hin, aber Miss Hilly steht mit gerunzelter Stirn da und guckt sie an.

»Wer? Was sagten Sie, wie Ihr Dienstmädchen heißt?«

»Minny Jackson. Oh! Verflixt!« Miss Celia hält sich den Mund zu. »Elizabeth hat mir das Versprechen abgenommen, niemandem zu sagen, dass sie sie mir empfohlen hat, und jetzt plappere ich hier einfach alles aus.«

»Elizabeth … hat Minny Jackson empfohlen?«

Miss Leefolt kommt aus ihrem Zimmer zurück. »Aibileen, sie ist wach. Gehen Sie hin. Ich kann nicht mal eine Nagelfeile heben, mit meinem Rücken.«

Ich geh schnell in Mae Mobleys Zimmer, aber wie ich reinguck, ist Mae Mobley wieder eingeschlafen. Ich lauf schleunigst ins Esszimmer zurück. Miss Hilly macht grad die Haustür zu.

Miss Hilly setzt sich wieder hin und macht ein Gesicht, wie wenn sie grad eben die Katze verspeist hätt, die den Kanari gefressen hat.

»Aibileen«, sagt Miss Leefolt, »richten Sie jetzt die Salate an, wir warten schon.«

Ich geh in die Küche. Wie ich wieder rauskomm, klappern die Salatteller auf dem Tablett wie Zähne.

»… meinst die, die deiner Mama das ganze Silber gestohlen hat und …«

»… dachte, jeder in dieser Stadt wüsste, dass diese Negerin stiehlt …«

»… doch nie im Leben empfehlen …«

»… gesehen, was sie anhatte? Was glaubt sie …«

»Ich werde es herauskriegen, und wenn es mich umbringt«, sagt Miss Hilly.

Minny

KAPITEL 24

Ich steh an der Küchenspüle und wart, dass Miss Celia heim-kommt. Der Lappen, an dem ich rumzieh, ist schon ganz zer-fetzt. Heut Morgen ist diese Verrückte aufgewacht, hat sich in den engsten Pullover gequetscht, den sie hat, und das will was heißen, und mir erklärt: »Ich gehe zu Miss Elizabeth Lee-folt. Jetzt sofort, solange ich den Mut dazu habe, Minny.« Und dann ist sie davongefahren in ihrem Bel-Air-Kabrio, den halben Rock in die Tür geklemmt.

Ich war ja erst nur nervös, bis dann das Telefon geklingelt hat. Aibileen hat vor lauter Aufregung gar nicht gradaus re-den können. Miss Celia hat den Ladys nicht nur erzählt, dass Minny Jackson bei ihr arbeitet, nein, sie hat ihnen auch noch auf die Nase gebunden, dass Miss Leefolt »mich ihr empfoh-len« hat. Und mehr hat Aibileen nicht mitgekriegt. Grad mal fünf Minuten werden diese Gackerhühner brauchen, um uns auf die Schliche zu kommen.

Also kann ich jetzt nur warten. Warten, dass sich rausstellt, ob, erstens, meine beste Freundin auf der ganzen Welt gefeu-ert wird, weil sie mir einen Job verschafft hat. Und zweitens, ob Miss Hilly Miss Celia auch ihre Lügen erzählt hat, von we-gen, dass ich eine Diebin bin. Und zweieinhalbstens, ob Miss Hilly Miss Celia erzählt hat, wie ich mich für ihre Lügen ge-rächt hab. Es tut mir kein bisschen leid wegen der fürchterlich schlimmen Sache, die ich gemacht hab. Aber jetzt, wo Miss

Hilly ihr eigenes Dienstmädchen ins Gefängnis gebracht hat und vier Jahre dort verrotten lässt, frag ich mich, was sie mit mir machen wird.

Um zehn nach vier erst, eine Stunde nach meinem normalen Arbeitsschluss, seh ich Miss Celias Auto in die Einfahrt biegen. Sie kommt ganz aufgeregt den Fußweg lang, wie wenn sie mir was zu sagen hätt. Ich zieh meine Strümpfe hoch.

»Minny, es ist doch schon so spät!«, ruft sie.

»Was war bei Miss Leefolt?« Ich versuch gar nicht erst drum rum zu reden. Ich will's wissen.

»Bitte, gehen Sie! Johnny kommt jeden Moment nach Hause.« Sie schiebt mich in den Waschraum, wo ich meine Sachen hab.

»Wir reden morgen«, sagt sie, aber ausnahmsweis will ich nicht heimgehen, ich will hören, was Miss Hilly über mich gesagt hat. Wenn einem jemand sagt, dass das eigene Dienstmädchen eine Diebin ist, ist das so, wie wenn man hört, dass der Lehrer von den eigenen Kindern ein Fummler ist. Da hält man sich nicht lang damit auf, im Zweifel erst mal für den Beschuldigten zu sein, man sorgt dafür, dass er fliegt.

Aber Miss Celia will mir nichts sagen. Sie scheucht mich weg, damit sie weiter ihr komisches Theater spielen kann, das so wirr und verdrillt ist wie diese Kudzu-Kletterpflanzen. Mister Johnny weiß von mir. Miss Celia weiß, dass Mister Johnny von mir weiß. Aber Mister Johnny weiß nicht, dass Miss Celia weiß, dass er's weiß. Und wegen dem albernen Getue muss ich um zehn nach vier schleunigst verschwinden und die ganze Nacht wegen Miss Hilly kopfstehen.

Am nächsten Morgen, eh ich zur Arbeit geh, ruft mich Aibileen an.

»Ich hab heut früh schon die arme Fanny angerufen, weil mir klar war, dass du die ganze Nacht vor dich hin schmorst.« Die arme Fanny ist Miss Hillys neues Dienstmädchen. Eigentlich müsst sie die blöde Fanny heißen, weil sie dort arbeitet. »Sie hat gehört, wie Miss Leefolt und Miss Hilly zu dem Schluss gekommen sind, du hättst die ganze Sache mit der Empfehlung erfunden, damit Miss Celia dir den Job gibt.«

Puh. Ich lass den ganzen Atem raus. »Bin ich froh, dass du keinen Ärger kriegst«, sag ich. Trotzdem: Jetzt erzählt Miss Hilly rum, dass ich lüg *und* stehl.

»Mach dir um mich keine Sorgen«, sagt Aibileen. »Pass du nur auf, dass Miss Hilly nicht mit deiner Lady redet.«

Kaum dass ich zur Arbeit komm, rennt Miss Celia schon los, sich ein Kleid für den Wohltätigkeitsball nächsten Monat kaufen. Sie sagt, sie will die Erste im Laden sein. Es ist nimmer wie früher, wie sie schwanger war. Jetzt kann sie's gar nicht erwarten, aus dem Haus zu kommen.

Ich stapf in den Garten raus, die Liegestühle abwischen. Wie mich die Vögel kommen sehen, flattern sie alle so aufgeregt rum, dass der Kamelienbusch wackelt. Letztes Frühjahr hat mich Miss Celia immer bearbeitet, ich soll mir doch was von den Blüten mit heimnehmen. Aber ich kenn Kamelien. Man nimmt einen Strauß mit rein, denkt noch, sie sehen so frisch aus, wie wenn sie sich bewegen würden, aber wenn man sich bückt, um dran zu riechen, sieht man, dass man eine Armee von Spinnmilben ins Haus gebracht hat.

Ich hör hinter den Büschen ein Stöckchen knacken, dann noch mal. Ich krieg Gänsehaut und bleib ganz still stehen. Wir sind hier mitten im Nichts, mich würd meilenweit niemand schreien hören. Ich horch, aber da ist nichts mehr. Ich sag mir, das sind nur die Überbleibsel vom Warten auf Mister Johnny. Oder vielleicht hab ich ja Verfolgungswahn, weil ich gestern Abend mit Miss Skeeter an dem Buch gearbeitet hab. Danach flattern mir immer die Nerven.

Schließlich mach ich weiter mit den Liegestühlen, sammel Miss Celias Filmzeitschriften auf und die Papiertaschentücher, die dieses schlampige Wesen hier draußen rumliegen lässt.

Drin klingelt das Telefon. Ich soll ja nicht rangehen, weil Miss Celia doch immer noch die dicke, fette Lüge vor Mister Johnny aufrechterhalten will. Aber sie ist ja nicht da, und es könnt Aibileen sein, mit irgendwas Neuem. Ich geh rein und sperr die Tür hinter mir ab.

»Bei Miss Celia.« Gott, hoffentlich ist es nicht Miss Celia.

»Hier ist Hilly Holbrook. Wer ist da?«

Mir plumpst das ganze Blut vom Kopf in die Füße. Fünf Sekunden oder so bin ich nur eine leere Hülle.

Ich verstell meine Stimme, mach sie tief. »Hier ist Doreena. Miss Celias Haushaltshilfe.« *Doreena? Warum nehm ich den Namen von meiner Schwester!*

»Doreena. Ich dachte, Minny Jackson ist Miss Footes Dienstmädchen.«

»Die ist ... gegangen.«

»Ach ja? Geben Sie mir Missus Foote.«

»Sie ist ... verreist. Runter an die Küste. Zu einem ... einer ...« Mein Hirn rattert wie wild, um sich irgendwas auszudenken.

»Aha, und wann kommt sie zurück?«

»Noch lang nicht.«

»Hören Sie, wenn sie wieder da ist, sagen Sie ihr, ich habe angerufen. Hilly Holbrook, Emerson drei-sechs-acht-vier-null.«

»Ja, Ma'am, ich sag's ihr.« In hundert Jahren vielleicht.

Ich halt mich an der Arbeitsplatte fest, wart, dass mein Herz mit Hämmern aufhört. Ist ja nicht so, dass Miss Hilly mich nicht finden könnt. Sie braucht ja nur Minny Jackson in der Tick Road im Telefonbuch nachzugucken, und schon hat sie meine Hausnummer. Und's ist ja auch nicht so, dass ich Miss Celia nicht sagen könnt, was wirklich los war, dass ich keine Diebin bin. Vielleicht würd sie mir ja sogar glauben. Aber die fürchterlich schlimme Sache, die macht alles zuschanden.

Vier Stunden später kommt Miss Celia heim, mit einem ganzen Turm von Riesenschachteln, fünf Stück. Ich helf ihr, sie in ihr Zimmer zu schleppen, und bleib dann ganz still vor der Tür stehen, weil ich hören will, ob sie wieder die wichtigen Ladys anruft wie jeden Tag. Und prompt nimmt sie das Telefon ab. Aber dann legt sie den Hörer wieder auf. Das närrische Ding horcht nach dem Freizeichen, für den Fall, dass jemand sie anrufen will.

Obwohl schon die dritte Oktoberwoche ist, mühlt sich der Sommer immer weiter wie ein Wäschetrockner. Das Gras in Miss Celias Garten ist noch knallgrün. Die orangefarbenen Dahlien grinsen wie besoffen zur Sonne rauf. Und jede Nacht gehen die verdammten Moskitos auf Blutjagd, meine Achselpads sind drei Cent die Packung hochgegangen, und mein elektrischer Ventilator ist auf dem Küchenboden zerkracht.

An dem Oktobermorgen, drei Tage nach dem Anruf von Miss Hilly, komm ich eine halbe Stunde zu früh zur Arbeit. Ich hab's Sugar überlassen, die Kleinen in die Schule zu schicken. Ich tu das Kaffeemehl in den schicken Perkolator, das Wasser in den Behälter. Lehn mich an die Unterschränke. Stille. Da drauf hab ich die ganze Nacht gewartet.

Der Kühlschrank brummt wieder los. Ich leg die Hand drauf, um's zu fühlen.

»Sie sind aber früh dran, Minny.«

Ich mach den Kühlschrank auf und steck den Kopf rein. »Morgen«, sag ich ins Gemüsefach. Ich kann nur denken: *Noch nicht.*

Ich beführ paar Artischocken, die kalten Stacheln pieken mich in die Hand. Wenn ich mich so bück, pocht mein Kopf noch schlimmer. »Ich mach einen Braten für Sie und Mister Johnny, und ... ich mach ...« Aber meine Stimme schrillt mir in den Ohren.

»*Minny*, was ist passiert?« Miss Celia ist um die Kühlschranktür rumgekommen, ohne dass ich's gemerkt hab. Ich zuck zusammen. Die Platzwunde an meiner Augenbraue bricht wieder auf, brennt wie ein Rasiermesser. Normalerweis sieht man mir die Schläge ja nicht an.

»Sie Ärmste, setzen Sie sich. Sind Sie gefallen?« Sie stemmt die Hand in ihre rosa Nachthemdhüfte. »Sind Sie wieder über das Ventilatorkabel gestolpert?«

»Ist schon okay«, sag ich und dreh mich von ihr weg. Aber Miss Celia dreht sich mit rum und starrt auf die Platzwunde, wie wenn sie noch nie so was Schreckliches gesehen hätt. Mir hat mal eine weiße Lady gesagt, dass Blut an Farbigen röter aussieht. Ich zieh einen Wattebausch aus der Tasche und halt ihn mir an die Augenbraue.

»Ist nichts«, sag ich. »Hab mich in der Badewanne gestoßen.«

»Minny, das blutet. Ich glaube, es muss genäht werden. Ich rufe Doktor Neal.« Sie nimmt das Wandtelefon ab, hängt dann wieder ein. »Oh, der ist ja mit Johnny im Jagdcamp. Dann rufe ich Doktor Steele.«

»Miss Celia, ich brauch keinen Doktor.«

»Das muss versorgt werden, Minny«, mahnt sie und nimmt das Telefon wieder ab.

Muss ich's wirklich sagen? Ich knirsch mit den Zähnen, um's rauszubringen. »Ihre Ärzte machen nichts an einer Farbigen, Miss Celia.«

Sie hängt wieder ein.

Ich dreh mich zur Spüle. Ich denk ganz fest: *Das geht keinen was an, mach einfach nur deine Arbeit,* aber ich hab keine Minute geschlafen. Leroy hat mich die ganze Nacht angebrüllt, hat mir die Zuckerdose an den Kopf geschmissen, meine Kleider auf die Veranda rausgepfeffert. Ich mein, wenn er voll mit Thunderbird ist, ist das eine Sache, aber … *oh.* Die Scham ist so schwer, dass ich das Gefühl hab, sie zieht mich auf den Boden runter. Diesmal war Leroy nicht voll mit Thunderbird. Diesmal war er stocknüchtern.

»Gehen Sie raus hier, Miss Celia, damit ich was geschafft krieg«, sag ich, weil ich eine Zeitlang allein sein muss. Zuerst hab ich gedacht, Leroy hätt das mit Miss Skeeter und dem Buch rausgefunden. Das war der einzige Grund, der mir eingefallen ist, wie er auf mich eingeschlagen hat. Aber er hat kein Wort davon gesagt. Er hat mich einfach nur zum Spaß geschlagen.

»Minny?«, fragt Miss Celia und beäugt wieder die Platzwunde. »Sind Sie sicher, dass das in der Badewanne passiert ist?«

Ich lass Wasser laufen, damit irgendein Geräusch in der Küche ist. »Ich hab doch gesagt, dass es so war, und so war's auch. Okay?«

Sie guckt mich misstrauisch an und streckt mir den Zeigefinger ins Gesicht. »Okay, aber ich mache Ihnen jetzt eine Tasse Kaffee, und dann will ich, dass Sie den Rest des Tages freinehmen, klar?« Miss Celia geht zum Perkolator, gießt zwei Tassen ein, stutzt dann aber. Guckt mich erstaunt an.

»Ich weiß nicht, wie Sie Ihren Kaffee trinken, Minny.«

Ich verdreh die Augen. »Genauso wie Sie.«

Sie tut zwei Stück Zucker in jeden Becher. Gibt mir den Kaffee, steht dann einfach nur da und starrt zum Fenster raus. Ich wollt, sie würd mich einfach allein lassen.

»Wissen Sie, Minny«, sagt sie leis. »Sie können mit mir über alles reden.«

Ich wasch weiter ab, fühl, wie sich meine Nasenlöcher weiten.

»Ich habe einiges erlebt, zu Hause in Sugar Ditch. Ja, ich …«

Ich schau auf, will ihr sagen, sie soll sich gefälligst nicht in meine Angelegenheiten einmischen, aber Miss Celia sagt mit ganz komischer Stimme: »Wir müssen die Polizei rufen, Minny.«

Ich knall meinen Becher so fest hin, dass der Kaffee rausspritzt. »Jetzt hören Sie mal zu, ich will nichts mit der Polizei …«

Sie zeigt zum Küchenfenster raus. »Da ist ein Mann, Minny! Da draußen!«

Ich guck dahin, wo sie hinzeigt. Ein Mann – ein *nackter*

Mann – steht draußen bei den Azaleensträuchern. Ich blinzel, weil ich erst denk, ich hab mich verguckt. Er ist groß und bleich, ein Weißer. Er steht mit dem Rücken zu uns, vielleicht fünf Meter weg. Sein Haar ist lang und verfilzt wie bei einem Landstreicher. Sogar von hinten seh ich, dass er an sich rummacht.

»Wer ist das?«, fragt Miss Celia. »Was macht er hier?«

Der Mann dreht sich um, wie wenn er uns gehört hätt. Uns klappt beiden die Kinnlade runter. Er hält uns sein Ding hin, wie wenn er uns ein Po'Boy-Sandwich anbieten würd.

»Oh … *Gott*«, sagt Miss Celia.

Seine Augen suchen das Fenster ab. Landen genau auf meinen, starren eine finstere Linie über den Rasen. Mich schauderts. Es ist, wie wenn er mich kennt, mich, Minny Jackson. Er starrt mit hochgezogener Oberlippe her, wie wenn ich alles verdient hätt, jeden einzelnen schlimmen Tag in meinem Leben, jede Nacht, die ich nicht geschlafen hab, jeden Schlag, den mir Leroy je verpasst hat. Das alles und noch mehr.

Und jetzt boxt er mit der Faust in die andere Hand, in einem langsamen Rhythmus. Box. Box. Box. Wie wenn er genau wüsst, was er mit mir machen wird. Mein Auge fängt wieder an zu pochen.

»Wir müssen die Polizei rufen!«, flüstert Miss Celia. Ihre weit aufgerissenen Augen huschen zum Telefon auf der anderen Seite von der Küche rüber, aber sie rührt sich nicht vom Fleck.

»Die brauchen eine Dreiviertelstunde, nur um das Haus zu finden«, sag ich. »Bis dahin kann er längst die Tür aufgebrochen haben.«

Ich renn zur Hintertür, schließ sie ab. Dann renn ich zur Vordertür, sperr da auch ab, duck mich am Küchenfenster vorbei. Ich stell mich auf die Zehenspitzen und späh durch das Guckfenster in der Hintertür. Miss Celia linst von der Seite durchs große Fenster raus.

Der nackte Mann kommt ganz langsam aufs Haus zu.

Kommt die Stufen zum Hintereingang hoch. Er probiert den Türknauf, ich seh, wie der ruckelt, und mein Herz bummert gegen meine Rippen. Ich hör Miss Celia ins Telefon sagen: »Polizei? Jemand versucht, in unser Haus einzudringen! Ein Mann! Ein nackter Mann versucht in …«

Ich spring grad noch rechtzeitig von dem Türfenster weg, eh der Stein durchs Glas kracht, spür noch den Scherben-hagel im Gesicht. Durchs große Fenster seh ich, wie der Mann paar Schritte zurückgeht, wie wenn er gucken will, wo er's als Nächstes versucht. *Herr im Himmel,* bet ich, *ich will das nicht machen, bitte, zwing mich nicht dazu …*

Er starrt uns wieder durchs Fenster an. Und ich weiß, wir können nicht einfach hier drin hocken und warten wie die Hühner auf den Waschbär. Er braucht ja nur eins von den wandhohen Fenstern einzuschlagen und reinzusteigen.

Herr im Himmel, ich weiß, was ich zu tun hab. Ich muss da raus. Ich muss ihn *zuerst* erwischen.

»Sie bleiben hier, Miss Celia«, sag ich, und meine Stimme zittert. Ich geh rüber und hol Mister Johnnys Jagdmesser mit-samt der Scheide, das dort beim Grizzly liegt. Aber die Klinge ist so kurz, da muss er schrecklich nah an mir dran sein, damit ich ihn stechen kann, also hol ich auch noch den Besen. Ich schau raus, und da steht er mitten im Garten und guckt am Haus hoch. Denkt sich was aus.

Ich mach die Hintertür auf und schlüpf raus. Der Mann im Garten grinst mich an, und ich seh, dass er noch ungefähr zwei Zähne hat. Er hört auf, in seine Hand zu boxen, und fängt wie-der an, an sich rumzumachen, jetzt ruhiger und gleichmäßiger.

»Sperren Sie die Tür zu«, zisch ich über meine Schulter. »Lassen Sie sie abgeschlossen.« Ich hör's klicken.

Ich steck das Messer in den Bund von meiner Dienstmäd-chenuniform, prüf nach, ob's auch fest da sitzt. Und dann pack ich mit beiden Händen den Besen.

»Scheren Sie sich hier weg!«, ruf ich. Aber der Mann rührt

sich nicht von der Stelle. Ich geh paar Schritte vor. Er auch, und ich hör mich beten: *Herr im Himmel, beschütz mich vor diesem nackten, weißen Mann.*

»Ich hab ein Messer!«, brüll ich. Ich mach noch paar Schritte und er auch. Wie ich grad noch so anderthalb Meter von ihm weg bin, bleib ich stehen. Mein Atem geht kurz und schnell. Wir starren uns an.

»Bist du ein fettes Niggerweib!«, ruft er mit einer komisch hohen Stimme und pumpt an seinem Ding.

Ich hol tief Luft. Und dann stürz ich vor und schwing den Besen. *Wuusch!* Ich hab ihn um paar Zentimeter verfehlt, und er tänzelt ein Stückchen zurück. Ich stürz wieder vor, und der Mann rennt zum Haus, genau auf die Hintertür zu, wo Miss Celias Gesicht in dem Guckfenster ist.

»Kriegst mich nicht, Niggerweib! Bist zu fett zum Rennen!«

Er ist schon an der Eingangstreppe, und ich bekomm Panik, dass er die Tür einrennen will, aber dann dreht er sich und rennt durch den seitlichen Garten, immer noch dieses riesige, wackelnde Po'Boy-Sandwich in der Hand.

»Weg hier!«, schrei ich ihm nach. Ich fühl einen schneidenden Schmerz und weiß, die Platzwunde reißt noch weiter auf.

Schnaufend und keuchend scheuch ich ihn von den Büschen zum Pool. Am Rand vom Pool bleibt er stehen, und ich komm nah genug ran, hol aus und dresch ihm den Besen voll auf den Hintern. *Krack!* Der Besenstiel bricht ab, und das Ende mit dem Besenkopf fliegt davon.

»Hat nicht wehgetan!« Er schwingt die Hand zwischen seinen Beinen hin und her, drückt die Knie aneinander. »Willst du einen Lutschstängel, Niggerweib? Komm her, hol dir einen Lutschstängel!«

Ich entwisch ihm, wieder in die Mitte vom Garten, aber der Mann ist zu groß und zu schnell, und ich werd immer langsamer. Ich hau nur noch blind um mich und krieg die Füße kaum noch vom Boden hoch. Ich bleib keuchend stehen, den abgebrochenen Besenstiel in der Hand. Ich guck an mir runter. Das Messer – ist *weg.*

In dem Moment, wie ich wieder hochguck – *Wamm!* Ich wank. Es klingelt laut und schrill in meinem Ohr, und ich taumel. Ich halt mir das Ohr zu, aber es klingelt nur noch lauter. Er hat mich auf der Seite getroffen, wo die kaputte Augenbraue ist.

Er kommt näher, und ich mach die Augen zu, weiß, was jetzt passiert, weiß, ich muss mich bewegen, aber ich kann nicht. Wo ist das Messer? Hat er's? Das Klingeln ist wie ein Alptraum.

»Verschwinden Sie, bevor ich Sie umbringe«, hör ich, wie wenn's aus einer Blechbüchse käm. Ich bin halb taub. Ich mach die Augen auf. Da steht Miss Celia in ihrem rosa Satinnachthemd. In ihrer Hand ist ein Schüreisen, schwer und spitz.

»Will die weiße Lady auch einen Lutschstängel?« Er wedelt mit seinem Penis vor ihr rum, und sie geht auf ihn zu, langsam, wie eine Katze. Ich hol tief Luft, während der Mann erst nach links hüpft, dann nach rechts, und lacht und sein zahnloses Zahnfleisch bleckt. Aber Miss Celia steht jetzt reglos da.

Nach paar Sekunden runzelt er die Stirn, guckt, wie wenn er enttäuscht wär, dass Miss Celia nichts macht. Sie schwingt das Schüreisen nicht, verzieht keine Miene, schreit nicht. Er guckt mich an. »Und du, Niggerweib? Zu müd zum …?«

Krack! Der Kiefer von dem Mann ruckt zur Seite, und Blut schießt ihm aus dem Mund. Er wackelt, dreht sich, und Miss Celia haut ihm das Schüreisen auch noch von der anderen Seite ins Gesicht. Wie wenn sie ihn wieder ins Lot bringen will.

Der Mann stolpert vorwärts, ohne dass er wo Bestimmtes hinschaut. Dann fällt er um wie ein Baum.

»Gütiger, Sie … haben ihn erledigt …«, sag ich, aber in meinem Hinterkopf ist so eine Stimme, die fragt, ganz ruhig, wie wenn wir hier draußen Tee trinken würden: *Passiert das wirklich?* Hat wirklich grad eine weiße Frau einen weißen Mann zu Boden geschlagen, um mich zu retten? Oder hat er meinen Hirnkasten losgerüttelt, und ich lieg da drüben tot am Boden …

Ich versuch, meine Augen scharf zu stellen. Miss Celia bleckt die Zähne wie eine fauchende Katze. Sie holt mit dem Schüreisen aus und … *Wuamm!* Genau in seine Kniekehlen.

Das kann nicht sein, beschließ ich. Das ist einfach *zu* verrückt.

Wuamm! Sie drischt ihm das Schüreisen quer auf die Schulterblätter, macht bei jedem Schlag *ArrrAhhAhh*.

»Ich … ich hab gesagt, Sie haben ihn schon erledigt, Miss Celia«, ruf ich. Aber Miss Celia ist offenbar nicht der Meinung. Trotz dem Klingeln in meinen Ohren hört sich's an, wie wenn Hühnerknochen knacksen. Ich stell mich grader hin, zwing meine Augen, richtig zu gucken, eh da noch Totschlag draus wird. »Er ist k.o., Miss Celia«, sag ich. »Oder« – ich versuch, das Schüreisen zu packen – »vielleicht sogar tot.«

Endlich erwisch ich's, sie lässt los, und das Schüreisen fliegt in den Garten. Miss Celia tritt von dem Mann zurück, spuckt ins Gras. Ihr rosa Satinnachthemd ist ganz mit Blut bespritzt. Der Stoff klebt ihr an den Beinen.

»Er ist nicht tot«, sagt Miss Celia.

»Aber fast«, sag ich.

»Hat er Sie fest geschlagen, Minny?«, fragt sie, guckt aber auf ihn runter. »Hat er Sie schlimm getroffen?«

Ich fühl, wie mir Blut über die Schläfe läuft, aber ich weiß, es ist von der Zuckerdosenwunde, die wieder aufgeplatzt ist. »Nicht so schlimm wie Sie ihn«, sag ich.

Der Mann stöhnt, und wir fahren beide zurück. Ich heb das Schüreisen und den Besenstiel aus dem Gras auf. Geb ihr aber keins von beidem.

Er dreht sich halb um. Sein Gesicht ist auf beiden Seiten blutig, seine Augen sind am Zuschwellen. Sein Unterkiefer ist ausgehängt, und trotzdem bringt er's irgendwie fertig, auf die

Beine zu kommen. Und schleicht dann davon, ein jämmerliches, wackliges Etwas. Er dreht sich nicht mal mehr um. Wir stehen nur da und gucken ihm nach, wie er durch die pieksigen Buchsbaumsträucher humpelt und zwischen den Bäumen verschwindet.

»Der kommt nicht weit«, sag ich und halt das Schüreisen immer noch fest. »Sie haben ihm ganz schön was verpasst.«

»Meinen Sie?«, fragt sie.

Ich schau sie nur an. »Wie Joe Louis mit einem Montiereisen.«

Sie wischt sich ein Büschel blondes Haar aus dem Gesicht und guckt mich an, wie wenn's sie ganz fertig macht, dass ich einen Boxschlag abgekriegt hab. Plötzlich geht mir auf, dass ich mich bei ihr bedanken müsst, aber ich hab dafür ehrlich keine Worte auf Lager. Das hier ist eine vollkommen neue Erfindung von uns zwei beiden.

Ich kann nur sagen: »Sie haben ausgesehen ... wie wenn Sie sich ganz schön was zutrauen.«

»Ich war mal ziemlich gut im Kämpfen.« Sie schaut die Buchsbaumsträucher lang, wischt sich mit der Hand den Schweiß ab. »Wenn Sie mich vor zehn Jahren gekannt hätten ...«

Sie hat keine Schmiere auf dem Gesicht, ihr Haar ist nicht gesprayt, ihr Nachthemd sieht aus wie ein altes Präriekleid. Sie atmet tief durch die Nase ein, und jetzt seh ich's. Ich seh das Weißer-Abschaum-Mädel, das sie vor zehn Jahren war. Sie war stark. Sie hat sich von keinem was bieten lassen.

Miss Celia dreht sich um, und ich folg ihr zum Haus. Ich seh das Messer unterm Rosenstrauch liegen und heb's schnell auf. Guter Gott, wenn das der Mann in die Finger gekriegt hätt, wären wir jetzt tot. Im Gästebad säuber ich die Platzwunde, wickel eine weiße Binde drüber. Mein Kopf tut höllisch weh. Wie ich wieder rauskomm, redet Miss Celia am Telefon mit der Polizei.

Ich wasch mir die Hände, frag mich, wie's sein kann, dass so ein schrecklicher Tag noch schrecklicher wird. Man sollt doch meinen, irgendwann wär das Schreckliche einfach aufgebraucht. Ich versuch mich wieder aufs wirkliche Leben zu konzentrieren. Vielleicht sollt ich heut bei meiner Schwester Octavia übernachten, Leroy zeigen, dass ich das nimmer so hinnehm. Ich geh in die Küche und setz die Bohnen auf. Wer's glaubt. Ich weiß doch jetzt schon, dass ich heut Abend wieder daheim landen werd.

Ich hör, wie Miss Celia nach dem Gespräch mit der Polizei einhängt. Und dann hör ich sie wieder ihre jämmerliche Kontrolle machen, ob die Leitung auch wirklich frei ist.

An dem Nachmittag mach ich was Schreckliches. Ich fahr an Aibileen vorbei, die grad vom Bus heimläuft. Aibileen winkt, und ich tu, wie wenn ich meine beste Freundin nicht seh, da am Straßenrand in ihrer leuchtend weißen Uniform.

Zu Haus mach ich mir einen Eisbeutel für das Auge. Die Kinder sind noch nicht daheim, und Leroy schläft hinten im Zimmer. Ich weiß gar nichts mehr, nicht, was ich wegen Leroy machen soll, und nicht, was wegen Miss Hilly. Mal ganz abgesehen davon, dass mich heut Morgen ein nackter weißer Mann aufs Ohr geboxt hat. Ich sitz einfach nur da und starr auf meine speckigen gelben Wände. Warum krieg ich diese Wände einfach nicht sauber?

»Minny *Jackson*. Bist du dir jetzt zu gut, um die alte Aibileen ein Stück mitzunehmen?«

Ich seufz und dreh meinen brummenden Kopf, so dass sie's sieht.

»Oh«, murmelt sie.

Ich schau wieder auf die Wand.

»Aibileen«, sag ich und hör mich seufzen. »Du glaubst nicht, was das für ein Tag war.«

»Komm mit rüber. Ich mach dir Kaffee.«

Eh ich rausgeh, mach ich die leuchtende Binde ab, steck sie mitsamt dem Eisbeutel in die Tasche. Bei manchen Leuten hier würd eine Platzwunde am Auge ja keinem auffallen. Aber ich hab anständige Kinder, ein Auto mit Reifen und einen Gefrierkühlschrank. Ich bin stolz auf meine Familie, und die Schande mit dem Auge ist schlimmer wie der Schmerz.

Ich folg Aibileen durch die Höfe und Gärten, wo wir dem Autoverkehr und den Blicken entgehen. Ich bin froh, dass sie mich so gut kennt.

In ihrer kleinen Küche setzt Aibileen für mich Kaffee auf und für sich Teewasser.

»Und was willst du jetzt machen?«, fragt Aibileen, und ich weiß, sie meint, wegen dem Auge. Dass ich Leroy verlassen könnt, davon reden wir gar nicht erst. Viele schwarze Männer lassen ihre Familien einfach zurück wie Müll, aber farbige Frauen machen so was nicht. Wir müssen an die Kinder denken.

»Hab überlegt, ob ich zu meiner Schwester fahr. Aber die Kinder, die kann ich nicht mitnehmen, sie müssen ja in die Schule.«

»Macht doch nichts, wenn die Kinder paar Tage Schule versäumen. Nicht, wenn du dich schützen musst.«

Ich mach die Binde wieder drum, halt den Eisbeutel dran, damit es nicht so geschwollen ist, wenn mich die Kinder heut Abend sehen.

»Hast du Miss Celia wieder erzählt, du bist in der Badewanne ausgerutscht?«

»Ja, aber sie weiß Bescheid.«

»Warum, was hat sie gesagt?«, fragt Aibileen.

»Geht drum, was sie gemacht hat.« Und ich erzähl Aibileen, wie Miss Celia heut Morgen den nackten Mann mit dem Schüreisen niedergeschlagen hat. Kommt mir vor wie zehn Jahre her.

»Wenn der Mann schwarz gewesen wär, wär er jetzt tot. Die

Polizei hätt in dreiundfünfzig Staaten nach ihm gefahndet«, sagt Aibileen.

»Dieses kindische Ding mit seinen rosa Sachen und Stöckelschühchen – und geht dann hin und schlägt ihn beinah tot.«

Aibileen lacht. »Welches Wort hat er noch mal benutzt?«

»Lutschstängel. Der ist doch aus Whitfield entsprungen.« Ich muss mir das Grinsen verkneifen, weil sonst die Wunde wieder aufplatzt.

»Herrgott, Minny, dir passieren Sachen in letzter Zeit!«

»Wie kann's sein, dass sie nicht lang fackelt, sich gegen diesen Irren zu wehren? Und auf der andren Seite hinter Miss Hilly herrennt, wie wenn sie nur drum bettelt, dass sie eins reinkriegt?« Ich sag das, obwohl's im Moment wirklich meine letzte Sorge ist, wen Miss Celia auf ihren Gefühlen rumtrampeln lässt. Es tut nur irgendwie gut, über das verkorkste Leben von jemand anderem zu reden.

»Klingt beinah, wie wenn's dir nahgeht«, sagt Aibileen lächelnd.

»Sie sieht sie einfach nicht. Die *Trennlinien.* Nicht zwischen sich und mir und auch nicht zwischen sich und Miss Hilly.«

Aibileen trinkt ausgiebig von ihrem Tee. Schließlich guck ich sie an. »Was bist du so still? Ich weiß doch, dass du dazu eine Meinung hast.«

»Du wirst mich schelten, dass ich rumphilosophier.«

»Mach nur«, sag ich. »Ich fürcht mich vor keiner Philosophie.«

»Sie sind nicht wirklich da.«

»Was?«

»Du redest von was, was es nicht gibt.«

Ich guck meine Freundin kopfschüttelnd an. »Es gibt sie nicht nur, die Trennlinien, du weißt auch so gut wie ich, wo sie langlaufen.«

Jetzt schüttelt Aibileen den Kopf. »Ich hab mal an sie geglaubt. Aber jetzt glaub ich nicht mehr dran. Leute wie Miss

Hilly wollen uns immer einreden, dass es sie gibt. Aber es gibt sie nicht.«

»Ich weiß, dass es sie gibt, weil man bestraft wird, wenn man sie überschreitet«, sag ich. »Ich jedenfalls.«

»Viele Leute denken, wenn man seinem Ehemann widerspricht, geht man zu weit, weil's da eine Trennlinie gibt. Und man verdient, bestraft zu werden. Glaubst du an so eine Grenze?«

Ich guck finster auf den Tisch. »Du weißt, dass ich mich um so eine Trennlinie nicht scher.«

»Weil's die Trennlinie nicht gibt. Außer in Leroys Kopf. Und Trennlinien zwischen Schwarz und Weiß gibt's auch nicht wirklich. Die haben nur Leute erfunden, vor langer Zeit. Und genauso ist's auch mit dem weißen Abschaum und den Society-Ladys.«

Wenn ich dran denk, wie Miss Celia mit dem Schüreisen rausgekommen ist, wo sie sich auch einfach hinter der Tür hätt verkriechen können – ich weiß nicht. Ich spür so einen Stich im Herz. Ich will, dass sie begreift, wie das mit Miss Hilly ist. Aber wie soll man das so einem närrischen Ding erklären?

»Willst du damit sagen, dass es zwischen Dienstmädchen und ihren weißen Ladys auch keine Trennlinien gibt?«

Aibileen schüttelt den Kopf. »Das ist nur der Platz, wo man steht, wie auf einem Damebrett. Wer für wen arbeitet, heißt weiter gar nichts.«

»Dann überschreit ich also keine Trennlinie, wenn ich Miss Celia die Wahrheit sag? Dass sie Miss Hilly nicht gut genug ist?« Ich nehm meine Tasse. Ich streng mich ja wirklich an, das alles zu verstehen, aber die Platzwunde bummert gegen mein Hirn. »Aber, wart mal, wenn ich ihr sag, dass sie in die Liga, wo Miss Hilly spielt, nie reinkommt … sag ich dann nicht, dass es *doch* eine Trennlinie gibt.«

Aibileen lacht, tätschelt mir die Hand. »Ich sag doch nur, für Nettigkeit gibt's keine Trennlinien.«

»Hmpff.« Ich halt das Eis wieder an meinen Kopf. »Na gut, vielleicht versuch ich ihr's zu sagen. Eh sie zum Wohltätigkeitsball geht und sich zu einem rosaroten Riesennarren macht.«

»Bist du dies Jahr dort?«, fragt Aibileen.

»Wenn Miss Hilly mit Miss Celia in einem Raum ist und ihr Lügen über mich erzählt, will ich dabei sein. Außerdem will Sugar sich bisschen Extrageld für Weihnachten verdienen. Ist gut für sie, wenn sie auf Partys bedienen lernt.«

»Ich werd auch da sein«, sagt Aibileen. »Miss Leefolt hat mich vor drei Monaten gefragt, ob ich einen Löffelbiskuitkuchen für die Versteigerung mach.«

»Wieder dieses fade Zeug? Was finden die Weißen nur an Löffelbiskuits? Ich kann ein Dutzend Kuchen machen, die besser schmecken.«

»Sie denken, das ist richtig europäisch.« Aibileen schüttelt den Kopf. »Mir tut Miss Skeeter leid. Ich weiß, sie will nicht hin, aber Miss Hilly hat ihr gesagt, wenn sie nicht kommt, verliert sie ihr Amt in der League.«

Ich trink den Rest von Aibileens gutem Kaffee aus, guck zu, wie die Sonne untergeht. Die Luft, die zum Fenster reinkommt, wird nun kühler.

»Ich glaub, ich muss jetzt gehen«, sag ich, obwohl ich lieber für den Rest meines Lebens hier in Aibileens Küche sitzen und mir von ihr die Welt erklären lassen würd. Das ist es, was ich an Aibileen so mag: Sie kann die kompliziertesten Sachen im Leben so klein zusammenpacken, dass sie in die Rocktasche passen.

»Wollt ihr heut bei mir übernachten, du und die Kinder?«

»Nein.« Ich mach die Binde ab und steck sie wieder in die Tasche. »Er soll mich sehen«, sag ich und starr in meine leere Kaffeetasse. »Soll sehen, was er seiner Frau getan hat.«

»Ruf mich an, wenn er grob wird. Hörst du?«

»Brauch ich nicht. Dann hörst du ihn bis hierher um Gnade winseln.«

Das Thermometer an Miss Celias Küchenfenster fällt in grad mal einer Stunde von sechsundzwanzig auf dreizehn Grad. Endlich kommt eine Kaltfront und bringt kühle Luft aus Kanada oder Chicago oder so wo. Ich such grad die weißen Erbsen auf Steinchen durch und denk, dass wir jetzt die Luft atmen, die vor zwei Tagen die Leute in Illinois geatmet haben. Wenn ich jetzt plötzlich ohne Grund an Sears und Roebuck denken würd oder an Shake 'n Bake, wär das dann, weil irgendwer in Illinois das vor zwei Tagen gedacht hat? Ungefähr fünf Sekunden lenkt mich das von meinen Problemen ab.

Ich hab paar Tage gebraucht, aber dann hab ich meinen Plan fertig gehabt. Es ist kein guter Plan, aber immerhin was. Ich weiß, jede Minute, die ich wart, ist für Miss Hilly die Chance, Miss Celia anzurufen. Und wenn ich immer weiter wart, sieht sie sie nächste Woche beim Wohltätigkeitsball. Es macht mich ganz krank, wenn ich mir vorstell, wie Miss Celia zu diesen Frauen hinrennt, wie wenn sie ihre besten Freundinnen wären, und wie sich ihr zugeschminktes Gesicht dann verändert, wenn sie das über mich hört. Heut Morgen hab ich die Liste neben Miss Celias Bett gefunden. Was sie noch alles tun muss für den Wohltätigkeitsball: Fingernägel machen lassen. Smoking reinigen und bügeln lassen. Hilly Holbrook anrufen.

»Minny, sieht diese neue Haarfarbe billig aus?«

Ich schau sie nur an.

»Morgen gehe ich gleich zu Fanny Mae's und lasse sie überfärben.« Sie sitzt am Küchentisch und hält Kärtchen mit Farbproben in der Hand wie Spielkarten. »Was meinen Sie? Butterglanz oder Marilyn Monroe?«

»Was mögen Sie denn an Ihrer Naturfarbe nicht?« Nicht als hätt ich die blasseste Ahnung, wie die aussieht. Aber bestimmt nicht so glöckchengolden oder so kreidebleich wie auf den Karten in ihrer Hand.

»Ich würde sagen, Butterglanz ist ein bisschen festlicher, für Weihnachten und so. Sie nicht?«

»Wenn's Sie nicht stört, dass Ihr Kopf aussieht wie ein Butterball-Truthahn.«

Miss Celia kichert. Sie denkt, ich mach Witze. »Oh, und ich muss Ihnen noch diesen neuen Nagellack zeigen.« Sie kramt in ihrer Handtasche und findet ein Fläschchen mit was, das so bonbonrosa ist, wie wenn man's essen könnt. Sie macht das Fläschchen auf und fängt an, sich die Nägel zu lackieren.

»Bitte, Miss Celia, machen Sie die Schweinerei nicht hier auf dem Tisch, das geht nimmer …«

»Schauen Sie, ist der nicht toll? Und ich habe zwei Kleider gefunden, die genau dazu passen!«

Sie wieselt davon, und wie sie wiederkommt, hält sie zwei knallrosa Abendkleider hoch und lächelt ganz selig. Die Kleider sind lang bis auf den Boden, mit Glitzer und Pailletten bestickt und am Bein geschlitzt. Beide hängen an Trägern, so dünn wie Hühnerdraht. Die Ladys werden Miss Celia auf dem Ball in Fetzen reißen.

»Welches gefällt Ihnen besser?«, fragt sie.

Ich zeig auf das ohne tiefen Ausschnitt.

»Ach ja? Ich wäre für das andere. Hören Sie mal, wie es leise rasselt, wenn ich darin gehe.« Sie schwingt das Kleid hin und her.

Ich stell mir vor, wie sie auf dem Ball in dem Ding durch die Gegend rasselt. Ich weiß ja nicht, was die weiße Version von einem Juke-Joint-Flittchen ist, aber so werden sie sie nennen. Sie wird gar nicht kapieren, was passiert. Sie wird nur das Fauchen hören.

»Wissen Sie was, Miss Celia«, sag ich langsam, wie wenn's mir grad erst einfallen würd. »Statt dass Sie die anderen Ladys anrufen, sollten Sie vielleicht mit Miss Skeeter Phelan telefonieren. Ich hab gehört, sie ist wirklich nett.«

Vor paar Tagen hab ich Miss Skeeter gebeten, ob sie versuchen könnt, nett zu Miss Celia zu sein und sie von diesen Ladys weg zu halten. Bislang hab ich ihr ja immer gesagt, sie soll

Miss Celia bloß nicht zurückrufen. Aber jetzt ist das die einzige Möglichkeit.

»Ich glaub, Sie und Miss Skeeter würden sich gut verstehen«, sag ich und lächel so ermutigend, wie ich nur kann.

»O nein.« Miss Celia guckt mich mit weit aufgerissenen Augen an und hält immer noch diese Saloon-Kleider in die Luft. »Wissen Sie denn nicht? In der League ist Skeeter Phelan *völlig* untendurch.«

Ich fühl, wie ich Fäuste mach. »Haben Sie sie mal getroffen?«

»Oh, ich habe beim Friseur alles über sie gehört, während ich unter der Trockenhaube saß. Sie sagen, sie ist eine Schande für die League. Sie war diejenige, die diese ganzen Toiletten in Hilly Holbrooks Vorgarten hat abladen lassen. Sie wissen doch, dieses Foto, das vor ein paar Monaten vorn auf der Zeitung war?«

Ich beiß die Zähne zusammen, damit ich nicht sag, was mir wirklich auf der Zunge liegt. »Ich hab Sie gefragt, ob Sie sie mal getroffen haben?«

»Nein, das nicht. Aber wenn alle diese Frauen sie nicht leiden können, muss sie doch ... na ja ...« Ihr Satz verpufft, wie wenn ihr grad aufgeht, was sie da sagt.

Ungläubigkeit, Wut, Ekel, alles wickelt sich in mir zusammen wie ein Schinkenröllchen. Damit ich nicht den Satz für sie zu Ende sag, dreh ich mich zur Spüle und trocken mir so fest die Hände ab, dass es wehtut. Dass sie dumm ist, hab ich ja gewusst, aber nicht, dass sie eine Heuchlerin ist.

»Minny?«, sagt Miss Celia hinter mir.

»Ma'am.«

Ihre Stimme bleibt ruhig. Aber ich hör trotzdem die Scham darin. »Sie haben mich nicht mal hereingebeten. Sie haben mich vor der Tür stehen lassen wie einen Staubsaugervertreter.«

Ich dreh mich um. Sie guckt auf den Boden.

»Warum, Minny?«, flüstert sie.

Was soll ich sagen? Wegen Ihren Kleidern, Ihrem Haar, Ihrem Busen in diesen Zwergenpullis? Ich denk dran, was Aibileen gesagt hat, über die Trennlinien und die Nettigkeit. Ich denk dran, was Aibileen bei Miss Leefolt gehört hat, warum die League-Ladys Miss Celia nicht mögen. Das scheint mir der netteste Grund, den ich ihr sagen kann.

»Weil sie wissen, dass Sie schwanger geworden sind, damals beim ersten Mal. Und weil es sie fuchst, dass Sie auf die Art einen von ihren Männern geheiratet haben.«

»Das *wissen* sie?«

»Erst recht, wo Miss Hilly und Mister Johnny so lang fest miteinander gegangen sind.«

Sie guckt mich verdutzt an. »Johnny hat mir gesagt, dass er mit ihr zusammen war, aber … ging das wirklich so lange?«

Ich zuck die Achseln, wie wenn ich's nicht wüsst, aber ich weiß es. Wie ich vor acht Jahren bei Miss Walters angefangen hab, hat Miss Hilly über nichts andres geredet wie da drüber, dass sie und Mister Johnny irgendwann heiraten würden.

Ich sag: »Ich schätz, es ist ungefähr um die Zeit auseinandergegangen, wo er Sie kennengelernt hat.«

Ich wart, dass es klick macht, dass ihr aufgeht, wie verpfuscht ihr Sozialleben ist, dass es keinen Sinn hat, die League-Ladys immer weiter anzurufen. Aber Miss Celia zieht die Stirn in Falten, wie wenn sie grad an einer schwierigen Rechenaufgabe knackt. Dann hellt sich ihr Gesicht auf, wie wenn sie die Lösung gefunden hätt.

»Dann … denkt Hilly wohl, ich hätte mich an Johnny herangemacht, während sie noch zusammen waren?«

»Sollt man meinen. Und nach dem, was ich hör, ist Miss Hilly immer noch verliebt in ihn. Sie ist nie drüber weggekommen.« Ich denk natürlich, jede normale Frau würd automatisch sauer auf eine andre Frau sein, die immer noch hinter ihrem Ehemann her ist. Aber ich hab vergessen, dass Miss Celia keine normale Frau ist.

»Oh, kein Wunder, dass sie mich nicht ausstehen kann!«, ruft sie und grinst über beide Backen. »Sie lehnen alle nicht *mich* ab, sie lehnen das ab, was ich ihrer Meinung nach getan habe.«

»Was? Die lehnen Sie ab, weil Sie für die weißer Abschaum sind!«

»Ach, ich muss es Hilly einfach nur erklären, muss ihr sagen, dass ich keine bin, die anderen den Freund wegnimmt. Ja, das werde ich gleich am Freitagabend tun, wenn ich sie beim Wohltätigkeitsball sehe.«

Sie strahlt, wie wenn sie grad die Arznei gegen Kinderlähmung entdeckt hätt mit ihrem Plan, wie sie Miss Hilly für sich gewinnen will.

Und ich bin einfach zu müd, noch weiter dagegen anzurennen.

Am Freitag vom Wohltätigkeitsball arbeit ich länger, weil ich das Haus von oben bis unten putz. Dann brat ich noch eine Platte voll Schweinskoteletts. Ich sag mir, je glänzender die Böden sind und je sauberer die Fensterscheiben, umso größer ist meine Chance, am Montag noch einen Job zu haben. Aber wenn Mister Johnny da mitzureden hat, ist meine beste Karte immer noch eins von meinen Schweinskoteletts.

Er kommt heut nicht vor sechs heim, also wisch ich um halb fünf noch ein letztes Mal die Arbeitsplatten und geh dann nach hinten, wo Miss Celia sich schon vier Stunden zurechtmacht. Das Bett und das Bad von den beiden mach ich gern als Letztes, damit noch alles sauber und ordentlich ist, wenn Mister Johnny heimkommt.

»Wie sieht's denn hier aus, Miss Celia?« Also wirklich, da fahren Strümpfe auf den Sesseln rum, Handtaschen am Boden, genug Modeschmuck für eine ganze Nuttenfamilie, fünfundvierzig Paar Stöckelschuhe, Mäntel, Schlüpfer, Büstenhalter und eine halbleere Flasche Weißwein auf dem Kommodenschrank, ohne Untersetzer drunter.

Ich fang an, ihre ganzen albernen Seidensächelchen aufzulesen und auf dem Sessel zu stapeln. Das Mindeste, was ich tun kann, ist, mit dem Staubsauger durchzugehen.

»Wie spät ist es, Minny?«, fragt Miss Celia vom Bad aus. »Sie wissen ja, Johnny kommt um sechs.«

»Ist noch nicht mal fünf«, sag ich, »aber ich muss bald gehen.« Ich muss Sugar abholen, und wir müssen beide um halb sieben beim Ball sein, zum Arbeiten.

»Oh, Minny, ich bin ja so aufgeregt.« Ich hör hinter mir Miss Celias Kleid rascheln. »Was meinen Sie?«

Ich dreh mich um. »Gütiger.« Ich seh so viel wie Little Stevie Wonder, so blendet mich das Kleid. Knallrosa und silbrige Pailletten glitzern von ihren extrariesigen Brüsten bis zu ihren knallrosa Zehen.

»Miss Celia«, flüster ich. »Ziehen Sie das hoch, eh Sie noch was verlieren.«

Miss Celia schlängelt sich tiefer in das Kleid. »Ist es nicht himmlisch? Ist es nicht das Hübscheste, was Sie je gesehen haben? Ich komme mir vor wie ein Hollywoodstar.«

Sie klimpert mit den falschen Wimpern. Sie hat Rouge, Lippenstift und jede Menge Make-up drauf. Ihr Butterglanzhaar ist um den Kopf rum aufgebauscht wie ein Glockenhut. Ein Bein guckt aus einem Schlitz, der den ganzen Oberschenkel raufgeht, und ich dreh mich weg, weil es mich ganz verlegen macht. Alles an ihr verstrahlt Sex, Sex und noch mal Sex.

»Woher haben Sie die Fingernägel?«

»Aus dem Beauty Box, da war ich heute Morgen. Oh, Minny, ich bin ja so nervös, ich habe richtig Bauchkribbeln.«

Sie nimmt einen großen Schluck aus ihrem Weinglas, schwankt bisschen auf ihren Stöckelabsätzen.

»Was haben Sie heut gegessen?«

»Nichts. Ich bin zu nervös zum Essen. Wie finden Sie diese Ohrringe? Sind die baumelig genug?«

»Ziehen Sie das Kleid aus, ich mach Ihnen schnell paar Maisbrötchen mit Soße.«

»Oh, nein, sonst steht mein Bauch raus. Ich kann nichts
essen.«

Ich will die Weinflasche von dem Zigtausend-Dollar-Kom-
modenschrank, der Chiffarobe, nehmen, aber Miss Celia erwischt sie vor mir und kippt den Rest in ihr Glas. Sie gibt mir
die leere Flasche und lächelt. Ich heb ihren Pelzmantel auf,
den sie auf den Boden geschmissen hat. Sie gewöhnt sich ganz
schön dran, dass sie ein Dienstmädchen hat.

Ich hab das Kleid ja vor vier Tagen gesehen, und mir war
gleich klar, dass es nuttig aussieht – natürlich hat sie sich das
mit dem tiefen Ausschnitt ausgesucht –, aber ich hab nicht geahnt, was passiert, wenn sie sich da reinzwängt. Man meint,
es platzt gleich wie ein Maiskolben in Crisco. Auf den zwölf
Wohltätigkeitsbällen, wo ich gearbeitet hab, hab ich kaum mal
einen nackten Ellbogen gesehen und schon gar keine nackten
Busen und Schultern.

Sie geht ins Bad und tupft sich noch mehr Rouge auf ihre
Clownswangen.

»Miss Celia«, sag ich und mach die Augen zu, bet um die
richtigen Worte. »Heut Abend, wenn Sie Miss Hilly treffen ...«

Sie lächelt in den Badspiegel. »Ich habe mir alles genau überlegt. Wenn Johnny mal verschwindet, werde ich es ihr einfach
sagen. Dass zwischen ihnen schon Schluss war, als das mit uns
angefangen hat.«

Ich seufz. »Das mein ich nicht. Ich ... Sie sagt Ihnen vielleicht Sachen über ... mich.«

»Soll ich Hilly von Ihnen grüßen?«, fragt sie und kommt
aus dem Bad. »Wo Sie doch so lange bei ihrer Mama gearbeitet haben?«

Ich starr sie nur an in ihrem knallrosa Aufzug, so voll mit
Wein, dass sie schon schielt. Sie rülpst leis. Es hat keinen Sinn,
es ihr jetzt zu sagen, in dem Zustand.

»Nein, Ma'am. Sagen Sie ihr nichts.« Ich seufz.

Sie umarmt mich. »Wir sehen uns heute Abend. Ich bin ja so froh, dass Sie dort sind, da habe ich jemanden zum Reden.«

»Ich werd in der Küche sein, Miss Celia.«

»Oh, und ich brauche noch dieses kleine Ansteckdingsbums ...« Sie schwankt zur Frisierkommode, reißt alles wieder raus, was ich grad eingeräumt hab.

Bleib doch einfach zu Haus, dummes Ding, will ich sagen, aber ich sag's nicht. Es ist zu spät. Wenn Miss Hilly erst mal am Ruder ist, ist alles zu spät, für Miss Celia und weiß Gott auch für mich.

Der Wohltätigkeitsball

Der alljährlich von der Jackson Junior League veranstaltete Galaabend zu Wohltätigkeitszwecken ist jedem, der im Zehn-Meilen-Radius um die Stadt wohnt, schlicht als »der Wohltätigkeitsball« bekannt. Um neunzehn Uhr an einem kühlen Novemberabend treffen die Gäste zum Cocktail im Robert E. Lee Hotel ein. Um zwanzig Uhr öffnet sich die Tür zum Ballsaal. Bahnen von grünem Samt sind um die Fenster drapiert und mit echten Sträußchen von Stechpalmenbeeren geschmückt.

Auf der Fensterseite stehen Tische mit Auktionslisten und dem Auktionsgut. Die Sachen sind von Mitgliedern und örtlichen Geschäften gestiftet, und in diesem Jahr wird damit gerechnet, dass die Versteigerung über sechstausend Dollar erbringt, fünfhundert mehr als im letzten. Der Erlös geht an die armen hungernden Kinder Afrikas.

In der Mitte des Saals, unter einem riesigen Kronleuchter, sind achtundzwanzig Tische für das Diner gedeckt, das um einundzwanzig Uhr aufgetragen wird. Eine Tanzfläche und ein Bandpodest befinden sich auf der einen Seite, gegenüber dem Rednerpult, an dem Hilly Holbrook ihre Ansprache halten wird.

Nach dem Essen wird getanzt. Einige Ehemänner werden sich betrinken, aber niemals die League-Mitglieder selbst. Sie betrachten sich allesamt als Gastgeberinnen, und man hört sie sich immer wieder gegenseitig fragen: »Läuft alles gut? Hat Hilly was gesagt?« Jede weiß, dass es Hillys großer Abend ist.

Schlag neunzehn Uhr strömen die ersten Paare zum Eingang herein, übergeben ihre Pelze und Mäntel den farbigen Männern im grauen Dienerfrack. Hilly, die schon seit Punkt achtzehn Uhr da ist, trägt ein langes, kastanienbraunes Taftkleid. Rüschen umschließen ihren Hals, Stoffmassen verhüllen ihren Körper, enge Ärmel ziehen sich ihre Arme hinab. Das Einzige, was man von Hilly selbst sieht, sind ihre Finger und ihr Gesicht.

Einige Frauen tragen gewagtere Abendkleider, hie und da sogar schulterfrei, aber lange Ziegenlederhandschuhe halten das Maß an entblößter Haut in Grenzen. Natürlich ist unter den Gästen jedes Jahr jemand mit einem Kleid, das eine Andeutung von Bein oder Brustansatz erkennen lässt, aber darüber verliert man kaum ein Wort. Sie sind ja keine Mitglieder, diese Leute.

Celia Foote und Johnny treffen später ein, als sie vorhatten, um neunzehn Uhr fünfundzwanzig. Als Johnny nach Hause kam, blieb er in der Schlafzimmertür stehen, die Aktenmappe noch in der Hand, und musste erst zweimal hinschauen. »Celia, meinst du nicht, das ist vielleicht ein bisschen zu … äh … frei obenherum?«

Celia schob ihn ins Bad. »Ach, Johnny, von Mode habt ihr Männer doch keine Ahnung. Jetzt mach dich fertig, beeil dich.«

Johnny gab auf, ohne auch nur den Versuch gemacht zu haben, ihr das Kleid auszureden. Sie waren sowieso schon spät dran.

Jetzt betreten sie hinter Doktor Ball und Gattin die Lounge. Die Balls wenden sich nach links, Johnny wendet sich nach rechts, und einen Moment lang steht da nur Celia unter den Stechpalmenbeeren, in ihrem knallrosa Abendkleid.

In der Lounge scheint die Luft zu erstarren. Ehemänner stutzen, das Whiskeyglas an den Lippen, als sie das rosarote Etwas im Eingang sehen. Es dauert eine Sekunde, bis ihr Gehirn das

Bild verarbeitet. Sie starren hin, sehen aber noch nicht wirklich. Doch als klar wird, dass die Erscheinung echt ist – echte Haut, ein echter Busen, vielleicht nicht ganz so echtes blondes Haar –, hellen sich ihre Gesichter langsam auf. Sie scheinen alle dasselbe zu denken – *Endlich* ... Aber dann graben sich ihnen die Fingernägel ihrer ebenfalls hinstarrenden Gattinnen in den Arm, und sie runzeln die Stirn. In ihren Augen steht Reue, während sie das Fazit ihrer Ehe ziehen (nie darf ich irgendwas tun, was Spaß macht), an ihre Jugend denken (warum bin ich in dem Sommer damals nicht nach Kalifornien gegangen?), sich an ihre erste Liebe erinnern (Roxanne ...). Das alles spielt sich innerhalb von fünf Sekunden ab, dann ist es vorbei, und sie starren nur noch zum Eingang.

William Holbrook kippt die Hälfte seines Gin-Martini auf ein Paar Lacklederschuhe. Die Schuhe sitzen an den Füßen seines wichtigsten Wahlkampfspenders.

»Oh, Claiborne, entschuldigen Sie! Wie ungeschickt von meinem Mann!«, sagt Hilly. »William, gib ihm ein Taschentuch!« Aber keiner der beiden Männer rührt sich. Ja, keiner tut irgendetwas anderes als geradeaus zu starren.

Hillys Blick folgt der Richtung ihres Starrens und landet schließlich auf Celia. Die Zweifingerbreit sichtbarer Haut an Hillys Hals spannen sich.

»Schaut euch dieses Holz vor der Hütte an«, sagt ein verhutzelter Alter. »Wenn ich diese Dinger seh, fühl ich mich kein Jahr älter als fünfundsiebzig.«

Die Frau des Alten, Eleanor Causwell, Gründungsmitglied der League, runzelt die Stirn. »Die Brust«, verkündet sie, eine Hand auf der eigenen, »ist fürs Schlafzimmer da und zum Stillen. Nicht für würdige Anlässe.«

»Was soll sie denn tun, Eleanor? Sie zu Hause lassen?«

»Sie soll sie gefälligst bedecken.«

Celia greift nach Johnnys Arm, als sie weiter hereinkommen. Sie schwankt ein bisschen, aber es ist nicht klar, ob das alkoholbedingt ist oder an ihren Stöckelschuhen liegt. Sie driften umher, reden mit anderen Paaren. Oder jedenfalls Johnny redet, Celia lächelt nur. Ein paarmal errötet sie, schaut an sich hinunter. »Johnny, meinst du, ich bin vielleicht ein bisschen overdressed für diese Sache hier? Auf der Einladung stand *Abendgarderobe,* aber die Frauen sind ja alle angezogen wie für die Kirche.«

Johnny lächelt sie mitfühlend an. Er würde ihr nie vorwerfen: »Ich hab's ja gesagt«, also flüstert er stattdessen: »Du siehst toll aus. Aber wenn dir kalt ist, kannst du meine Jacke haben.«

»Ich kann keine Herrenjacke zu einem Abendkleid tragen.« Sie verdreht die Augen, seufzt. »Aber trotzdem danke, Schatz.«

Johnny drückt ihre Hand, holt ihr noch einen Drink von der Bar, ihren fünften, auch wenn er das nicht weiß. »Schließ ein paar Bekanntschaften. Ich bin gleich wieder da.« Er entfernt sich in Richtung Herrentoilette.

Celia bleibt allein zurück. Sie zupft an ihrem Ausschnitt, versucht mit den Schultern das Kleid ein bisschen höher hinauf zu befördern.

»... *ein Loch ist im Eimer, o Liza, o Liza* ...«, singt Celia leise vor sich hin, klopft mit dem Fuß den Takt und schaut sich nach jemandem um, den sie kennt. Sie stellt sich auf die Zehenspitzen und winkt über die Menge. »Hey, Hilly, hu-hu.«

Hilly, die einige Paare weiter Konversation macht, blickt auf. Sie lächelt und winkt, doch als Celia auf sie zugeht, verschwindet sie im Gedränge.

Celia bleibt stehen, nimmt noch einen Schluck von ihrem Drink. Überall um sie herum haben sich kleine Grüppchen gebildet. Sie reden und lachen, über die Dinge, vermutet Celia, über die Leute bei Partys eben reden und lachen.

»Oh, hey, Julia«, ruft Celia. Sie sind sich auf einer der wenigen Partys begegnet, die Celia und Johnny in der allerersten Zeit ihrer Ehe noch besucht haben.

Julia Fenway lächelt, sieht sich suchend um.

»Ich bin's, Celia. Celia Foote. Hallo. Oh, so ein hübsches Kleid. Wo haben Sie's gekauft? Drüben im Jewel Taylor
Shoppe?«

»Nein, Warren und ich waren vor ein paar Monaten in New
Orleans …« Julia schaut sich um, aber da ist niemand in der
Nähe, der sie retten könnte. »Und Sie sehen heute Abend wirk-
lich … glamourös aus.«

Celia beugt sich näher an sie heran. »Na ja, ich habe Johnny schon gefragt, aber Sie wissen ja, wie Männer sind. Meinen
Sie, ich bin einen Tick overdressed?«

Julia lacht, schaut Celia aber kein einziges Mal in die Augen.
»O nein. Das ist absolut *perfekt.*«

Ein anderes League-Mitglied fasst Julia am Unterarm. »Julia, wir brauchen dich mal kurz da drüben, entschuldigen Sie
uns.« Sie gehen davon, die Köpfe zusammengesteckt, und
Celia ist wieder allein.

Fünf Minuten später gleitet die Schiebetür zum Saal auf.
Die Menge strömt hinein. Gäste suchen ihren Tisch mit Hilfe
der Kärtchen in ihren Händen, und Oohs und Aahs kommen
von den Auktionstischen an den Wänden. Die Tische sind
voll mit Silberutensilien und handgenähten Babykleidchen,
Baumwolltaschentüchern, Handtüchern mit Monogramm,
einem Kinderteeservice aus Deutschland.

Minny steht an einem Tisch ganz hinten im Saal und poliert
Gläser. »Aibileen«, flüstert sie. »Da ist sie.«

Aibileen blickt auf, entdeckt die Frau, die vor einem Monat an Miss Leefolts Tür geklopft hat. »Die Ladys sollten ihre
Männer heut Abend wohl besser festhalten«, erwidert sie.

Minny reibt an einem Glasrand herum. »Sag's mir, wenn sie
mit Miss Hilly redet.«

»Mach ich. Ich hab den ganzen Tag ein Super-Kraftgebet für
dich gebetet.«

»Schau, da ist Miss Walters. Die alte Krähe. Und da Miss
Skeeter.«

Skeeter trägt ein langärmliges schwarzes Kleid mit Rundhalsausschnitt, das ihr blondes Haar und ihren roten Lippenstift zur Geltung bringt. Sie ist allein da und steht inmitten einer Insel von Leere. Sie lässt den Blick durch den Raum wandern, wirkt gelangweilt, entdeckt dann Aibileen und Minny. Alle drei schauen gleichzeitig weg.

Eine der anderen farbigen Hilfen, Clara, kommt an den Gläsertisch und nimmt sich ein Glas vor. »Aibileen«, flüstert sie, ohne den Blick von ihrem Poliertuch zu wenden. »Ist das die?«

»Wer die?«

»Die Frau, die die Geschichten über die farbigen Dienstmädchen aufschreibt. Warum macht sie das? Wieso interessiert sie sich dafür? Ich hab gehört, sie kommt jede Woche zu dir nach Haus.«

Aibileen senkt das Kinn. »Hör zu, das muss geheim bleiben.«

Minny schaut weg. Niemand außerhalb der Gruppe weiß, dass sie auch mitmacht. Sie wissen nur von Aibileen.

Clara nickt. »Keine Angst, ich sag keinem was.«

Skeeter kritzelt ein paar Worte auf ihren Block, Notizen für den Newsletter-Artikel über den Wohltätigkeitsball. Sie schaut sich im Saal um, betrachtet den grünen Samt an den Fenstern, die Stechpalmenbeeren, den Tischschmuck aus roten Rosen und getrockneten Magnolienblättern. Dann landet ihr Blick auf Elizabeth, die ein paar Meter weiter in ihrer Handtasche kramt. Sie wirkt erschöpft, hat ja erst vor einem Monat ihr Baby bekommen. Skeeter sieht von der anderen Seite Celia Foote auf Elizabeth zukommen. Als Elizabeth aufblickt und merkt, von wem sie da umzingelt ist, hustet sie und fasst sich an den Hals, als wollte sie sich vor irgendeinem Angriff schützen.

»Weißt du nicht, wen du zuerst begrüßen sollst, Elizabeth?«, fragt Skeeter.

»Was? Oh, Skeeter, hallo.« Elizabeth lässt ein kurzes Lächeln aufblitzen. »Ich … mir ist so warm hier drin. Ich glaube, ich brauche ein bisschen frische Luft.«

Skeeter sieht zu, wie Elizabeth davoneilt und Celia Foote in ihrem schrecklichen Kleid hinter ihr herrasselt. *Das ist die wahre Story,* denkt Skeeter. *Nicht, wie die Blumenarrangements aussehen oder wie viele Falten das Kleid um Hillys Hinterteil hat. Dieses Jahr dreht sich alles um Celia Footes Garderoben-Eklat.*

Sekunden später wird das Essen angekündigt, und alle setzen sich auf die ihnen zugewiesenen Plätze. Celia und Johnny sind bei einer Handvoll auswärtiger Paare platziert, Freunden von Freunden, die in Wahrheit niemanden hier kennen. Skeeter sitzt bei einigen Ehepaaren aus der Stadt, dieses Jahr nicht bei Präsidentin Hilly oder auch nur bei Schriftführerin Elizabeth. Den Saal erfüllt munteres Geplauder, man lobt das Fest, lobt das Chateaubriand. Nach dem Hauptgang erhebt sich Hilly und tritt ans Rednerpult. Es wird geklatscht, und sie lächelt in die Menge.

»Guten Abend. Ich danke Ihnen allen für Ihr Kommen. Hat es geschmeckt?«

Allgemeines Nicken und zustimmendes Gemurmel.

»Ehe wir zu den Ansagen kommen, möchte ich denjenigen danken, die so viel zum Gelingen dieses Abends beitragen.« Ohne den Blick von den Zuhörern zu wenden, deutet Hilly nach links, wo sich zwei Dutzend farbige Frauen in ihren weißen Uniformen in einer Reihe aufgestellt haben. Hinter ihnen steht ein Dutzend farbiger Männer im grau-weißen Dienerfrack.

»Ich bitte um einen Sonderapplaus für die Helfer und Helferinnen, für das wunderbare Essen, das sie gekocht und serviert haben, und für die Desserts, die sie für die Auktion zubereitet haben.« Jetzt nimmt Hilly eine Karte in die Hand und liest ab. »Sie alle tragen auf ihre Art dazu bei, dass die League ihr Ziel verwirklichen kann, das da heißt, Nahrung für die armen hungernden Kinder Afrikas, eine Sache, die gewiss auch Ihnen am Herzen liegt.«

Die Weißen an den Tischen applaudieren dem Hilfsperso-
nal. Einige Farbige lächeln zurück, aber die meisten starren
einfach nur in die Luft über den Köpfen der Festgäste.

»Und wir danken auch denjenigen Nichtmitgliedern in diesem Saal, die uns ihre Zeit und Unterstützung zur Verfügung
gestellt haben, denn sie sind es, die uns unseren Job so be-
trächtlich erleichtern.«

Mäßiger Applaus, das eine oder andere kühle Lächeln und
Nicken von Mitgliedern zu Nichtmitgliedern. *Schade,* scheinen
die Mitglieder zu denken. *Wirklich ein Jammer, dass ihr Mädels
nicht den vornehmen Hintergrund habt, um in unseren Club aufgenommen zu werden.* Hilly fährt fort, spricht mit klingender,
patriotischer Stimme Dank und Anerkennung aus. Kaffee wird
serviert, und die Ehemänner trinken ihren, aber die meisten
Frauen hängen gebannt an Hillys Lippen. »… danken wir Bo-
one-Haushaltswaren … nicht zu vergessen, dem Ben-Franklin-
Kaufhaus …« Sie schließt die Liste mit: »Und natürlich danken
wir der anonymen Spenderin der, ähem, *Sachmittel* für die Initiative Hauspersonal-Sanitäranlagen.«

Ein paar Leute lachen nervös, aber die meisten drehen die
Köpfe, um festzustellen, ob Skeeter die Stirn hatte zu erscheinen.

»Ich wollte nur, statt so schüchtern zu sein, würde diese Person vortreten und unseren Dank entgegennehmen. Ohne sie
hätten wir wahrhaftig nicht schon so viele Anlagen installieren können.«

Skeeter blickt unverwandt und mit stoischer Miene aufs
Rednerpult. Hilly streut ein kurzes, strahlendes Lächeln ein.
»Und schließlich ganz besonderen Dank meinem Ehemann
William Holbrook, dessen Spende darin bestand, auf ein Wo-
chenende in seinem Jagdcamp zu verzichten.« Sie lächelt zu
ihrem Ehemann herab und setzt leiser hinzu: »Und nicht ver-
gessen, Wähler und Wählerinnen: Holbrook in den Senat von
Mississippi!«

Die Gäste lachen gutwillig über Hillys Werbeeinlage.

»Was sagst du, Virginia?« Hilly hält sich die Hand hinters Ohr, richtet sich wieder auf. »Nein, ich kandidiere nicht mit. Aber, liebe Abgeordnete im Saal, wenn Sie die Sache mit den getrennten Schulen nicht auch für die Zukunft geregelt kriegen, dann glauben Sie ja nicht, ich würde nicht selbst kommen und es in die Hand nehmen.«

Wieder Gelächter. Senator Whitworth und Gattin, die ganz vorn sitzen, nicken lächelnd. An ihrem Tisch ganz hinten blickt Skeeter auf ihren Schoß. Sie haben vorhin beim Cocktail miteinander geredet. Missus Whitworth hat den Senator weggelotst, ehe er Skeeter ein zweites Mal an seine Brust drücken konnte. Stuart ist nicht gekommen.

Als das Essen und die Ansprache vorbei sind, erheben sich Leute, um auf die Tanzfläche zu gehen, Ehemänner streben zur Bar. Es gibt einen Run auf die Auktionstische, um noch Gebote in letzter Minute abzugeben. Zwei Großmütter liefern sich eine Bieterschlacht um das antike Kinderservice. Jemand hat das Gerücht in die Welt gesetzt, es habe einmal einer Fürstenfamilie gehört und sei per Eselskarren durch ganz Deutschland geschmuggelt worden, ehe es schließlich bei Magnolia-Antiquitäten in der Fairview Street landete. Im Nu schoss der Preis von fünfzehn auf fünfundachtzig Dollar hoch.

In der Ecke neben der Bar gähnt Johnny. Celias Stirn ist gerunzelt. »Ich verstehe nicht, warum sie das mit der Unterstützung durch Nichtmitglieder gesagt hat. Mir hat sie erzählt, sie bräuchten dieses Jahr keine Hilfe.«

»Na ja, du kannst ja nächstes Jahr mithelfen«, erwidert Johnny.

Celia entdeckt Hilly. Im Moment ist sie nur von wenigen Leuten umgeben.

»Ich bin gleich wieder da, Johnny«, sagt Celia.

»Und dann lass uns machen, dass wir hier wegkommen. Ich bin dieses Affenjäckchen leid.«

Richard Cross, der zu Johnnys Entenjagd-Camp gehört, klopft Johnny auf den Rücken. Sie sagen etwas, lachen dann. Lassen den Blick über die Menge schweifen.

Celia schafft es diesmal fast bis zu Hilly, ehe diese hinter das Rednerpult entschlüpft. Celia tritt den Rückzug an, als traute sie sich nicht, sich Hilly dort zu nähern, wo diese vor wenigen Minuten noch so viel Macht ausgestrahlt hat.

Sobald Celia in der Damentoilette verschwunden ist, steuert Hilly auf die Ecke bei der Bar zu.

»Nanu, Johnny Foote«, sagt Hilly. »Es erstaunt mich, dich hier zu sehen. Wo doch jeder weiß, dass du solche großen Gesellschaften nicht leiden kannst.« Sie drückt seine Armbeuge.

Johnny seufzt. »Ist dir klar, dass morgen die Rotwildjagd angeht?«

Hilly schenkt ihm ein rotbraunes Lächeln. Ihr Lippenstift passt so perfekt zu ihrem Kleid, dass sie tagelang danach gesucht haben muss.

»Ich bin es leid, das von jedem Mann hier zu hören. Du kannst ruhig mal einen Tag der Jagdsaison drangeben, Johnny Foote. Früher hast du das für mich auch getan.«

Johnny rollt mit den Augen. »Celia hätte das hier um nichts in der Welt verpassen wollen.«

»Wo *ist* deine Frau?«, fragt Hilly. Sie hat die Hand noch immer in Johnnys Armbeuge und drückt ein weiteres Mal zu. »Doch nicht beim LSU-Spiel, Hotdogs verkaufen, oder?«

Johnny sieht sie stirnrunzelnd an, obwohl es stimmt, so hat er sie kennengelernt.

»Ach komm, du weißt doch, ich zieh dich nur auf. Wir waren schließlich lange genug zusammen, dass ich mir das erlauben kann, oder?«

Noch ehe Johnny etwas sagen kann, tippt jemand Hilly auf die Schulter, und sie wendet sich lächelnd dem nächsten Paar zu. Johnny seufzt, als er Celia zurückkommen sieht. »Gut«, sagt er zu Richard, »wir können jetzt nach Hause gehen. Ich stehe in« – er schaut auf seine Armbanduhr – »fünf Stunden auf.«

Richards Blick ist auf die nahende Celia geheftet. Sie bleibt stehen und bückt sich, um ihre heruntergefallene Papierserviette aufzuheben, bietet dabei tiefe Einblicke in ihr Dekolletee. »Von Hilly zu Celia, das muss ja eine ganz schöne Umstellung gewesen sein, Johnny.«

Johnny schüttelt den Kopf. »Als ob man sein Leben lang in der Antarktis gelebt hat und dann nach Hawaii zieht.«

Richard lacht. »Als ob man im Priesterseminar einschläft und an der Ole Miss aufwacht«, sagt er, und beide lachen.

Dann sagt Richard leiser: »Als ob man als Kind das erste Mal Eis isst.«

Johnny schaut ihn warnend an. »Du sprichst von meiner Frau.«

»Entschuldige, Johnny«, sagt Richard und senkt den Blick. »War nicht bös gemeint.«

Celia ist jetzt bei ihnen angelangt und seufzt, ein enttäuschtes Lächeln im Gesicht.

»Hey, Celia, wie geht's?«, sagt Richard. »Sie sehen heute wirklich toll aus.«

»Danke, Richard.« Celia hickst laut, zieht die Augenbrauen zusammen und hält sich ein Papiertaschentuch vor den Mund.

»Hast du einen Schwips?«, fragt Johnny.

»Sie hat doch nur ihren Spaß, stimmt's, Celia?«, sagt Richard. »Warten Sie, ich werde Ihnen einen Drink holen, der Sie begeistern wird. Er nennt sich Alabama Slammer.«

Johnny sieht seinen Freund an und verdreht die Augen. »Und dann gehen wir nach Hause.«

Drei Alabama Slammer später werden die Gewinner der stillen Auktion verkündet. Susie Pernell steht hinterm Rednerpult, während Leute mit Drinks umhergehen oder an den Tischen rauchen, zu Glenn-Miller-Melodien und Frankie-Valli-Songs tanzen, sich über Susies schallende Mikrofonstimme hinweg unterhalten. Name um Name wird verlesen, und Leute nehmen ihre Beute so aufgeregt entgegen, als hätten sie wirklich etwas gewonnen und nicht das Drei-, Vier- oder Fünffache des Ladenpreises dafür bezahlt. Tischtücher und Nachthemden mit handgemachter Schiffchenspitze bringen hohe Gebote. Ausgefallene Tischgerätschaften aus Sterlingsilber sind gefragt: um Teufelseier auszulöffeln, Paprikastreifen aus Oliven zu zupfen, Wachtelbeine zu brechen. Und dann sind da die Desserts: Gebäck, Pralinen, Nussfudge. Und natürlich Minnys Kuchen.

»Und Minny Jacksons weltberühmter Schokoladen-Eiercreme-Kuchen geht an … Hilly Holbrook!«

Das wird etwas lauter beklatscht, nicht nur weil Minny für ihre Leckereien bekannt ist, nein, auch weil der Name *Hilly* grundsätzlich Applaus auslöst.

Hilly, mitten in einer Unterhaltung, dreht den Kopf. »Was? War das gerade mein Name? Ich habe doch gar nicht geboten.«

Das tut sie nie, denkt Skeeter, die allein einen Tisch weiter sitzt.

»Hilly, du hast gerade Minny Jacksons Kuchen gewonnen. Glückwunsch!«, ruft die Frau links von Hilly.

Hilly sucht mit schmalen Augenschlitzen den Raum ab.

Minny, die ihren und Hillys Namen in einem Satz hat fallen hören, ist alarmiert. Sie hält einen dreckigen Kaffeebecher in der einen Hand und ein schweres Silbertablett in der anderen, bleibt aber wie erstarrt stehen.

Hilly entdeckt sie, bewegt sich jedoch auch nicht, lächelt nur matt. »Tja. Ist das nicht nett? Jemand muss mich für diesen Kuchen eingetragen haben.«

Ihr Blick ist auf Minny geheftet, und Minny spürt es. Sie stapelt die restlichen Becher auf dem Tablett und geht, so schnell sie kann, in die Küche.

»Oh, Glückwunsch, Hilly. Ich wusste gar nicht, dass Sie so ein Fan von Minnys Kuchen sind!« Celias Stimme ist schrill. Sie ist von hinten herangekommen, ohne dass Hilly es gemerkt hat. Als sie auf Hilly zuschwankt, stolpert sie über ein Stuhl-bein. Umsitzende kichern.

Hilly steht reglos da, sieht Celia an. »Soll das ein Scherz sein, Celia?«

Skeeter kommt ebenfalls näher heran. Sie ist von diesem vorhersagbaren Abend zu Tode gelangweilt. Hat es satt, die verlegenen Gesichter alter Freundinnen zu sehen, die Angst haben, mit ihr zu sprechen. Das einzig Interessante auf diesem ganzen Ball ist Celia.

»Hilly«, sagt Celia und greift nach Hillys Arm, »ich wollte schon den ganzen Abend mit Ihnen reden. Ich glaube, es gibt da ein Missverständnis zwischen uns, und ich dachte, wenn ich *erkläre* ...«

»Was haben Sie gemacht? Lassen Sie mich los ...«, zischt Hilly durch die Zähne. Sie schüttelt den Kopf, will davongehen.

Aber Celia hat die Finger in Hillys langen Ärmel gekrallt. »Nein, warten Sie! Bleiben Sie da, Sie müssen mir ...«

Hilly zieht ihren Arm weg, aber Celia lässt nicht los. Ei-nen Moment lang sind beide wild entschlossen – Hilly zu ent-kommen, Celia, sie festzuhalten, und plötzlich hört man ein *Rrratsch.*

Celia starrt auf den Stoff in ihren Fingern. Sie hat Hilly die kastanienrote Manschette glatt vom Ärmel gerissen.

Hilly schaut hin, berührt ihr entblößtes Handgelenk. »Was haben Sie mit mir vor?«, knurrt sie wütend. »Hat diese Nege-rin Sie dazu angestiftet? Was immer sie Ihnen erzählt hat und was immer Sie hier herumposaunt haben ...«

Noch ein paar Leute haben sich um sie geschart, hören zu, schauen besorgt auf Hilly.

»Herumposaunt? Ich weiß nicht, was Sie ...«

Hilly packt Celias Arm. »*Wer* hat es Ihnen gesagt?«

»Minny hat es mir erzählt. Ich weiß, warum Sie nicht mit mir befreundet sein wollen.« Susie Pernells mikrofonverstärkte Stimme, die die Auktionsgewinner verkündet, wird lauter, was

Celia zwingt, ebenfalls lauter zu sprechen. »Ich weiß, Sie denken, Johnny und ich hätten hinter Ihrem Rücken etwas miteinander gehabt«, ruft sie, und aus dem vorderen Teil des Saals ertönen Gelächter über irgendeine Bemerkung und Applaus. Just in dem Moment, als Susie Pernell sich kurz unterbricht, um in ihre Notizen zu schauen, schreit Celia: »… aber ich bin erst schwanger geworden, als Sie schon auseinander *waren!*« Die Worte hallen durch den Saal. Ein paar lange Sekunden schweigt alles.

Die Frauen um sie herum rümpfen die Nase, ein paar fangen an zu lachen. »Johnnys Frau ist *b-l-a-u*«, sagt eine.

Celia schaut sich um. Sie wischt über die Schweißperlen und das Make-up auf ihrer Stirn. »Ich kann's Ihnen ja nicht verdenken, dass Sie mich nicht mögen, wenn Sie die ganze Zeit dachten, Johnny hätte Sie mit mir betrogen.«

»Johnny hätte nie …«

»… und es tut mir leid, dass ich das eben gesagt habe, ich dachte, Sie freuen sich über den Kuchen.«

Hilly bückt sich, hebt ihren Perlknopf vom Boden auf. Sie beugt sich so nah an Celia heran, dass niemand mithören kann. »Sagen Sie Ihrem Niggerdienstmädchen, wenn es irgendjemandem von dem Kuchen erzählt, wird es dafür büßen. Sie kommen sich wahnsinnig schlau vor, weil Sie mich dafür eingetragen haben, was? Glauben Sie etwa, Sie kommen durch Erpressung in die League?«

»Was?«

»Sie sagen mir jetzt *auf der Stelle,* wem Sie noch von dem Ku…«

»Ich habe niemandem irgendwas von einem Kuchen erzählt, ich …«

»*Lügnerin*«, sagt Hilly, richtet sich dann aber schnell auf und lächelt. »Da ist Johnny. Johnny, ich glaube, deine Frau *braucht* dich.« Hilly sieht die Frauen um sich herum vielsagend an.

»Celia, was ist?«, sagt Johnny.

Celia sieht irritiert zuerst Johnny an, dann Hilly. »Ich verstehe sie nicht, erst nennt sie mich eine ... eine Lügnerin, und jetzt beschuldigt sie mich, ich hätte sie für diesen Kuchen eingetragen und ...« Celia verstummt, schaut sich um, als ob sie niemanden um sich herum erkennen würde. Sie hat Tränen in den Augen. Dann stöhnt sie und krümmt sich. Erbrochenes platscht auf den Teppich.

»Oh, Shit!«, sagt Johnny und zieht sie zurück.

Celia stößt Johnnys Arm weg. Sie rennt zur Toilette, und er folgt ihr.

Hilly hat die Fäuste geballt. Ihr Gesicht ist rot, hat fast schon die Farbe ihres Kleids. Sie marschiert zu einem der befrackten Farbigen und packt ihn am Arm. »Sorgen Sie dafür, dass das aufgeputzt wird, bevor es anfängt zu riechen.«

Und dann ist Hilly umringt von Frauen, die sie anschauen, Fragen stellen, die Arme ausgebreitet, als wollten sie sie schützen.

»Dass Celia mit dem Alkohol zu kämpfen hat, habe ich ja gehört, aber jetzt auch noch das Problem mit der Lügerei?«, sagt Hilly zu einer der Susies. Dieses Gerücht wollte sie eigentlich über Minny verbreiten, für den Fall, dass die Kuchengeschichte je ans Licht käme. »Wie nennt man das noch mal?«

»Zwanghaftes Lügen?«

»Genau, sie ist eine zwanghafte Lügnerin.« Hilly marschiert mit den Frauen davon. »Celia hat ihn gezwungen, sie zu heiraten, indem sie ihm erzählt hat, sie wäre schwanger. Ich nehme an, das war auch schon zwanghafte Lügerei.«

Nachdem Celia und Johnny gegangen sind, erlahmt die Partystimmung bald. League-Mitglieder wirken erschöpft, des Lächelns müde. Die Gespräche drehen sich um die Versteigerung, um Babysitter, die es zu Hause abzulösen gilt, vor allem aber um Celia Foote, die sich mitten im Ballsaal übergeben hat.

Um Mitternacht, als der Saal fast leer ist, steht Hilly am

Rednerpult. Sie blättert in den Listen mit den Auktionsgeboten. Ihre Lippen bewegen sich, als ob sie leise rechnet. Aber sie starrt immer wieder ins Leere und schüttelt den Kopf. Schaut dann wieder auf die Blätter und flucht, weil sie noch mal von vorn anfangen muss.

»Hilly, ich fahre jetzt zu dir.«

Hilly blickt von ihrer Rechnerei auf. Es ist ihre Mutter, Missus Walters, die in der formellen Abendkleidung noch gebrechlicher aussieht als sonst. Sie trägt ein bodenlanges, himmelblaues, perlenbesticktes Abendkleid aus dem Jahr 1943. An ihrem Schlüsselbein welkt eine weiße Orchidee. Eine Farbige in einer weißen Uniform klebt an ihrer Seite.

»Geh mir ja nicht mehr an den Kühlschrank, Mama. Ich will nicht, dass du mich die ganze Nacht mit deinen Verdauungsbeschwerden wach hältst. Du gehst sofort ins Bett, verstanden?«

»Kann ich nicht mal ein Stück von Minnys Kuchen haben?«

Hilly sieht ihre Mutter grimmig an. »Dieser *Kuchen* ist im Müll.«

»Aber warum wirfst du ihn denn weg? Ich habe ihn doch extra für dich gewonnen.«

Es dauert einen Moment, bis das bei Hilly ankommt. *»Du? Du hast mich dafür eingetragen?«*

»Ich mag ja nicht mehr wissen, wie ich heiße und in welchem Land ich lebe, aber das mit dir und diesem Kuchen werde ich nie vergessen.«

»Du – du elendes, altes …« Hilly pfeffert die Papiere auf den Fußboden.

Missus Walters dreht sich um und tapert zur Tür, die farbige Pflegerin im Schlepptau. »Sensationsmeldung, Bessie«, sagt sie. »Meine Tochter ist mal wieder sauer auf mich.«

Minny

KAPITEL 26

Am Samstagmorgen steh ich müd und zerschlagen auf. Ich geh in die Küche, wo Sugar grad ihre neun Dollar fünfzig zählt, das Geld, das sie gestern beim Wohltätigkeitsball verdient hat. Das Telefon klingelt, und Sugar ist schneller dran wie ein geölter Blitz. Sugar hat einen Freund und will nicht, dass ihre Mama es merkt.

»Ja, Sir«, flüstert Sugar und gibt mir den Hörer.

»Hallo?«, sag ich.

»Hier ist Johnny Foote. Ich bin im Jagdcamp, aber ich wollte Ihnen sagen, dass Celia völlig mit den Nerven fertig ist. Sie hatte einen schweren Abend gestern auf dem Ball.«

»Ja, Sir, ich weiß.«

»Sie haben es also schon gehört?« Er seufzt. »Na ja, haben Sie nächste Woche ein Auge auf sie, ja, Minny? Ich bin doch nicht da und ... ich weiß nicht. Rufen Sie mich an, wenn sie nicht wieder munterer wird. Notfalls komme ich früher zurück.«

»Ich kümmer mich um sie. Das wird schon wieder.«

Ich hab nicht selbst gesehen, was auf dem Ball passiert ist, aber ich hab's gehört, während ich in der Küche gespült hab. Alle haben drüber geredet.

»Hast du das gesehen?«, hat mich Farina gefragt. »Diese knallrosa Lady, bei der du arbeitest. Blau wie ein Indianer am Zahltag.«

Ich hab von meinem Spülbecken hochgeguckt und Sugar auf mich zukommen sehen, die Hand in die Hüfte gestemmt. »Ja, Mama, sie hat mitten auf den Fußboden gekotzt. Und *alle* auf der Party haben es mitbekommen!« Dann hat sich Sugar rumgedreht und mit den anderen gelacht. Sie hat die Maulschelle nicht kommen sehen. Spülmittelschaum ist durch die Luft gespritzt.

»Halt deinen Mund, Sugar.« Ich hab sie in die Ecke gezerrt. »Ich will nie wieder hören, wie du schlecht von der Lady redest, der du's verdankst, dass du Essen auf dem Teller und Kleider am Leib hast! Hast du mich verstanden?«

Sugar hat genickt, und ich hab mich wieder an mein Geschirr gemacht, aber ich hab sie murren hören: »*Du* machst es doch auch, die *ganze* Zeit.«

Ich bin rumgefahren und hab ihr den Zeigefinger ins Gesicht gestreckt. »Ich hab das Recht dazu. Ich verdien's mir jeden Tag bei der Arbeit für das verrückte Ding.«

Wie ich am Montag zur Arbeit komm, liegt Miss Celia noch im Bett, das Gesicht unter der Zudecke vergraben.

»Morgen, Miss Celia.«

Aber sie dreht sich nur weg.

Mittags bring ich ihr ein Tablett mit Schinkensandwiches ans Bett.

»Ich habe keinen Hunger«, sagt sie und zieht sich das Kissen über den Kopf.

Ich steh neben ihr und guck sie an, wie sie da liegt, eingewickelt wie eine Mumie.

»Was wollen Sie machen, den ganzen Tag da liegen bleiben?«, frag ich, obwohl's nicht das erste Mal wär. Aber das heut ist anders. Sie hat keine Schmiere im Gesicht und schon gar kein Lächeln.

»Bitte, lassen Sie mich in Ruhe.«

Ich will ihr sagen, sie soll einfach aufstehen, ihre knallengen

Sachen anziehen und das Ganze vergessen, aber sie liegt so jämmerlich und so elend da in ihrem Bett, dass ich den Mund halt. Ich bin nicht ihr Psychiater, und sie bezahlt mich auch nicht dafür, dass ich's bin.

Am Dienstagmorgen liegt Miss Celia immer noch im Bett. Das Lunchtablett von gestern steht auf dem Boden, nicht angerührt. Sie hat noch das schäbige blaue Nachthemd an, das aussieht, wie wenn's aus ihrer Zeit in Tunica County wär, die Ginghamrüsche am Hals ganz zerrissen und vorn drauf Flecken von was, das aussieht wie verschmierte Holzkohle.

»Jetzt kommen Sie schon, lassen Sie mich die Laken abziehen. Die Sendung geht gleich los, und Miss Julia wird ganz schön Probleme kriegen. Sie glauben ja nicht, was das dumme Ding gestern mit Doktor Bigmouth gemacht hat.«

Aber sie liegt einfach nur da.

Später bring ich ihr ein Tablett mit Hühnerpastete. Obwohl ich ihr eigentlich sagen will, sie soll sich jetzt endlich zusammenreißen, in die Küche gehen und richtig essen.

»Hören Sie, Miss Celia, ich weiß, was da beim Wohltätigkeitsball los war, war schrecklich. Aber Sie können nicht ewig hier rumliegen und sich selbst leidtun.«

Miss Celia steht auf und schließt sich im Bad ein.

Ich mach mich dran, das Bett abzuziehen. Wie ich damit fertig bin, sammel ich die ganzen verheulten Taschentücher und die Gläser vom Nachttisch ein. Ich seh einen Stapel Post. Wenigstens war sie am Briefkasten. Ich nehm die Post hoch, um den Nachttisch abzuwischen, und da erkenn ich oben auf einer Karte die Buchstaben H W H. Eh ich mich's verseh, hab ich die ganze Karte gelesen.

Liebe Celia,
anstelle von Schadenersatz für mein zerrissenes Kleid nimmt die League gern eine Spende von mindestens zweihundert Dollar entgegen. Außerdem bitten wir Sie, in Zukunft von Hilfsan-

geboten im Rahmen jeglicher Nichtmitglieder-Aktivitäten Ab-
stand zu nehmen, da Ihr Name auf einer Vorbehaltsliste geführt
wird. Wir wären Ihnen für Ihre Kooperation in dieser Angele-
genheit dankbar.
Stellen Sie den Scheck bitte auf das League-Ortskapitel Jack-
son aus.

  Mit freundlichen Grüßen
  Hilly Holbrook
  Vorsitzende und Beauftragte für Mittelzueignung

Am Mittwochmorgen ist Miss Celia *immer* noch unter der
Zudecke verkrochen. Ich mach meine Arbeit in der Küche,
versuch, froh drüber zu sein, dass sie nicht hier bei mir rumlungert. Aber ich kann's nicht genießen, weil schon den ganzen Morgen das Telefon klingelt und Miss Celia zum ersten
Mal, seit ich hier bin, einfach nicht drangeht. Wie die Klinge-
lei zum zehnten Mal losgeht, kann ich's nimmer ertragen, also
nehm ich schließlich einfach ab und sag hallo.

Ich geh in ihr Zimmer und erklär ihr: »Mister Johnny ist am
Telefon.«

»Was? Aber er soll doch nicht wissen, dass ich weiß, dass er
von Ihnen weiß.«

Ich seufz laut, um ihr zu sagen, dass mir diese Lügerei inzwischen grad gestohlen bleiben kann. »Er hat mich *daheim* angerufen. Das Spielchen ist vorbei, Miss Celia.«

Miss Celia macht die Augen zu. »Sagen Sie ihm, ich schlafe.«

Ich nehm das Schlafzimmertelefon ab, schau Miss Celia
direkt in die Augen und erzähl ihm, sie wär unter der Dusche.

»Ja, Sir, es geht ihr gut«, sag ich und guck sie grimmig an.

Ich leg auf und starr ihr wütend ins Gesicht.

»Er wollt wissen, wie's Ihnen geht.«

»Ich habe es gehört.«

»Ich hab für Sie gelogen, wissen Sie das?«

Sie zieht sich das Kissen wieder übers Gesicht.

Am nächsten Nachmittag halt ich's keine Minute länger aus. Miss Celia liegt immer noch haargenau so da wie schon die ganze Woche. Ihr Gesicht ist dünn, und ihr Butterglanz sieht einfach nur fettig aus. Außerdem riecht's hier drinnen allmählich. Nach dreckigen Leuten. Ich wett, sie hat seit Freitag nimmer gebadet.

»Miss Celia«, sag ich.

Miss Celia guckt mich an, lächelt aber nicht und antwortet nicht.

»Heut Abend kommt Mister Johnny heim, und ich hab ihm gesagt, ich kümmer mich um Sie. Was wird er denn denken, wenn er Sie hier verkrochen findet, in dem hässlichen, alten Nachthemd, das Sie da anhaben?«

Miss Celia schnieft, schluckt und heult dann richtig los. »Das wäre alles nicht passiert, wenn ich da geblieben wäre, wo ich hingehöre. Er hätte eine passende Frau heiraten sollen. Er hätte ... *Hilly* heiraten sollen.«

»Jetzt aber, Miss Celia. Da drum geht's doch ...«

»Wie Hilly mich angesehen hat ... als wäre ich ein *Nichts*. Als wäre ich Müll am Straßenrand.«

»Aber Miss Hilly zählt doch nicht. Sie können sich doch nicht danach beurteilen, was die Frau von Ihnen denkt.«

»Ich passe nicht in diese Art von Leben. Ich brauche keinen Esstisch für zwölf Leute. Ich würde nie zwölf Leute hierherkriegen, und wenn ich sie anbetteln würde.«

Ich schau sie kopfschüttelnd an. Beklagt sich schon wieder, dass sie zu viel hat.

»Warum hasst sie mich so? Sie kennt mich doch gar nicht«, heult Miss Celia. »Und es ist nicht nur wegen Johnny, sie hat mich eine Lügnerin genannt, hat gesagt, ich sei schuld an der Sache mit dem ... *Kuchen.*« Sie haut sich mit den Fäusten an die Knie. »Ich hätte *nie* gekotzt, wenn das nicht gewesen wäre.«

»Welcher Kuchen?«

»H-H-Hilly hat Ihren Kuchen gewonnen. Und sie hat mich

beschuldigt, ich hätte sie dafür eingetragen. Um ihr irgendwie ... eins auszuwischen.« Sie heult und schluchzt. »Warum
sollte ich so was tun? Ihren Namen auf eine Liste schreiben?«

Ganz langsam geht mir auf, was hier los ist. Ich weiß nicht,
wer Hilly für den Kuchen eingetragen hat, aber ich weiß nur
zu gut, warum sie jeden, von dem sie denkt, er hätt's getan, bei
lebendigem Leib auffressen würd.

Ich schau zur Tür rüber. Die Stimme in meinem Kopf sagt:
Geh, Minny. Verzieh dich bloß. Aber ich guck auf Miss Celia,
die in ihr altes Nachthemd heult, und mein Gewissen drückt
mich wie ein ganzer Berg.

»Ich kann das Johnny nicht länger antun. Ich habe mich
schon entschieden, Minny. Ich gehe zurück«, schluchzt sie.
»Zurück nach Sugar Ditch.«

»Sie wollen Ihren Mann verlassen, nur weil Ihnen auf einer
Party schlecht geworden ist?« *Halt,* denk ich und schreck richtig zusammen. Miss Celia kann Mister Johnny nicht verlassen – wo zum Teufel bleib ich dann?

Miss Celia heult noch lauter, weil ich sie dran erinnert hab.
Ich seufz und guck auf sie runter, frag mich, was ich tun soll.

Gott, ich schätz, es ist Zeit. Zeit, dass ich ihr das erzähl,
was ich keinem Menschen auf der ganzen Welt hab erzählen
wollen. Ich verlier meinen Job sowieso, also kann ich's auch
machen.

»Miss Celia ...«, sag ich und setz mich in den gelben Sessel in der Zimmerecke. Ich hab in dem Haus hier noch nie irgendwo gesessen außer in der Küche und auf ihrem Badfuß-
boden. Aber der Tag heut zwingt mich zu extremen Sachen.

»Ich weiß, warum Miss Hilly so wütend geworden ist«, sag
ich. »Wegen dem Kuchen, mein ich.«

Miss Celia schnäuzt sich laut in ein Papiertaschentuch. Sie
guckt mich an.

»Ich hab was mit ihr gemacht. Was fürchterlich Schlimmes.«
Mein Herz bummert schon, wenn ich nur dran denk. Mir

wird klar, dass ich nicht in dem Sessel hier sitzen *und* ihr die Geschichte erzählen kann. Ich steh auf und geh ans Fußende vom Bett.

»Was?«, schnieft sie. »Was war, Minny?«

»Miss Hilly hat mich letztes Jahr daheim angerufen, wie ich noch bei Miss Walters gearbeitet hab. Hat mir gesagt, dass sie Miss Walters ins Altenheim schickt. Ich hab's mit der Angst gekriegt, hab ja fünf Kinder zu ernähren. Und Leroy hat da schon Doppelschicht gearbeitet.«

Ich fühl so ein Brennen meine Brust hochsteigen. »Ich weiß ja, was ich gemacht hab, war nicht christlich. Aber wer schickt denn seine eigene Mama ins Heim, zu fremden Leuten? Das Problem ist, wenn man *der* Frau was Unrechtes tut, fühlt sich's irgendwie *recht* an.«

Miss Celia setzt sich im Bett auf, wischt sich die Nase. Jetzt sieht sie aus, wie wenn sie mir zuhört.

»Drei Wochen hab ich Arbeit gesucht. Jeden Tag, wenn ich bei Miss Walters fertig war, bin ich rumgegangen. Ich geh rüber zu Miss Child. Sie schickt mich weg. Ich geh zu den Rawleys, die wollen mich auch nicht. Die Riches, die Patrick Smiths, die Walkers, sogar die katholischen Thibodeaux mit ihren sieben Kindern. Keiner will mich.«

»Oh, Minny ...«, sagt Miss Celia. »Das ist ja schrecklich.«

Ich schieb den Unterkiefer vor. »Seitdem ich klein war, hat meine Mama mir gesagt, ich soll nicht frech sein. Aber ich hab nicht auf sie gehört, und drum bin ich in der ganzen Stadt für mein Mundwerk bekannt. Also denk ich, dass mich deswegen keiner will.

Wie ich noch zwei Tage bei Miss Walters gehabt hab und immer noch keinen neuen Job, da hab ich's richtig mit der Angst gekriegt. Bennys Asthma und Sugar noch auf der Schule und Kindra und ... wir waren eh schon knapp mit dem Geld. Und da taucht Miss Hilly bei Miss Walters auf und will mit mir reden.

Sie sagt: ›Arbeiten Sie bei mir, Minny. Ich zahle Ihnen am Tag fünfundzwanzig Cent mehr als Mama.‹ Als ›Karotte vor meiner Nase‹, so hat sie's genannt, wie wenn ich ein Maulesel wär.« Ich fühl, wie ich Fäuste mach. »Wie wenn ich auch nur drüber nachdenken würd, meine Freundin Yule May um ihren Job zu bringen. Miss Hilly denkt, alle sind so falsche Schlangen wie sie.«

Ich wisch mir übers Gesicht. Ich schwitz. Miss Celia hört mit offenem Mund zu, sieht ganz verwirrt aus.

»Ich sag ihr: ›Nein, danke, Miss Hilly.‹ Und drauf sagt sie, sie zahlt mir fünfzig Cent mehr, und ich sag: ›Nein, Ma'am. Nein, danke.‹ Und dann verpasst mir Miss Hilly den Schlag ins Genick. Sie sagt, sie weiß, dass mich die Childs und die Rawleys und alle anderen abgewiesen haben. Sagt, es wär, weil sie dafür gesorgt hat, dass jeder weiß, was ich für eine Diebin bin. Ich hab mein Lebtag nie was gestohlen, aber sie sagt, sie hat überall rumerzählt, ich hätt's getan. Und niemand in der Stadt würd doch ein unverschämtes *und* diebisches Niggerdienstmädchen einstellen, also könnt ich auch gleich umsonst bei ihr arbeiten.

Und da hab ich's gemacht.«

Miss Celia guckt mich an. »Was, Minny?«

»Ihr gesagt, sie soll meine Scheiße fressen.«

Miss Celia sitzt da und sieht immer noch verwirrt aus.

· »Danach geh ich heim. Ich mix die Schoko-Eierkrem für den Kuchen. Tu Zucker rein und Backschokolade und die echte Vanille, die mir meine Cousine aus Mexiko mitgebracht hat.

Ich bring den Kuchen zu Miss Walters, weil ich weiß, Miss Hilly sitzt dort rum und wartet, dass das Heim kommt, ihre Mama holen. Damit sie das Haus verkaufen kann. Sich an dem Silber bedienen kann.

Sowie ich den Kuchen auf die Arbeitsplatte stell, lächelt Miss Hilly, weil sie denkt, es ist ein Friedensangebot, meine Art, ihr zu zeigen, dass ich bereu, was ich gesagt hab. Und ich guck ihr zu. Guck, wie sie isst. Zwei große Stücke. Sie stopft sie sich in den Mund, wie wenn sie noch nie so was Gutes gegessen hätt. Und dann sagt sie: ›Ich wusste, Sie würden Ihre Meinung ändern, Minny. Ich wusste, am Ende kriege ich, was ich will.‹ Und sie lacht so von oben runter, wie wenn das alles für sie ein Mordsspaß wär.

Und da sagt Miss Walters, sie hat auch bisschen Hunger, und fragt, ob sie ein Stück von dem Kuchen kriegt. Ich erklär ihr: ›Nein, Ma'am. Der ist speziell für Miss Hilly.«

Miss Hilly sagt: ›Mama kann etwas haben, wenn sie möchte. Aber nur ein ganz kleines Stück. Was haben Sie da reingetan, Minny, dass er so gut schmeckt?‹

Ich sag: ›Die gute Vanille aus Mexiko‹, und dann mach ich's. Ich sag ihr, was ich noch in den Kuchen getan hab.«

Miss Celia starrt mich reglos an, aber ich kann ihr jetzt nimmer in die Augen gucken.

»Miss Walters bleibt der Mund offen stehen. Niemand in der Küche sagt was, so lang, dass ich zur Tür hätt rausrennen können, eh sie's gemerkt hätten. Aber dann fängt Miss Walters an zu lachen. Lacht so, dass sie beinah vom Stuhl fällt. Sagt: ›Tja, das hast du wohl verdient, Hilly. Und ich an deiner Stelle würde es nicht überall herumpetzen, weil du sonst in der ganzen Stadt nur noch die Lady bist, die *zwei* Portionen von Minnys Scheiße gegessen hat.‹«

Ich schau ganz kurz auf. Miss Celia starrt mich an. Ihre Augen sind weit, voll Ekel. Jetzt krieg ich Panik, weil ich ihr das erzählt hab. Sie wird mir nie wieder trauen. Ich geh zu dem gelben Sessel und setz mich rein.

»Miss Hilly hat gedacht, Sie kennen die Geschichte. Machen sich über sie lustig. Sie wär nie so auf Sie losgegangen, wenn ich das nicht gemacht hätt.«

Miss Celia starrt mich nur an.

»Aber ich will, dass Sie wissen: Wenn Sie Mister Johnny verlassen, hat Miss Hilly das ganze Spiel gewonnen. Dann hat sie mich geschlagen, Sie geschlagen ...« Ich schüttel den Kopf, weil ich an Yule May im Gefängnis denk und an Miss Skeeter, die jetzt keine Freundinnen mehr hat. »Gibt nimmer viele Leute hier in der Stadt, die sie nicht geschlagen hat.«

Miss Celia sagt eine Weile gar nichts. Dann guckt sie zu mir rüber und will was sagen, macht aber den Mund wieder zu.

Schließlich murmelt sie nur: »Danke. Dass Sie ... mir das erzählt haben.«

Sie legt sich wieder hin. Aber eh ich die Tür hinter mir zumach, seh ich noch, dass ihre Augen weit offen sind.

Am nächsten Morgen hat es Miss Celia endlich geschafft, aus dem Bett zu kommen, sich die Haare zu waschen und sich wieder Make-up ins Gesicht zu schmieren. Draußen ist es kalt, also hat sie auch wieder einen von ihren engen Pullis an.

»Froh, dass Mister Johnny wieder da ist?«, frag ich. Nicht dass es mich interessiert. Eigentlich will ich wissen, ob sie immer noch mit dem Gedanken rummacht, von hier wegzugehen.

Aber Miss Celia sagt nicht viel. Ihre Augen sind müd. Sie lächelt nimmer so schnell über jede Kleinigkeit. Sie zeigt mit dem Finger aus dem Küchenfenster. »Ich glaube, ich werde eine Reihe Rosensträucher pflanzen. Hinten am Grundstücksrand.«

»Wann blühen die?«

»Im Frühling müssten wir schon etwas sehen.«

Ich nehm's als gutes Zeichen, dass sie Pläne für die Zukunft macht. Ich sag mir, jemand, der wegwill, würd sich nicht die Mühe machen, Blumen zu pflanzen, die erst nächstes Jahr blühen.

Den Rest des Tags arbeitet Miss Celia im Blumengarten, kümmert sich um die Chrysanthemen. Wie ich am nächsten Morgen komm, find ich Miss Celia am Küchentisch. Sie hat die Zeitung da liegen, starrt aber raus auf den Mimosenbaum.

Draußen ist es kalt und regnerisch.

»Morgen, Miss Celia.«

»Hey, Minny.« Miss Celia sitzt einfach nur da, guckt auf den Baum und spielt mit einem Kuli rum. Es hat angefangen zu regnen.

»Was möchten Sie heut zu Mittag? Wir haben Rindsbraten oder noch was von der Hühnerpastete ...« Ich beug mich in den Kühlschrank. Ich muss was beschließen wegen Leroy, muss ihm sagen, wie's ist. *Entweder du schlägst mich nimmer, oder ich bin weg. Und die Kinder nehm ich nicht mit.* Was nicht stimmt, das mit den Kindern, aber es müsst ihm mehr Angst machen als irgendwas anderes.

»Ich möchte nichts.« Miss Celia steht auf, schlüpft aus einem roten Stöckelschuh, dann aus dem andern. Sie streckt ihren Rücken, starrt immer noch raus auf den Baum. Knackt mit den Fingerknöcheln. Und geht dann zur Hintertür raus.

Ich seh sie auf der anderen Seite von der Glasscheibe, und dann seh ich die Axt. Das ist mir bisschen gruselig, weil ja wohl niemand gern eine Verrückte mit einer Axt rumlaufen sieht. Sie schwingt sie wie einen Baseballschläger. Zur Übung.

»Lady, jetzt haben Sie aber wirklich nimmer alle Tassen im Schrank.« Es schüttet vom Himmel, aber Miss Celia kümmert das nicht. Sie fängt an, auf den Baum einzuhacken. Blätter regnen auf sie runter, bleiben in ihrem Haar hängen.

Ich stell die Platte mit dem Rindsbraten auf den Küchentisch und guck zu, hoff, dass das nicht noch irgendwas gibt. Sie macht einen entschlossenen Mund, wischt sich den Regen aus den Augen. Statt dass sie müd wird, schlägt sie jedes Mal fester zu.

»Miss Celia, kommen Sie rein. Sie sind ja ganz nass«, ruf ich. »Lassen Sie das Mister Johnny machen, wenn er heimkommt.«

Aber sie denkt nicht dran. Sie hat den Stamm schon halb durch, und der Baum schwankt bisschen, wie mein besoffener Daddy. Schließlich setz ich mich einfach auf den Stuhl, wo Miss Celia gesessen hat, wart, dass sie den Job zu Ende bringt.

Ich schüttel den Kopf und guck auf die Zeitung. Da seh ich unter der Zeitung Miss Hillys Karte und Miss Celias Scheck über zweihundert Dollar. Ich schau genauer hin. Unten auf dem Scheck, wo man noch was dazuschreiben kann, steht in einer hübschen Schreibschrift: *Für Zwei-Portionen-Hilly.*

Ich hör ein lautes Ächzen und seh den Baum umkrachen. Blätter und dürre Zweige fliegen durch die Luft, setzen sich auf ihren Butterglanz.

Miss Skeeter

KAPITEL 27

Ich starre auf das Telefon in der Küche. So lange schon hat niemand mehr hier angerufen, dass es wie ein totes Ding an der Wand hängt. Überall lastet eine schreckliche Stille – in der Bibliothek, im Drugstore, wo ich Mutters Medizin hole, in der High Street, wo ich meine Schreibmaschinen-Farbbänder kaufe, in unserem Haus. Das Attentat auf Präsident Kennedy vor knapp zwei Wochen hat die Welt verstummen lassen. Es ist, als ob keiner der Erste sein wollte, der das Schweigen bricht. Nichts scheint dafür wichtig genug.

Wenn das Telefon dieser Tage doch mal klingelt, ist es Doktor Neal mit neuen schlechten Untersuchungsergebnissen oder jemand aus der Verwandtschaft, der sich nach Mutter erkundigt. Und doch denke ich immer noch manchmal *Stuart,* obwohl es jetzt fünf Monate her ist, dass er das letzte Mal angerufen hat. Obwohl ich schließlich in die Knie gegangen bin und Mutter erzählt habe, dass zwischen uns Schluss ist. Mutter machte, wie ich befürchtet hatte, ein schockiertes Gesicht, beschränkte sich aber Gott sei Dank darauf zu seufzen.

Ich hole tief Luft, wähle die Null und verkrieche mich in der Speisekammer. Ich sage der hiesigen Vermittlung die Ferngesprächsnummer und warte.

»Verlag Harper und Row, wen möchten Sie sprechen?«

»Das Büro von Elaine Stein, bitte.«

Ich warte, dass sich ihre Sekretärin meldet, wollte, ich hätte das längst hinter mich gebracht. Aber in der Woche nach Kennedys Tod fühlte es sich nicht richtig an, im Verlag anzurufen, und außerdem hatte ich gehört, dass die meisten Firmen geschlossen hatten. Dann war die Thanksgiving-Woche, und als ich anrief, erklärte mir die Zentrale, in ihrem Büro melde sich niemand, also rufe ich jetzt über eine Woche später an als geplant.

»Elaine Stein.«

Ich schrecke zusammen, weil es nicht ihre Sekretärin ist. »Missus Stein, entschuldigen Sie bitte, hier ist … Eugenia Phelan. In Jackson, Mississippi.«

»Ja … Eugenia.« Sie seufzt, bereut offenkundig, dass sie ihr Telefon selbst abgenommen hat.

»Ich wollte Ihnen sagen, dass das Manuskript gleich nach Neujahr fertig sein wird. Ich schicke es Ihnen in der zweiten Januarwoche.« Ich lächle, weil ich meinen geprobten Text perfekt dargebracht habe.

Stille, bis auf das Ausblasen von Zigarettenrauch. Ich rutsche auf meiner Mehlkiste herum. »Ich bin … die, die über die farbigen Frauen schreibt. In Mississippi?«

»Ja, ich weiß«, erwidert sie, aber ich kann nicht erkennen, ob das stimmt. Doch dann sagt sie: »Sie sind die, die sich für die Lektorenstelle beworben hat. Wie läuft es mit Ihrem Projekt?«

»Es ist fast fertig. Wir müssen noch zwei Interviews zu Ende bringen, und ich wollte fragen, ob ich das Manuskript direkt an Sie schicken soll oder an Ihre Sekretärin?«

»O nein, Januar geht gar nicht.«

»Eugenia? Bist du da?«, höre ich Mutter rufen.

Ich halte die Sprechmuschel zu. »Moment, Mama«, rufe ich zurück, weil ich weiß, dass sie sonst hier hereinplatzt.

»Die letzte Lektoratskonferenz ist am einundzwanzigsten Dezember«, fährt Missus Stein fort. »Wenn Sie eine Chance haben wollen, dass es gelesen wird, muss ich es bis dahin in Händen halten. Ansonsten wandert es auf den Stapel. Auf dem Stapel zu landen, wäre nicht in Ihrem Sinne, Miss Phelan.«

»Aber ... Sie haben doch gesagt, Januar ...« Heute ist der zweite Dezember. Das heißt, mir bleiben nur noch neunzehn Tage, um alles fertig zu machen.

»Am einundzwanzigsten Dezember gehen alle in den Urlaub, und im neuen Jahr sind wir dann überschwemmt mit Projekten unserer Hausautoren und -journalisten. Für einen Niemand wie Sie, Miss Phelan, ist bis Einundzwanzigsten das einzig mögliche Zeitfenster.«

Ich schlucke. »Ich weiß nicht, ob ...«

»Ach, übrigens, war das da gerade Ihre Mutter? Wohnen Sie noch zu Hause?«

Ich suche nach einer glaubhaften Lüge – sie ist nur zu Besuch, sie ist krank, sie ist auf der Durchreise –, weil Missus Stein nicht wissen soll, dass ich mit meinem Leben nichts angefangen habe. Aber dann seufze ich. »Ja, ich wohne noch zu Hause.«

»Und die Negerin, die Sie aufgezogen hat, die ist wohl auch noch im Haus?«

»Nein, sie ist weg.«

»Hmm. Schade. Wissen Sie, was aus ihr geworden ist? Mir ist gerade eingefallen, dass Sie natürlich auch ein Kapitel über Ihr eigenes Dienstmädchen machen müssen.«

Ich schließe die Augen, kämpfe gegen die Hoffnungslosigkeit an. »Ich ... weiß wirklich nichts.«

»Tja, finden Sie's raus und nehmen Sie es unbedingt mit auf. Das gibt dem Ganzen etwas Persönliches.«

»Ja, Ma'am«, sage ich, obwohl ich keine Ahnung habe, wie ich zwei weitere Dienstmädchen rechtzeitig fertigbekommen, geschweige denn auch noch etwas über Constantine schreiben soll. Schon bei dem bloßen Gedanken überkommt mich der verzweifelte Wunsch, sie wäre jetzt hier.

»Auf Wiederhören, Miss Phelan. Ich hoffe, Sie schaffen es

innerhalb der Frist«, sagt sie, aber ehe sie auflegt, brummelt sie noch: »Und, um Himmels willen, Sie sind eine gebildete Frau von vierundzwanzig Jahren. Suchen Sie sich eine eigene Wohnung.«

Ich lege auf, unter Schock wegen der neuen Deadline und Missus Steins Beharren auf einem Kapitel über Constantine. Ich weiß, ich muss mich sofort an die Arbeit machen, aber ich schaue zuerst nach Mutter. In den letzten drei Wochen haben sich ihre Magengeschwüre erheblich verschlimmert. Sie hat noch mehr abgenommen und übersteht keine zwei Tage, ohne sich zu erbrechen. Selbst Doktor Neal schien überrascht, als ich sie letzte Woche zu ihrem Termin hingebracht habe.

Mutter mustert mich vom Bett aus. »Hast du heute kein Bridgekränzchen?«

»Fällt aus. Elizabeths Baby hat Koliken«, lüge ich. So viele Lügen habe ich ihr in letzter Zeit erzählt, dass die Luft im Zimmer davon ganz dick ist. »Wie geht's dir?«, frage ich. Die alte weiße Emailschüssel steht neben ihrem Bett. »War dir wieder schlecht?«

»Mir geht es bestens. Mach nicht solche Stirnfalten, Eugenia, das ist gar nicht gut für deine Gesichtshaut.«

Mutter weiß immer noch nicht, dass ich aus dem Bridgekränzchen geflogen bin und Patsy Joiner jetzt eine neue Tennispartnerin hat. Ich werde zu keinen Cocktail- und Baby-Partys mehr eingeladen, ja überhaupt zu nichts, wo Hilly anwesend ist. Mit Ausnahme der League. Bei den Versammlungen sind die Frauen kurz angebunden, rein sachlich, wenn es um Newsletter-Angelegenheiten geht. Ich versuche mir einzureden, dass es mir egal ist. Ich sitze an meiner Schreibmaschine und gehe an den meisten Tagen gar nicht aus dem Haus. Ich sage mir, dass das nun mal die Folge ist, wenn man einunddreißig Klos in den Vorgarten des beliebtesten Mädels der Stadt kippen lässt. Da behandeln einen die Leute eben ein bisschen anders als vorher.

Es ist fast vier Monate her, dass sich eine Tür zwischen mir und Hilly geschlossen hat, eine Tür aus Eis, so dick, dass es hundert Mississippi-Sommer bräuchte, um sie zu schmelzen. Es ist ja nicht so, dass ich nicht mit Konsequenzen gerechnet hätte. Ich dachte nur nicht, dass sie so anhaltend sein würden.

Hillys Stimme am Telefon war leise und heiser, als hätte sie den ganzen Morgen gebrüllt. »Du bist doch krank«, zischte sie mich an. »Sprich nicht mehr mit mir, schau mich nicht an. Sag meinen Kindern nicht hallo.«

»Eigentlich war es ein Druckfehler, Hilly«, war alles, was mir einfiel.

»Ich werde persönlich zu Senator Whitworth gehen und ihm sagen, dass du, Skeeter Phelan, eine ruinöse Belastung für seine Washington-Kandidatur bist. Ein Fleck auf seiner Weste, falls Stuart sich je wieder mit dir einlässt!«

Bei der Erwähnung seines Namens zuckte ich immer noch zusammen, obwohl zwischen uns schon seit Wochen Schluss war. Ich sah ihn vor mir, wie er in die andere Richtung blickte, sich nicht mehr darum scherte, was mit mir war.

»Du hast aus meinem Garten eine Volksbelustigung gemacht«, sagte Hilly. »Wie lange hattest du schon geplant, meine Familie zu demütigen?«

Was Hilly nicht begriff, war: Ich hatte es überhaupt nicht geplant. Als ich anfing, den Zettel über ihre Toiletten-Initiative für den Newsletter abzutippen, Wörter wie *Krankheiten* und *Schützen Sie sich* und *Mit besten Empfehlungen* in die Tasten zu hämmern, war es, als ob plötzlich etwas in mir aufbräche, nicht unähnlich einer Wassermelone, kühl, süß und wohltuend. Ich hatte immer gedacht, den Verstand zu verlieren, wäre ein dunkles, bitteres Gefühl, aber es ist belebend und köstlich, wenn man sich richtig darin aalt. Ich hatte Pascagoulas Brüdern je fünfundzwanzig Dollar dafür geboten, dass sie diese Schuttplatzklos auf Hillys Rasen karrten, und sie hatten trotz aller Angst eingewilligt. Ich weiß noch, wie dunkel die Nacht war. Ich weiß noch, welch glückliche Fügung es mir schien, dass irgendein altes Mietshaus ausgeweidet worden war und der Schuttplatz eine so reichhaltige Auswahl an Toiletten bot. Zweimal habe ich geträumt, wieder dort zu sein, es wieder zu tun. Ich bereue es nicht, fühle mich aber nicht mehr ganz so als Glückspilz.

»Und du nennst dich eine *Christin*«, waren Hilly letzte Worte an mich, und ich dachte: *Guter Gott. Wann habe ich das je getan?*

Im November hat Stooley Whitworth das Rennen um den Senatssitz in Washington gewonnen. William Holbrook hingegen ist bei den Wahlen für den hiesigen Senat gescheitert. Ich bin mir ziemlich sicher, dass Hilly mich auch dafür verantwortlich macht. Mal davon abgesehen, dass die ganze Arbeit, die sie darein investiert hat, Stuart und mich zu verkuppeln, umsonst war.

Ein paar Stunden nach meinem Telefonat mit Missus Stein schleiche ich zu Mutter, um noch einmal nach ihr zu schauen, bevor ich gehe. Daddy schläft bereits an ihrer Seite. Mutter hat ein Glas Milch auf dem Nachttisch stehen. Sie lehnt halb aufgerichtet in ihren Kissen, aber ihre Augen sind zu. Als ich ins Zimmer luge, schlägt sie sie auf.

»Möchtest du noch irgendwas, Mama?«

»Ich liege nur, weil Dr. Neal gesagt hat, ich soll es tun. Wo willst du denn noch hin, Eugenia? Es ist doch schon gleich sieben.«

»Ich bin bald wieder da. Fahre nur noch mal kurz weg«, sage ich in der Hoffnung, dass sie nicht weiterfragt. Als ich die Tür zumache, ist sie schon wieder eingeschlafen.

Ich fahre schnell durch die Stadt. Ich fürchte mich davor,

Aibileen von dem neuen Abgabetermin zu erzählen. Der alte Pick-up rumpelt durch die Schlaglöcher. Nach einer weiteren harten Baumwollsaison geht es mit ihm rapide abwärts. Mein Kopf schlägt praktisch jedes Mal ans Wagendach, weil jemand die Sitzfedern zu stramm nachgestellt hat. Ich muss mit offener Seitenscheibe fahren und den Arm hinaushängen, damit die Tür nicht klappert. Die Windschutzscheibe hat eine neue Macke in der Form eines Sonnenuntergangs.

Ich halte an einer Ampel auf der State Street, gegenüber der Zeitungsredaktion. Als ich hinüberschaue, sehe ich Elizabeth, Mae Mobley und Raleigh, allesamt auf den Vordersitz ihres weißen Corvair gequetscht. Auf dem Heimweg vom Abendessen irgendwo, vermute ich. Ich erstarre, traue mich nicht, nochmal rüberzuschauen, aus Angst, Elizabeth könnte mich bemerken und fragen, wo ich denn mit dem Pick-up hinwill. Ich lasse sie vorausfahren, schaue ihren Heckleuchten nach, kämpfe gegen etwas Heißes an, das mir die Kehle hochsteigt. Es ist lange her, dass ich das letzte Mal mit Elizabeth geredet habe.

Nach dem Toilettenvorfall haben Elizabeth und ich uns bemüht, Freundinnen zu bleiben. Gelegentlich haben wir telefoniert. Aber bei den League-Treffen sagt sie außer hallo und ein paar leeren Floskeln nichts mehr zu mir, weil Hilly es ja sehen könnte. Das letzte Mal bei ihr war ich vor einem Monat.

»Nicht zu glauben, wie groß Mae Mobley geworden ist«, sagte ich. Mae Mobley lächelte schüchtern hinter dem Bein ihrer Mutter hervor. Sie war länger geworden, aber immer noch pummelig von Babyspeck.

»Wächst wie Unkraut«, sagte Elizabeth und sah aus dem Fenster, und ich dachte, wie seltsam, das eigene Kind mit Unkraut zu vergleichen.

Elizabeth war noch im Bademantel und hatte Lockenwickler im Haar. Sie wirkte nach ihrer Schwangerschaft schon wieder sehr dünn. Ihr Lächeln blieb angespannt. Sie schaute dauernd auf die Uhr, fasste sich alle paar Sekunden an die Lockenwickler. Wir standen in ihrer Küche herum.

»Hast du Lust, zum Mittagessen mit in den Club zu kommen?«, fragte ich. In dem Moment kam Aibileen durch die Küchenschwingtür. Drüben im Esszimmer sah ich flüchtig Silber und Battenbergspitze.

»Ich kann nicht, und ich komplimentiere dich ungern hinaus, aber … ich bin mit Mutter im Jewel Taylor Shoppe verabredet.« Ihr Blick huschte wieder zum Vorderfenster. »Du weißt doch, wie Mama ist, wenn man sie warten lässt.« Ihr Lächeln wuchs exponentiell in die Breite.

»Oh, entschuldige, ich will dich nicht aufhalten.« Ich tätschelte ihr die Schulter und steuerte auf die Tür zu. Und da ging es mir auf. Wie konnte ich so dumm sein? Es ist ja Mittwoch, zwölf Uhr. Mein altes Bridgekränzchen.

Ich stieß mit dem Cadillac in der Einfahrt zurück, und es tat mir leid, dass ich sie so in Verlegenheit gebracht hatte. Als ich mich wieder nach vorn drehte, sah ich sie am Fenster meine Abfahrt beobachten. Und da begriff ich: Es war ihr nicht peinlich, mich abwimmeln zu müssen. Elizabeth Leefolt war es peinlich, mit mir gesehen zu werden.

Ich parke in Aibileens Straße, mehrere Häuser vor ihrem, weil ich weiß, wir müssen jetzt noch vorsichtiger sein. Obwohl Hilly nie einen Fuß in diesen Teil der Stadt setzen würde, ist sie nun für uns alle eine Bedrohung, und ich fühle ihren Blick überall. Ich weiß, welch hämische Befriedigung es ihr wäre, mich hierbei zu erwischen. Ich unterschätze nicht mehr, wie weit sie gehen würde, um mich bis an mein Lebensende büßen zu lassen.

Es ist ein frischer Dezemberabend, und gerade setzt Nieselregen ein. Mit gesenktem Kopf eile ich die Straße entlang. Das Gespräch mit Missus Stein heute Nachmittag geht mir immer noch im Kopf herum. Ich habe versucht, alles, was noch zu tun ist, nach Prioritäten zu ordnen. Aber das Schlimmste ist, dass ich Aibileen nochmal fragen muss, was damals mit Constantine war. Ich kann nicht einfach etwas über Constantine schreiben, wenn ich nicht weiß, was aus ihr geworden ist. Es widerspräche dem Sinn des Buchs, nur einen Teil der Geschichte aufzunehmen. Das wäre nicht die Wahrheit.

Ich stürme in Aibileens Küche. Offensichtlich sagt ihr mein Gesichtsausdruck gleich, dass etwas nicht stimmt.

»Was ist? Hat Sie jemand gesehen?«

»Nein«, sage ich und ziehe Papiere aus meiner Büchertasche. »Ich habe heute Morgen mit Missus Stein telefoniert.« Ich erzähle ihr alles, was ich erfahren habe, über die Deadline und über »den Stapel«.

»Das heißt ...« Aibileen zählt im Kopf die Tage, wie ich es den ganzen Nachmittag getan habe. »Das heißt, wir haben noch zweieinhalb Wochen statt sechs. Gott im Himmel, das reicht nie. Wir müssen noch den Louvenia-Teil fertig schreiben und Faye Belle auf die Reihe bringen – und der Minny-Teil ist auch noch nicht richtig ... Miss Skeeter, wir haben noch nicht mal einen Titel.«

Ich lege das Gesicht in die Hände. Ich habe das Gefühl zu ertrinken. »Und das ist noch nicht alles«, sage ich. »Sie ... besteht drauf, dass ich über Constantine schreibe. Sie wollte wissen ... was aus ihr geworden ist.«

Aibileen stellt ihre Teetasse ab.

»Ich kann das nicht schreiben, wenn ich nicht weiß, was passiert ist, Aibileen. Wenn Sie es mir also nicht sagen können ... gibt es dann vielleicht jemand anderen, der es kann?«

Aibileen schüttelt den Kopf. »Geben würd's wahrscheinlich schon jemand«, sagt sie, »aber ich will nicht, dass Ihnen jemand anders die Geschichte erzählt.«

»Dann ... würden Sie es also tun?«

Aibileen nimmt die Brille mit dem schwarzen Gestell ab und

reibt sich die Augen. Sie setzt die Brille wieder auf, und ich bin darauf gefasst, in ein müdes Gesicht zu blicken. Sie hat den ganzen Tag gearbeitet und wird jetzt noch härter arbeiten, um die Abgabefrist vielleicht doch zu schaffen. Ich rutsche auf meinem Stuhl herum, warte auf ihre Antwort.

Aber sie sieht überhaupt nicht müde aus. Sie sitzt kerzengerade da und nickt trotzig. »Ich schreib's auf. Geben Sie mir paar Tage Zeit, dann erzähl ich Ihnen genau, was mit Constantine war.«

Ich arbeite fünfzehn Stunden am Stück an Louvenias Geschichte. Am Donnerstagabend gehe ich zum League-Treffen. Ich giere danach, aus dem Haus zu kommen, kann nicht mehr stillsitzen und immer nur an die Deadline denken. Der Weihnachtsbaum riecht allmählich zu intensiv, der Duft der mit Gewürznelken gespickten Orangen schlägt mir auf den Magen. Mutter friert ständig, und im Haus meiner Eltern fühle ich mich, als steckte ich in einem Fass mit heißer Butter.

Auf der Treppe des League-Hauses bleibe ich noch mal stehen, ziehe die reine Winterluft tief in meine Lunge. Es ist jämmerlich, aber ich bin froh, dass ich den Newsletter noch habe. Einmal die Woche fühle ich mich wenigstens noch als Teil der Welt. Und wer weiß, vielleicht ist es ja heute anders, wo doch jetzt die Feiertage kommen.

Doch als ich den Raum betrete, kehren sich mir Rücken zu. Meine Isolation ist greifbar, so als hätten sich um mich herum Betonwände gebildet. Hilly grinst mich höhnisch an, dreht sich dann demonstrativ weg, um mit jemand anderem zu sprechen. Ich gehe weiter in den Raum hinein und entdecke Elizabeth. Sie lächelt, und ich winke. Ich möchte mit ihr über Mutter reden, möchte ihr erzählen, dass ich mir Sorgen mache, doch ehe ich ihr zu nahe komme, wendet sich Elizabeth mit gesenktem Kopf ab und läuft davon. Ich gehe mich hinsetzen. Dass sie sich hier so verhält, ist neu.

Statt auf meinen üblichen Platz vorn setze ich mich in die letzte Reihe, wütend, weil Elizabeth mich nicht mal begrüßt. Neben mir sitzt Rachel Cole Brant. Rachel kommt kaum je zu den Treffen, weil sie drei Kinder hat und ihren Master in Englisch am Millsaps College macht. Ich wollte, wir wären besser befreundet, aber ich weiß, sie hat zu viel zu tun. Auf meiner anderen Seite sitzt die verflixte Leslie Fullerbean mit ihrer Haarspraywolke. Sie muss jedes Mal, wenn sie sich eine Zigarette anzündet, ihr Leben riskieren. Wenn ich auf ihren Kopf drücken würde, käme dann wohl ein Spraystoß aus ihrem Mund?

Fast alle Frauen im Raum haben die Fußgelenke gekreuzt und eine brennende Zigarette in der Hand. Der Qualm sammelt sich unter der Decke. Ich habe seit zwei Monaten nicht mehr geraucht, und von dem Geruch wird mir ganz schlecht. Hilly tritt ans Rednerpult und verkündet die anstehenden Spendenaktionen (Mäntelspende, Konservendosenspende, Bücherspende und die gute, alte Geldspende), und dann kommen wir zu Hillys Lieblingsteil einer jeden Sitzung, der Ermahnungsliste. Hier kann sie die Namen all derer nennen, die ihre Beiträge nicht pünktlich zahlen, zu spät zu Versammlungen kommen oder ihre philanthropischen Pflichten nicht erfüllen. Ich bin derzeit immer wegen irgendetwas auf der Ermahnungsliste.

Hilly trägt ein rotwollenes Trapezkleid mit einem Cape à la Sherlock Holmes darüber, obwohl es hier drin so heiß ist wie in einem Backofen. Ab und zu schlägt sie das Cape zurück, als wäre es ihr im Weg, aber diese Geste scheint ihr viel zu viel Vergnügen zu bereiten, als dass es ein echtes Problem sein könnte. Ihre Helferin Mary Nell steht neben ihr und reicht ihr ihre Notizen an. Mary Nell sieht aus wie ein blondes Schoßhündchen, ein Pekinese mit winzigen Pfötchen und einer Quetschnase.

»Und jetzt kommen wir zu einem sehr interessanten Diskussionspunkt.« Hilly nimmt die Notizen von ihrem Schoßhündchen entgegen und überfliegt sie.

»Das Komitee hat beschlossen, dass unser Newsletter modernisiert werden soll.«

Ich richte mich auf. Wären Veränderungen des Newsletters nicht mein Ressort?

»Zunächst einmal wird der Newsletter künftig monatlich statt wöchentlich erscheinen. Die Kosten sind einfach zu hoch, jetzt, wo das Porto auf sechs Cent aufschlägt. Und wir ergänzen ihn von nun an um eine Modekolumne, in der die schicksten Kombinationen unserer Mitglieder vorgestellt werden, sowie um eine Make-up-Kolumne mit den jeweils neuesten Trends. Ach ja, und die Ermahnungsliste. Die steht in Zukunft auch drin.« Sie nickt, nimmt Blickkontakt mit einigen Mitgliedern auf.

»Und schließlich die wichtigste Neuerung: Wir haben beschlossen, dieses neue Organ *The Tattler* zu nennen. Nach dem europäischen Magazin, das drüben von allen Frauen, die etwas auf sich halten, gelesen wird.«

»Ist das nicht ein putziger Name?«, sagt Mary Lou White, und Hilly ist so stolz auf sich, dass sie Mary Lou nicht mal wegen Dazwischenredens mit ihrem Hammer zur Ordnung ruft.

»Also. Dann gilt es jetzt, eine Herausgeberin für unsere neue, moderne Monatsschrift zu wählen. Irgendwelche Vorschläge?«

Mehrere Hände gehen hoch. Ich sitze reglos da.

»Jeanie Price, was sagst du?«

»Ich sage Hilly. Ich schlage Hilly Holbrook vor.«

»Das ist aber reizend von dir. Okay, weitere Vorschläge?«

Rachel Cole Brant dreht den Kopf und blickt mich an, als wollte sie sagen: *Was soll das denn?* Offensichtlich ist sie die Einzige im Raum, die nicht über mich und Hilly Bescheid weiß.

»Unterstützt jemand die Ernennung von …« Hilly schaut aufs Pult, als wäre ihr entfallen, wer da gerade vorgeschlagen wurde. »Von Hilly Holbrook zur Herausgeberin?«

»Ich.«

»Ich auch.«

Bumm-Bumm macht der Hammer, und ich bin mein Amt als Newsletter-Herausgeberin los.

Leslie Fullerbean starrt mich mit so großen Augen an, dass ich sehen kann: Dahinter, wo das Gehirn sein sollte, ist nichts.

»Ist das nicht *dein* Job, Skeeter?«, fragt Rachel.

»Das *war* mein Job«, sage ich und gehe, als die Versammlung beendet ist, direkt zur Tür. Niemand spricht mich an, niemand schaut mir ins Gesicht. Ich halte den Kopf hoch.

Im Foyer reden Hilly und Elizabeth miteinander. Hilly streicht sich das dunkle Haar hinter die Ohren, schenkt mir ein diplomatisches Lächeln. Sie marschiert davon, um mit jemand anderem zu reden, aber Elizabeth bleibt stehen. Sie fasst mich am Arm, als ich an ihr vorbeigehe.

»Hey, Elizabeth«, murmle ich.

»Tut mir leid, Skeeter«, flüstert sie, und unsere Blicke treffen sich kurz. Aber dann schaut sie weg. Ich gehe die Stufen hinunter und auf den dunklen Parkplatz. Ich dachte, sie wollte mir noch mehr sagen, aber da habe ich mich wohl getäuscht.

Nach dem League-Treffen fahre ich nicht direkt nach Hause. Ich lasse die Cadillac-Fenster herunter, damit mir die Nachtluft ins Gesicht weht. Sie ist gleichzeitig warm und kalt. Ich weiß, ich muss heim, an den Geschichten arbeiten, aber ich biege in die State Street mit ihren breiten Fahrspuren ein und fahre einfach nur immer weiter. In meinem ganzen Leben habe ich mich noch nie so leer gefühlt. Ich kann nicht anders, als an all das zu denken, was über mich hereingebrochen ist. *Diesen Abgabetermin schaffe ich nie, meine Freundinnen schneiden mich, Stuart ist weg, Mutter hat …*

Ich weiß nicht, was Mutter hat, aber wir alle wissen, dass es mehr ist als nur Magengeschwüre.

Die Sun & Sand Bar hat zu, und ich fahre langsam daran

vorbei, starre hin: Wie tot so ein Neonschild sein kann, wenn es nicht an ist. Ich fahre weiter, vorbei am hohen Lamar-Life-Gebäude, über die gelb blinkenden Ampeln. Es ist erst zwanzig Uhr, aber alles ist schon im Bett. Diese Stadt schläft in jeder Hinsicht.

»Wenn ich doch hier weg könnte«, sage ich, und meine Stimme klingt gespenstisch, so ohne jemanden, der sie hören könnte. Im Dunkeln sehe ich mich plötzlich für einen Moment aus der Vogelschau, wie in einem Film. Ich bin einer dieser Menschen geworden, die nachts in ihrem Auto umherstreifen. Gott, ich bin der Boo Radley dieser Stadt, wie in *Wer die Nachtigall stört.*

Ich mache das Radio an, um irgendein Geräusch zu hören. »It's My Party« läuft gerade, und ich suche etwas anderes. Allmählich hasse ich diese weinerlichen Teenager-Songs über Liebe und nichts und wieder nichts. Weil der Empfang gerade günstig ist, bekomme ich Memphis WKPO rein, und da ist eine betrunken klingende Männerstimme, die schnell und bluesig singt. In einer Sackgasse fahre ich auf den Parkplatz eines kleinen Ladens und lausche dem Song. Er ist besser als alles, was ich je gehört habe.

… you'll sink like a stone
For the times they are a-changin'.

Eine blecherne Stimme sagt, dass der Sänger Bob Dylan ist, doch als der nächste Song anfängt, verschwindet der Sender. Ich lehne mich in meinem Sitz zurück, starre auf das dunkle Schaufenster hinaus. Eine Welle unerklärlicher Erleichterung erfasst mich. Es fühlt sich an, als hätte ich gerade etwas aus der Zukunft gehört.

In der Telefonzelle vor dem Laden werfe ich zehn Cent ein und rufe Mutter an. Ich weiß, sie wird wach bleiben, bis ich zu Hause bin.

»Hallo?« Daddys Stimme um Viertel nach acht abends.

»Daddy … warum bist du noch auf? Was ist los?«

»Du musst jetzt nach Hause kommen, Schätzchen.«

Die Straßenlaterne fühlt sich plötzlich grell an, die Abendluft eisig. »Wegen Mama? Geht es ihr schlecht?«

»Stuart sitzt schon fast zwei Stunden auf der Veranda. Er wartet auf dich.«

Stuart? Das ergibt keinen Sinn. »Aber Mama … was …«

»Oh, Mama geht es gut. Sie ist sogar wieder ein bisschen munterer. Komm jetzt nach Hause, Skeeter, und kümmere dich um Stuart, ja?«

Noch nie hat sich die Heimfahrt so lang angefühlt. Zehn Minuten später halte ich vor dem Haus und sehe Stuart auf der obersten Verandastufe hocken. Daddy sitzt in einem Schaukelstuhl. Beide stehen auf, als ich den Motor abstelle.

»Hey, Daddy«, sage ich. Stuart sehe ich nicht an. »Wo ist Mama?«

»Schläft. Ich habe gerade nach ihr geschaut.« Daddy gähnt. Nach sieben Uhr abends habe ich ihn nicht mehr wach gesehen, seit vor zehn Jahren die Frühjahrsbaumwolle Frost bekam.

»Nacht, ihr zwei. Macht die Lichter aus, wenn ihr fertig seid.« Daddy geht ins Haus, und Stuart und ich sind allein. Die Nacht ist so schwarz und so still, ich sehe weder Mond noch Sterne, ja nicht mal einen Hund im Garten.

»Was willst du hier?«, frage ich, und meine Stimme klingt piepsig.

»Ich wollte mit dir reden.«

Ich setze mich auf die Verandatreppe und lege den Kopf auf die Arme. »Sag's schnell und dann geh wieder. Es fing gerade an, besser zu werden. Vor zehn Minuten habe ich diesen Song gehört und mich fast schon besser gefühlt.«

Er rückt näher an mich heran, aber nicht so nah, dass wir uns berühren. Ich wünschte, wir würden uns berühren.

»Ich wollte dir was erzählen. Ich wollte dir sagen, dass ich sie gesehen habe.«

Ich hebe den Kopf. Das erste Wort, das mir in den Kopf kommt, ist *egoistisch*. Du egoistisches Arschloch kommst hierher, um über Patricia zu reden.

»Ich war dort, in San Francisco. Vor zwei Wochen. Habe mich in meinen Pick-up gesetzt, bin vier Tage gefahren und habe an die Tür in dem Apartmenthaus geklopft, das mir ihre Mama als Adresse gegeben hatte.«

Ich schlage die Hände vors Gesicht. Ich sehe nur Stuart, der ihr das Haar zurückstreicht, so wie er es immer bei mir gemacht hat. »Ich will das nicht wissen.«

»Ich habe ihr gesagt, dass das für mich das Gemeinste ist, was man einem Menschen antun kann. So zu lügen. Sie sah so anders aus. Hatte so eine Art Prärriekleid an und ein Friedenszeichen um, und ihre Haare waren lang und ihre Lippen ungeschminkt. Und als sie mich gesehen hat, hat sie gelacht. Und dann hat sie mich eine Hure genannt.« Er reibt sich die Augen fest mit den Fingerknöcheln. »Sie, die sich für diesen Kerl ausgezogen hat – sie hat gesagt, ich sei die Hure meines Daddys und eine Hure Mississippis.«

»Warum erzählst du mir das?« Meine Hände sind zu Fäusten geballt. Ich schmecke etwas Metallisches. Ich habe mir auf die Zunge gebissen.

»Ich bin deinetwegen hingefahren. Nachdem wir Schluss gemacht hatten, ist mir klar geworden, dass ich sie aus meinem Kopf kriegen muss. Und das habe ich auch geschafft, Skeeter. Ich bin zweitausend Meilen hin und wieder zurück gefahren, und jetzt bin ich hier, um dir zu sagen, es ist erledigt. Es ist weg.«

»Schön, Stuart«, sage ich. »Schön für dich.«

Er rückt noch näher heran und beugt sich so zu mir, dass ich ihn ansehen muss. Und mir wird buchstäblich übel von seiner Bourbonfahne. Und doch will ich mich ganz klein zusammenfalten und meinen ganzen Körper in seine Arme schmiegen. Ich liebe und hasse ihn gleichzeitig.

»Geh nach Hause«, sage ich und glaube mir selbst kaum. »In mir ist kein Platz mehr für dich.«

»Das glaube ich nicht.«

»Es ist zu spät, Stuart.«

»Kann ich am Samstag vorbeikommen? Um weiter zu reden?«

Ich zucke die Achseln, Tränen in den Augen. Ich werde nicht zulassen, dass er mich wieder wegwirft. Das ist mir schon zu oft passiert, mit ihm, mit meinen Freundinnen. Ich wäre blöd, wenn ich das noch mal mit mir machen ließe.

»Es ist mir egal, was du tust.«

Ich wache um fünf Uhr morgens auf und setze mich an die Geschichten. Weil wir jetzt nur noch siebzehn Tage haben, arbeite ich den ganzen Tag und die ganze Nacht durch, in einem Tempo und mit einer Effizienz, wie ich es mir nie zugetraut hätte. Ich mache Louvenias Geschichte in der Hälfte der Zeit fertig, die ich für die anderen gebraucht habe. Mit heftigen, stechenden Kopfschmerzen schalte ich schließlich das Licht aus, als die ersten Sonnenstrahlen durchs Fenster hereindringen. Wenn Aibileen mir Constantines Geschichte nächste Woche gibt, könnte ich es vielleicht doch noch schaffen.

Und dann geht mir auf, dass es gar keine siebzehn Tage mehr sind. Wie *blöd* von mir. Es sind nur noch zehn Tage, weil ich ja den Postweg nach New York einrechnen muss.

Ich würde heulen, wenn ich Zeit dazu hätte.

Ein paar Stunden später wache ich auf und mache mich wieder an die Arbeit. Um fünf Uhr nachmittags höre ich ein Auto vorfahren und sehe Stuart aus seinem Pick-up steigen. Ich reiße mich von der Schreibmaschine los und gehe zur Vordertür.

»Hallo«, sage ich, in der Eingangstür stehend.

»Hey, Skeeter.« Er nickt mir zu, schüchtern, denke ich, im Vergleich zu vorgestern. »Guten Abend, Mister Phelan.«

»Hey, mein Sohn.« Dad erhebt sich aus seinem Schaukelstuhl. »Dann lasse ich euch junge Leute mal hier draußen reden.«

»Du brauchst nicht aufzustehen, Dad. Tut mir leid, Stuart, aber ich habe heute zu viel zu tun. Du kannst aber gern mit Daddy hier draußen sitzen, so lange du möchtest.«

Ich gehe wieder ins Haus, vorbei an Mutter, die am Küchentisch warme Milch trinkt.

»Habe ich da draußen eben Stuart gesehen?«

Ich gehe ins Esszimmer, bleibe so weit vom Fenster weg, dass Stuart mich nicht sehen kann, schaue hinaus, bis er wegfährt. Und starre dann einfach nur weiter nach draußen.

An diesem Abend gehe ich wie üblich zu Aibileen. Ich erkläre ihr, dass wir nur noch zehn Tage haben, und sie sieht aus, als kämen ihr gleich die Tränen. Dann gebe ich ihr Louvenias Kapitel, das ich in Windeseile heruntergeschrieben habe. Minny sitzt mit uns am Küchentisch, trinkt eine Cola und schaut aus dem Fenster. Ich wusste nicht, dass sie heute Abend hier sein würde. Ich wollte, sie würde gehen und uns arbeiten lassen.

Aibileen legt die Blätter hin und nickt. »Ich find das Kapitel richtig gut. Liest sich genauso toll wie die, die Sie langsam geschrieben haben.«

Ich seufze, lehne mich zurück und überlege, was noch getan werden muss. »Wir müssen einen Titel wählen«, sage ich und massiere mir die Schläfen. »Ich habe mir ein paar Gedanken gemacht. Ich bin dafür, wir nennen es *Farbige Haushaltshilfen und ihre Arbeitgeberfamilien im amerikanischen Süden*.«

»Hä?«, sagt Minny und sieht mich zum ersten Mal an.

»So kann man es doch am besten beschreiben, finden Sie nicht?«, frage ich.

»Wenn man einen Maiskolben im Hintern hat.«

»Das ist kein Roman, Minny. Es ist ein soziologisches Buch. Da muss der Titel exakt klingen.«

»Das heißt aber nicht, dass er langweilig klingen muss«, erwidert Minny.

»Aibileen«, sage ich seufzend und hoffe, dass wir das heute Abend noch gelöst kriegen. »Was meinen Sie?«

Aibileen zuckt die Achseln, und ich sehe, wie sie ihr Vermittlerlächeln aufsetzt. Anscheinend muss sie jedes Mal die Wogen glätten, wenn Minny und ich in einem Raum sind. »Das ist ein guter Titel. Natürlich wär's ganz schön anstrengend, das oben auf jede Seite zu schreiben«, sagt sie. Ich habe ihr erklärt, dass das so gemacht wird.

»Na ja, vielleicht könnten wir es ein bisschen kürzen …«, überlege ich laut und zücke meinen Bleistift.

Aibileen kratzt sich an der Nase. »Wie wär's einfach mit … *Gute Geister?*«

»*Gute Geister*«, wiederholt Minny, als hätte sie diese Wörter noch nie gehört.

»*Gute Geister*«, sage ich.

Aibileen zuckt die Achseln und senkt den Blick, als wäre sie ein bisschen verlegen. »Ich wollt mich nicht dazwischendrängeln, ich … hab's nur gern einfach, verstehen Sie?«

»*Gute Geister* klingt okay, find ich«, murmelt Minny und verschränkt die Arme.

»Mir gefällt … *Gute Geister*«, sage ich, weil es stimmt. Ich setze hinzu: »Ich denke, wir müssen trotzdem einen Untertitel dazusetzen, damit klar ist, welche Kategorie Buch es ist, aber ich glaube, das ist ein guter Titel.«

»Gut ist er schon«, sagt Minny. »Und wenn das Ding da gedruckt wird, können wir denen ihren Beistand auch brauchen.«

Am Sonntagnachmittag, als mir noch acht Tage bleiben, gehe ich nach unten, benebelt und blinzelnd, weil ich seit dem frühen Morgen nur auf Pica-Schrift gestarrt habe. Ich bin fast schon froh, dass ich eben Stuarts Wagen draußen gehört habe. Ich reibe mir die Augen. Vielleicht werde ich ein bisschen mit ihm auf der Veranda sitzen, meinen Kopf durchlüften, und dann wieder nach oben gehen und die Nacht durcharbeiten.

Stuart steigt aus seinem schlammbespritzten Pick-up. Er hat noch seinen Sonntagsschlips um, und ich versuche nicht darauf zu achten, wie gut er aussieht. Ich strecke meine Arme. Es ist absurd warm draußen, wenn man bedenkt, dass es nur noch zwei Wochen bis Weihnachten sind. Mutter sitzt im Schaukelstuhl auf der Veranda, in Wolldecken gehüllt.

»Hallo, Missus Phelan. Wie geht es Ihnen?«, fragt Stuart.

Mutter bedenkt ihn mit einem majestätischen Nicken. »Ganz gut. Danke der Nachfrage.« Ihr kühler Ton verblüfft mich. Sie wendet sich wieder ihrem DAR-Newsletter zu, und ich muss unwillkürlich lächeln. Mutter weiß, dass er in den letzten Tagen zweimal hier war, hat es bisher aber nur mit dem einen kurzen Satz angesprochen. Wann es wohl kommt?

»Hey«, sagt er leise zu mir, und wir setzen uns auf die unterste Verandastufe. Schweigend schauen wir zu, wie unser alter Kater Sherman mit peitschendem Schwanz um einen Baum schleicht, auf der Jagd nach irgendeiner Kreatur, die wir nicht sehen können.

Stuart legt mir die Hand auf die Schulter. »Ich bin nur kurz vorbeigekommen. Ich muss jetzt gleich nach Dallas, zu einem Treffen mit Ölleuten, und bin drei Tage weg«, erklärt er. »Das wollte ich dir nur sagen.«

»Okay«, erwidere ich achselzuckend, als wäre es mir egal.

»Also dann«, sagt er und steigt wieder in seinen Pick-up.

Als er weg ist, räuspert sich Mutter. Ich drehe mich nicht zu ihr um. Ich will nicht, dass sie die Enttäuschung auf meinem Gesicht sieht.

»Mach schon, Mutter«, murmle ich schließlich. »Sag, was du sagen willst.«

»Lass dich von ihm nicht unter Wert behandeln.«

Ich drehe mich um und beäuge sie misstrauisch, obwohl sie unter ihren Decken so zerbrechlich wirkt. Ein Narr, wer meine Mutter jemals unterschätzt.

»Wenn Stuart nicht merkt, zu was für einem intelligenten und netten Mädchen ich dich erzogen habe, kann er gleich wieder in die State Street verschwinden.« Sie schaut mit schmalen Augen auf die winterlichen Felder hinaus. »Ich mache mir, ehrlich gesagt, nicht viel aus Stuart. Er weiß nicht, was er an dir hat.«

Ich lasse mir Mutters Worte auf der Zunge zergehen wie ein süßes Bonbon. Zwinge mich dann aufzustehen, um zur Vordertür hinaufzugehen. Da ist noch so viel Arbeit und so hoffnungslos wenig Zeit.

»Danke, Mutter.« Ich küsse sie sanft auf die Wange und gehe ins Haus.

Ich bin erschöpft und gereizt. Die letzten achtundvierzig Stunden habe ich nur getippt. Ich fühle mich erschlagen von Details aus anderer Leute Leben. Meine Augen brennen vom Geruch der Farbbandflüssigkeit. Meine Finger sind von Papier zerschnitten. Wer hätte gedacht, dass Papier und Druckfarbe so tückisch sein können?

Jetzt sind es noch sechs Tage. Ich gehe zu Aibileen. Sie hat sich, sehr zu Elizabeths Ärger, einen Wochentag freigenommen. Es ist klar, dass sie weiß, was es heute zu besprechen gilt, noch ehe ich etwas gesagt habe. Sie lässt mich kurz in der Küche allein, kommt dann mit einem Umschlag wieder.

»Eh ich Ihnen das hier geb … sollt ich Ihnen wohl paar Sachen erklären. Damit Sie's richtig verstehen.«

Ich nicke. Ich bin angespannt. Ich möchte den Umschlag aufreißen und es hinter mich bringen.

Aibileen rückt ihr Schreibheft auf dem Tisch gerade. Ich sehe zu, wie sie ihre beiden gelben Bleistifte sorgsam parallel ausrichtet. »Ich hab Ihnen doch gesagt, dass Constantine eine Tochter gekriegt hat. Also, die hieß Lulabelle. Gott im Himmel, wie sie rauskam, war sie hell wie Schnee. Hat Haare gekriegt, so blass wie Heu. Nicht lockig wie Ihre. Glatt waren die.«

»So weiß war sie?«, frage ich. Daran habe ich immer wieder denken müssen, seit Aibileen mir damals in Elizabeths Küche von Constantines Kind erzählt hat. Ich stelle mir vor, wie es für Constantine gewesen sein muss, ein weißes Baby in den Armen zu halten und zu wissen, dass es ihres war.

Sie nickt. »Wie Lulabelle vier war, da hat Constantine ...« Aibileen ändert ihre Sitzhaltung. »Sie hat sie rauf nach Chicago gebracht, in ein ... Waisenhaus.«

»Waisenhaus? Heißt das ... sie hat ihr Kind weggegeben?« So wie Constantine mich geliebt hat – wie muss sie dann erst ihr eigenes Kind geliebt haben?

Aibileen blickt mir ins Gesicht. In ihren Augen ist etwas, das ich bei ihr kaum je gesehen habe – Ärger, Abscheu. »Viele farbige Frauen müssen ihre Kinder weggeben, Miss Skeeter. Schicken sie weg, weil sie für eine weiße Familie sorgen müssen.«

Ich senke den Blick, frage mich, ob Constantine sich nicht um ihr Kind kümmern konnte, weil sie sich um uns kümmern musste.

»Aber die meisten schicken sie zu jemand aus der Familie. Ein Waisenhaus ist ... ganz was andres.«

»Warum hat sie das Baby nicht ihrer Schwester gegeben? Oder einer anderen Verwandten?«

»Ihre Schwester ... die konnt das nicht machen. Ein Neger mit weißer Haut ... in Mississippi ist das, wie wenn man gar nirgends hingehört. Aber es war nicht nur für die Kleine hart. Es war auch hart für Constantine. Sie ... die Leute haben geguckt. Weiße haben sie angehalten und wissen wollen, warum sie ein weißes Kind dabeihat. Auf der State Street hat ihr die Polizei gesagt, sie muss ihre Uniform anziehen. Sogar die

Farbigen ... Die waren anders zu ihr, misstrauisch, wie wenn sie was Unrechtes getan hätt. Sie hatte es schwer, jemand zu finden, der Lulabelle gehütet hat, während sie bei der Arbeit war. Am End wollt Constantine Lula gar nimmer ... mit nach draußen nehmen.«

»Hat sie da schon bei meiner Mutter gearbeitet?«

»Sie war schon paar Jahre bei Ihrer Mama. Da hat sie auch den Vater kennengelernt, Connor. Er hat auf Ihrer Farm gearbeitet und draußen in Hotstack gewohnt.« Aibileen schüttelt den Kopf. »Wir waren alle erstaunt, dass Constantine ... auf einmal in der Hoffnung war. Manche in der Kirche haben es gar nicht freundlich aufgenommen, vor allem, wie das Kind dann weiß rauskam. Obwohl der Vater so schwarz war wie ich.«

»Mutter war bestimmt auch nicht gerade erfreut.« Ich bin sicher, Mutter wusste Bescheid. Sie führt immer genauestens Buch über alle farbigen Dienstboten und Farmarbeiter und deren Lebensverhältnisse – wo sie wohnen, ob sie verheiratet sind, wie viele Kinder sie haben. Das hat mehr mit Kontrolle zu tun als mit echtem Interesse. Sie will wissen, wer auf ihrem Grundstück herumläuft.

»War es ein Farbigenwaisenhaus oder eins für Weiße?«, frage ich, weil ich denke, weil ich hoffe, dass Constantine ja vielleicht ihrem Kind nur ein besseres Leben ermöglichen wollte. Vielleicht dachte sie ja, es würde von einer weißen Familie adoptiert werden und sich nicht mehr so anders fühlen.

»Farbig. Die für Weiße wollten sie wohl nicht nehmen. Ich denk mir, denen war klar ... die hatten so was vielleicht schon öfter gesehen.

Wie Constantine mit Lulabelle zum Bahnhof ist, um sie dort raufzubringen, haben die Weißen am Bahnsteig sie angestarrt, haben wissen wollen, warum ein weißes Kind in den Farbigenwaggon steigt. Und wie Constantine sie dann droben in Chicago in dem Waisenhaus zurückgelassen hat ... Vier ist ...

schon ganz schön alt für so was. Lulabelle hat geschrien. Das hat Constantine einer Frau aus unserer Kirche erzählt. Lula hat geschrien und um sich geschlagen, hat sie gesagt, hat nach ihrer Mama gerufen. Und Constantine hat das alles gehört und … hat sie trotzdem dagelassen.«

Nur allmählich dringt zu mir durch, was Aibileen da sagt. Wenn ich nicht die Mutter hätte, die ich habe, wäre ich vielleicht gar nicht draufgekommen. »Sie hat sie weggegeben, weil sie … sich geschämt hat? Weil ihre Tochter weiß war?«

Aibileen öffnet den Mund, um zu widersprechen, macht ihn dann aber wieder zu und senkt den Blick. »Paar Jahre drauf hat Constantine dem Waisenhaus geschrieben, dass sie einen Fehler gemacht hat, dass sie ihre Kleine wiederhaben will. Aber da war Lula schon adoptiert. Sie war nimmer dort. Constantine hat immer gesagt, dass sie ihr Kind weggegeben hat, war der schlimmste Fehler in ihrem Leben.« Aibileen lehnt sich auf ihrem Stuhl zurück. »Und sie hat gesagt, wenn sie Lulabelle wieder zurückkriegt, würd sie sie nimmer weglassen.«

Ich sitze schweigend da, und es krampft mir das Herz zusammen. Ich fürchte mich jetzt davor zu erfahren, was das alles mit meiner Mutter zu tun hat.

»So vor zwei Jahren hat Constantine einen Brief von Lula gekriegt. Ich denk mir, die war da fünfundzwanzig, und ihre Adoptiveltern haben ihr die Adresse gegeben. Sie haben sich hin- und hergeschrieben, und Lulabelle hat gesagt, sie will hier runterkommen und eine Zeitlang bei ihr wohnen. Und Constantine, Gott, die konnt nimmer gradaus gehen, so nervös war sie. Konnt nimmer essen, nicht mal mehr Wasser trinken. Kam alles wieder hoch. Ich hab sie auf meine Gebetsliste gesetzt.«

Vor zwei Jahren. Da war ich auf dem College. Warum hat mir Constantine von alldem nichts geschrieben?

»Sie hat ihr ganzes Erspartes genommen und Sachen für Lulabelle gekauft, neue Kleider, Schmucksachen fürs Haar, hat die Nähgruppe in der Kirche eine neue Quiltdecke nähen lassen, für Lulas Bett. Am Gebetsabend hat sie zu uns gesagt: *Und wenn sie mich jetzt hasst? Sie wird fragen, warum ich sie weggegeben hab, und wenn ich ihr die Wahrheit sag … wird sie mich für das hassen, was ich gemacht hab.*«

Aibileen blickt von ihrer Teetasse auf, lächelt leise. »Sie hat uns gesagt, sie kann's nicht erwarten, dass Skeeter Lula kennenlernt, wenn sie vom College heimkommt. Das hatt ich ganz vergessen. Ich hab da ja noch nicht gewusst, wer Skeeter ist.«

Ich denke an Constantines letzten Brief, in dem stand, sie habe eine Überraschung für mich. Jetzt wird mir klar, dass sie mir ihre Tochter vorstellen wollte. Ich schlucke an dem Kloß in meiner Kehle. »Was ist passiert, als Lulabelle hierherkam?«

Aibileen schiebt den Umschlag über den Tisch. »Ich denk, den Teil lesen Sie besser daheim.«

Zu Hause gehe ich direkt nach oben. Ohne mich auch nur hinzusetzen, öffne ich Aibileens Brief. Es sind Schreibheftblätter, beidseitig mit Bleistift beschrieben.

Hinterher starre ich auf die acht Seiten, die ich darüber geschrieben habe, wie ich manchmal mit Constantine nach Hotstack gegangen bin, wie wir zusammen Puzzles gemacht haben, wie sie den Daumen in meine Handfläche drückte. Ich hole tief Luft und lege die Finger auf die Schreibmaschinentasten. Ich darf keine Zeit mehr vergeuden. Ich muss ihre Geschichte fertig machen.

Ich schreibe über das, was mir Aibileen erzählt hat, dass Constantine eine Tochter hatte und sie weggab, um bei uns arbeiten zu können – die Millers nenne ich uns, nach Henry, meinem Lieblingsautor unter den Verbotenen. Ich schreibe nicht, dass Constantines Tochter sehr hellhäutig war, ich will nur zeigen, dass Constantines Liebe zu mir damit begann, dass sie ihre eigene Tochter vermisste. Vielleicht war diese Liebe ja deshalb so einzigartig, so tief. Dass ich weiß war, spielte keine Rolle. Während sie sich ihre eigene Tochter zurückwünschte, sehnte ich mich danach, dass Mutter ein Mal nicht von mir enttäuscht wäre.

Zwei Tage schreibe ich mich durch meine Kindheit, meine Collegezeit, in der wir uns jede Woche Briefe schickten. Aber dann halte ich inne und höre Mutter unten husten. Ich höre Daddy zu ihrem Zimmer gehen. Ich zünde mir eine Zigarette an, drücke sie wieder aus, denke: *Fang nicht wieder an.* Die Klospülung rauscht durchs Haus, schwemmt wieder ein bisschen von meiner Mutter weg. Ich zünde mir eine neue Zigarette an und rauche sie bis an meine Finger. Ich kann nicht über das schreiben, was in Aibileens Brief steht.

Am Nachmittag rufe ich Aibileen zu Hause an. »Ich kann es nicht in das Buch aufnehmen«, sage ich. »Das mit Mutter und Constantine. Ich höre da auf, wo ich aufs College gehe. Ich …«

»Miss Skeeter …«

»Ich weiß, ich müsste es tun. Ich weiß, ich sollte ebenso Opfer bringen wie Sie und Minny und die anderen. Aber ich kann das meiner Mutter nicht antun.«

»Keiner erwartet das von Ihnen, Miss Skeeter. Ehrlich gesagt, hätt ich keine besonders hohe Meinung von Ihnen, wenn Sie's tun würden.«

Am nächsten Abend schleiche ich in die Küche, mir Tee machen.

»Eugenia, bist du hier unten?«

Ich gehe in Mutters Zimmer. Daddy ist noch nicht im Bett. Ich höre im Fernsehzimmer den Fernseher laufen. »Ich bin hier, Mama.«

Sie liegt um sechs Uhr abends im Bett, die weiße Schüssel neben sich. »Hast du geweint? Du weißt doch, davon altert die Haut.«

Ich setze mich auf den rohrgeflochtenen Stuhl neben ihrem Bett, überlege, wie ich anfangen soll. Ein Teil von mir versteht ja, warum Mutter sich damals so verhalten hat – wen hätte das, was Lulabelle tat, nicht geärgert? Aber ich muss Mutters Version der Geschichte hören. Wenn es da irgendetwas Entlastendes gibt, was nicht in Aibileens Brief steht, will ich es wissen.

»Ich möchte über Constantine reden«, sage ich.

»Oh, Eugenia«, sagt Mutter tadelnd und tätschelt meine Hand. »Das ist fast zwei Jahre her.«

»Mama«, sage ich und zwinge mich, ihr in die Augen zu schauen. Obwohl sie schrecklich mager ist und ihre Schlüsselbeine sich lang und dünn unter der Haut abzeichnen, sind ihre Augen wach wie eh und je. »Was ist passiert? Was war mit ihrer Tochter?«

Mutters Kiefermuskeln spannen sich an. Sie ist sichtlich überrascht, dass ich davon weiß.

Ich warte, dass sie sich wieder weigert, darüber zu reden. Sie holt tief Luft, zieht die weiße Schüssel näher zu sich heran und sagt: »Constantine hatte sie nach Chicago gegeben. Sie konnte sie nicht versorgen.«

Ich nicke und warte.

»Sie sind in dieser Hinsicht anders, weißt du. Diese Leute bekommen Kinder und denken nicht über die Konsequenzen nach, ehe es zu spät ist.«

Sie. Diese Leute. Es erinnert mich an Hilly. Und Mutter sieht es mir an.

»Jetzt hör mal zu, ich war gut zu Constantine. Oh, sie hat oft Widerworte gegeben, und ich habe es hingenommen. Aber da, Skeeter, hat sie mir keine Wahl gelassen.«

»Ich weiß, Mutter. Ich weiß, was los war.«

»Von wem hast du das? Wer weiß es denn noch?« Ich sehe die Paranoia in Mutters Augen. Gerade wird ihre größte Befürchtung wahr, und sie tut mir leid.

»Von wem ich es habe, werde ich dir nie erzählen. Ich kann

dir nur sagen, es war keine … für dich wichtige Person«, stammle ich. »Ich kann nicht glauben, dass du so was getan hast, Mutter.«

»Wie kannst du es wagen, über mich zu urteilen, nach dem, was sie getan hat! Weißt du denn, was wirklich passiert ist? Warst du dabei?« Ich sehe den alten Zorn, eine halsstarrige Frau, die seit Jahren mit blutenden Magengeschwüren lebt.

»Dieses Mädchen …« Sie fuchtelt mit dem knotigen Zeigefinger. »Sie ist hier aufgetaucht. Ich hatte das gesamte DAR-Ortskapitel im Haus. Du warst im College, und die Türklingel ging pausenlos, und Constantine war in der Küche, den ganzen Kaffee nochmal machen, weil der alte Perkolator die ersten zwei Kannen völlig verbrannt hatte.« Mutter wedelt den Erinnerungsgeruch von verbranntem Kaffee weg. »Sie waren alle im Wohnzimmer und aßen Kuchen, fünfundneunzig Personen im Haus, und sie steht einfach mittendrin und trinkt Kaffee. Sie redet mit Sarah von Sistern, spaziert im Haus herum wie ein Gast und steckt sich Kuchen in den Mund, und dann füllt sie auch noch einen *Mitgliedsantrag* aus.«

Wieder nicke ich. Mag ja sein, dass mir diese Details nicht bekannt waren, aber sie ändern auch nichts.

»Sie sah so weiß aus wie alle, und das wusste sie auch. Sie wusste genau, was sie tat. Und ich sage also: *Guten Tag,* und sie lacht und sagt: *Guten Tag,* darauf sage ich: *Und wie ist Ihr Name?* Und sie sagt: *Wollen Sie sagen, das wissen Sie nicht? Ich bin Lulabelle Bates. Ich bin jetzt erwachsen und wieder zu meiner Mama gezogen. Ich bin seit gestern Morgen hier.* Und dann geht sie hin und nimmt sich noch ein Stück Kuchen.«

»Bates«, sage ich, weil auch das ein Detail ist, das ich nicht kannte, wenn auch ein unbedeutendes. »Sie hat wieder Constantines Nachnamen angenommen.«

»Gott sei Dank hat es niemand gehört. Aber dann fing sie an, mit Phoebe Miller zu reden, der Südstaaten-Präsidentin der DAR, und ich habe sie in die Küche gezogen und gesagt:

Lulabelle, Sie können hier nicht bleiben. Sie müssen jetzt gehen.
Und sie, oh, was hat sie mich hochmütig angesehen! Sie sagte:
*Ach, Farbige dürfen wohl Ihr Wohnzimmer nicht betreten, wenn
sie dort nicht putzen?* In dem Moment kam Constantine in die
Küche und war offensichtlich genauso schockiert wie ich. Ich
sage: *Lulabelle, verlassen Sie dieses Haus, ehe ich Mister Phelan
rufe,* aber sie rührt sich nicht. Sagt, solange ich gedacht hätte, sie sei weiß, hätte ich sie sehr zuvorkommend behandelt.
Sagt, droben in Chicago sei sie in einer schwarzen Gruppe, irgendwas mit Untergrund, und darauf sage ich zu Constantine:
Sorgen Sie dafür, dass Ihre Tochter sofort mein Haus verlässt.«

Mutters Augen scheinen tiefer in ihren Höhlen zu liegen
denn je. Ihre Nasenflügel beben.

»Also sagt Constantine zu Lulabelle, sie soll wieder zu ihnen
nach Hause laufen, und Lulabelle sagt: *Gut, ich wollte sowieso
gerade gehen,* und will ins Esszimmer marschieren, und natürlich halte ich sie zurück. *O nein,* sage ich, *Sie gehen zur Hintertür raus, nicht vorne durch, wo die weißen Gäste sind.* Ich wollte ja nicht, dass die DAR-Frauen mitkriegen, was los ist. Und
dann habe ich dieser unflätigen Person, deren Mama von uns
jedes Weihnachten zehn Dollar extra bekam, gesagt, sie solle
diese Farm *nie wieder* betreten. Und weißt du, was sie da getan
hat?«

Ja, denke ich, mache aber ein ausdrucksloses Gesicht. Ich
hoffe immer noch auf das Entlastende.

»Mich angespuckt. Ins Gesicht. In *meinem* Haus. Eine
Negerin. Die sich für eine Weiße ausgibt.«

Ich erschauere. Wer würde es je wagen, meine Mutter anzu-
spucken?

»Ich habe Constantine gesagt, dieses Mädchen solle sich nie
wieder blicken lassen. Nicht in Hotstack und überhaupt nirgends im Staat Mississippi. Und ich würde es auch nicht dul-
den, dass sie den Kontakt mit Lulabelle aufrechterhalte, nicht,
so lange dein Daddy die Miete für ihr Haus bezahle.«

»Aber es war doch Lulabelle, die sich so benommen hat. Nicht Constantine.«

»Und wenn sie hiergeblieben wäre? Ich konnte doch nicht zulassen, dass dieses Mädchen in Jackson herumläuft, sich wie eine Weiße aufführt, obwohl sie farbig ist, und jedem erzählt, sie sei auf einer Daughters-of-the-American-Revolution-Party in Longleaf gewesen. Ich kann nur Gott danken, dass es nie jemand erfahren hat. Sie hat versucht, mich zum Gespött zu machen, in meinem eigenen Haus, Eugenia. Fünf Minuten vorher hatte sie Phoebe Miller dazu gebracht, mit ihr den Mitgliedsantrag auszufüllen.«

»Constantine hatte ihre Tochter zwanzig Jahre nicht gesehen. Man kann doch nicht … jemandem verbieten, das eigene Kind zu sehen.«

Aber Mutter ist ganz von ihrer Geschichte gefangen. »Und Constantine dachte, sie könnte mich davon abbringen. *Miss Phelan, bitte, lassen Sie sie nur bei mir wohnen, sie kommt nie wieder auf diese Seite rüber, ich hab sie so lang nicht gesehen.*

Und diese Lulabelle stemmt die Hand in die Hüfte und sagt: ›Ja, mein Daddy ist gestorben, und meine Mama war zu krank, um für mich zu sorgen, wie ich ein Baby war. Sie musste mich weggeben. Sie dürfen uns nicht trennen.‹

Mutter senkt die Stimme. Sie wirkt jetzt ganz sachlich. »Ich habe Constantine angesehen und mich so für sie geschämt. Erst schwanger werden und dann lügen …«

Mir ist heiß und schlecht. Es soll jetzt vorbei sein.

Mutter verengt die Augen. »Es wird Zeit, Eugenia, dass du lernst, wie die Dinge wirklich sind. Du idealisierst Constantine viel zu sehr. Hast es immer schon getan.« Sie zeigt mit dem Finger auf mich. »Sie sind nicht wie normale *Menschen.*«

Ich kann sie nicht anschauen, mache die Augen zu. »Und was ist dann passiert, Mutter?«

»Ich habe Constantine schlicht und einfach gefragt: ›Haben Sie ihr das erzählt? Leugnen Sie so Ihre Fehler?‹«

Das ist der Teil, von dem ich gehofft hatte, er wäre nicht wahr, Aibileen hätte sich geirrt.

»Ich habe Lulabelle die Wahrheit erzählt. Ich habe ihr gesagt: ›Ihr Daddy ist nicht gestorben. Er hat sich am Tag nach Ihrer Geburt davongemacht. Und Ihre Mama war keinen einzigen Tag ihres Lebens krank. Sie hat Sie weggegeben, weil Sie zu hellhäutig waren. Sie wollte Sie nicht.‹«

»Warum hast du sie nicht in dem Glauben gelassen, es wäre so gewesen, wie Constantine es ihr gesagt hatte? Constantine hatte solche Angst, sie würde sie ablehnen, darum hat sie ihr das alles erzählt.«

»Aber Lulabelle musste die Wahrheit erfahren. Sie musste wieder nach Chicago gehen, wo sie hingehört.«

Ich lasse das Gesicht in die Hände sinken. Da ist nichts Entlastendes. Ich weiß, warum Aibileen es mir nicht erzählen wollte. Kein Kind sollte so etwas über die eigene Mutter erfahren.

»Ich bin doch nicht auf die Idee gekommen, dass Constantine mit ihr nach Chicago gehen könnte, Eugenia. Ehrlich, ich … habe es sogar bedauert, dass sie weg war.«

»Hast du nicht«, sage ich. Ich stelle mir Constantine vor, nach fünfzig Jahren auf dem Land in einem winzigen Apartment in Chicago. Wie einsam sie sich gefühlt haben muss! Wie schlimm ihre Knie in der Kälte dort oben gewesen sein müssen!

»Doch. Und obwohl ich ihr verboten hatte, dir zu schreiben, hätte sie es wahrscheinlich trotzdem getan, wenn ihr mehr Zeit geblieben wäre.«

»Mehr Zeit?«

»Constantine ist gestorben, Skeeter. Ich habe ihr einen Scheck geschickt, zum Geburtstag. An die Adresse ihrer Tochter, die ich ausfindig gemacht hatte. Aber Lulabelle hat ihn … zurückgeschickt. Mit einer Kopie der Sterbeanzeige.«

»*Constantine* …«, sage ich unter Tränen. Ich wollte, ich hätte es gewusst. »Warum hast du's mir nicht gesagt, Mama?«

Mutter zieht die Nase hoch, die Augen stur geradeaus gerichtet. Sie wischt sich rasch über die Augen. »Weil ich wusste, du würdest mir Vorwürfe machen, wo es doch … nicht meine Schuld war.«

»Wann ist sie gestorben? Wie lange hat sie danach in Chicago gelebt?«, frage ich.

Mutter zieht die Schüssel noch näher heran, hält sie im Arm. »Drei Wochen.«

Aibileen lässt mich zu ihrer Hintertür herein. Minny sitzt am Tisch und rührt in ihrem Kaffee. Als sie mich sieht, zupft sie den Ärmel ihres Kleids herunter, aber ich sehe noch den Rand eines weißen Verbands an ihrem Arm. Sie brummelt eine Begrüßung, widmet sich dann wieder ihrer Tasse.

Ich klatsche das schwere Manuskript auf den Tisch. »Wenn ich es morgen früh auf die Post bringe, hat es noch sechs Tage, um anzukommen. Wir könnten es gerade noch schaffen.«

»Gott, das macht wirklich was her. So viele Seiten.« Aibileen grinst und setzt sich auf ihren Hocker. »Zweihundertsechsundsechzig Stück.«

»Jetzt können wir nur … abwarten«, erkläre ich, und wir starren alle drei auf den Blätterstapel.

»Endlich«, sagt Minny, und ich sehe einen Anflug von irgendetwas, nicht direkt ein Lächeln, eher Befriedigung.

Es wird still in der Küche. Draußen ist es dunkel. Die Post hat schon zu, also habe ich das Manuskript mitgebracht, um es Aibileen und Minny zu zeigen, bevor ich es abschicke. Sonst hatte ich immer nur Teile dabei.

»Und wenn sie's rauskriegen?«, fragt Aibileen leise.

Minny blickt von ihrem Kaffee auf.

»Wenn die Leute draufkommen, dass Niceville Jackson ist und wer wer ist?«

»Werden sie nicht«, sagt Minny. »Jackson ist nichts Besonderes. Gibt zehntausend Orte, die genauso sind.«

Darüber haben wir schon eine ganze Weile nicht mehr geredet. Und bis auf das eine Mal, als Winnie das mit der herausgeschnittenen Zunge gesagt hat, haben wir eigentlich nie konkret darüber gesprochen, was passieren könnte, außer dass die Dienstmädchen vielleicht ihren Job verlieren. Die letzten acht Monate haben wir nur daran gedacht, das Buch geschrieben zu kriegen.

»Minny, du hast die Kinder, an die du denken musst«, sagt Aibileen. »Und Leroy ... wenn der draufkommt ...«

Die Sicherheit in Minnys Augen verwandelt sich in ein nervöses Umherhuschen. »Leroy wird toben, so viel ist sicher.« Sie zupft wieder an ihrem Ärmel. »Erst toben und dann traurig sein, wenn mich die Weißen in die Finger kriegen.«

»Meinst du, wir sollten uns was überlegen, wo wir hinkönnen, im Fall ... dass es schlimm wird?«, fragt Aibileen.

Beide denken darüber nach, schütteln dann den Kopf. »Ich weiß nicht, wo wir hinkönnen«, murmelt Minny.

»Vielleicht sollten Sie da drüber nachdenken, Miss Skeeter. Für Sie selbst, mein ich«, sagt Aibileen.

»Ich kann Mutter nicht allein lassen«, erwidere ich. Nachdem ich bis jetzt gestanden habe, lasse ich mich auf einen Stuhl sinken. »Aibileen, glauben Sie wirklich, sie würden uns ... etwas tun? Ich meine, so wie es in den Zeitungen steht?«

Aibileen legt den Kopf schief, schaut mich irritiert an. Sie runzelt die Stirn, als läge da zwischen uns irgendein Missverständnis vor. »Sie würden uns schlagen. Sie würden hierherkommen, mit Baseballschlägern. Sie würden uns vielleicht nicht töten, aber ...«

»Aber ... wer genau würde das denn tun? Die weißen Frauen, über die wir geschrieben haben ... die doch nicht, oder?«

»Wissen Sie denn nicht, dass weiße Männer nichts lieber tun, wie die weißen Frauen in ihrer Stadt ›beschützen‹?«

Mir stellen sich die Härchen auf. Es ist weniger Angst um mich selbst als Angst, was ich ihnen angetan habe. Aibileen und Minny. Louvenia und Faye Belle und acht anderen Frauen. Das Buch liegt da auf dem Tisch. Ich möchte es in meine Büchertasche packen und verstecken.

Stattdessen schaue ich Minny an, weil ich sie aus irgendeinem Grund für die Einzige von uns halte, die wirklich eine Vorstellung davon hat, was passieren könnte. Aber sie erwidert meinen Blick nicht, ist ganz in Gedanken. Sie fährt sich mit dem Daumennagel über die Unterlippe.

»Minny? Was meinen Sie?«

Minny schaut weiter aufs Fenster, nickt, auf ihre eigenen Gedanken bezogen. »Ich mein, wir brauchen so eine Art *Versicherung.*«

»So was gibt's nicht«, sagt Aibileen. »Nicht für uns.«

»Und wenn wir die fürchterlich schlimme Sache in das Buch reinschreiben?«, fragt Minny.

»Das geht nicht, Minny«, sagt Aibileen. »Das würd uns verraten.«

»Aber wenn wir's reinschreiben, dann *kann* Miss Hilly keinen rauskriegen lassen, dass das Buch über Jackson ist. Es soll doch ja niemand wissen, dass die Geschichte über sie ist. Und wenn Leute auf der richtigen Spur sind, wird sie sie in die andere Richtung lenken.«

»Gott im Himmel, Minny, das ist zu gefährlich. Bei der Frau weiß doch keiner, was sie machen wird.«

»Die Geschichte kennt doch niemand außer Miss Hilly und ihrer Mama«, sagt Minny. »Und Miss Celia, aber die hat keine Freunde, denen sie's erzählen könnt.«

»Worum geht es denn?«, frage ich. »Ist es wirklich *so* schlimm?«

Aibileen sieht mich an. Meine Augenbrauen heben sich.

»Wem würd sie das denn eingestehen?«, fragt Minny Aibileen. »Und sie wird auch nicht wollen, dass du erkannt wirst, Aibileen, oder Miss Leefolt, weil's dann zu ihr nur noch ein Schritt ist. Ich sag dir, Miss Hilly ist unser bester Schutz.«

Aibileen schüttelt den Kopf, nickt dann. Schüttelt wieder den Kopf. Wir beobachten sie und warten.

»Wenn wir die fürchterlich schlimme Sache in das Buch reinschreiben und *doch* jemand draufkommt, dass das zwischen dir und Miss Hilly war, dann« – Aibileen erschauert – »bist du geliefert.«

»Das Risiko muss ich eingehen. Ich hab mich schon entschieden. Entweder es kommt rein, oder mein Teil kommt ganz raus.«

Aibileens Blick und Minnys Blick verhaken sich. Wir können Minnys Teil nicht herausnehmen, er ist das letzte Kapitel des Buchs. Er erzählt, wie es ist, in ein und derselben kleinen Stadt neunzehn Mal gefeuert zu werden. Und wie es ist, sich alle Mühe zu geben, die Wut drinnen zu behalten, es aber einfach nicht zu schaffen. Er beginnt mit den Regeln von Minnys Mutter für die Arbeit bei einer Weißen und geht bis zu Minnys Entlassung aus Missus Walters' Haushalt. Ich möchte mich einmischen, halte aber den Mund.

Schließlich seufzt Aibileen.

»Okay«, sagt Aibileen kopfschüttelnd. »Dann erzähl's ihr halt.«

Minny sieht mich mit schmalen Augen an. Ich hole Block und Bleistift heraus.

»Ich erzähl Ihnen das nur für das Buch, klar? Hier vertraut keiner jemand seine geheimsten Geheimnisse an.«

»Ich mache uns noch mal Kaffee«, sagt Aibileen.

Auf der Rückfahrt nach Longleaf schaudert mich beim Gedanken an Minnys Kuchengeschichte. Ich weiß nicht, was für uns sicherer wäre: sie ins Buch aufzunehmen oder nicht. Mal ganz davon abgesehen, dass ich sie morgen rechtzeitig fertig haben muss, um das Manuskript noch auf die Post zu bringen, da sich sonst alles um einen weiteren Tag verzögert und unsere Chancen, es zu schaffen, erst recht schwinden. Ich kann mir

Hillys zornrotes Gesicht vorstellen, ihren Hass auf Minny. Ich kenne meine alte Freundin gut. Wenn wir auffliegen, wird Hilly unsere erbittertste Feindin sein. Und selbst wenn wir nicht auffliegen, wird diese Geschichte in einem Buch Hilly so rasend machen, wie wir es noch nie erlebt haben. Aber Minny hat recht – es ist unsere beste Versicherung.

Alle paar hundert Meter schaue ich mich um. Ich halte mich genau an die Geschwindigkeitsbegrenzung und bleibe auf kleinen Straßen. *Sie werden uns schlagen, mit Baseballschlägern*, hallt es mir in den Ohren.

Ich schreibe die ganze Nacht und den ganzen nächsten Tag, verziehe immer wieder das Gesicht bei Details von Minnys Geschichte. Um vier Uhr nachmittags stopfe ich das Manuskript in eine Pappschachtel, die ich mit braunem Packpapier umwickle. Normalerweise würde die Sendung sieben oder acht Tage brauchen, aber irgendwie muss sie es in sechs Tagen nach New York schaffen.

Trotz meiner Angst vor der Polizei rase ich zur Post und renne hinein. Ich habe seit vorletzter Nacht kein Auge zugetan. Die Haare stehen mir buchstäblich zu Berge. Der Mann hinterm Schalter macht große Augen.

»Windig draußen?«

»Bitte. Geht das heute noch raus? Es muss nach New York.«

Er schaut auf die Adresse. »Der Auswärts-Lkw ist schon weg, Ma'am. Das muss bis morgen früh warten.«

Er stempelt die Sendung ab, und ich fahre wieder nach Hause.

Dort gehe ich sofort in die Speisekammer und rufe Elaine Steins Büro an. Ihre Sekretärin stellt mich zu ihr durch, und ich erkläre ihr mit heiserer, matter Stimme, dass ich das Manuskript heute abgeschickt habe.

»Die letzte Lektoratskonferenz ist in sechs Tagen, Eugenia. Es muss nicht nur bis dahin hier sein, ich brauche auch noch

Zeit, um es vorher zu lesen. Ich würde meinen, es ist höchst unwahrscheinlich.«

Da es nichts mehr zu sagen gibt, murmle ich nur: »Ich weiß. Danke für die Chance.« Und ich setze noch hinzu: »Frohe Weihnachten, Missus Stein.«

»Wir nennen es Hanukkah, aber danke, Miss Phelan.«

Kapitel 28

———

Nachdem ich eingehängt habe, gehe ich auf die Veranda hinaus und starre in die Kälte. Ich bin so hundemüde, dass ich eben Doktor Neals Auto gar nicht bemerkt habe. Er muss gekommen sein, während ich auf der Post war. Ich lehne mich ans Geländer und warte, dass er aus Mutters Zimmer tritt. Durch die offene Vordertür kann ich sehen, dass ihre Zimmertür hinten am Flur geschlossen ist.

Kurz darauf kommt Doktor Neal leise aus dem Zimmer und auf die Veranda heraus. Er stellt sich neben mich.

»Ich habe ihr etwas gegen die Schmerzen gegeben«, sagt er plötzlich.

»Die … Schmerzen? Hat Mama sich heute Vormittag wieder übergeben?«

Der alte Doktor Neal sieht mich mit seinen trübblauen Augen an, so lange und so intensiv, als versuchte er, zu irgendeinem Schluss über mich zu gelangen. »Ihre Mutter hat Krebs, Eugenia. In der Magenschleimhaut.«

Ich greife Halt suchend nach der Hauswand. Ich bin bestürzt, und doch – habe ich das nicht gewusst?

»Sie wollte es Ihnen nicht sagen.« Er schüttelt den Kopf. »Aber da sie sich weigert, ins Krankenhaus zu gehen, müssen Sie es wissen. Diese nächsten paar Monate werden … ziemlich schwer sein.« Er zieht die Augenbrauen hoch. »Für ihre Mutter und für Sie.«

———

»Paar Monate? Ist das … alles?« Ich schlage mir die Hand vor den Mund, höre mich aufstöhnen.

»Vielleicht etwas mehr, vielleicht auch weniger, meine Liebe.« Er schüttelt den Kopf. »Aber wie ich Ihre Mutter kenne« – er schaut ins Haus –, »wird sie dagegen ankämpfen bis zum Letzten.«

Ich stehe wie betäubt da, unfähig, etwas zu sagen.

»Sie können mich jederzeit anrufen, Eugenia. In der Praxis oder zu Hause.«

Ich gehe hinein und nach hinten in Mutters Zimmer. Daddy hockt auf der kleinen Bank neben dem Bett und starrt ins Leere. Mutter sitzt aufrecht da. Sie verdreht die Augen, als sie mich sieht.

»Tja, jetzt hat er's dir wohl erzählt«, sagt sie.

Tränen tropfen mir vom Kinn. Ich nehme ihre Hände.

»Wie lange weißt du's schon?«

»Zwei Monate etwa.«

»Oh, *Mama.*«

»Jetzt lass das, Eugenia. Es ist nun mal nicht zu ändern.«

»Aber was kann ich …? Ich kann doch nicht einfach hier herumsitzen und zusehen, wie du …« Ich kann es nicht mal aussprechen. Alle Wörter sind zu schrecklich.

»Du wirst ganz sicher nicht hier *herumsitzen.* Carlton wird Jurist werden und du …« Sie droht mir mit dem Zeigefinger. »Glaub bloß nicht, du kannst dich gehenlassen, wenn ich nicht mehr bin. Sobald ich bis in die Küche laufen kann, werde ich Fanny Mae's anrufen und für dich Friseurtermine bis ins Jahr 1975 machen.«

Ich lasse mich neben Daddy auf die Sitzbank sinken, und er legt den Arm um mich. Ich lehne mich an ihn und heule.

Der Weihnachtsbaum, den Jameso vor einer Woche aufgestellt hat, nadelt, sobald jemand das Fernsehzimmer betritt. Es sind noch sechs Tage bis Weihnachten, aber niemand hat daran gedacht, Wasser in den Ständer zu gießen. Die wenigen Geschenke, die Mutter schon im Juli gekauft und eingepackt hat, liegen unterm Baum, eins für Daddy, das offensichtlich eine Sonntagskrawatte enthält, etwas Kleines, Quadratisches für Carlton und für mich etwas Schweres, Ziegelsteinförmiges – vermutlich eine neue Bibel. Jetzt, wo alle von Mutters Krebs wissen, ist es, als hätte sie die wenigen Fäden, die sie noch aufrecht gehalten haben, gekappt. Die Marionettenschnüre sind durchtrennt, und selbst ihr Kopf scheint haltlos auf seinem Stiel zu wackeln. Das Äußerste, was sie noch tun kann, ist aufzustehen und ins Bad zu gehen und ein paar Minuten am Tag auf der Veranda zu sitzen.

Am Nachmittag bringe ich Mutter ihre Post, das neue *Good Housekeeping,* den Gemeinderundbrief, DAR-Informationen.

»Wie geht's?« Ich streiche ihr das Haar zurück, und sie schließt die Augen, als ob sie die Berührung genießt. Sie ist jetzt das Kind, und ich bin die Mutter.

»Ganz gut.«

Pascagoula kommt herein. Sie stellt ein Tablett mit Brühe auf den Tisch. Als sie wieder geht, schüttelt Mutter ganz schwach den Kopf und starrt auf die leere Türöffnung.

»O nein«, sagt sie und verzieht das Gesicht. »Ich kann nichts essen.«

»Du musst nichts essen, Mama. Das machen wir dann später.«

»Es ist nicht dasselbe mit Pascagoula, was?«, fragt sie.

»Nein«, sage ich. »Ist es nicht.« Das ist das erste Mal seit unserer schrecklichen Diskussion, dass sie Constantine – zumindest indirekt – erwähnt.

»Es heißt, ein gutes Dienstmädchen sei wie wahre Liebe. Das findet man nur einmal im Leben.«

Ich nicke, denke, dass ich das notieren und ins Buch aufnehmen müsste. Aber dazu ist es zu spät, wir haben es ja schon losgeschickt. Ich kann nichts tun, niemand kann irgendetwas tun, außer zu warten.

Heiligabend ist deprimierend und warm und regnerisch. Alle dreißig Minuten kommt Daddy aus Mutters Zimmer, schaut aus dem vorderen Fenster und fragt: »Ist er da?«, auch wenn ihm keiner zuhört. Mein Bruder Carlton kommt heute Abend von der LSU, und wir werden beide froh sein, ihn zu sehen. Den ganzen Tag hat Mutter erbrochen und gewürgt. Sie kann kaum die Augen offen halten, aber schlafen kann sie auch nicht.

»Charlotte, Sie gehören ins Krankenhaus«, hat Doktor Neal heute Nachmittag gesagt. Ich weiß nicht, wie oft er das in der letzten Woche gesagt hat. »Lassen Sie mich wenigstens die Schwester herschicken, damit sie hier bei Ihnen bleibt.«

»Charles Neal«, sagte Mutter, ohne auch nur den Kopf zu heben. »Ich verbringe meine letzten Tage nicht in einer Klinik, und ich werde auch mein Haus nicht in eine verwandeln.«

Doktor Neal seufzte nur, gab Daddy noch ein Medikament, eine neue Sorte, und erklärte ihm, wie er es ihr verabreichen solle.

»Aber hilft das auch?«, hörte ich Daddy draußen auf dem Flur flüstern. »Kann es davon besser werden?«

Doktor Neal legte Daddy die Hand auf die Schulter. »Nein, Carlton.«

Um sechs Uhr abends fährt Carlton endlich draußen vor, kommt ins Haus.

»Hey, Skeeter.« Er umarmt mich. Er ist zerknittert von der Autofahrt, sieht aber gut aus in seinem Zopfmuster-College-pullover. Die frische Luft an ihm riecht gut. Es ist schön, noch jemanden hier zu haben. »Himmel, warum ist es in diesem Haus so heiß?«

»Sie friert«, sage ich leise, »die ganze Zeit.«

Ich gehe mit ihm nach hinten. Als Mutter ihn sieht, setzt sie sich auf und streckt die dünnen Arme aus. »Oh, Carlton«, sagt sie, »du bist da.«

Carlton bleibt jäh stehen. Dann beugt er sich hinab und umarmt sie ganz behutsam. Er blickt zu mir zurück, und ich sehe den Schock auf seinem Gesicht. Ich wende mich ab. Ich halte mir den Mund zu, um nicht zu schreien, weil ich weiß, dass ich nicht wieder aufhören könnte. Carltons Blick sagt mir mehr, als ich wissen möchte.

Als Stuart am Weihnachtstag vorbeikommt, hindere ich ihn nicht, als er mich küssen will. Aber ich sage: »Ich lass dich nur, weil meine Mutter im Sterben liegt.«

»Eugenia«, höre ich Mutter rufen. Es ist Silvester, und ich bin in der Küche, mir Tee holen. Weihnachten ist vorbei, und Jameso hat heute Morgen den Baum nach draußen gebracht. Noch immer liegen überall im Haus Nadeln herum, aber ich habe es geschafft, den Weihnachtsschmuck wegzuräumen und wieder im Schrank zu verstauen. Es war aufwändig und frustrierend, jedes einzelne Stück so einzuwickeln, wie Mutter es möchte, damit alles für nächstes Jahr parat ist. Ich verbiete mir, den Sinn dieses Tuns in Frage zu stellen.

Ich habe nichts von Missus Stein gehört und weiß nicht einmal, ob die Sendung rechtzeitig angekommen ist. Gestern Abend habe ich es nicht mehr ausgehalten und Aibileen angerufen, ihr erzählt, dass ich noch nichts gehört habe, einfach nur, um mit jemandem darüber zu reden.

»Mir fallen andauernd Sachen ein, die noch reinmüssten«, jammert Aibileen. »Ich muss mir immer wieder sagen, dass wir's ja schon abgeschickt haben.«

»Ich auch«, sage ich. »Ich rufe Sie an, sobald ich etwas höre.«

Ich gehe nach hinten. Mutter ist mit Kissen hochgestützt. Im Sitzen, haben wir gelernt, hilft die Schwerkraft gegen das Erbrechen. Die weiße Emailschüssel steht neben ihr.

»Hey, Mama«, sage ich. »Was möchtest du?«

»Eugenia, du kannst nicht in dieser Hose zur Silvesterpar-ty bei den Holbrooks gehen.« Wenn Mutter blinzelt, bleiben ihre Augen immer einen Moment zu lange geschlossen. Sie ist erschöpft, ein Skelett in einem weißen Nachthemd mit absur-den Schleifchen und gestärkter Spitze. Ihr Hals schwimmt im Halsausschnitt wie der eines Siebenunddreißig-Kilo-Schwans. Sie kann nichts essen, außer durch einen Strohhalm. Ihr Ge-ruchssinn ist ihr völlig abhandengekommen. Und doch wit-tert sie von einem anderen Raum aus, wenn meine Kleidung zu wünschen übrig lässt.

»Die Party ist abgesagt, Mama.« Vielleicht erinnert sie sich an Hillys Feier letztes Jahr. Soweit mir Stuart erzählt hat, sind alle Silvesterpartys wegen der Ermordung des Präsidenten ab-gesagt worden. Wobei ich sowieso nicht eingeladen wäre. Heu-te Abend kommt Stuart, um mit mir Dick Clark im Fernsehen zu schauen.

Mutter legt ihre winzige, magere Hand auf meine. Die Gelenke zeichnen sich durch die Haut ab. Mutters jetzige Kleidergröße hatte ich mit elf.

Sie sieht mich fest an. »Ich finde, du solltest diese Hose jetzt gleich auf die Liste setzen.«

»Aber sie ist bequem und warm und ...«

Sie schüttelt den Kopf, schließt die Augen. »Tut mir leid, Skeeter.«

Die Zeit des Streitens ist vorbei. »O-kay«, seufze ich.

Mutter zieht den Block unter der Decke hervor, aus der unsichtbaren Tasche, die sie sich in jedes Kleidungsstück hat einnähen lassen, um darin Anti-Kotzpillen und Papierta-schentücher aufzubewahren. Und diktatorische kleine Listen. Schwach, wie sie ist, überrascht mich die ruhige Hand, mit der sie auf die »Keinesfalls tragen«-Liste schreibt: »Graue, un-förmige, maskulin geschnittene Hose.« Sie lächelt befriedigt.

Es klingt makaber, aber als Mutter klar wurde, dass sie mir, wenn sie tot ist, nicht mehr sagen kann, was ich anziehen soll, ersann sie dieses geniale, über den Tod hinausreichende System. Sie geht davon aus, dass ich mir allein keine neuen, unpassenden Kleidungsstücke kaufen werde. Vermutlich hat sie recht.

»Immer noch kein Erbrechen?«, frage ich, weil es vier Uhr ist und Mutter zwei Schälchen Brühe getrunken und sich heute noch nicht übergeben hat. Normalerweise hat sie um diese Zeit schon mindestens dreimal gekotzt.

»Kein einziges Mal«, sagt sie, schließt dann aber die Augen und ist binnen Sekunden eingeschlafen.

Am Neujahrstag komme ich herunter, um die glücksbringenden Schwarzaugenbohnen aufzusetzen. Pascagoula hat sie gestern Abend eingeweicht und mich instruiert, wie ich sie mit der Schweinshaxe in den Topf tun und dann die Flamme anstellen muss. Es ist im Grunde ein aus zwei Schritten bestehender Prozess, aber alle scheinen nervös, weil ich ihn ausführe. Ich muss daran denken, dass Constantine immer am ersten Januar kam, um die Glücksbohnen für uns zuzubereiten, obwohl es ihr freier Tag war. Sie machte einen ganzen Topf, gab dann aber jedem Familienmitglied nur eine einzige Bohne auf den Teller und beobachtete, ob wir sie auch aßen. Sie konnte manchmal ganz schön abergläubisch sein. Dann spülte sie das Geschirr und ging wieder nach Hause. Pascagoula hat nicht angeboten, an ihrem freien Tag zu kommen, und da ich annehme, dass sie ihn mit ihrer eigenen Familie verbringt, habe ich sie auch nicht darum gebeten.

Wir sind alle traurig, dass Carlton heute Morgen wieder fahren musste. Es war schön, meinen Bruder hier zu haben, mit ihm reden zu können. Das Letzte, was er zu mir sagte, ehe er mich umarmte und wieder an die Uni fuhr, war: »Brenn bloß das Haus nicht ab.« Dann setzte er noch hinzu: »Ich rufe morgen an, um zu hören, wie es ihr geht.«

Nachdem ich die Flamme wieder abgestellt habe, gehe ich auf die Veranda. Daddy lehnt am Geländer, lässt Baumwollsamen in seiner Hand kreisen. Er starrt auf die kahlen Felder, die noch einen Monat auf die Aussaat warten müssen.

»Daddy, kommst du essen?«, frage ich. »Die Bohnen sind fertig.«

Er dreht sich um, und sein Lächeln ist schmal, lange durch nichts mehr genährt worden.

»Diese Medizin, die sie jetzt kriegt …« Er mustert seine Baumwollsamen. »Ich glaube, sie wirkt. Sie sagt immer wieder, es geht ihr besser.«

Ich schüttle fassungslos den Kopf. Das kann er doch nicht wirklich glauben.

»Ihr war jetzt in zwei Tagen nur einmal schlecht …«

»Oh, Daddy. Nein … das ist nur … Daddy, sie hat den Krebs immer noch.«

Aber da ist so eine Leere in Daddys Augen, und ich frage mich, ob er mich überhaupt gehört hat.

»Ich weiß, du könntest Besseres mit deiner Zeit anfangen, Skeeter.« Er hat Tränen in den Augen. »Aber es vergeht kein Tag, an dem ich nicht Gott dafür danke, dass du hier bei ihr bist.«

Ich nicke, habe ein schlechtes Gewissen, weil er glaubt, es wäre meine Entscheidung gewesen. Ich umarme ihn und sage: »Ich bin auch froh, dass ich hier bin, Daddy.«

Als der Club in der ersten Januarwoche wieder aufmacht, ziehe ich meinen Tennisrock an und schnappe mir meinen Schläger. Ich gehe durch die Snackbar, ignoriere Patsy Joiner, meine Extennispartnerin, die mich hat fallen lassen, und drei andere Mädels, die an den schwarzen Eisentischen sitzen und rauchen. Sie stecken die Köpfe zusammen und tuscheln, als ich vorbeilaufe. Ich werde nicht zu dem League-Treffen heute Abend gehen und überhaupt zu gar keinem mehr. Vor drei Tagen habe ich kapituliert und schriftlich den Rücktritt von meinem Amt erklärt.

Ich schlage den Tennisball gegen die Übungswand, tue mein Bestes, an gar nichts zu denken. In letzter Zeit habe ich mich wiederholt beim Beten ertappt, obwohl ich nie sonderlich gläubig war. Ich flüstere endlos lange Sätze zu Gott, flehe um ein bisschen Erleichterung für Mutter, um gute Nachrichten wegen des Buchs, ja manchmal sogar um einen Fingerzeig, was ich mit Stuart machen soll. Oft merke ich plötzlich, dass ich bete, obwohl es mir gar nicht bewusst war.

Als ich vom Club nach Hause komme, hält Doktor Neal hinter mir in der Einfahrt. Ich bringe ihn zu Mutters Zimmer, wo Daddy schon wartet, und beide schließen die Tür hinter sich. Ich stehe im Flur, zappelig wie ein Kind. Ich verstehe jetzt, warum Daddy sich an diesen Hoffnungsschimmer klammert. Vier Tage schon hat Mutter keine grüne Galle mehr erbrochen. Sie isst ihren Haferschleim, will manchmal sogar mehr.

Als Doktor Neal herauskommt, bleibt Daddy auf dem Stuhl neben dem Bett sitzen, und ich folge dem Arzt auf die Veranda hinaus.

»Hat sie's Ihnen gesagt?«, frage ich. »Dass sie sich besser fühlt?«

Er nickt, schüttelt dann aber den Kopf. »Es hat keinen Sinn, sie zum Röntgen zu bringen. Das wäre nur zu belastend für sie.«

»Aber … wie sieht es aus? Kann es sein, dass es ihr wirklich besser geht?«

»Ich habe das schon öfter erlebt, Eugenia. Manchmal haben die Leute noch einen Energieschub. Ein Geschenk Gottes, nehme ich an. Damit sie ihre Angelegenheiten regeln können. Aber das ist alles, meine Liebe. Erwarten Sie sich nicht mehr.«

»Aber haben Sie ihre Gesichtsfarbe gesehen? Sie sieht doch so viel besser aus, und sie behält das Essen …«

Er schüttelt den Kopf. »Versuchen Sie einfach nur, es ihr zu erleichtern.«

Am ersten Freitag des Jahres 1964 kann ich nicht mehr warten. Ich ziehe den Telefonhörer in die Speisekammer. Mutter schläft, nachdem sie ein zweites Schälchen Haferschleim gegessen hat. Ihre Tür ist offen, damit ich es höre, wenn sie ruft.

»Büro Elaine Stein.«

»Guten Tag, hier ist Eugenia Phelan per Ferngespräch. Ist sie zu sprechen?«

»Tut mir leid, Miss Phelan, aber Missus Stein nimmt keine Anrufe wegen ihrer Manuskriptentscheidungen entgegen.«

»Oh. Aber … können Sie mir wenigstens sagen, ob sie das Manuskript bekommen hat? Ich habe es erst kurz vor dem Stichtag abgeschickt und …«

»Einen Augenblick bitte.«

In der Leitung ist Stille, dann, nach einer Minute etwa, ist sie wieder dran.

»Ich kann Ihnen bestätigen, dass wir die Sendung irgendwann während der Feiertage erhalten haben. Jemand hier wird Sie benachrichtigen, wenn Missus Stein ihre Entscheidung getroffen hat. Vielen Dank für Ihren Anruf.«

Ich höre es am anderen Ende klicken.

Ein paar Abende später, nachdem ich einen fesselnden Nachmittag damit verbracht habe, Miss-Myrna-Briefe zu beantworten, sitzen Stuart und ich im Fernsehzimmer. Ich bin froh, dass er da ist und die Totenstille im Haus für eine Weile durchbrochen wird. Wir hocken schweigend da und sehen fern. Eine Tareyton-Reklame kommt, die, in der das Mädchen, das die Zigarette raucht, ein blaues Auge hat – *Wir Tareyton-Raucher schlagen uns lieber, als auf eine andere Marke umzusteigen!*

Stuart und ich haben uns in letzter Zeit immer einmal die Woche gesehen. Wir waren nach Weihnachten im Kino und einen Abend in der Stadt essen, aber normalerweise kommt er hierher, weil ich Mutter nicht allein lassen will. Er ist mir gegenüber zurückhaltend, auf respektvolle Art schüchtern. Die

Geduld in seinen Augen nimmt mir die Panik, die ich zuletzt im Zusammensein mit ihm empfunden habe. Wir reden über nichts Ernsthaftes. Einmal hat er mir von dem Sommer während seines Studiums erzählt, in dem er auf einer Bohrinsel im Golf von Mexiko gearbeitet hat. Die Duschen waren mit Salzwasser. Das Meer war kristallklar-blau bis zum Grund. Die anderen Männer machten diese brutale Arbeit, um ihre Familien zu ernähren, während Stuart, der reiche Sohn reicher Eltern, wieder aufs College zurückging. Es war das erste Mal, sagte er, dass er wirklich hart arbeiten musste.

»Ich bin froh, dass ich damals auf der Bohrinsel war. Jetzt könnte ich das nicht mehr«, erklärte er, als wäre es eine Ewigkeit her und nicht nur fünf Jahre.

»Warum könntest du's jetzt nicht mehr?«, habe ich ihn gefragt, weil ich auf der Suche nach einer Zukunft für mich bin und mich für anderer Leute Möglichkeiten interessiere.

Er runzelte die Stirn. »Weil ich nicht so lange von dir weggehen könnte.«

Ich nahm das wortlos hin, weil ich mich nicht zuzugeben traute, wie gut es tat, das zu hören.

Die Werbung ist vorbei, und wir schauen die Nachrichten. In Vietnam gibt es Gefechte. Der Reporter scheint zu glauben, dass sich das ohne viel Aufhebens erledigen lässt.

»Hör zu«, sagt Stuart, nachdem wir beide eine Weile geschwiegen haben. »Ich wollte das bislang nicht ansprechen, aber ... ich weiß, was die Leute hier in der Stadt reden. Über dich. Und es ist mir egal. Ich wollte nur, dass du das weißt.«

Mein erster Gedanke ist *das Buch*. Er hat etwas gehört. Mein ganzer Körper spannt sich an. »Was hast du gehört?«

»Du weißt schon. Von diesem Streich, den du Hilly gespielt hast.«

Ich entspanne mich etwas, aber nicht ganz. Ich habe darüber mit niemandem geredet außer mit Hilly selbst. Ich frage mich, ob Hilly ihre Drohung, ihn anzurufen, tatsächlich wahr gemacht hat.

»Und mir ist klar, was die Leute daraus machen … dass sie dich für so eine linke Spinnerin halten, die in diesen ganzen Blödsinn verwickelt ist.«

Ich mustere meine Hände, noch immer misstrauisch, was er gehört haben könnte, und auch ein bisschen gereizt. »Woher willst du wissen«, frage ich, »in was ich verwickelt bin?«

»Weil ich dich kenne, Skeeter«, sagt er sanft. »Du bist viel zu gescheit, um dich in so was hineinziehen zu lassen. Und das habe ich ihnen auch gesagt.«

Ich versuche zu lächeln. Egal, was er über mich zu wissen glaubt – ich kann nicht umhin, dankbar dafür zu sein, dass da jemand ist, dem so viel an mir liegt, dass er für mich eintritt.

»Wir brauchen nicht mehr darüber zu reden«, sagt er. »Ich wollte nur, dass du's weißt. Weiter nichts.«

Am Samstagabend sage ich Mutter gute Nacht. Ich habe einen langen Mantel an, damit sie nicht sieht, was ich darunter trage. Ich lasse das Licht aus, damit sie keinen Kommentar zu meinem Haar abgeben kann. An ihrem Zustand hat sich wenig geändert. Es scheint nicht schlimmer zu werden – das Erbrechen wird immer noch in Schach gehalten –, aber ihre Haut ist aschfahl. Die Haare fallen ihr aus. Ich halte ihre Hände, streichle ihre Wange.

»Daddy, du rufst im Restaurant an, wenn du mich brauchst?«

»Mache ich, Skeeter. Geh und amüsier dich.«

Ich steige in Stuarts Wagen, und er fährt mich zum Essen ins Robert E. Lee. Der Raum leuchtet von Abendkleidern und roten Rosen, silbernes Vorlegebesteck klickt auf silbernen Platten. Es liegt freudige Erregung in der Luft, das Gefühl, dass nach Kennedys Tod jetzt endlich wieder so etwas wie Normalität herrscht: 1964 ist ein neues, noch junges Jahr. Viele Blicke gehen in unsere Richtung.

»Du siehst … anders aus«, sagt Stuart. Ich spüre, dass er diese Bemerkung schon den ganzen Abend mit sich herumträgt, und er scheint eher verwirrt als beeindruckt. »Das Kleid ist so … kurz.«

Ich nicke und streiche mir das Haar zurück. So wie er es immer getan hat.

Heute Morgen habe ich Mutter erklärt, ich wolle shoppen gehen. Aber sie sah so müde aus, dass ich es mir schnell anders überlegte. »Vielleicht sollte ich doch lieber nicht gehen.«

Aber es war schon draußen. Mutter schickte mich das dicke Scheckbuch holen. Als ich damit wiederkam, riss sie einen Blankoscheck heraus und gab mir dann noch einen Hundert-Dollar-Schein, der sich zusammengefaltet in einem Seitenfach ihres Portmonees befand. Allein schon das Wort *shoppen* schien sie belebt zu haben.

»Sei mir bloß nicht sparsam. Und keine Hosen. Lass dir von Miss LaVole helfen.« Sie legte den Kopf wieder in die Kissen. »Sie weiß, wie sich junge Mädchen kleiden sollten.«

Aber die Vorstellung von Miss LaVoles runzligen, nach Kaffee und Mottenkugeln riechenden Händen an meinem Körper war mir zuwider. Ich fuhr durch die Innenstadt, auf den Highway 51, Richtung New Orleans. Ich fuhr gegen das schlechte Gewissen an, weil ich Mutter so lange allein ließ. Immerhin wusste ich ja, dass Doktor Neal am Nachmittag kommen würde und Daddy den ganzen Tag bei ihr war.

Drei Stunden später ging ich ins Maison Blanche in der Canal Street. Ich war schon unzählige Male mit Mutter hier gewesen und zweimal mit Elizabeth und Hilly, aber dennoch war ich wie gebannt von den endlosen weißen Marmorböden, den Meilen von Hüten und Handschuhen und den gepuderten Damen, die so fröhlich aussahen, so *gesund*. Noch ehe ich eine Verkäuferin ansprechen konnte, sagte ein dünner Mann: »Kommen Sie, es ist alles oben« und bugsierte mich mit dem Lift in den dritten Stock, in eine Abteilung namens JUNGE DAMENMODE.

»Was ist das hier?«, fragte ich. Da waren Dutzende Frauen und Rock 'n' Roll im Hintergrund und Sektgläser und Lichtergefunkel.

»Emilio Pucci, Schätzchen. Endlich!« Er trat ein Stück zurück, musterte mich und sagte: »Sind Sie nicht wegen der Pressemodenschau hier? Sie haben doch eine Einladung, oder?«

»Äh, irgendwo schon«, sagte ich, aber er verlor das Interesse, während ich zum Schein in meiner Handtasche kramte.

Rings um mich herum hingen Kleider, die aussahen, als hätten sie Wurzeln geschlagen und Blüten getrieben. Ich dachte an Miss LaVole und lachte. Keine ostereifarbenen Kostüme hier. Blumen! Breite, bunte Streifen! Und Rocklängen, die *ein ganzes Stück Oberschenkel* zeigten. Es war elektrisierend und himmlisch und schwindelerregend. Dieser Emilio Pucci musste seine Finger jeden Morgen in die Steckdose stecken.

Ich kaufte mir mit meinem Blankoscheck so viele Sachen, dass sie die ganze Rückbank des Cadillac füllten. Dann gab ich in der Magazine Street fünfundvierzig Dollar dafür aus, mein Haar aufhellen, in Form schneiden und glätten zu lassen. Es war über den Winter länger geworden und hatte die Farbe von dreckigem Spülwasser. Um sechzehn Uhr fuhr ich über die Lake-Pontchartrain-Brücke zurück, im Radio kam eine Band namens Rolling Stones, der Fahrtwind blies durch mein seidiges, glattes Haar, und ich dachte: *Heute Abend werde ich diesen Panzer ablegen und es mit Stuart wieder so sein lassen, wie es mal war.*

Stuart und ich essen unser Chateaubriand, lächeln, reden. Er schaut zu den anderen Tischen, macht Bemerkungen über Leute, die er kennt. Aber niemand steht auf, um uns hallo zu sagen.

»Auf die Neuanfänge«, sagt Stuart und erhebt sein Bourbonglas.

Ich nicke, will aus irgendeinem Grund sagen, dass jeder Anfang neu ist. Aber ich lächle nur und trinke ihm mit meinem zweiten Glas Wein zu. Ich mochte Alkohol im Grunde nie, bis heute.

Nach dem Essen gehen wir in die Lobby hinaus und sehen Senator Whitworth und Frau bei Drinks an einem Tisch sitzen. Sie sind umgeben von Leuten, die trinken und reden. Die Whitworths verbringen das Wochenende zu Hause, hat Stuart mir vorhin erzählt, zum ersten Mal, seit sie nach Washington gezogen sind.

»Stuart, da sind deine Eltern. Sollen wir ihnen hallo sagen?«

Aber Stuart dirigiert mich zum Ausgang, schiebt mich praktisch hinaus.

»Ich will nicht, dass Mutter dich in diesem kurzen Kleid sieht«, sagt er. »Ich meine, es steht dir wirklich hervorragend, aber ...« Er schaut auf den Rocksaum hinab. »Für heute Abend war es vielleicht nicht die beste Wahl.« Auf der Rückfahrt denke ich an Elizabeth mit ihren Lockenwicklern, ihre Angst, dass mich das Bridgekränzchen sehen könnte. Warum scheinen sich immer alle für mich zu schämen?

Als wir wieder in Longleaf sind, ist es elf Uhr. Ich ziehe mein Kleid glatt und denke, dass Stuart recht hat. Es ist zu kurz. Im Schlafzimmer meiner Eltern brennt kein Licht mehr, also setzen wir uns aufs Sofa.

Ich reibe mir die Augen und gähne. Als ich die Augen wieder aufmache, hält er einen Ring zwischen Daumen und Zeigefinger.

»Oh ... Stuart.«

»Ich wollte das schon im Restaurant tun, aber ...« Er grinst. »Hier ist es besser.«

Ich berühre den Ring. Er ist kalt und wunderschön. Je drei Rubine sitzen zu beiden Seiten des Diamanten. Ich schaue Stuart an, und plötzlich ist mir ganz heiß. Ich ziehe mir die Strickjacke von den Schultern. Ich lächle und bin gleichzeitig den Tränen nah.

»Ich muss dir etwas sagen, Stuart«, bricht es aus mir heraus. »Versprichst du mir, dass du's niemandem weitersagst?«

Er starrt mich an und lacht. »Moment mal, hast du ja gesagt?«

»Ja, aber …« Zuerst muss ich etwas wissen. »Kannst du mir einfach dein Wort geben?«

Er seufzt, scheint enttäuscht, weil ich ihm den großen Moment verdorben habe. »Klar, du hast mein Wort.«

Ich bin unter Schock von seinem Antrag, tue aber mein Bestes, ihm alles zu erklären. Ich schaue ihm in die Augen und eröffne ihm die grundlegenden Fakten über das Buch, die Details, die ich ihm einigermaßen gefahrlos erzählen kann, und was ich das ganze letzte Jahr gemacht habe. Ich nenne keinen einzigen Namen und stolpere selbst darüber, was das wohl zu bedeuten hat. Ich ahne, dass es nichts Gutes ist. Obwohl er mich bittet, seine Frau zu werden, kenne ich ihn nicht gut genug, um ihm wirklich zu trauen.

»Darüber hast du also die letzten zwölf Monate geschrieben? Nicht über … Jesus?«

»Nein, Stuart. Nicht über Jesus.«

Als ich ihm erzähle, dass Hilly die Jim-Crow-Gesetze in meiner Büchertasche gefunden hat, sackt ihm der Unterkiefer herab, und es ist offensichtlich, dass ich gerade etwas bestätigt habe, was Hilly über mich gesagt hat – und was er in seinem naiven Vertrauen nicht glauben wollte.

»Das Gerede … hier in der Stadt. Ich habe den Leuten gesagt, das sei völliger Blödsinn. Aber … sie hatten recht.«

Als ich ihm erzähle, wie die farbigen Dienstmädchen nach dem Gebetstreffen nacheinander zu mir kamen, überkommt mich Stolz auf das, was wir geschafft haben. Er schaut in sein leeres Bourbonglas.

Dann erkläre ich ihm, dass wir das Manuskript nach New York geschickt haben. Dass es, falls es veröffentlicht wird, in etwa acht Monaten erscheinen dürfte, vielleicht auch früher. Ungefähr dann, denke ich, wenn auf eine Verlobung die Hochzeit folgen würde.

»Es ist anonym verfasst«, sage ich, »aber wenn Hilly mitmischt, besteht trotzdem eine gewisse Gefahr, dass bekannt wird, wer die Autorin ist.«

Doch er nickt nicht und streicht mir nicht das Haar hinters Ohr, und der Ring seiner Großmutter liegt auf Mutters Samtsofa wie eine lächerliche Metapher. Wir schweigen beide. Er schaut mich nicht einmal an. Sein Blick geht fünf Zentimeter rechts an meinem Gesicht vorbei.

Nach einer Minute etwa sagt er: »Ich ... verstehe nicht, warum du so was tust. Was kümmert dich das überhaupt, Skeeter?«

Ich fahre alle Stacheln aus, schaue auf den Ring, der da so hart und funkelnd liegt.

»Ich ... mein's nicht so«, setzt er noch einmal an. »Ich meine ja nur, hier ist doch alles bestens. Warum willst du Unruhe stiften, Probleme herbeireden, wo keine sind?«

An seiner Stimme höre ich, dass er wirklich eine Antwort von mir will. Aber wie soll ich es erklären? Stuart ist ein guter Kerl. Obwohl ich weiß, dass das, was ich getan habe, richtig ist, kann ich doch seine Verwirrung und seine Zweifel nachvollziehen.

»Ich stifte gar nichts, Stuart. Die Probleme und die Unruhe sind schon da.«

Aber das ist sichtlich nicht die Antwort, die er wollte. »Ich kenne dich überhaupt nicht.«

Ich senke den Blick, bin mir bewusst, dass ich eben das Gleiche gedacht habe. »Na ja, wir haben ja wohl den Rest unseres Lebens, um dem abzuhelfen«, sage ich und versuche zu lächeln.

»Ich glaube nicht ... dass ich eine Frau heiraten kann, die ich nicht kenne.«

Ich schnappe nach Luft. Mein Mund öffnet sich, aber ich kann erst einmal gar nichts sagen.

»Ich musste es dir erzählen«, erkläre ich schließlich mehr mir selbst als ihm. »Du musstest es wissen.«

Er mustert mich ein Weilchen. »Du hast mein Wort. Ich werde es niemandem erzählen«, sagt er, und ich glaube ihm. Stuart mag ja vieles sein, aber bestimmt kein Lügner.

Er steht auf. Schaut mich noch ein letztes Mal traurig an. Nimmt dann seinen Ring und geht.

Als Stuart weg ist, wandere ich von Zimmer zu Zimmer. Mein Mund ist trocken, und mir ist kalt. Um Kälte habe ich gebetet, als Stuart mich das erste Mal verlassen hatte. Und Kälte habe ich bekommen.

Um Mitternacht höre ich Mutter aus ihrem Zimmer nach mir rufen.

»Eugenia? Bist du das?«

Ich gehe den Flur entlang. Die Tür steht halb offen, und Mutter sitzt im Bett, in ihrem gestärkten weißen Nachthemd. Das Haar hängt ihr offen um die Schultern. Ich staune, wie schön sie aussieht. Die Lampe auf der hinteren Veranda ist an, wirft eine weiße Aura von Licht um Mutters ganzen Körper. Mutter lächelt und hat noch die neue Zahnprothese drin, die ihr Doktor Simon angefertigt hat, als die Magensäure ihre Zähne nach und nach zersetzte. Ihr Lächeln ist weißer als auf den Schönheitswettbewerbsfotos ihrer Teenagerzeit.

»Mama? Kann ich dir irgendwas bringen? Hast du Schmerzen?«

»Komm her, Eugenia. Ich möchte dir etwas sagen.«

Ich gehe leise zu ihr. Daddy schläft als langgestreckte Erhebung an ihrer Seite, mit dem Rücken zu ihr. Und ich denke, dass ich ihr doch eine geschönte Version dieses Abends erzählen könnte. Wir alle wissen, dass uns nur noch sehr wenig Zeit bleibt. Ich könnte sie für ihre letzten Tage glücklich machen, indem ich so tue, als würde die Hochzeit stattfinden.

»Ich muss dir auch was erzählen«, sage ich.

»Ach? Dann du zuerst.«

»Stuart hat mir einen Heiratsantrag gemacht«, sage ich und setze ein Lächeln auf. Dann packt mich Panik, weil mir aufgeht, dass sie garantiert den Ring sehen will.

»Ich weiß«, sagt sie.

»Du weißt?«

Sie nickt. »Natürlich. Er war vor zwei Wochen hier und hat bei Carlton und mir um deine Hand angehalten.«

Vor zwei Wochen? Fast muss ich lachen. Natürlich ist bei einer so wichtigen Neuigkeit Mutter die Erste, die sie erfährt. Es macht mich froh, dass sie sich schon so lange darüber freuen konnte.

»Und ich habe dir etwas zu sagen«, fügt sie hinzu. Der Lichtschein um sie herum hat etwas Überirdisches, Phosphoreszierendes. Er kommt von der Verandalampe, aber ich frage mich, warum ich ihn bisher noch nie gesehen habe. Sie fasst meine Hand mit dem Griff einer gesunden Mutter, die mit ihrer frisch verlobten Tochter spricht. Daddy regt sich, fährt dann hoch.

»Was ist?«, fragt er erschrocken. »Musst du dich übergeben?«

»Nein, Carlton. Mir geht es gut. Das sagte ich doch.«

Er nickt dumpf, macht die Augen zu und schläft weiter, noch ehe er wieder liegt.

»Was willst du mir sagen, Mama?«

»Ich hatte ein langes Gespräch mit deinem Daddy, und ich habe etwas beschlossen.«

»O Gott«, seufze ich. Ich sehe vor mir, wie sie es Stuart auseinandersetzte, als er um meine Hand anhielt. »Es geht um den Treuhandfonds?«

»Nein, darum geht es nicht«, sagt sie, und ich denke: *Dann muss es etwas wegen der Hochzeit sein.* Und plötzlich überkommt mich Traurigkeit darüber, dass Mutter meine Hochzeit nicht planen wird, nicht nur, weil sie bald tot sein wird, sondern auch, weil es keine Hochzeit geben wird. Und gleichzeitig bin ich unter einem Berg von Schuldgefühlen froh, dass ich das nicht unter ihrer Regie durchleben muss.

»Du hast ja mitbekommen, dass es in den letzten Wochen bergauf geht«, sagt sie. »Und ich weiß, was Doktor Neal sagt, dass das nur ein letzter Energieschub ist, der nichts zu be…« Sie hustet, und ihr dünner Körper krümmt sich vornüber. Ich gebe ihr ein Papiertaschentuch, und sie tupft sich stirnrunzelnd den Mund ab.

»Aber wie gesagt, ich habe eine Entscheidung gefällt.«

Ich nicke, höre ähnlich dumpf zu wie eben mein Vater.

»Ich habe beschlossen, nicht zu sterben.«

»Oh … Mama … Gott, bitte …«

»Zu spät«, sagt sie und wedelt meine Hand weg. »Ich habe es beschlossen und basta.«

Sie reibt die Handflächen aneinander, als ob sie den Krebs in den Mülleimer beförderte. Wie sie so dasitzt, aufrecht und adrett in ihrem gestärkten Nachthemd, das Licht der Verandalampe um den Kopf wie einen Heiligenschein, kann ich nicht umhin, die Augen zu rollen. Wie idiotisch von mir. Natürlich wird Mutter, was ihren Tod angeht, genauso starrköpfig sein wie in ihrem gesamten Leben.

Es ist Freitag, der achtzehnte Januar 1964. Ich habe ein ausgestelltes schwarzes Kleid an. Meine sämtlichen Fingernägel sind abgekaut. Ich werde mich immer an jede Einzelheit dieses Tages erinnern, so wie Leute sagen, dass sie nie vergessen werden, welche Art Sandwich sie gerade gegessen haben oder welcher Song im Radio lief, als sie erfuhren, dass Kennedy erschossen worden war.

Ich betrete Aibileens Küche, die mir inzwischen ein so vertrauter Ort ist. Draußen ist es schon dunkel, und die gelbe Glühbirne wirkt sehr hell. Ich sehe Minny an, und sie sieht mich an. Aibileen schiebt sich wie ein Puffer zwischen uns.

»Harper und Row«, sage ich, »will es veröffentlichen.«

Stille. Selbst die Fliegen hören auf zu surren.

»Sie nehmen uns auf den Arm«, sagt Minny.

»Ich habe heute Nachmittag mit ihr geredet.«

Aibileen stößt einen Juchzer aus, wie ich es noch nie von ihr gehört habe. »Gott. Ich glaub's nicht«, ruft sie, und dann fallen wir uns um den Hals, erst Aibileen und ich, dann Minny und Aibileen. Minny schaut vage in meine Richtung.

»Setzen Sie sich, und du auch, Minny!«, sagt Aibileen. »Erzählen Sie, was hat sie gesagt? Was machen wir jetzt? Herr im Himmel, ich hab nicht mal Kaffee fertig!«

Wir setzen uns hin, und beide beugen sich vor, starren mich an. Aibileens Augen sind riesengroß. Ich habe vier Stunden zu Hause mit der Nachricht gewartet. Missus Stein hat mir klar gesagt, dass es ein ganz kleiner Deal ist. Dass wir unsere Erwartungen gar nicht gering genug halten können. Ich fühle mich verpflichtet, das Aibileen zu sagen, damit sie nicht irgendwann enttäuscht ist. Ich weiß selbst kaum, wie ich zu dem Ganzen stehen soll.

»Hören Sie, sie hat gesagt, wir sollen uns nicht zu viel davon versprechen. Die Auflage, in der sie es herausbringen, wird *sehr* klein sein.«

Ich warte, dass Aibileens Gesicht sich verdüstert, aber sie kichert. Versucht, es hinter ihrer Hand zu verbergen.

»Wahrscheinlich nur ein paar tausend Exemplare.«

Aibileen presst sich den Handrücken nun noch fester auf den Mund.

»*Kläglich* ... hat Missus Stein es genannt.«

Aibileens Gesicht wird dunkler. Sie kichert wieder in ihre Handknöchel. Sie versteht eindeutig nicht, was ich sage.

»Und außerdem hat sie gesagt, es ist einer der kleinsten Vorschüsse, die sie je erlebt hat ...« Ich versuche, ernst zu sein, schaffe es aber nicht, weil Aibileen sichtlich jeden Moment vor Lachen platzt. Sie hat Tränen in den Augen.

»Wie ... klein?«, fragt sie hinter ihrer Hand.

»Achthundert Dollar«, sage ich. »Geteilt durch dreizehn.«

Aibileen prustet los. Ich kann nicht anders als mitzulachen. Aber es ist doch völlig widersinnig. Ein paar tausend Exemplare und 61 Dollar 50 pro Person?

Tränen laufen Aibileen übers Gesicht, und schließlich legt sie den Kopf auf die Tischplatte. »Ich weiß nicht, warum ich lach. Es kommt mir auf einmal so komisch vor.«

Minny verdreht die Augen. »Ich hab ja *gewusst,* ihr seid verrückt. Alle beide.«

Ich gebe mir alle Mühe, ihnen die Einzelheiten mitzuteilen. Bei dem Telefonat mit Missus Stein habe ich mich auch nicht viel vernünftiger verhalten. Sie klang so sachlich, fast schon desinteressiert. Und was habe ich getan? Habe ich in geschäftsmäßigem Ton angemessene Fragen gestellt? Habe ich ihr dafür gedankt, dass sie ein Buch zu einem so riskanten Thema angenommen hat? Nein, ich habe zwar nicht gelacht, aber dafür habe ich angefangen, ins Telefon zu weinen wie ein Kind bei der Polioimpfung.

»Beruhigen sie sich, Miss Phelan«, sagte sie, »ein Bestseller wird das wohl kaum.« Aber ich habe immer weitergeheult, während sie mir die Einzelheiten nannte. »Wir bieten lediglich einen Vierhundert-Dollar-Vorschuss und dann noch einmal vierhundert Dollar bei Erscheinen ... Hören Sie mir überhaupt zu?«

»J-ja, Ma'am.«

»Und Sie werden definitiv noch einiges überarbeiten müssen. Der Sarah-Teil ist so weit der beste«, sagte sie, und das gebe ich jetzt an Aibileen weiter, während sie prustet und schnarchende Lachlaute von sich gibt.

Aibileen zieht die Nase hoch, wischt sich die Augen, lächelt. Schließlich beruhigen wir uns und trinken den Kaffee, den uns Minny machen musste.

»Gertrude gefällt ihr auch«, sage ich zu Minny. Ich nehme den Zettel, auf dem ich mir den Wortlaut notiert habe, und zitiere: »Gertrude ist der Alptraum jeder weißen Südstaatenfrau. Ich finde sie göttlich.«

Einen Moment sieht mir Minny tatsächlich in die Augen. Ihr Gesicht löst sich zu einem kindlichen Lächeln. »Das hat sie gesagt? Über mich?«

Aibileen lacht. »Wie wenn sie dich über fünfhundert Meilen weg kennen würd.«

»Sie sagt, es erscheint frühestens in sechs Monaten. Irgendwann im August.«

Aibileen lächelt immer noch, völlig unbeirrt durch alles, was ich erzählt habe. Und dafür bin ich in Wirklichkeit dankbar. Ich wusste ja, sie würde sich freuen, aber ich hatte auch Angst, dass sie ein bisschen enttäuscht sein würde. Bei ihrem Anblick wird mir klar, dass ich selbst überhaupt nicht enttäuscht bin. Ich bin einfach nur glücklich.

Wir sitzen noch ein paar Minuten da, reden und trinken Kaffee oder Tee, bis ich auf meine Uhr schaue. »Ich habe Daddy gesagt, ich bin in einer Stunde wieder da.« Daddy ist zu Hause bei Mutter. Ich habe es riskiert, ihm für alle Fälle Aibileens Telefonnummer zu geben. Gesagt habe ich, ich ginge zu einer Freundin namens Sarah.

Beide bringen mich zur Tür, was Minny noch nie getan hat. Ich sage Aibileen, ich würde sie anrufen, sobald ich Missus Steins Änderungsvorschläge erhalten hätte.

»In sechs Monaten wissen wir dann also, was passiert«, sagt Minny. »Was Gutes, was Schlechtes oder gar nichts.«

»Vielleicht ja gar nichts«, erwidere ich, weil ich mich frage, ob überhaupt jemand das Buch kaufen wird.

»Also, ich setz auf was Gutes«, sagt Aibileen.

Minny verschränkt die Arme vor der Brust. »Dann rechen ich besser mit was Schlechtem. Jemand muss ja.«

Minny wirkt nicht besorgt wegen der möglichen Verkaufszahlen. Sie wirkt besorgt, was passiert, wenn die Frauen von Jackson lesen, was wir über sie geschrieben haben.

Aibileen

Die Hitze ist in alles reingesickert. Eine Woche haben wir jetzt schon siebenunddreißig Grad und neunundneunzig Prozent Luftfeuchtigkeit. Wenn's noch bisschen feuchter wird, schwimmen wir. Die Laken trocknen nimmer auf der Leine, und meine Haustür geht nimmer zu, weil sie so aufgequollen ist. Eischnee steif schlagen braucht man gar nicht erst versuchen. Sogar meine Kirchgangsperücke kraust sich schon.

Heut Morgen krieg ich nicht mal meine Strümpfe an. Meine Beine sind zu geschwollen. Ich sag mir, ich zieh sie einfach erst an, wenn ich bei Miss Leefolt bin, wo die Klimaanlage ist. Es muss ein Hitzerekord sein, weil ich jetzt schon einundvierzig Jahre im Haushalt von Weißen bin und heut das erste Mal ohne Strümpfe zur Arbeit geh.

Aber bei Miss Leefolt ist es noch heißer wie bei mir. »Aibileen, machen Sie Tee, und ... die Salatteller ... müssen abgewischt werden ...« Heut kommt sie nicht mal in die Küche. Sie ist im Wohnzimmer und hat sich einen Stuhl vor das Lüftungsgitter in der Wand gezogen, damit das bisschen, was noch aus der Klimaanlage kommt, unter ihren Unterrock weht. Das ist alles, was sie anhat, ihr Unterrock und ihre Ohrringe. Ich hab schon bei weißen Ladys gearbeitet, die aus dem Schlafzimmer kommen, wie sie der Herrgott geschaffen hat, aber das macht Miss Leefolt nicht.

Ab und zu macht der Motor von der Klimaanlage *fffiiuuuh.*

Wie wenn er ganz den Geist aufgeben würd. Miss Leefolt hat schon zweimal den Reparaturmann angerufen, und er hat gesagt, er kommt, aber ich wett, er kommt nicht. Zu heiß.

»Und nicht vergessen … dieses Silberdingsbums – die Cornichon-Zange, die ist im …«

Aber sie kommt nicht bis zu Ende, wie wenn's zu heiß wär, mir auch nur zu sagen, was ich machen soll. Und dafür muss es schon richtig heiß sein. Es fühlt sich an, wie wenn alle in der Stadt einen Hitzekoller haben. Auf der Straße ist es ganz still und reglos, richtig unheimlich, wie direkt vor einem Tornado. Aber vielleicht bin's ja auch nur ich, weil ich so nervös bin wegen dem Buch. Am Freitag kommt es raus.

»Meinen Sie, wir sollten das Bridgekränzchen absagen?«, frag ich sie von der Küche aus. Das Bridgekränzchen ist neuerdings immer montags, und die Ladys kommen in zwanzig Minuten.

»Nein. Es ist ja schon … alles fertig«, sagt sie, aber ich weiß, sie kann nicht klar denken.

»Ich versuch noch mal die Sahne zu schlagen. Dann geh ich in die Garage. Meine Strümpfe anziehen.«

»Ach, lassen Sie's, Aibileen, es ist zu heiß für Strümpfe.« Miss Leefolt hat sich endlich von dem Lüftungsgitter losgerissen und schleppt sich in die Küche. Ihre Arme wedeln wie Chinarestaurantfächer. »O Gott, hier in der Küche hat es ja noch zehn Grad mehr als im Esszimmer!«

»Backofen ist gleich aus. Kinder sind im Garten.«

Miss Leefolt guckt aus dem Fenster nach draußen, wo die Kinder unterm Rasensprenger spielen. Mae Mobley hat nur ihre Unterhose an, Ross – ich nenn ihn Li'l Man – nur seine Windel. Er ist noch nicht mal ein Jahr und läuft schon wie ein großer Junge. Gekrabbelt ist er gar nie.

»Ich verstehe nicht, wie sie es da draußen aushalten«, sagt Miss Leefolt.

Mae Mobley hat Spaß dran, mit ihrem kleinen Bruder zu spielen und auf ihn aufzupassen, wie wenn sie seine Mama wär. Aber sie kann jetzt nimmer den ganzen Tag daheim bei uns bleiben. Meine Kleine geht jeden Morgen in die Baptistische Broadmoore-Vorschule. Aber heut ist Labor Day, ein Feiertag für den Rest der Welt, und drum ist auch keine Schule. Da bin ich auch froh. Ich weiß ja nicht, wie lang ich noch mit ihr hab.

»Schauen Sie sich die beiden an«, sagt Miss Leefolt, also geh ich zu ihr ans Fenster. Der Sprenger spritzt hoch in die Bäume und macht Regenbogen. Mae Mobley hält Li'l Man an den Händen, und sie stehen unterm Regen vom Sprenger, mit geschlossenen Augen, wie wenn sie grad getauft würden.

»Das sind schon zwei«, sagt sie mit einem Seufzer, wie wenn ihr das eben grad aufgehen würd.

»Und wie«, sag ich, und irgendwie verbindet uns in dem Moment was, mich und Miss Leefolt, wie wir da stehen und zum Fenster rausgucken, auf die Kinder, die wir beide lieben. Und ich frag mich, ob sich vielleicht doch was ein ganz bisschen ändert. Schließlich haben wir 1964. Im Stadtzentrum dürfen jetzt Neger an der Imbisstheke vom Woolworth sitzen.

Und mir wird ganz weh ums Herz, und ich frag mich, ob ich zu weit gegangen bin. Weil, wenn das Buch rauskommt und wenn die Leute rauskriegen, dass wir das waren, werd ich diese Kinder wahrscheinlich nimmer sehen. Und wenn ich Mae Mobley nicht mal Lebwohl sagen kann? Und dass sie ein feines Mädel ist, noch ein letztes Mal? Und Li'l Man? Wer erzählt ihm dann die Geschichte vom grünen Marsmann Luther King?

Ich hab das alles schon oft mit mir abgemacht, zwanzig Mal bestimmt. Aber heut fühlt es sich das erste Mal richtig wirklich an. Ich berühr die Fensterscheibe, wie wenn ich die Kleinen berühren würd. Wenn sie's rauskriegt … o Gott, werd ich diese Kinder vermissen.

Ich guck rüber und seh, dass Miss Leefolts Blick auf meine nackten Beine runtergewandert ist. Ich glaub erst, sie ist neugierig. Ich könnt wetten, sie hat noch nie nackte schwarze Beine aus der Näh gesehen. Aber dann merk ich, dass sie die Stirn runzelt. Sie schaut auf und zu Mae Mobley raus und mustert sie mit dem gleichen finsteren Stirnrunzeln. Die Kleine hat sich vorn ganz mit Matsch und Gras beschmiert. Und richtet jetzt ihren Bruder damit her, wie wenn er ein Schwein im Koben wär, und ich seh in Miss Leefolts Gesicht wieder den alten Abscheu vor ihrer eigenen Tochter. Nicht vor Li'l Man, nur vor Mae Mobley. Extra für sie aufgespart.

»Sie verwüstet den ganzen Garten!«, sagt Miss Leefolt.

»Ich hol sie rein. Ich pass auf sie ...«

»Und Sie können so nicht servieren, mit Ihren – ohne Strümpfe!«

»Ich hab ja gesagt ...«

»In fünf Minuten kommt Hilly, und sie hat *alles* verdreckt!«, kreischt sie. Mae Mobley hat sie wohl durchs Fenster gehört, weil sie jetzt wie erstarrt herguckt. Ihr Lachen vergeht. Dann fängt sie an, sich ganz langsam den Matsch vom Gesicht zu wischen.

Ich mach mir eine Schürze um, weil ich die Kinder mit dem Gartenschlauch abspritzen muss. Dann werd ich in die Garage gehen, mir Strümpfe anziehen. In vier Tagen kommt das Buch raus. Ist auch keine Minute zu früh.

Wir haben die ganze Zeit in der Erwartung gelebt. Ich, Minny, Miss Skeeter, die ganzen anderen Dienstmädchen mit Geschichten im Buch. Fühlt sich an, wie wenn wir seit sieben Monaten drauf warten würden, dass ein unsichtbarer Topf Wasser endlich kocht. So nach drei Monaten haben wir aufgehört, drüber zu reden. War sonst zu aufregend.

Aber die letzten zwei Wochen hab ich so eine heimliche Freude und so eine heimliche Angst in mir, dass das Wachsen von den Böden noch langsamer geht und die Handwäsche sich anfühlt wie ein Dauerlauf den Berg rauf. Plisseefalten bügeln dauert ewig, aber was soll man machen? Wir sind uns alle ziemlich sicher, dass zuerst gar niemand was drüber sagen wird. Miss Stein hat Miss Skeeter ja gesagt, das Buch wird kein Bestseller, und wir sollen »unsere Erwartungen gering halten«. Miss Skeeter sagt, vielleicht sollten wir sogar überhaupt nichts erwarten, weil die meisten Leute hier im Süden so »verklemmt« sind. Wenn sie was fühlen, sagen sie oft nichts. Sie halten einfach nur die Luft an und warten, dass es vergeht wie Blähungen.

Minny sagt: »Ich hoff, sie hält die Luft an, bis sie in tausend Fetzen zerplatzt.« Sie meint Miss Hilly. Ich wollt, Minny würd sich eine Veränderung zum Guten wünschen, aber Minny ist eben Minny.

»Magst du was essen, Baby Girl?«, frag ich, wie sie am Donnerstag aus der Vorschule heimkommt. Oh, sie ist jetzt ein großes Mädel! Schon vier. Und lang für ihr Alter, die meisten Leute denken, sie wär fünf oder sechs. So dünn wie ihre Mama auch ist, Mae Mobley ist doch immer noch ein Pummel. Und ihr Haar sieht auch nicht grad schön aus. Sie hat beschlossen, sich's mit der Bastelschere zu schneiden, und man weiß ja, was dabei rauskommt. Miss Leefolt musst mit ihr zum Erwachsenenfriseur, aber dort konnten sie auch nicht viel machen. Ihr Haar ist immer noch auf einer Seite kurz, und vorn ist fast gar nichts.

Ich mach ihr einen kleinen kalorienarmen Snack, weil das alles ist, was ich ihr geben darf. Kräcker und Thunfisch oder Wackelpudding ohne Schlagsahne.

»Was hast du heut gelernt?«, frag ich, obwohl sie ja noch nicht in der richtigen Schule ist, nur in einer, die so tut. Neulich hab ich sie auch gefragt, und sie hat gesagt: »Die Pilger. Sie sind hierhergekommen, aber auf dem Feld ist nichts gewachsen, drum haben sie die Indianer gegessen.«

Nun, ich weiß, dass die Pilger keine Indianer gegessen haben. Aber darum geht's nicht. Es geht drum, dass man aufpasst, was sich da in diesen Kinderköpfen ansammelt. Sie kriegt immer noch jede Woche ihre Aibileen-Lektion, ihre Geheimgeschichte. Wenn Li'l Man groß genug ist, erzähl ich ihm auch welche. Wenn ich dann den Job hier noch hab, mein ich. Aber ich glaub, mit Li'l Man wird's nicht das Gleiche sein. Er liebt mich, aber er ist wild, wie ein Tier. Kommt und umklammert meine Knie, drückt sie mit aller Kraft und rennt dann gleich wieder los, weil was andres interessanter ist. Aber selbst wenn ich das bei ihm nimmer machen kann, ist es mir nicht so arg. Ich weiß, ich hab's in Gang gesetzt, und auch wenn der Kleine noch kein Wort spricht, hört er doch ganz genau zu, was Mae Mobley sagt.

Wie ich Mae Mobley heut frag, was sie gelernt hat, sagt sie nur »Nichts« und macht einen Flunsch.

»Wie gefällt dir deine Lehrerin?«, frag ich sie.

»Sie ist hübsch«, sagt sie.

»Gut«, sag ich. »Du bist auch hübsch.«

»Warum bist du farbig, Aibileen?«

Die Frage hab ich schon paarmal von meinen anderen weißen Kindern zu hören gekriegt. Ich hab dann immer nur gelacht, aber bei ihr will ich's klarstellen. »Weil Gott mich farbig erschaffen hat«, sag ich. »Und sonst gibt's dafür keinen einzigen Grund auf der Welt.«

»Miss Taylor sagt, farbige Kinder können nicht auf meine Schule gehen, weil sie dafür nicht gescheit genug sind.«

Da geh ich um den Tisch rum zu ihr. Heb ihr Kinn an und streich ihr das komische Haar zurück. »Findst du mich dumm?«

»Nein«, kommt's mit einer Inbrunst aus ihr raus, wie wenn sie's von ganzem Herzen meint. Ihr Gesicht sagt, wie leid's ihr tut, dass sie so was erzählt hat.

»Also, was sagt das über Miss Taylor?«

Sie guckt mich an, wie wenn sie mir ganz genau zuhört.

»Es sagt, dass Miss Taylor nicht immer recht hat«, erklär ich.

Sie schlingt mir die Arme um den Hals und sagt: »Du hast rechter wie Miss Taylor.« Da geht es mit mir durch. Ich brech in Tränen aus. Das sind ganz neue Worte für mich.

Um vier Uhr nachmittags lauf ich, so schnell ich kann, von der Bushaltestelle zur Lamm-Gottes-Kirche. Ich wart drinnen, guck aus dem Fenster. Zehn Minuten versuch ich zu atmen und trommel mit den Fingern aufs Fensterbrett. Dann seh ich endlich das Auto draußen halten. Eine weiße Lady steigt aus, und ich kneif die Augen zusammen. Die Lady da sieht aus wie eine von diesen Hippies, die ich in Miss Leefolts Fernseher gesehen hab. Sie hat ein kurzes weißes Kleid an und Sandalen. Ihr Haar ist lang und ohne Haarspray drauf. Durch das Gewicht sind die Krissellocken raus. Ich lach in meine Hand und wollt, ich könnt da rausrennen und sie umarmen. Ich hab Miss Skeeter sechs Monate nimmer gesehen, seit wir Miss Steins Änderungen eingearbeitet und das endgültige Manuskript abgegeben haben.

Miss Skeeter zerrt einen großen braunen Karton vom Rücksitz und trägt ihn zur Kirchentür, wie wenn sie alte Kleider abgibt. Sie bleibt kurz stehen und guckt auf die Tür, geht dann aber wieder zu ihrem Auto und fährt weg. Ich bin traurig, dass sie's so hat machen müssen, aber wir wollen ja nicht, dass es auffliegt, bevor's überhaupt losgeht.

Sowie sie weg ist, renn ich zur Tür, schlepp den Karton rein, zieh ein Buch raus und starr es einfach nur an. Ich versuch gar nicht erst, nicht zu weinen. Ist das hübscheste Buch, das ich je gesehen hab. Der Deckel ist himmelblau. Und ein großer weißer Vogel – eine Friedenstaube – streckt seine Flügel vom einen Rand bis zum anderen. Der Titel *Gute Geister* steht da in fetten schwarzen Buchstaben. Das Einzige, was mir nicht so gefällt, ist die Zeile, die sagt, von wem das Buch ist. *Anonymus* steht da. Ich wollt, Miss Skeeter hätt ihren Namen hinschreiben können, aber das wär zu riskant gewesen.

Morgen bring ich allen Frauen, die mit ihren Geschichten in dem Buch drin sind, welche von diesen Vorabexemplaren. Miss Skeeter bringt eins ins Staatsgefängnis, für Yule May. Schließlich ist sie ja der Grund, warum die anderen mitgemacht haben. Aber ich hab gehört, dass Yule May das Päckchen wahrscheinlich nicht kriegt. Die Gefangenen kriegen von zehn Sachen, die man ihnen schickt, immer nur eine, weil die Wärterinnen den Rest selbst behalten. Miss Skeeter sagt, sie wird sicherheitshalber zehnmal hingehen und ein Buch abgeben.

Ich nehm den großen Karton mit heim, hol ein Buch raus und verstau die anderen unter meinem Bett. Dann renn ich rüber zu Minny. Minny ist im sechsten Monat schwanger, aber man sieht's ihr nicht an. Wie ich hinkomm, sitzt sie am Küchentisch und trinkt ein Glas Milch. Leroy schläft hinten im Schlafzimmer, und Benny und Sugar und Kindra schälen im Garten Erdnüsse. In der Küche ist es still. Ich lächel und streck Minny ihr Buch hin.

Sie beäugt es. »Sieht wohl ganz okay aus, die Taube.«

»Miss Skeeter sagt, die Friedenstaube ist ein Zeichen für die besseren Zeiten, die kommen. Sie sagt, in Kalifornien tragen die Leute solche Tauben auf ihren Kleidern.«

»Was die Leute in Kalifornien machen, ist mir egal«, erwidert Minny und starrt auf den Buchdeckel. »Mich interessiert nur, was die Leute in Jackson, Mississippi, dazu sagen.«

»Morgen tauchen die Bücher in den Buchhandlungen und Büchereien auf. Zweitausendfünfhundert in Mississippi und die andere Hälfte überall in den USA.« Das sind viel mehr, als uns Missus Stein zuerst gesagt hat, aber jetzt, wo die Freedom Rides angefangen haben und hier in Mississippi diese Bürgerrechtsaktivisten mit ihrem Kombi verschwunden sind, meint sie, interessieren sich die Leute mehr dafür, was in unserem Bundesstaat los ist.

»Wie viele kriegt die Weißenbibliothek von Jackson?«, fragt Minny. »Null?«

Ich schüttel lächelnd den Kopf. »Drei. Miss Skeeter hat's mir heut Morgen am Telefon gesagt.«

Jetzt guckt selbst Minny verblüfft. Seit zwei Monaten erst lässt die Weißenbibliothek auch Farbige rein. Ich war selber zweimal drinnen.

Minny schlägt das Buch auf und fängt auf der Stelle an zu lesen. Kinder kommen rein, und sie sagt ihnen, was sie tun sollen und wie sie's tun sollen, ohne auch nur aufzuschauen. Ihre Augen machen keinen Moment Halt. Ich hab's ja schon oft gelesen, weil ich das ganze letzte Jahr dran gearbeitet hab. Aber Minny hat immer gesagt, sie will's erst lesen, wenn es als Buch da ist. Will sich die Überraschung nicht verderben, hat sie gesagt.

Ich bleib noch eine Weile bei Minny sitzen. Ab und zu grinst sie. Paarmal lacht sie. Und mehr wie einmal knurrt sie. Ich frag nicht warum. Dann lass ich sie mit dem Buch allein und geh heim. Nachdem ich alle meine Gebete geschrieben hab, geh ich schlafen, das Buch neben mir auf dem Kopfkissen.

Am nächsten Tag bei der Arbeit kann ich nur dran denken, dass jetzt Läden *mein* Buch ins Regal stellen. In Miss Leefolts Haus hör ich kein einziges Wort drüber, während ich Böden wisch und Windeln wechsel. Es ist, wie wenn ich gar kein Buch geschrieben hätt. Ich weiß nicht, was ich erwartet hab. Dass sich *irgendwas* tut, denk ich, aber es ist nur ein ganz normaler heißer Freitag, mit Fliegen, die gegen die Fliegengitter surren.

An dem Abend rufen sechs von den Dienstmädchen im Buch bei mir daheim an und fragen, ob irgendwer irgendwas gesagt hat. Wir ziehen die Anrufe in die Länge, wie wenn sich die Antwort ändern würd, wenn wir nur lang genug ins Telefon atmen.

Miss Skeeter ruft als Letzte an. »Ich war heute Nachmittag im *Bookworm*. Bin eine Weile herumgestanden, aber niemand hat es auch nur in die Hand genommen.«

»Eula sagt, sie war im Farbigenbuchladen. Da war's genauso.«

»Okay«, seufzt sie.

Aber auch das ganze Wochenend und bis in die neue Woche rein hören wir nichts. Auf Miss Leefolts Nachttisch sind immer noch dieselben Bücher: das Benimmbuch von Frances Benton, *Peyton Place* und die staubige alte Bibel, die sie nur zum Schein neben dem Bett liegen hat. Aber ich guck immer wieder auf den Stapel wie auf einen Fleck.

Am Mittwoch regt sich immer noch nichts. Im Weißenbuchladen hat niemand unser Buch gekauft. Im Laden in der Farish Street sagen sie, sie haben ein Dutzend verkauft, was gut ist. Aber das können auch die anderen Dienstmädchen gewesen sein, die noch ein Buch für Freunde wollten.

Am Donnerstag, dem siebten Tag, klingelt mein Telefon, noch eh ich zur Arbeit geh.

»Ich habe Neuigkeiten«, flüstert Miss Skeeter. Ich nehm an, sie hat sich wieder in der Speisekammer verkrochen.

»Was ist?«

»Missus Stein hat angerufen und gesagt, wir kommen bei Dennis James.«

»In *People Will Talk?* Im Fernsehen?«

»In der Buchbesprechung. Sie sagt, es kommt auf Channel Three, nächsten Donnerstag, dreizehn Uhr.«

Herr im Himmel! Wir kommen auf WBLT-TV! Das ist eine lokale Fernsehshow aus Jackson, in Farbe, gleich nach den Zwölf-Uhr-Nachrichten.

»Glauben Sie, die Besprechung wird gut oder schlecht?«

»Ich weiß nicht. Ich weiß nicht mal, ob Dennis die Bücher überhaupt liest oder ob sie ihm nur sagen, was er erzählen soll.«

Ich bin aufgeregt und hab gleichzeitig Angst. Danach *muss* was passieren.

»Missus Stein meint, jemand in der Werbeabteilung von Harper und Row muss Mitleid mit uns gehabt und ein paar

Telefonate geführt haben. Sie sagt, wir sind das erste Buch, das sie mit einem Werbeetat von null macht.«

Wir lachen, aber es klingt bei uns beiden nervös.

»Hoffentlich können Sie es bei Elizabeth sehen. Wenn nicht, rufe ich Sie an und erzähle Ihnen ganz genau, was sie gesagt haben.«

Am Freitagabend, eine Woche, nachdem das Buch erschienen ist, mach ich mich fertig, um in die Kirche zu gehen. Diakon Thomas hat mich am Morgen angerufen und gefragt, ob ich zu einem Extratreffen komm, das am Abend ist, aber wie ich frag, worum es da geht, hat er's eilig und murmelt, er muss Schluss machen. Minny sagt, sie hat den gleichen Anruf gekriegt. Also bügel ich ein hübsches Leinenkleid von Miss Greenlee auf und geh zu Minny rüber, damit wir von da zusammen hinlaufen.

Bei Minny geht's wie immer zu wie in einem brennenden Hühnerstall. Sie brüllt rum, Sachen fliegen durch die Gegend, alle Kinder schreien. Ich erkenn unter Minnys Kleid das erste bisschen Bauch und bin froh, dass man's ihr endlich ansieht. Leroy schlägt sie nämlich nicht, wenn sie schwanger ist. Und Minny weiß das, also geh ich davon aus, dass das noch lang nicht das letzte Baby ist.

»Kindra! Krieg jetzt endlich deinen Hintern vom Fußboden hoch!«, brüllt Minny. »Sieh zu, dass die Bohnen heiß sind, wenn dein Daddy aufwacht!«

Kindra – sie ist nun sieben – marschiert pampig zum Herd, den Hintern rausgestreckt und die Nase in der Luft. Töpfe scheppern durchs ganze Haus. »Warum muss ich Essen machen? Sugar ist dran!«

»Weil Sugar bei Miss Celia ist und du's noch lebend in die dritte Klasse schaffen willst.«

Benny kommt rein und drückt meine Taille. Er grinst und zeigt mir seine neue Zahnlücke, rennt dann davon.

»Kindra, dreh die Flamme da runter, eh du das Haus abbrennst!«

»Wir sollten jetzt los, Minny«, sag ich, weil's sonst den ganzen Abend so weitergehen kann. »Wir kommen noch zu spät.«

Minny schaut auf die Uhr. Schüttelt den Kopf. »Warum ist Sugar noch nicht daheim? Mich lässt Miss Celia nie so lang arbeiten.«

Letzte Woche hat Minny angefangen, Sugar zur Arbeit mitzunehmen. Sie lernt sie an, für wenn ihr Baby da ist und Sugar für sie einspringen muss. Für heut hat Miss Celia gefragt, ob Sugar länger bleiben kann, sie würd sie dann heimfahren.

»Kindra, wenn ich heimkomm, will ich keine einzige Bohne da in der Spüle finden. Mach ja gut sauber.« Minny umarmt sie. »Benny, geh und sag Daddy, er muss jetzt machen, dass er aus dem Bett kommt.«

»Ooch, Mama, warum *ich* ...«

»Mach schon, sei tapfer. Pass einfach nur auf, dass du nicht zu dicht bei ihm stehst, wenn er wach wird.«

Wir schaffen es aus der Tür und auf die Straße, eh wir hören, wie Leroy Benny anbrüllt, weil der ihn geweckt hat. Ich lauf schneller, damit sie nicht noch mal reingeht und Leroy gibt, was er verdient.

»Gut, dass wir heut Abend in die Kirche gehen«, seufzt Minny. Wir biegen in die Farish, marschieren die Stufen hoch. »Da hab ich eine Stunde, in der ich nicht über das alles nachdenken muss.«

Sowie wir im Vorraum von der Kirche sind, schlüpft einer von den Brown-Brüdern schnell hinter uns zur Tür und schließt sie ab. Ich will grad fragen warum und würd Angst kriegen, wenn ich Zeit dazu hätt, aber da fangen über dreißig Leute im Kirchenraum an zu klatschen, und Minny und ich klatschen mit, weil wir denken, jemand hat's aufs College geschafft oder so was.

»Für wen klatschen wir?«, frag ich Rachel Johnson. Sie ist die Frau vom Reverend.

Sie lacht, und alles wird still. Rachel beugt sich zu mir.

»Wir klatschen für Sie, meine Liebe.« Dann greift sie in ihre Handtasche und zieht eins von den Büchern raus. Ich schau mich um, und nun hat jeder ein Buch in der Hand. Die ganzen wichtigen Gemeindemitglieder und Diakone sind da.

Jetzt kommt Reverend Johnson auf mich zu. »Aibileen, das ist ein großer Moment für Sie und für unsere Kirche.«

»Ihr müsst ja den ganzen Buchladen leergekauft haben«, sag ich, und alles lacht höflich.

»Um Ihrer Sicherheit willen, Aibileen, wird dies das einzige Mal sein, dass die Kirche Ihre Leistung würdigt. Ich weiß, dass eine Menge Leute zu diesem Buch beigetragen haben, aber ich habe gehört, ohne Sie wäre es nie zustande gekommen.«

Ich schau rüber und seh Minny grinsen, und mir wird klar, dass sie dahintersteckt.

»An die Gemeinde und die gesamte farbige Gemeinschaft ist die stille Botschaft ergangen, auf gar keinen Fall – auch wenn es jemand weiß – darüber zu sprechen, wer in diesem Buch vorkommt oder wer es geschrieben hat. Außer heute Abend. Tut mir leid« – er schüttelt lächelnd den Kopf –, »aber das konnten wir einfach nicht ganz ungefeiert lassen.«

Er gibt mir das Buch. »Wir wissen, dass Sie Ihren Namen nicht reinschreiben konnten, also haben wir alle unsere Namen für Sie reingeschrieben.« Ich schlag den Buchdeckel auf, und da sind sie, nicht dreißig oder vierzig Namen, sondern viel, viel mehr, fünfhundert vielleicht, auf den vordersten Seiten und auf den hintersten und auf den Rändern von den Seiten innendrin. Alle Leute aus meiner Kirche und auch noch welche aus anderen. Da kommen mir einfach die Tränen. Es ist, wie wenn zwei Jahre Tun und Machen und Versuchen und Hoffen auf einmal aus mir rausbrechen. Dann stellen sich alle hintereinander auf und kommen einzeln zu mir und umarmen mich. Sagen mir, wie mutig ich bin. Ich sag ihnen, dass es so viele andere gibt, die auch mutig sind. Ich hab ein schlechtes Gewissen, weil ich die ganze Aufmerksamkeit auf mich zieh, aber ich bin so froh, dass sie sonst keine Namen nennen. Ich will nicht, dass die anderen Ärger kriegen. Ich glaub, sie wissen nicht mal, dass Minny auch mitgemacht hat.

»Es könnte sein, dass jetzt schwere Zeiten auf Sie zukommen«, sagt Reverend Johnson zu mir. »Falls dem so ist, wird Sie die Kirche in jeder erdenklichen Weise unterstützen.«

Ich heul und heul, hier vor allen Leuten. Ich schau zu Minny rüber, und sie lacht. Komisch, wie Leute ihre Gefühle ganz verschieden zeigen. Ich frag mich, was Miss Skeeter tun würd, wenn sie jetzt hier wär, und das macht mich irgendwie traurig. Ich weiß, ihr wird keiner in der Stadt seinen Namen in eins von den Büchern schreiben. Ihr wird keiner sagen, wie mutig sie ist. Ihr wird keiner versprechen, sich um sie zu kümmern.

Dann gibt mir der Reverend ein Päckchen in weißem Papier, mit einer himmelblauen Schleife drum, genau die Farben von unserem Buch. Er legt die Hand drauf, wie wenn er's segnet. »Das hier ist für die weiße Lady. Sagen Sie ihr, wir lieben sie wie ein Familienmitglied.«

Am Donnerstag steh ich bei Sonnenaufgang auf und geh schon früher zur Arbeit. Heut ist ein großer Tag. Ich seh zu, dass ich meine Küchenarbeit schnell gemacht krieg. Um eins hab ich mein Bügelbrett vor Miss Leefolts Fernseher aufgebaut und Channel Three eingestellt. Li'l Man macht seinen Mittagsschlaf, und Mae Mobley ist in der Vorschule.

Ich versuch, paar Hosen zu bügeln, aber die Bügelfalten werden krumm und schief, weil meine Hände so zittern. Ich spreng sie ein und fang wieder von vorn an, genauso flattrig wie eben. Endlich ist es so weit.

Im Fernseher erscheint Dennis James. Er sagt an, was heut in der Sendung kommt. Sein schwarzes Haar ist so festgesprayt, dass es sich gar nicht bewegt. Er redet so schnell, wie ich noch nie einen Mann hier im Süden hab reden hören. Von seiner Stimme krieg ich das Gefühl, ich sitz in einer Achterbahn. Ich bin so nervös, dass ich Angst hab, ich kotz gleich auf Mister Raleighs Kirchgangsanzug.

»… und schließen wie immer mit der Buchbesprechung.« Nach der Werbung macht er was über das Dschungelzimmer von Elvis Presley. Danach kommt was über den neuen Interstate 55, die Schnellstraße, die sie bauen wollen, durch Jackson und runter bis nach New Orleans. Dann, um dreizehn Uhr zweiundzwanzig, erscheint eine Frau und setzt sich neben ihn, Joline French heißt sie. Sie sagt, sie ist Literaturkritikerin hier in Jackson.

In dem Moment kommt Miss Leefolt zur Haustür rein. Sie hat ihre League-Sachen an und ihre lauten Klotzabsatzschuh und marschiert gradewegs ins Wohnzimmer.

»Bin ich froh, dass diese Hitzewelle endlich vorbei ist. Ich könnte Luftsprünge machen«, sagt sie.

Mister Dennis redet grad über ein Buch, das *Little Big Man* heißt. Ich will irgendwas sagen, dass ich auch froh bin, aber mein Gesicht fühlt sich plötzlich ganz starr und steif an. »Ich … ich mach das aus.«

»Nein, lassen Sie's an!«, ruft Miss Leefolt. »Das ist ja Joline French da im Fernsehen! Ich muss Hilly anrufen und es ihr erzählen.«

Sie klotzt in die Küche und kriegt Miss Hillys Dienstmädchen ans Telefon, das dritte in einem Monat. Ernestine hat nur einen Arm. Miss Hillys Auswahl ist nimmer groß.

»Ernestine, hier ist Miss Elizabeth … Ach? Dann sagen Sie ihr, sobald sie zur Tür hereinkommt, dass unsere Verbindungsschwester im Fernsehen ist … Ja, danke.«

Miss Leefolt klotzt schnell wieder ins Wohnzimmer zurück und setzt sich aufs Sofa, aber grad kommt Werbung. Ich kann fast nicht atmen. Was macht sie da? Wir haben noch nie zusammen Fernsehen geguckt. Und ausgerechnet heut pflanzt sie sich vor den Bildschirm, wie wenn sie sich selbst drauf bewundern könnt!

Plötzlich ist die Reklame für Dial-Seife rum. Und da ist Mister Dennis, mit meinem Buch in der Hand! Der weiße Vogel sieht größer aus wie eine echte Taube. Er hält das Buch hoch und zeigt mit dem Finger auf das Wort *Anonymus.* Zwei Sekunden ist mein Stolz größer wie meine Angst. Ich möchte rufen: *Das ist mein Buch! Das ist mein Buch da im Fernsehen!* Aber ich muss still sein, wie wenn ich irgendwas Langweiliges guck. Ich krieg kaum noch Luft!

»… mit dem Titel *Gute Geister* enthält Originalberichte von Hausangestellten hier in Mississippi …«

»Ach, wenn Hilly doch nur zu Hause wäre! Wen kann ich sonst anrufen? Was für hübsche Schuhe sie anhat, ich wette, die sind aus dem Papagallo Shoppe.«

Nicht reden, bitte! Ich lang hin und dreh den Ton bisschen lauter, bereu's aber gleich. Und wenn sie jetzt von ihr reden? Würd Miss Leefolt ihr eigenes Leben erkennen?

»… letzte Nacht gelesen, und jetzt liest es meine Frau …« Mister Dennis redet, wie wenn er was versteigern wollt. Seine Augenbrauen gehen rauf und runter, und er zeigt mit dem Finger auf unser Buch. »… und sehr bewegend. Ein Buch voller Enthüllungen, würde ich sagen, angesiedelt in einem erfundenen Ort namens Niceville, Mississippi, aber wer weiß?« Er hält sich die Hand halb vor den Mund und flüstert ganz laut: »Es könnte Jackson sein!«

Was?

»Ich sage ja nicht, dass es Jackson *ist,* es könnte irgendeine Stadt sein, aber vielleicht sollten Sie doch sicherheitshalber dieses Buch kaufen und sich vergewissern, dass Sie nicht darin vorkommen! Ha-ha-ha-ha…«

Ich erstarr, fühl ein Prickeln im Nacken. *Nichts* da drin verrät, dass es Jackson ist. Sagen Sie noch mal, dass es irgendeine Stadt sein könnt, Mister Dennis!

Miss Leefolt lächelt ihre Freundin im Fernsehen an, wie wenn die sie sehen könnt. Mister Dennis lacht, aber das Gesicht von dieser Miss Joline ist so rot wie ein Stoppschild.

»... eine schändliche Verleumdung des Südens! Eine schändliche Verleumdung all der anständigen Frauen in den Südstaaten, die sich zeitlebens gut um ihre Dienstboten gekümmert haben. Ich persönlich weiß, dass ich mein Hauspersonal behandle, als gehörte es zur Familie, und dass alle meine Freundinnen es ebenfalls tun ...«

»Warum macht sie denn im Fernsehen so ein finsteres Gesicht?«, jammert Miss Leefolt den Bildschirm an. »Joline!« Sie beugt sich vor und klopft *tipp-tipp-tipp* mit dem Zeigefinger auf Miss Jolines Stirn. »Guck nicht so böse! So siehst du gar nicht hübsch aus!«

»Joline, haben Sie den Schluss gelesen? Das mit dem Kuchen? Falls mein Dienstmädchen Bessie Mae jetzt dort draußen sitzt und zuschaut – Bessie Mae, ich habe eine ganz neue Hochachtung vor dem, was Sie tagtäglich tun. Und ich werde von jetzt an den Schokoladen-Eiercreme-Kuchen an mir vorübergehen lassen! *Ha-ha-ha ...*«

Aber Miss Joline hält das Buch hoch, wie wenn sie's ins Feuer werfen wollt. »Kaufen Sie dieses Buch nicht! Mitbürgerinnen von Jackson, unterstützen Sie diese verleumderischen Anwürfe nicht auch noch mit dem hart verdienten Geld Ihrer Ehemänner ...«

»Was?«, fragt Miss Leefolt Mister Dennis. Und dann – puff – kommt eine Tide-Waschpulverreklame.

»Worüber haben sie da gerade geredet?«, fragt mich Miss Leefolt.

Ich sag nichts. Mein Herz pocht wie wild.

»Meine Freundin Joline hatte ein Buch in der Hand.«

»Ja, Ma'am.«

»Wie hieß es noch mal? *Gute Geister* oder so was?«

Ich press die Spitze vom Bügeleisen auf die Kragenspitze von Mister Raleighs Hemd. Ich muss Minny anrufen und Miss Skeeter, ob sie das gehört haben. Aber Miss Leefolt steht da und wartet auf eine Antwort von mir, und ich weiß, sie wird nicht lockerlassen. Das tut sie nie.

»Habe ich richtig gehört, dass es über Jackson ist?«, fragt sie.

Ich starr weiter auf mein Bügeleisen.

»Ich meine, sie haben Jackson gesagt. Aber warum sollen wir es nicht kaufen?«

Meine Hände zittern. Wie kann's sein, dass das wirklich passiert? Ich mach weiter, versuch glattzubügeln, was nimmer glattzubügeln ist.

Eine Sekunde drauf ist die Tide-Werbung rum, und da sind wieder Dennis James, der das Buch hochhält, und Miss Joline, die immer noch rot im Gesicht ist. »Das war's für heute«, sagt er, »aber besorgen Sie sich unbedingt Ihr persönliches Exemplar von *Little Big Man* und von *Gute Geister* bei unserem Sponsor, dem State Street Bookstore. Und entscheiden Sie selbst, ist es über Jackson oder nicht?« Und dann kommt die Musik, und er ruft: »Schönen Tag noch, Mississippi!«

Miss Leefolt guckt mich an. »Haben Sie gehört? Ich wusste es doch – sie haben gesagt, es ist über Jackson!« Und fünf Minuten drauf fährt sie los zu der Buchhandlung, um sich das zu kaufen, was ich über sie geschrieben hab.

Minny

Nach *People Will Talk* schnapp ich mir die Fernbedienung und drück auf »Aus«. Gleich fangen meine Geschichten an, aber das ist mir egal. Heut müssen Doktor Strong und Miss Julia die Welt ohne mich drehen.

Ich würd am liebsten diesen Dennis James anrufen und ihm sagen: *Was bilden Sie sich ein, solche Lügen zu verbreiten? Sie können doch nicht der ganzen Stadt und der ganzen Umgebung erzählen, dass unser Buch über Jackson ist! Sie wissen doch gar nicht, über welche Stadt wir unser Buch geschrieben haben!*

Ich weiß, was der Kerl da macht. Er *wünscht* sich, es wär über Jackson. Er wünscht sich, Jackson, Mississippi, wär interessant genug, um ein ganzes Buch drüber zu schreiben ... und selbst wenn es Jackson ist ... aber das weiß *er* ja nicht.

Ich renn in die Küche und will Aibileen anrufen, aber beim zweiten Versuch ist immer noch besetzt. Im Wohnzimmer schalt ich das Bügeleisen an und reiß Mister Johnnys weißes Hemd aus dem Wäschekorb. Ich frag mich zum hunderttausendsten Mal, was passiert, wenn Miss Hilly das letzte Kapitel liest. Sie soll bloß schnell an die Arbeit gehen und den Leuten sagen, dass es nicht über unsere Stadt ist. Und sie kann den ganzen Nachmittag lang auf Miss Celia einreden, dass sie mich feuern soll, und Miss Celia wird's nicht tun. Der Hass auf Miss Hilly ist das Einzige, was Miss Celia und ich gemeinsam haben. Aber was Hilly machen wird, wenn das nicht klappt, weiß ich nicht. Das wird dann unser Privatkrieg, nur zwischen mir und Miss Hilly. Die andern betrifft das nicht.

Oh, bin ich jetzt schlechter Laune! Von meinem Bügelbrett aus kann ich Miss Celia draußen im Garten sehen, in so einer Flittchenhose aus rosa Satin und schwarzen Plastikhandschuhen. Ihre Knie sind ganz voll Dreck. Hundertmal hab ich sie gebeten, nicht in ihren Ausgehsachen in der Erde zu buddeln. Aber die Frau hört ja nie.

Im Gras vorm Pool liegen lauter Rechen und Schaufeln und Hacken. Zurzeit macht Miss Celia nichts anderes mehr, wie den Garten aufzuhacken und ausgefallene Blumen zu pflanzen. Obwohl Mister Johnny vor paar Monaten einen eigenen Gärtner eingestellt hat, John Willis heißt er. Mister Johnny hat sich gedacht, ein Gärtner wär so eine Art Schutz, nachdem der nackte Mann aufgetaucht war, aber John Willis ist uralt und so krumm wie eine Büroklammer. Und auch so dünn. Ich hab das Gefühl, ich muss dauernd nach ihm gucken, dass er nicht einen Schlaganfall gekriegt hat und irgendwo in den Büschen liegt. Ich nehm an, Mister Johnny hat's nicht über sich gebracht, ihn wieder wegzuschicken und einen Jüngeren zu nehmen.

Ich sprüh noch mehr Stärke auf Mister Johnnys Kragen. Ich hör Miss Celia draußen Anweisungen brüllen. »Für die Hortensien muss noch mehr Eisen in die Erde! Okay, John Willis?«

»Ja, Ma'am!«, brüllt John Willis zurück.

»Still jetzt, Lady«, knurr ich. So wie sie ihn anschreit, denkt er noch, sie ist die, die schwerhörig ist.

Das Telefon klingelt, und ich renn hin.

»Oh, Minny«, sagt Aibileen am Telefon. »Wenn sie draufkommen, welche Stadt es ist, haben sie im Handumdrehen raus, wer die *Leute* sind.«

»Ein blöder Idiot, das ist der Kerl.«

»Woher wissen wir, dass Miss Hilly es überhaupt irgendwann liest?«, fragt Aibileen, und ihre Stimme wird schrill. Ich hoff nur, dass Miss Leefolt sie nicht hört. »Gott im Himmel, wir hätten besser drüber nachdenken müssen, Minny.«

So hab ich Aibileen noch nie erlebt. Es ist, wie wenn sie ich wär und ich sie. »Hör zu«, sag ich, weil mir grad was dämmert. »Jetzt, wo Mister James so viel Wind drum gemacht hat, *wissen* wir, dass sie's lesen wird. Jetzt lesen es alle in der Stadt.« Noch während ich's sag, wird mir klar, dass es stimmt. »Dreh nicht gleich durch, vielleicht läuft ja alles grad so, wie's laufen soll.«

Fünf Minuten, nachdem ich eingehängt hab, klingelt Miss Celias Telefon. »Bei Miss Ce…«

»Ich hab grad mit Louvenia geredet«, flüstert Aibileen. »Miss Lou Anne ist eben heimgekommen, mit einem Buch für sich selbst und einem für ihre beste Freundin, Miss Hilly Holbrook.«

Jetzt geht's los.

Ich schwör's, ich fühl die ganze Nacht, wie Miss Hilly das Buch liest. Ich hör die Wörter, die sie liest, in meinem Kopf, geflüstert von ihrer kalten Weißenstimme. Um zwei Uhr steh ich auf, schlag mein eigenes Buch auf und versuch zu erraten, bei welchem Kapitel sie grad ist. Eins, zwei oder zehn? Schließlich starr ich einfach nur auf den blauen Einband. Noch nie hab ich ein Buch in einer so hübschen Farbe gesehen. Ich wisch einen Schmierfleck vorn vom Deckel.

Dann steck ich das Buch wieder in die Tasche von dem Wintermantel, den ich nie trag, weil ich kein einziges Buch gelesen hab, seit ich mit Leroy verheiratet bin, und nicht will, dass ihn das hier misstrauisch macht. Am End geh ich wieder ins Bett und sag mir, dass ich unmöglich erraten kann, wie weit Miss Hilly mit Lesen ist. Aber eins weiß ich: Sie ist noch nicht bei ihrem Teil am Schluss. Ich weiß es, weil ich ihr Schreien noch nicht in meinem Kopf gehört hab.

Am Morgen bin ich tatsächlich froh, dass ich zur Arbeit

kann. Heut ist Bödenschrubbtag, und ich will das alles einfach aus meinem Kopf kriegen. Ich hiev mich ins Auto und fahr raus nach Madison County. Gestern war Miss Celia bei einem anderen Doktor, rausfinden, wie's ist mit dem Kinderkriegen, und ich hätt ihr beinah gesagt: *Sie können das hier haben, Lady.* Heut wird sie's mir garantiert haarklein erzählen. Wenigstens war das dumme Ding so vernünftig, nimmer zu diesem Doktor Tate zu gehen.

Ich bieg in die Einfahrt. Ich kann jetzt vorm Haus parken. Miss Celia hat nämlich endlich das Versteckspiel aufgegeben und Mister Johnny erzählt, was er eh schon gewusst hat. Das Erste, was ich seh, ist, dass Mister Johnnys Pick-up noch da steht. Ich wart in meinem Auto. Noch nie war er da, wenn ich gekommen bin.

Ich geh rein. Bleib mitten in der Küche stehen und schau mich um. Jemand hat schon Kaffee gemacht. Aus dem Esszimmer kommt eine Männerstimme. Irgendwas ist hier im Gang.

Ich beug mich an die Tür und hör Mister Johnny, hier im Haus, an einem Werktagmorgen um halb neun, und eine Stimme in meinem Kopf heißt mich schnell wieder rausrennen. Miss Hilly hat ihn angerufen und ihm gesagt, ich wär eine Diebin. Er hat das mit dem Kuchen rausgefunden. Er weiß von dem Buch.

»Minny?«, hör ich Miss Celia rufen.

Ganz vorsichtig drück ich die Schwingtür auf und lins raus. Da ist Miss Celia am Kopfende vom Tisch, und Mister Johnny sitzt neben ihr. Beide gucken her.

Mister Johnny ist noch weißer wie der alte Albino, der hinter Miss Walters wohnt.

»Minny, würden Sie mir bitte ein Glas Wasser bringen?«, fragt er, und jetzt hab ich wirklich ein schlechtes Gefühl.

Ich hol das Wasser und bring's ihm. Wie ich das Glas auf die Papierserviette stell, steht Mister Johnny auf. Er mustert mich lang und ernst. Gott, jetzt kommt's.

»Ich habe ihm von dem Baby erzählt«, sagt Miss Celia. »Von all den Babys.«

»Minny, ich hätte sie verloren, wenn Sie nicht gewesen wären«, sagt er und fasst meine beiden Hände. »Gott sei Dank waren Sie hier.«

Ich schau zu Miss Celia rüber, und sie hat ganz tote Augen. Da weiß ich schon, was ihr der Doktor gesagt hat. Ich seh's ihr an. Dass sie nie ein Baby lebendig zur Welt bringen wird. Mister Johnny drückt meine Hände und geht dann zu ihr. Er kniet sich vor sie hin und legt den Kopf in ihren Schoß. Sie streicht ihm immer wieder übers Haar.

»Verlass mich nicht. Verlass mich nie, niemals, Celia«, schluchzt er unter Tränen.

»Sag's ihr, Johnny. Sag Minny, was du mir gesagt hast.«

Mister Johnny hebt den Kopf. Sein Haar ist ganz verstrubbelt, und er guckt mich an. »Sie haben immer einen Job hier bei uns, Minny. Bis an Ihr Lebensende, wenn Sie möchten.«

»Danke, Sir«, antworte ich und mein's von ganzem Herzen. Was Besseres hätt mir heut keiner sagen können.

Ich fass an die Tür, aber Miss Celia sagt ganz sanft: »Bleiben Sie noch ein bisschen, Minny, ja?«

Also stütz ich mich auf das Sideboard, weil das Baby langsam schwer wird. Und ich frag mich, wie's sein kann, dass ich so viel davon hab und sie gar keins. Er heult. Sie heult. Wir sind drei Verrückte im Esszimmer, die alle zusammen heulen.

»Wenn ich's doch sag«, erklär ich Leroy zwei Tage drauf in der Küche. »Man drückt auf den Knopf und kriegt einen anderen Sender, ohne dass man vom Stuhl aufstehen muss.«

Leroy guckt nicht von seiner Zeitung auf. »Das ist doch Blödsinn, Minny.«

»Miss Celia hat eine, Space-Command-Fernbedienung nennt sich's. Ein Kasten, ungefähr halb so groß wie ein Laib Brot.«

Leroy schüttelt den Kopf. »Die faulen Weißen. Können nicht mal aufstehen und einen Knopf drehen.«

»Ich schätz, demnächst fliegen Menschen zum Mond«, sag ich. Ich hör gar nicht hin, was da aus meinem Mund rauskommt. Ich horch wieder nach dem Schrei. Wann ist die Frau endlich mit dem Buch fertig?

»Was gibt's zum Abendessen?«, fragt Leroy.

»Ja, Mama, wann essen wir endlich?«, sagt Kindra.

Ich hör ein Auto in die Einfahrt biegen. Ich horch, und der Löffel rutscht mir in die Bohnen. »Grießbrei.«

»Ich ess keinen Grießbrei zum Abendessen!«, sagt Leroy.

»Den hab ich schon zum Frühstück gekriegt«, zetert Kindra.

»Ich mein … Schinken. Und Bohnen.« Ich geh zur Hintertür, knall sie zu und verriegel sie. Guck wieder aus dem Fenster. Das Auto stößt zurück auf die Straße. Es hat nur gewendet.

Leroy geht hin und reißt die Hintertür wieder auf. »Hier drin ist es heiß wie in der Hölle!« Er kommt an den Herd, wo ich steh. »Was ist los mit dir?«, fragt er, direkt vor meinem Gesicht.

»Nichts«, sag ich und weich bisschen zurück. Normal vergreift er sich nie an mir, wenn ich schwanger bin. Aber er kommt noch näher ran. Drückt grob meinen Arm.

»Was hast du diesmal gemacht?«

»Ich … ich hab gar nichts gemacht«, sag ich. »Ich bin nur müd.«

Er packt meinen Arm noch fester. Es brennt. »Du wirst doch nie müd. Nicht vor dem zehnten Monat.«

»Ich hab nichts gemacht, Leroy. Geh, setz dich hin und lass mich Essen machen.«

Er lässt los, mustert mich eine ganze Weile. Ich kann ihm nicht in die Augen gucken.

Aibileen

KAPITEL 31

Sowie Miss Leefolt einkaufen fährt oder nur im Garten oder im Bad ist, schau ich auf ihren Nachttisch, wo sie das Buch liegen hat. Ich tu, wie wenn ich staubwischen würd, aber in Wirklichkeit guck ich, ob das Bibellesezeichen von der First Presbyterian weiter nach hinten gewandert ist. Sie ist jetzt schon fünf Tage am Lesen, und heut schlag ich's auf, und sie ist immer noch beim ersten Kapitel, Seite *vierzehn.* Hat noch zweihundertfünfunddreißig Seiten vor sich. Gott, liest die Frau langsam.

Trotzdem will ich ihr sagen: Sie lesen da grad was über Miss Skeeter, wissen Sie das? Wie sie von Constantine aufgezogen wurde. Und obwohl ich Mordsangst hab, will ich ihr sagen: Lesen Sie weiter, Lady, in Kapitel zwei geht's nämlich um *Sie.*

Ich bin nervös wie eine Katze, jetzt, wo das Buch hier im Haus liegt. Einmal ist Li'l Man leis von hinten gekommen und hat an mein Bein gefasst, und ich bin vor Schreck fast aus meinen Arbeitsschuhen gekippt. Am schlimmsten ist es am Donnerstag, wie Miss Hilly kommt. Sie sitzen am Esszimmertisch und arbeiten am nächsten Wohltätigkeitsball. Ab und zu gucken sie hoch und lächeln und sagen, ich soll ihnen ein Mayonnaisesandwich bringen oder Eistee.

Zweimal kommt Miss Hilly in die Küche und telefoniert mit ihrem Dienstmädchen Ernestine. »Haben Sie Heathers Smockkleid eingeweicht, wie ich gesagt habe? Aha, und haben

Sie das Baldachinbett abgestaubt? Ach, haben Sie nicht? Dann tun Sie's jetzt sofort.«

Ich geh rein, die Teller abräumen, und hör Miss Hilly sagen: »Ich bin jetzt bei Kapitel sieben.« Ich erstarr vor Schreck, und die Teller in meiner Hand klappern. Miss Leefolt guckt mich an und kraust die Nase.

Aber Miss Hilly zeigt mit dem Finger auf Miss Leefolt. »Und ich glaube, sie haben recht, es *fühlt* sich einfach an wie Jackson.«

»Ach ja?«, sagt Miss Leefolt.

Miss Hilly beugt sich vor und flüstert: »Ich wette, wir kennen sogar ein paar von diesen Negerdienstmädchen.«

»Meinst du wirklich?«, fragt Miss Leefolt, und mir wird ganz kalt. Ich kann kaum noch einen Schritt in Richtung Küche machen. »Ich habe erst ein Stück gelesen.«

»Ja, meine ich. Und weißt du was?« Miss Hilly lächelt so richtig verschlagen. »Ich werde jede einzelne von diesen Personen identifizieren.«

Am nächsten Morgen hyperventilier ich schier, während ich an der Bushaltestelle wart und denk, was Miss Hilly wohl machen wird, wenn sie zu ihrem Teil kommt, und ob Miss Leefolt jetzt schon Kapitel zwei gelesen hat. Und wie ich ins Haus komm, sitzt Miss Leefolt am Küchentisch und liest mein Buch. Sie hebt Li'l Man von ihrem Schoß und gibt ihn mir, ohne von der Seite aufzuschauen. Dann geht sie nach hinten, das Buch vor der Nase. Auf einmal kann sie gar nicht genug davon kriegen, jetzt, wo Miss Hilly sich dafür interessiert.

Paar Minuten später geh ich in ihr Schlafzimmer, die dreckigen Sachen holen. Miss Leefolt ist im Bad, also schlag ich das Buch beim Lesezeichen auf. Sie ist schon bei Kapitel *sechs,* dem von Winnie. Da geht's um die weiße Lady, die nimmer ganz richtig im Kopf ist und jeden Morgen die Polizei anruft, weil grad eine Farbige ihr Haus betreten hat. Das heißt, Miss

Leefolt war längst bei dem Teil über sie und hat einfach *weitergelesen.*

Ich hab Angst, roll aber trotzdem mit den Augen. Ich wett, Miss Leefolt hat gar nicht gemerkt, dass es über sie ist. Ich mein, dem Himmel sei Dank, aber trotzdem. Wahrscheinlich hat sie gestern Abend im Bett angewidert den Kopf geschüttelt, wie sie das über die schreckliche Frau gelesen hat, die nicht weiß, wie sie ihr eigenes Kind liebhaben soll.

Sowie Miss Leefolt zu ihrem Friseurtermin geht, ruf ich Minny an. In letzter Zeit machen wir kaum noch was anderes, wie die Telefonrechnungen von unseren weißen Ladys in die Höhe treiben.

»Hast du irgendwas gehört?«, frag ich.

»Nein, nichts. Ist Miss Leefolt schon fertig?«, fragt sie.

»Nein, aber letzte Nacht hat sie's bis zu Winnie geschafft. Und Miss Celia hat sich immer noch kein Buch gekauft?«

»Die Frau liest doch nichts wie Schund. *Ich komm*«, ruft Minny. »Das verrückte Ding hängt wieder in ihrer Trockenhaube fest. Ich hab ihr gesagt, sie soll den Kopf nicht da reinstecken, wenn sie die dicken Lockenwickler drin hat.«

»Ruf mich an, wenn du was hörst«, sag ich. »Und ich ruf dich an.«

»Bald wird was passieren, Aibileen. Muss ja.«

An dem Nachmittag stapf ich zum Jitney, bisschen Obst und Hüttenkäse für Mae Mobley holen. Diese Miss Taylor wieder! Wie die Kleine heut aus dem Auto gestiegen ist, das sie heimgebracht hat, ist sie gleich in ihr Zimmer gelaufen und hat sich aufs Bett geworfen. »Was ist, Baby? Was ist passiert?«

»Ich hab mich schwarz gemalt«, heult sie.

»Was meinst du?«, hab ich gefragt. »Hast du dich mit den Filzstiften beschmiert?« Ich nehm ihre Hand, aber da ist keine Farbe auf der Haut.

»Miss Taylor hat gesagt, wir sollen malen, was wir an uns am liebsten mögen.« Da hab ich in ihrer Hand ein verknittertes Blatt Papier gesehen. Ich hab's rumgedreht, und was erkenn ich? Mein weißes Baby Girl hat sich doch tatsächlich schwarz ausgemalt.

»Sie hat gesagt, schwarz heißt, ich hab ein dreckiges, hässliches Gesicht.« Sie vergräbt das Gesicht im Kopfkissen und weint ganz fürchterlich.

Miss Taylor. Nachdem ich der Kleinen so lang beigebracht hab, alle Menschen zu lieben, nicht nach der Hautfarbe zu urteilen. Ich fühl einen Klumpen im Magen, denn wen gibt's da draußen, der sich nicht an seine erste Lehrerin erinnert? Vielleicht können die Leute gar nimmer sagen, was sie gelernt haben, aber ich hab genug Kinder großgezogen, dass mir klar ist, *wie wichtig* solche Sachen sind.

Wenigstens ist es im Jitney kühl. Ich hab ein schlechtes Gewissen, weil ich heut Morgen vergessen hab, was für den Snack von der Kleinen zu kaufen. Ich beeil mich, damit sie nicht so lang mit ihrer Mama dasitzen muss. Das Blatt Papier hat sie unter ihrem Bett versteckt, damit's ihre Mama nicht sieht.

Bei den Konserven nehm ich zwei Dosen Thunfisch. Ich geh rüber, das Pulver für den grünen Wackelpudding holen, und da steht die sanftmütige Louvenia in ihrer weißen Uniform vor der Erdnussbutter. Für mich wird Louvenia mein Lebtag Kapitel sieben sein.

»Wie geht's Robert?«, frag ich und tätschel ihren Arm. Louvenia arbeitet den ganzen Tag bei Miss Lou Anne und geht dann am Nachmittag heim und bringt Robert in die Blindenschule, damit er mit den Fingern lesen lernt. Und kein einziges Mal hab ich Louvenia klagen hören.

»Er lernt, zurechtzukommen.« Sie nickt. »Und du? So weit okay?«

»Nur nervös. Hast du schon irgendwas gehört?«

Sie schüttelt den Kopf. »Aber meine Lady hat's gelesen.« Miss Lou Anne ist in Miss Leefolts Bridgekränzchen. Miss Lou

Anne war richtig gut zu Louvenia, wie das mit Robert passiert war.

Wir gehen mit unseren Körben den Supermarktgang lang. Bei den Grahamkräckern stehen zwei weiße Ladys und reden. Sie kommen mir irgendwie bekannt vor, aber ich kenn sie nicht mit Namen. Sowie wir näher rankommen, sind sie still und gucken uns an. Komisch, dass sie kein bisschen lächeln.

»'tschuldigung«, sag ich und geh an ihnen vorbei. Wie wir noch keinen halben Meter weiter sind, hör ich die eine sagen: »Das ist die Negerin, die bei Elizabeth arbeitet …« Ein Einkaufswagen scheppert vorbei und übertönt den Rest.

»Ich wette, du hast Recht«, sagt die andere. »Bestimmt ist sie das …«

Louvenia und ich gehen ganz ruhig weiter, schauen stur gradaus. Ich fühl ein Prickeln im Nacken, hör die Ladys davonstöckeln. Ich weiß, Louvenia hat's besser gehört wie ich, weil ihre Ohren zehn Jahre jünger sind wie meine. Am Ende vom Gang gehen wir in verschiedene Richtungen, drehen uns aber beide noch mal um und gucken uns an.

Hab ich richtig gehört?, frag ich mit den Augen.

Du hast richtig gehört, antworten ihre.

Bitte, Miss Hilly, *lesen* Sie. Lesen Sie wie der Wind.

Minny

KAPITEL 32

Wieder vergeht ein Tag, und immer noch hör ich Miss Hillys Stimme die Wörter murmeln, die Zeilen lesen. Den Schrei hör ich nicht. Noch nicht. Aber sie ist immer dichter dran.

Aibileen hat mir erzählt, was die Frauen gestern im Jitney gesagt haben, aber seither haben wir nichts gehört. Ich lass dauernd Sachen fallen, hab gestern Abend meinen letzten Messbecher zerdeppert, und Leroy beäugt mich, wie wenn er Bescheid weiß. Jetzt grad trinkt er am Küchentisch Kaffee, und die Kinder sind in der ganzen Küche verteilt und machen Hausaufgaben.

Ich fahr zusammen, wie ich Aibileen hinter der Fliegentür stehen seh. Sie legt sich den Zeigefinger auf die Lippen und macht eine Kopfbewegung, dass ich rauskommen soll. Dann verschwindet sie.

»Kindra, stell Teller hin, Sugar, guck nach den Bohnen, Felicia, lass Daddy den Test da unterschreiben, Mama braucht bisschen Luft.« Und *puff* bin ich zur Fliegentür raus.

Aibileen steht an der Seite vom Haus, in ihrer weißen Uniform.

»Was ist?«, frag ich. Drinnen hör ich Leroy brüllen: »Ein *Eff?*« Die Kinder rührt er nicht an. Er brüllt zwar rum, aber das gehört sich ja auch für einen Vater.

»Die einarmige Ernestine hat angerufen und gesagt, Miss Hilly redet in der ganzen Stadt drüber, wer in dem Buch drin ist. Sie sagt weißen Ladys, dass sie ihre Dienstmädchen feuern sollen, und dabei sind's noch nicht mal die richtigen!« Aibileen zittert vor lauter Aufregung. Sie dreht ein Tuch zu einem weißen Strick. Ich wett, sie hat gar nicht gemerkt, dass sie ihre Stoffserviette mitgenommen hat.

»Wem hat sie's gesagt?«

»Sie hat Miss Sinclair gesagt, sie soll Annabelle feuern. Also hat Miss Sinclair sie gefeuert und ihr die Autoschlüssel abgenommen, weil sie ihr die Hälfte von dem Geld für das Auto geliehen hatte. Annabelle hat schon das meiste zurückgezahlt, und jetzt ist es weg.«

»So eine *Hexe*«, flüster ich und knirsch mit den Zähnen.

»Das ist noch nicht alles, Minny.«

Ich hör Stiefelschritte in der Küche. »Sag schnell, eh uns Leroy erwischt.«

»Miss Hilly hat zu Miss Lou Anne gesagt: ›Deine Louvenia ist da drin. Ich weiß, dass sie es ist, und du musst sie feuern. Du solltest diese Negerin ins Gefängnis stecken lassen.‹«

»Aber Louvenia hat doch kein schlechtes Wort über Miss Lou Anne gesagt!«, zisch ich. »Und sie muss doch für Robert sorgen! Was hat Miss Lou Anne geantwortet?«

»Sie hat gesagt … sie denkt drüber nach.«

»Worüber? Sie zu feuern oder sie ins Gefängnis zu bringen?«

Aibileen zuckt die Achseln. »Beides, schätz ich.«

»Gott im Himmel«, sag ich und will irgendwas kaputttreten. Oder irgend*jemand*.

»Und wenn Miss Hilly es gar nie fertig liest, Minny?«

»Ich weiß nicht, Aibileen. Ich weiß es nicht.«

Aibileens Augen huschen zur Küchentür, und da steht Leroy und beobachtet uns durchs Fliegengitter. Er steht still da, bis ich Aibileen gute Nacht sag und wieder reinkomm.

An dem Morgen um halb sechs fällt Leroy neben mir ins Bett. Von dem Knarren und der Alkoholfahne wach ich auf. Ich beiß die Zähne zusammen, bet, dass er keinen Streit anfängt. Dafür bin ich zu müd. Ich hab sowieso nicht gut geschlafen, weil ich die ganze Zeit dran gedacht hab, was Aibileen erzählt hat. Für Miss Hilly, die alte Hexe, wär Louvenia nur noch ein weitrer Zellenschlüssel an ihrem Gürtel.

Leroy wirft und wälzt sich rum, egal, ob seine schwangere Frau schlafen möcht. Wie der Kerl endlich stillliegt, hör ich ihn flüstern.

»Was ist das große Geheimnis, Minny?«

Ich fühl, dass er mich beobachtet, spür seinen Schnapsatem an meiner Schulter. Ich rühr mich nicht.

»Du weißt, ich krieg's raus«, zischt er. »Krieg ich immer.«

Nach zehn Sekunden wird sein Atem so langsam, dass man fast meinen könnt, er wär tot. Er wirft den Arm über mich. *Danke für das Baby,* bet ich. Weil das das Einzige ist, was mich bewahrt hat, das Baby in meinem Bauch. Und das ist die bittre Wahrheit.

Ich lieg da, knirsch mit den Zähnen und mach mir Sorgen. Leroy ahnt was. Und weh mir, wenn er's rausfindet. Er weiß von dem Buch, jeder weiß davon. Er weiß nur nicht, dass seine Frau dabei mitgemacht hat, zum Glück. Die Leute denken wahrscheinlich, es kümmert mich nicht, ob er's rausfindet – oh, ich weiß, was die Leute denken. Sie denken, Minny ist groß und stark, die kann sich behaupten. Aber sie wissen nicht, was für ein jämmerliches Häufchen Elend ich werd, wenn Leroy mich schlägt. Ich hab Angst zurückzuschlagen. Ich hab Angst, wenn ich's tu, verlässt er mich. Ich weiß, das ist blöd, und ich werd so sauer auf mich, weil ich so schwach bin! Wie kann ich einen Mann lieben, der mich blutig schlägt? Warum lieb ich einen Idioten von Trinker? Einmal hab ich ihn gefragt: »Warum? Warum schlägst du mich?« Er hat sich runtergebeugt und mir direkt ins Gesicht geguckt.

»Wenn ich dich nicht schlagen würd, Minny, wer *weiß,* wohin's dann noch mit dir käm.« Ich war in der Ecke vom Schlafzimmer gefangen wie ein Hund. Er hat mit seinem Gürtel auf mich eingeschlagen. Das war das erste Mal, dass ich wirklich drüber nachgedacht hab.

Wer *weiß*, wohin's mit mir käm, wenn Leroy verdammt noch mal aufhören würd, mich zu schlagen.

Am nächsten Abend schick ich alle früh ins Bett, mich selbst eingeschlossen. Leroy ist bis fünf auf der Arbeit, und ich fühl mich zu schwer, dafür, wie weit ich bin. Gott im Himmel, vielleicht sind's ja Zwillinge. Ich zahl keinen Doktor dafür, dass er mir die schlechte Nachricht beibringt. Ich weiß nur, das Baby ist schon größer, wie die anderen bei der Geburt waren, und ich bin erst im sechsten Monat.

Ich fall in tiefen Schlaf. Ich träum, ich sitz an einem langen Holztisch, bei einem Festessen. Ich nag an einem riesigen, gebratenen Truthahnbein.

Ich fahr hoch. Mein Atem geht schnell. »Wer ist da?«

Mein Herz hämmert gegen meine Rippen. Ich schau mich im dunklen Schlafzimmer um. Es ist halb eins. Leroy ist nicht da, gottlob. Aber irgendwas hat mich geweckt.

Und dann geht mir auf, was es war. Ich hab das gehört, wo ich schon die ganze Zeit drauf wart. Wo wir alle drauf warten.

Ich hab Miss Hilly schreien hören.

Miss Skeeter

Kapitel 33

Meine Augen öffnen sich jäh. Mein Brustkorb pumpt. Ich bin schweißnass. Die grünen Tapetenranken kriechen wie Schlangen die Wand hinauf. Was hat mich geweckt? Was *war* das?

Ich steige aus dem Bett und horche. Wie Mutter klang es nicht. Es war zu hoch und schrill. Es war ein Schrei, ein durchdringender Schrei.

Ich setze mich wieder aufs Bett und presse die Hand auf mein Herz. Es pocht immer noch wild. Nichts läuft wie geplant. Die Leute wissen, dass das Buch über Jackson ist. Wie konnte ich vergessen, dass Hilly so verdammt langsam liest? Ich wette, sie erzählt den Leuten, sie wäre schon weiter, als sie wirklich ist. Alles gerät außer Kontrolle, ein Dienstmädchen namens Annabelle wurde gefeuert, weiße Frauen tuscheln über Aibileen und Louvenia und weiß der Himmel wen noch. Und die Ironie an der Sache ist: Ich warte händeringend darauf, dass Hilly endlich das Wort ergreift, wenngleich ich doch die Einzige in dieser Stadt bin, die es nicht mehr kümmert, was sie sagt.

Und wenn das Buch ein schrecklicher Fehler war?

Ich atme mühsam durch. Ich versuche, an die Zukunft zu denken, nicht an die Gegenwart. Vor einem Monat habe ich fünfzehn Bewerbungen abgeschickt, nach Dallas, Memphis, Birmingham, in fünf weitere Großstädte und wieder nach New York. Missus Stein hat gesagt, ich könne sie als Referenz angeben, was wahrscheinlich das einzig Bemerkenswerte an meiner ganzen Bewerbung ist, eine Empfehlung von jemandem im Verlagswesen. Ich habe die Jobs aufgeführt, die ich in den letzten fünf Jahren hatte:

Verfasserin der wöchentlichen Haushaltskolumne des Jackson Journal.

Herausgeberin des Newsletters der Jackson Junior League.

Autorin von Gute Geister, *einem umstrittenen Buch über farbige Haushaltshilfen und ihre weißen Arbeitgeberfamilien,* Harper & Row.

Das mit dem Buch habe ich nicht wirklich stehen lassen, ich wollte es einfach nur einmal hintippen. Aber jetzt könnte ich, selbst wenn ich ein Jobangebot in einer Großstadt bekäme, Aibileen nicht einfach hier sitzenlassen. Nicht, wenn alles so schief läuft.

Aber, guter Gott, ich muss raus aus Mississippi. Außer Mutter und Daddy habe ich hier nichts mehr, keine Freundinnen, keinen Job, an dem mir wirklich liegt, keinen Stuart. Aber es geht nicht nur darum, hier rauszukommen. Als ich meine Bewerbungen an die *New York Post,* die *New York Times, Harper's Magazine* und den *New Yorker* adressiert habe, hat mich wieder dieses Gefühl überschwemmt, das ich schon auf dem College hatte: Wie sehr ich mir wünschte, dort zu leben! Nicht in Dallas, nicht in Memphis – in *New York,* wo Schriftsteller zu leben haben. Aber ich habe keinerlei Antwort bekommen. Und wenn ich nie von hier wegkomme? Wenn ich hoffnungslos festsitze? Hier. Für immer.

Ich lege mich hin und sehe zu, wie die ersten Sonnenstrahlen durchs Fenster kommen. Dieser Schrei, geht mir auf, das war *ich.*

Ich stehe in Brent's Drug Store und suche Mutters Luster-Cream-Shampoo und ein Stück Vinolia-Seife, während Mr

Roberts mit ihrem Rezept beschäftigt ist. Mutter sagt, sie brauche die Medikamente nicht mehr, das einzig Wirksame gegen Krebs sei eine Tochter, die sich die Haare nicht schneiden lassen will und selbst am Sonntag viel zu kurze Kleider trägt, wer wisse denn schon, welch unmögliche Dinge ich noch mit mir veranstalten würde, wenn sie nicht mehr da wäre.

Ich bin einfach nur froh, dass es Mutter besser geht. Wenn es meine Fünfzehn-Sekunden-Verlobung mit Stuart war, die ihren Lebenswillen wieder angekurbelt hat, dann hat die Tatsache, dass ich wieder single bin, ihre Kräfte noch weiter genährt. Sie war sichtlich enttäuscht über unsere Trennung, hat es dann aber prächtig verwunden. Mutter ging sogar so weit, mich mit einem entfernten Cousin verkuppeln zu wollen, der fünfunddreißig, gutaussehend und eindeutig homosexuell ist. »Mutter«, sagte ich, als er nach dem Abendessen ging – wie konnte sie es nicht merken? »Er ist ...« Aber ich hielt inne und tätschelte einfach nur ihre Hand. »Er hat gesagt, ich sei nicht sein Typ.«

Ich habe es eilig, aus dem Drugstore zu kommen, bevor irgendjemand auftaucht, den ich kenne. Ich sollte meine Isolation ja inzwischen gewöhnt sein, bin's aber nicht. Ich vermisse meine Freundinnen. Nicht Hilly, aber manchmal Elizabeth, die alte, nette Elizabeth von der Highschool. Es ist noch schlimmer geworden, seit wir das Buch aus der Hand gegeben haben und ich nicht mal mehr zu Aibileen fahren kann. Wir haben befunden, dass es zu riskant wäre. Bei ihr zu Hause zu sein und mit ihr zu reden, fehlt mir am allermeisten.

Alle paar Tage telefoniere ich mit Aibileen, aber das ist nicht dasselbe. *Bitte,* denke ich, wenn sie mich aufs Laufende bringt, was sich in der Stadt tut, *bitte, Gott, lass etwas Gutes dabei herauskommen.* Aber noch immer nichts. Nur Frauen, die klatschen und tratschen und das Buch behandeln wie ein Spiel, bei dem es zu erraten gilt, wer wer ist. Und Hilly, die die Falschen beschuldigt. Ich war es, die den farbigen Dienstmädchen versichert hat, man würde uns nicht auf die Spur kommen, und ich allein bin für alles verantwortlich.

Die Ladenglocke bimmelt. Ich schaue rüber, und herein spazieren Elizabeth und Lou Anne Templeton. Ich verdrücke mich nach hinten zu den Schönheitscremes, in der Hoffnung, dass sie mich nicht sehen, spähe dann aber über die Regale. Sie steuern auf die Imbisstheke zu, die Köpfe zusammengesteckt wie Schulmädchen. Lou Anne trägt trotz der Sommerhitze ihr übliches langärmliges Kleid und ihr übliches Dauerlächeln. Ich frage mich, ob sie weiß, dass sie in dem Buch vorkommt.

Elizabeth hat ihr Haar vorn toupiert und hinten mit einem Kopftuch bedeckt, dem gelben, das ich ihr zum dreiundzwanzigsten Geburtstag geschenkt habe. Ich stehe eine Minute da und gebe dem Gefühl Raum, wie bizarr das alles ist – sie zu beobachten und zu wissen, was ich weiß. Sie ist jetzt bei Kapitel zehn, habe ich gestern Abend von Aibileen erfahren, und hat immer noch nicht die leiseste Ahnung, dass sie da Dinge über sich und ihre Freundinnen liest.

»Skeeter?«, ruft Mr Roberts von der Treppe vorn bei der Kasse. »Die Medizin für Ihre Mama ist gerichtet.«

Um nach vorn zu gehen, muss ich an der Imbisstheke vorbei. Elizabeth und Lou Anne kehren mir stur den Rücken zu, aber im Spiegel sehe ich, wie mir ihre Augen folgen. Sofort senken sie den Blick.

Ich bezahle die Medizin und Mutters Tuben und Töpfchen und schlängle mich wieder nach hinten. Als ich gerade durch den Gang am anderen Ende des Geschäfts entfliehen will, tritt Lou Anne Templeton hinter dem Haarbürstenregal hervor.

»Skeeter«, sagt sie. »Hast du mal eine Minute?«

Ich bleibe verdutzt stehen. Seit über acht Monaten hat niemand auch nur eine Sekunde von mir gewollt, geschweige denn eine Minute. »Äh, klar«, antworte ich.

Lou Anne blickt verstohlen durchs Schaufenster nach draußen, und ich sehe Elizabeth, ein Milchshake in der Hand, zu ihrem Wagen gehen. Lou Anne winkt mich zu sich, zwischen die Shampoos und Pflegespülungen.

»Deine Mama? Ich hoffe, es geht ihr immer noch besser?«, fragt Lou Anne. Ihr Lächeln ist nicht ganz so strahlend wie sonst. Sie zupft an ihren langen Ärmeln, obwohl ein Schweißfilm ihre Stirn überzieht.

»Es geht ihr gut. Die Krankheit ist ... rückläufig.«

»Ich bin ja so froh.« Sie nickt, und wir stehen verlegen da und schauen uns an. Lou Anne holt tief Luft. »Ich weiß, wir haben eine ganze Weile nicht mehr miteinander geredet, aber« – sie senkt die Stimme – »ich dachte, du solltest wissen, was Hilly behauptet. Sie sagt, du hättest dieses Buch geschrieben ... über die Dienstmädchen.«

»Soweit ich gehört habe, ist der Verfasser anonym«, antworte ich schnell, weil ich mir nicht sicher bin, ob ich auch nur zugeben soll, es gelesen zu haben. Obwohl die ganze Stadt es liest. In allen drei Buchhandlungen ist es vergriffen, und die Bibliothek hat eine Warteliste von zwei Monaten.

Sie hebt die Hand wie eine Stoppkelle. »Ich will nicht wissen, ob es stimmt. Aber Hilly ...« Sie tritt näher an mich heran. »Hilly Holbrook hat mich neulich angerufen und verlangt, dass ich meine Louvenia entlasse.« Ihre Kiefermuskeln arbeiten, und sie schüttelt den Kopf.

Bitte. Ich halte den Atem an. *Bitte sag nicht, du hast sie gefeuert.*

»Skeeter, Louvenia ...« Lou Anne schaut mir in die Augen. »Sie ist manchmal der einzige Grund, warum ich es schaffe, aus dem Bett zu kommen.«

Ich sage nichts. Vielleicht ist das eine Falle, die mir Hilly stellt.

»Und du hältst mich bestimmt für so ein dummes Ding ... das allem zustimmt, was Hilly sagt.« Tränen steigen ihr in die Augen. Ihre Lippen zittern. »Die Ärzte wollen, dass ich nach Memphis gehe, zur ... *Elektroschockbehandlung* ...« Sie presst sich die Hände aufs Gesicht, aber eine Träne schlüpft ihr durch die Finger. »Wegen der Depression und den … den Versuchen«, flüstert sie.

Ich schaue auf ihre langen Ärmel und frage mich, ob es das ist, was sie versteckt. Ich hoffe, dass ich nicht recht habe, aber mich schaudert.

»Klar, Henry sagt, ich soll mich am Riemen reißen.« Sie macht zackige Marschierbewegungen und versucht zu lächeln, aber ihre Mundwinkel sinken gleich wieder herab und die Traurigkeit kehrt in ihr Gesicht zurück.

»Skeeter, Louvenia ist der tapferste Mensch, den ich kenne. Trotz ihrer ganzen eigenen Probleme setzt sie sich hin und spricht mit mir. Sie hilft mir, über den Tag zu kommen. Als ich gelesen habe, was sie über mich geschrieben hat, wie ich ihr mit ihrem Enkel geholfen habe – so dankbar war ich in meinem ganzen Leben noch nie. Es war für mich der beste Moment seit Monaten.«

Ich weiß nicht was sagen. Das ist das einzig Positive, was ich bisher über das Buch gehört habe, und ich will, dass sie noch mehr sagt. Ich nehme an, Aibileen hat das auch noch nicht gehört. Aber ich bin zugleich beunruhigt, weil Lou Anne offensichtlich Bescheid weiß.

»Wenn du es geschrieben hast, wenn es stimmt, was Hilly verbreitet, will ich einfach nur, dass du weißt, ich werde Louvenia niemals feuern. Hilly habe ich geantwortet, ich würde darüber nachdenken, aber wenn Hilly Holbrook mir noch ein Mal damit kommt, werde ich ihr ins Gesicht sagen, dass sie das mit dem Kuchen verdient hat – und noch viel mehr.«

»Woher … Wie kommst du drauf, dass das Hilly war?« *Unser Schutz, unsere Versicherung, sie ist futsch, wenn das Kuchengeheimnis aufgeflogen ist.*

»Ich weiß nicht, ob sie's war oder nicht. Aber das Gerücht geht um.« Lou Anne schüttelt den Kopf. »Und heute Morgen habe ich gehört, dass Hilly überall herumerzählt, das Buch sei nicht über Jackson. Weiß der Himmel warum.«

Ich atme scharf ein, flüstere: »Gott sei Dank.«

»Tja, Henry kommt gleich nach Hause.« Sie rückt ihre Tasche auf ihrer Schulter zurecht und strafft sich. Das Lächeln ist wieder da wie eine Maske.

Sie dreht sich zum Ausgang, schaut sich aber noch mal um, als sie die Tür öffnet. »Und noch was will ich dir sagen. Ich werde Hilly Holbrook im Januar nicht zur League-Präsidentin wählen. Und überhaupt nie wieder.«

Damit geht sie hinaus, und die Glocke bimmelt hinter ihr.

Ich bleibe noch eine Weile hinterm Schaufenster stehen. Draußen hat Nieselregen eingesetzt. Er bildet einen Schleier auf den Autofenstern und macht den schwarz geteerten Parkplatz glitschig. Ich schaue Lou Anne nach, wie sie zwischen den Autos verschwindet, und denke: *Man weiß so vieles nicht über die Menschen.* Ich frage mich, ob ich ihr die Tage ein bisschen leichter hätte machen können, wenn ich mir Mühe gegeben hätte. Wenn ich ein bisschen netter zu ihr gewesen wäre. War das nicht der Sinn des Buchs? Dass Frauen erkennen: *Wir sind einfach nur zwei Menschen. Uns trennt gar nicht viel. Nicht annähernd so viel, wie ich dachte.*

Aber Lou Anne hat die Aussage des Buchs verstanden, noch ehe sie es gelesen hatte. Diesmal war ich diejenige, die nichts begriff.

An diesem Abend rufe ich vier Mal bei Aibileen an, aber es ist immer besetzt. Ich hänge ein, sitze noch eine Weile in der Speisekammer und starre auf die Gläser mit Feigen, die Constantine eingemacht hat, bevor der Feigenbaum abstarb. Aibileen hat mir erzählt, dass die Dienstmädchen die ganze Zeit über das Buch reden und darüber, was jetzt passiert. Sie bekommt sechs, sieben Anrufe pro Abend.

Ich seufze. Heute ist Mittwoch. Morgen gebe ich den Miss-Myrna-Artikel ab, den ich vor sechs Wochen geschrieben habe. Ich habe jetzt wieder zwei Dutzend auf Vorrat, weil ich sonst nichts zu tun habe. Sonst ist da ja nichts, um meinen Kopf zu beschäftigen, außer ängstlichen Grübeleien.

Manchmal, wenn ich mich langweile, kann ich nicht umhin, darüber nachzudenken, wie mein Leben wäre, wenn ich das Buch nicht geschrieben hätte. Montags würde ich Bridge spielen. Und morgen Abend würde ich zum League-Treffen gehen und den Newsletter vorlegen. Freitagabend dann würde mich Stuart zum Essen ausführen, es würde spät werden und ich wäre müde, wenn ich am Samstag zum Tennis aufstünde. Müde, ausgefüllt und … *frustriert.*

Weil Hilly an diesem Nachmittag ihr Dienstmädchen des Diebstahls beschuldigt und ich es mir einfach nur schweigend angehört hätte. Und Elizabeth hätte den Arm ihres Kindes zu fest gepackt, und ich hätte weggeschaut, getan, als sähe ich es nicht. Und ich wäre mit Stuart verlobt und trüge keine kurzen Kleider, nur kurzes Haar, und würde nie in Erwägung ziehen, etwas Riskantes zu tun, wie etwa ein Buch über farbige Haushaltshilfen zu schreiben, aus Angst vor seiner Missbilligung. Und wenn ich mir auch nie vormachen werde, ich hätte etwas an der Einstellung von Leuten wie Hilly und Elizabeth geändert, brauche ich doch wenigstens nicht mehr so tun, als wäre ich ihrer Meinung.

Leise Panik treibt mich aus der stickigen Speisekammer. Ich schlüpfe in meine Männer-Huaraches und gehe in die warme Nacht hinaus. Es ist Vollmond und gerade hell genug. Heute Nachmittag habe ich vergessen, in den Briefkasten zu schauen, und ich bin die Einzige, die es überhaupt je tut. Ich öffne ihn, und da liegt ein einsamer Brief. Er ist von Harper & Row, also muss er von Missus Stein sein. Es wundert mich, dass sie etwas hierherschickt, da ich alle Vertragsdinge wegen des Buchs sicherheitshalber an ein Postfach habe senden lassen. Um den Brief zu lesen, ist es zu dunkel, also stecke ich ihn in die Gesäßtasche meiner Bluejeans.

Statt die Zufahrt entlangzulaufen, nehme ich die Abkürzung

durch den »Obstgarten«, fühle das weiche Gras unter meinen Füßen und umgehe die ersten herabgefallenen Birnen. Es ist wieder September, und ich bin hier. Immer noch. Selbst Stuart ist aus Jackson herausgekommen. In einem Artikel über den Senator vor ein paar Wochen stand, dass Stuart seine Ölfirma nach New Orleans verlegt hat, um zeitweilig auf den Bohrinseln sein zu können.

Ich höre das Knirschen von Schotter. Aber sehen kann ich den Wagen nicht, weil er aus irgendeinem Grund kein Licht anhat.

Ich sehe, wie sie den Oldsmobile vor dem Haus parkt und den Motor abstellt, aber im Wagen sitzen bleibt. Unsere Verandalampen brennen, werfen einen gelben, von Nachtinsekten flackernden Lichtschein. Sie beugt sich übers Lenkrad, als wollte sie feststellen, wer zu Hause ist. Was zum Teufel will sie? Ich beobachte sie ein paar Sekunden. Dann denke ich: *Stell sie.* Stell sie, bevor sie tut, was immer sie vorhat.

Ich gehe leise durch den Vorgarten. Sie zündet sich eine Zigarette an, wirft das Streichholz durchs offene Seitenfenster in unsere Einfahrt.

Ich nähere mich von hinten dem Wagen, aber sie sieht mich nicht.

»Wartest du auf jemanden?«, frage ich durchs Seitenfenster.

Hilly schreckt zusammen und lässt ihre Zigarette auf den Schotter fallen. Sie steigt aus, knallt die Wagentür zu und weicht vor mir zurück.

»Komm keinen Zentimeter näher«, sagt sie.

Also bleibe ich stehen und sehe sie nur an. Wer würde sie nicht anstarren? Ihr schwarzes Haar ist ein einziges Desaster. Eine Strähne steht senkrecht hoch. Ihre Bluse hängt halb aus dem Rockbund, die Knöpfe spannen, und ich sehe, dass sie noch mehr zugenommen hat. Und da ist … Herpes, im Mundwinkel, verkrustet und rot. Das habe ich bei Hilly nicht mehr gesehen, seit Johnny damals während unseres Studiums mit ihr Schluss gemacht hat.

Sie mustert mich von oben bis unten. »Bist du jetzt so eine Art Hippie oder was? Gott, deine arme Mama muss sich wirklich für dich schämen.«

»Hilly, was willst du hier?«

»Dir sagen, dass ich meinen Anwalt eingeschaltet habe, Hibbie Goodman, der zufällig *der* Spezialist für Verleumdungsklagen hier in Mississippi ist, und dass du dich auf was gefasst machen kannst, Missy. Du wanderst ins Gefängnis, weißt du das?«

»Du kannst nichts beweisen, Hilly.« Das habe ich mit der Rechtsabteilung von Harper & Row ausgiebig durchdiskutiert. Wir waren sehr sorgfältig bei der Verschleierung sämtlicher Identitäten.

»Ich weiß doch hundertprozentig, dass du es geschrieben hast, weil sonst niemand in dieser Stadt so tief sinken würde. Sich auf diese Art mit Negerinnen gemein zu machen!«

Es ist wirklich ein Rätsel, wie wir je Freundinnen sein konnten. Ich erwäge, ins Haus zu gehen und die Tür abzuschließen. Aber da ist ein Umschlag in ihrer Hand, und das macht mich nervös.

»Ich weiß, es wird viel geredet, Hilly, und es gehen alle möglichen Gerüchte …«

»Oh, das Gerede stört mich nicht. Jeder hier weiß, dass es nicht Jackson ist. Es ist eine Stadt, die du dir in deinem kranken Hirn ausgedacht hast, und ich weiß auch, wer dir dabei geholfen hat.«

Meine Gesichtsmuskeln spannen sich an. Natürlich weiß sie von Minny und auch von Louvenia, das ist mir ja bekannt, aber weiß sie auch von Aibileen? Und den anderen?

Hilly wedelt mit dem Umschlag, und er knistert. »Ich bin hier, um deine Mutter davon in Kenntnis zu setzen, was du *getan* hast.«

»Du willst mich bei meiner *Mutter* verpetzen?« Ich lache, aber Tatsache ist, dass meine Mutter nichts davon weiß. Und ich will, dass es so bleibt. Sie wäre entsetzt und würde sich für mich schämen und ... Ich schaue auf den Umschlag. Wenn es sie wieder krank macht?

»Und ob ich das will.« Hilly marschiert hocherhobenen Hauptes die Eingangsstufen hinauf.

Ich folge ihr schnell zur Haustür. Sie macht sie auf und geht hinein, als wäre es ihr Haus.

»Hilly, ich habe dich nicht hereingebeten«, sage ich und packe sie am Arm. »Du gehst jetzt ...«

Doch in dem Moment kommt Mutter um die Ecke, und ich lasse die Hand sinken.

»Oh, *Hilly*«, sagt Mutter. Sie ist im Bademantel, und ihr Gehstock wackelt bei jedem Schritt. »Wir haben uns ja so lange nicht mehr gesehen.«

Hilly blinzelt ungläubig. Ich weiß nicht, ob Hilly schockierter über das Aussehen meiner Mutter ist oder umgekehrt. Mutters einst dickes, braunes Haar ist jetzt schneeweiß und dünn. Die zitternde Hand auf der Krücke ihres Stocks sieht für jemanden, der den Anblick nicht gewohnt ist, wahrscheinlich wie die Hand eines Skeletts aus. Aber das Schlimmste ist: Mutter hat nicht alle ihre Zähne drin, nur die vorderen. Ihre Wangen sind eingefallen wie die einer Toten.

»Missus Phelan, ich ... ich wollte ...«

»Hilly, sind Sie krank? Sie sehen ja schrecklich aus«, sagt Mutter.

Hilly fährt sich mit der Zunge über die Lippen. »Na ja, ich ... hatte keine Zeit, mich zurechtzumachen, bevor ...«

Mutter schüttelt den Kopf. »Hilly, *meine Liebe*. Kein junger Ehemann möchte so etwas zu Hause vorfinden. Was ist denn mit Ihrem Haar? Und das da ...« Mutter runzelt die Stirn und mustert den Herpes genauer. »Das ist gar nicht attraktiv, Mädchen.«

Mein Blick ist auf den Brief geheftet. Mutter zeigt mit dem Finger auf mich. »Morgen rufe ich Fanny Mae's an und mache einen Termin für euch beide.«

»Missus Phelan, das ist …«

»Sie brauchen sich nicht zu bedanken«, sagt Mutter. »Das ist doch das Mindeste, was ich tun kann, jetzt wo Ihre verstorbene Mutter Ihnen nicht mehr mit Rat und Tat zur Seite stehen kann. Nun gut, ich gehe jetzt zu Bett.« Und Mutter humpelt zu ihrem Zimmer. »Dass es mir nicht zu spät wird, Mädels.«

Hilly steht mit offenem Mund da. Schließlich geht sie zur Haustür, reißt sie auf und marschiert hinaus. Den Brief immer noch in der Hand.

»Du wirst deines Lebens nicht mehr froh werden, Skeeter«, zischt sie mir noch mit hartem Mund zu. »Und deine Negerinnen auch nicht.«

»Wen meinst du denn, Hilly?«, frage ich. »Du weißt doch nichts.«

»Ach nein? Diese Louvenia? Oh, das habe ich schon geregelt. Die übernimmt Lou Anne.« Die Strähne auf ihrem Kopf wippt, während sie nickt.

»Und dieser Aibileen kannst du sagen, wenn sie das nächste Mal etwas über meine gute Freundin Elizabeth schreiben will, mm-hm …«, sagt sie mit einem bösartigen Grinsen. »Du erinnerst dich doch an Elizabeth? Du warst zu ihrer Hochzeit eingeladen?«

Meine Nasenflügel beben. Ich will sie schlagen, als ich Aibileens Namen aus ihrem Mund höre.

»Sagen wir einfach, Aibileen hätte ein bisschen schlauer sein müssen und nicht den L-förmigen Riss in Elizabeths Esstisch erwähnen dürfen.«

Mir bleibt das Herz stehen. Der verdammte Riss. Wie konnte ich so dumm sein, das zu übersehen?

»Und glaub nicht, ich hätte Minny Jackson vergessen. Mit dieser Negerin habe ich *große* Pläne.«

»Vorsicht, Hilly«, sage ich durch die Zähne. »Verrate dich jetzt bloß nicht.« Ich klinge so selbstbewusst, aber innerlich zittere ich beim Gedanken, was das für Pläne sein mögen.

Sie reißt die Augen auf. »Das war nicht ich, DIE DIESEN KUCHEN GEGESSEN HAT!«

Sie dreht sich um und marschiert zu ihrem Wagen. Öffnet grimmig die Tür. »Sag diesen Negerinnen, sie tun gut daran, öfter mal über ihre Schulter zu schauen. Sie können sich nämlich auf was gefasst machen.«

Meine Hand zittert, als ich Aibileens Nummer wähle. Ich nehme den Hörer mit in die Speisekammer und mache die Tür zu. Den geöffneten Brief von Harper & Row habe ich in der anderen Hand. Es fühlt sich an wie Mitternacht, ist aber erst halb neun.

Aibileen nimmt ab und ich platze sofort damit heraus. »Hilly war heute Abend hier, und sie *weiß* es.«

»Miss Hilly? Weiß was?«

Dann höre ich im Hintergrund Minnys Stimme. »Hilly? Was ist mit Miss Hilly?«

»Minny ... ist hier bei mir«, sagt Aibileen.

»Na ja, das sollte sie wohl auch hören«, murmle ich, obwohl ich wünschte, Aibileen könnte es ihr später sagen, ohne mich. Als ich geschildert habe, wie Hilly hier aufgetaucht und einfach ins Haus marschiert ist, warte ich, bis Aibileen alles für Minny wiederholt hat. Es aus Aibileens Mund zu hören, ist noch schlimmer.

Aibileen ist wieder dran und seufzt.

»Es war der Riss in Elizabeths Esszimmertisch ... das war für Hilly der eindeutige Hinweis.«

»Gott im Himmel, der *Riss*. Wie konnt ich so dumm sein und das reinschreiben!«

»Nein, *ich* hätte es merken müssen. Es tut mir so leid, Aibileen.«

»Glauben Sie, Miss Hilly sagt Miss Leefolt, dass ich über sie geschrieben hab?«

»Sie kann's ihr nicht sagen«, ruft Minny. »Dann gibt sie ja zu, dass es Jackson ist.«

Mir wird klar, wie klug Minnys Idee war. »Stimmt«, erwidere ich. »Ich glaube, Hilly ist in Panik, Aibileen. Sie weiß nicht, was sie tun soll. Sie hat gesagt, sie will mich bei meiner *Mutter* verpetzen.«

Jetzt, wo sich der erste Schock gelegt hat, muss ich bei dieser Vorstellung schon fast lachen. Das ist wirklich unsere geringste Sorge. Wenn meine Mutter meine geplatzte Verlobung überlebt hat, wird sie auch das überleben. Ich werde mich damit befassen, wenn es tatsächlich ansteht.

»Dann können wir wohl nichts machen wie warten«, sagt Aibileen, aber sie klingt nervös. Es ist wahrscheinlich nicht der beste Zeitpunkt, ihr meine zweite Neuigkeit mitzuteilen, aber ich glaube nicht, dass ich es mir verkneifen kann.

»Ich habe … heute einen Brief bekommen. Von Harper und Row«, sage ich. »Ich dachte, er wäre von Missus Stein, war er aber nicht.«

»Was dann?«

»Es ist ein Stellenangebot bei *Harper's Magazine* in New York. Als Redaktionsassistentin. Ich bin mir ziemlich sicher, dass mir das Missus Stein vermittelt hat.«

»Das ist ja toll!«, ruft Aibileen. Dann höre ich sie weitergeben: »Minny, Miss Skeeter hat ein Jobangebot in New York!«

»Aibileen, ich kann es nicht annehmen. Ich wollte es Ihnen einfach nur erzählen. Ich …« Ich bin froh, dass ich wenigstens Aibileen habe, um darüber zu reden.

»Was heißt, Sie können's nicht annehmen? Das war doch immer Ihr Traum.«

»Ich kann nicht weg, jetzt, wo es vielleicht hart auf hart geht. Ich kann Sie nicht einfach in der Tinte sitzen lassen.«

»Aber ... es wird doch hart auf hart gehen, ob Sie da sind oder nicht.«

Gott, wie ich sie das sagen höre, ist mir zum Heulen. Ich stöhne.

»So hab ich's nicht gemeint. Wir wissen ja nicht, was passiert. Miss Skeeter, Sie müssen den Job annehmen.«

Ich weiß wirklich nicht, was tun. Ein Teil von mir denkt, ich hätte es Aibileen gar nicht erzählen dürfen, es war doch klar, dass sie sagen würde, ich solle weggehen, aber jemandem musste ich es erzählen. Ich höre sie Minny zuflüstern: »Sie meint, sie nimmt es nicht an.«

»Miss Skeeter«, sagt Aibileen wieder ins Telefon. »Ich will ja kein Salz in Ihre Wunden streuen, aber ... hier in Jackson haben Sie doch kein gutes Leben. Ihrer Mama geht's besser und ...«

Dann höre ich gedämpfte Worte, undefinierbare Geräusche am anderen Ende, und plötzlich habe ich Minny am Telefon. »Jetzt passen Sie mal auf, Miss Skeeter. Ich werd mich um Aibileen kümmern und sie sich um mich. Aber Sie haben hier nichts mehr, außer Feindinnen in der Junior League und einer Mama, die Sie in den Suff treiben wird. Sie haben alle Brücken hinter sich verbrannt. Und in dieser Stadt finden Sie *nie* einen neuen Freund, und das weiß jeder. Also verfrachten Sie Ihren weißen Hintern nach New York, aber *schnell.*«

Minny hängt einfach ein, und ich sitze da und starre auf den toten Hörer in meiner einen Hand und den Brief in der anderen. *Wirklich?,* denke ich. *Kann ich das wirklich tun?*

Minny hat Recht und Aibileen auch. Ich habe hier nichts mehr außer Mutter und Daddy, und wegen meiner Eltern hierzubleiben, hätte mit Sicherheit verheerende Folgen für unser Verhältnis, aber ...

Ich lehne mich an die Regale, mache die Augen zu. Ich werde gehen. Ich gehe nach New York.

Aibileen

KAPITEL 34

Miss Leefolts Silber hat heut komische Flecken. Muss dran liegen, dass die Luft so feucht ist. Ich geh um den Bridgetisch rum, polier jedes Stück noch mal, kontrollier, ob noch alles da ist. Li'l Man fängt nämlich an, Sachen zu stibitzen, Löffel und Kleingeld und Haarnadeln. Er steckt sie in seine Windel. Wenn man ihn wickelt, ist es manchmal, wie wenn man eine Schatztruhe aufmacht.

Das Telefon klingelt, also geh ich in die Küche und nehm ab.

»Hab eine kleine Neuigkeit«, sagt Minny.

»Was?«

»Miss Renfro sagt, sie *weiß,* dass Miss Hilly die war, die den Kuchen gegessen hat.« Minny kichert, aber mein Herz schlägt zehnmal so schnell wie normal.

»Gott im Himmel, Miss Hilly wird in fünf Minuten hier sein. Hoffentlich kriegt sie das Feuer schnell ausgetreten.« Es fühlt sich verrückt an, dass wir mit Miss Hilly mitfiebern. Bringt mich ganz durcheinander.

»Ich hab die einarmige Er…« Aber Minny stoppt mitten im Wort. Miss Celia muss reingekommen sein.

»Okay, sie ist wieder weg. Also, ich hab die einarmige Ernestine angerufen, und sie sagt, Miss Hilly hat den ganzen Tag ins Telefon geschrien. Und Miss Clara weiß das mit Fanny Amos.«

»Hat sie sie gefeuert?« Miss Clara hat dafür gesorgt, dass der

Sohn von Fanny Amos aufs College hat gehen können, das ist eine von den guten Geschichten.

»Na-ah. Hat nur mit offenem Mund dagesessen und auf das Buch gestarrt.«

»Gott sei Dank. Ruf mich an, wenn du noch was hörst«, sag ich. »Mach dir nichts draus, wenn Miss Leefolt dran ist. Sag einfach, es geht um meine kranke Schwester.« Herr im Himmel, bitte räch dich nicht für die Lüge. Das Letzte, was ich jetzt noch brauch, ist eine kranke Schwester.

Paar Minuten, nachdem wir eingehängt haben, klingelt's an der Tür, und ich tu, wie wenn ich's nicht hör. Ich hab solche Angst, Miss Hilly leibhaftig zu begegnen, nach dem, was sie zu Miss Skeeter gesagt hat. Ich fass es nicht, dass ich so dumm hab sein können, das mit dem L-förmigen Riss zu schreiben. Ich geh raus auf mein Klo und sitz einfach nur da und denk drüber nach, was werden soll, wenn ich nimmer bei Mae Mobley bleiben kann. Herr im Himmel, bet ich, wenn ich sie verlassen muss, schick ihr bitte jemand Gutes. Lass sie nicht allein mit Miss Taylor, die ihr sagt, dass schwarze Haut dreckig ist, und mit ihrer Granmama, die die Bittes und Dankes aus ihr rauszwickt, und mit der kalten Miss Leefolt. Es klingelt wieder an der Haustür, aber ich bleib, wo ich bin. Ich mach's morgen, sag ich mir. Für alle Fälle werd ich mich morgen von Mae Mobley verabschieden.

Wie ich wieder reinkomm, hör ich die ganzen Bridge-Ladys am Tisch reden. Miss Hillys Stimme ist laut. Ich leg das Ohr an die Küchentür, trau mich nicht, da rauszugehen.

»… ist *nicht* Jackson. Dieses Buch ist Schund und Schmutz, das ist es. Ich wette, das Ganze hat sich irgendeine Negerin aus den Fingern gesogen …«

Ich hör einen Stuhl schrappen und weiß, Miss Leefolt kommt gucken, wo ich steck. Ich kann's nicht länger rausschieben.

Ich mach die Tür auf, den Eisteekrug in der Hand. Wie ich um den Tisch rumgeh, schau ich die ganze Zeit auf meine Schuh.

»Ich habe gehört, diese ›Betty‹ könnte Charlene sein«, sagt Miss Jeanie mit großen Augen. Neben ihr starrt Miss Lou Anne vor sich hin, wie wenn sie das alles gar nicht interessieren würd. Ich wollt, ich könnt ihr auf die Schulter klopfen. Ich wollt, ich könnt ihr sagen, wie froh ich bin, dass sie die weiße Lady von Louvenia ist, aber ich weiß, es geht nicht. Und Miss Leefolt kann ich gar nichts ansehen, weil sie nur mit gerunzelter Stirn dasitzt, genau wie immer. Aber das Gesicht von Miss Hilly ist so blaurot wie eine Pflaume.

»Und das Dienstmädchen in Kapitel vier?«, redet Miss Jeanie weiter. »Sissy Tucker hat gesagt ...«

»Das Buch ist *nicht über Jackson!*«, schreit Miss Hilly regelrecht, und ich fahr zusammen, während ich grad Eistee eingieß. Ein Tropfen fällt versehentlich auf Miss Hillys leeren Teller. Sie guckt mich an, und wie von einem Magnet gezogen, geht mein Blick in ihre Augen.

Leis und kalt sagt sie: »Sie haben gekleckert, Aibileen.«

»'tschuldigung, ich ...«

»Wischen Sie's weg.«

Zitternd wisch ich's mit der Serviette weg, mit der ich den Henkel vom Krug gehalten hab.

Sie starrt mir ins Gesicht. Ich muss weggucken. Ich fühl das brennende Geheimnis zwischen uns. »Holen Sie mir einen neuen Teller. Einen, den Sie nicht mit Ihrem dreckigen Tuch berührt haben.«

Ich bring ihr einen neuen Teller. Sie inspiziert ihn, schnaubt laut. Dann dreht sie sich zu Miss Leefolt und sagt: »Diesen Leuten kann man Sauberkeit nicht mal *beibringen.*«

An dem Abend muss ich bis spät für Miss Leefolt babysitten. Wie Mae Mobley schläft, hol ich mein Gebetsheft raus und mach mich an meine Liste. Ich freu mich ja so für Miss Skeeter. Heut Morgen hat sie mich angerufen und gesagt, dass sie den Job angenommen hat. In einer Woche zieht sie nach New York! Aber, Gott im Himmel, ich fahr jedes Mal zusammen, wenn ich ein Geräusch hör, weil ich denk, gleich kommt Miss Leefolt rein und sagt, sie weiß alles. Wie ich heimkomm, bin ich zu nervös zum Schlafengehen. Ich geh durchs Stockdunkel zu Minnys Hintertür. Sie sitzt an ihrem Tisch und liest die Zeitung. Das ist die einzige Zeit am Tag, wo sie nicht rumrennt und irgendwas putzt, für irgendwen kocht oder irgendwem Manieren beibringt. Es ist so still im Haus, dass ich schon denk, da stimmt was nicht.

»Wo sind denn alle?«

Sie zuckt die Achseln. »Im Bett oder auf der Arbeit.«

Ich rück einen Stuhl vor und setz mich hin. »Ich will einfach wissen, was jetzt passiert«, sag ich. »Ich weiß, ich sollt froh sein, dass mir bislang noch nicht alles um die Ohren geflogen ist, aber die Warterei macht mich verrückt.«

»Es wird was passieren. Bald genug«, sagt Minny, wie wenn wir drüber reden würden, welche Sorte Kaffee wir trinken.

»Wie kannst du so ruhig sein, Minny?«

Sie guckt mich an und legt die Hand auf ihren Bauch, der in den letzten zwei Wochen richtig rund geworden ist. »Du kennst doch Miss Chotard, die, bei der Willie Mae arbeitet? Sie hat Willie Mae gestern gefragt, ob sie auch so schlimm zu ihr ist wie die schreckliche Frau in dem Buch da.« Minny gibt einen schnaubenden Lacher von sich. »Willie Mae hat ihr gesagt, sie könnt sich noch bessern, aber so schlimm wär sie gar nicht.«

»Das hat sie wirklich gefragt?«

»Und dann hat ihr Willie Mae erzählt, wie die anderen weißen Ladys zu ihr waren, die guten und die schlechten Sachen, und Miss Chotard hat ihr zugehört. Willie Mae sagt, sie ist jetzt siebenunddreißig Jahre dort und das war das erste Mal, dass sie zusammen an einem Tisch gesessen haben.«

Außer dem mit Louvenia ist das die erste gute Nachricht. Ich versuch's zu genießen. Aber es schmeißt mich gleich wieder ins Jetzt zurück. »Und was ist mit Miss Hilly? Mit dem, was Miss Skeeter gesagt hat? Bist du denn gar kein bisschen nervös, Minny?«

Minny legt die Zeitung hin. »Hör zu, Aibileen, ich will dir nichts vormachen. Ich hab Angst, dass Leroy mich umbringt, wenn er's rauskriegt. Ich hab Angst, dass Miss Hilly mein Haus anzündet. Aber ...« Sie schüttelt den Kopf. »Ich kann's nicht erklären. Ich hab einfach so ein Gefühl. Dass vielleicht alles grad so läuft, wie's laufen soll.«

»Ehrlich?«

Minny sagt mit so einer Art Lachen: »Gott im Himmel, ich kling langsam schon wie du, oder? Muss dran liegen, dass ich alt werd.«

Ich stups sie mit dem Fuß. Aber ich versuch zu verstehen, was in Minny vorgeht. Wir haben was Mutiges und Gutes gemacht. Und vielleicht will Minny sich ja einfach nichts von dem nehmen lassen, was damit einhergeht, dass man was Mutiges und Gutes macht. Auch nicht das Schlimme. Trotzdem kann ich ihre Ruhe nicht nachfühlen.

Minny guckt wieder auf ihre Zeitung, aber nach einer Weile merk ich, dass sie nicht liest. Sie starrt nur auf die Wörter und denkt an was anderes. Nebenan schlägt eine Autotür zu, und Minny fährt zusammen. Und da seh ich die Angst, die sie verbergen will. Aber warum? Warum verbirgt sie das vor mir?

Je länger ich sie anguck, umso klarer wird mir, was los ist, was Minny gemacht hat. Ich weiß nicht, warum ich's jetzt erst kapier. Minny hat uns dazu gebracht, die Kuchengeschichte ins Buch reinzuschreiben, weil sie uns hat schützen wollen. Nicht als Schutz für sich selbst, sondern als Schutz für mich und die anderen Dienstmädchen. Sie hat gewusst, dass es sie erst recht in Teufels Küche bringt, mit Miss Hilly. Aber sie hat es trotzdem gemacht, für alle anderen. Und jetzt will sie nicht, dass irgendjemand sieht, wie groß ihre Angst ist.

Ich lang rüber und drück ihre Hand. »Du bist ein feiner Mensch, Minny.«

Sie verdreht die Augen und streckt die Zunge raus, wie wenn ich ihr einen Teller Hundekuchen vorgesetzt hätt. »Ich hab ja gewusst, du kriegst langsam den Altersschwachsinn«, sagt sie.

Wir lachen beide. Es ist spät, und wir sind so müd, aber sie steht auf, gießt sich Kaffee nach und macht mir einen Becher Tee, und ich trink ihn langsam. Wir reden bis spät in die Nacht.

Am nächsten Tag, Samstag, sind alle im Haus, die ganzen Leefolts und ich. Sogar Mister Leefolt ist heut daheim. Mein Buch liegt nimmer auf dem Nachttisch. Eine Weile weiß ich nicht, wo sie's hingetan hat. Dann seh ich Miss Leefolts Handtasche auf dem Sofa, und das Buch steckt drin. Heißt, sie hat es irgendwohin mitgehabt. Ich lins genauer hin und seh, dass das Lesezeichen nimmer drinsteckt.

Ich will ihr in die Augen gucken, rauskriegen, was sie weiß, aber Miss Leefolt bleibt die meiste Zeit in der Küche, um einen Kuchen zu machen. Will mich nicht reinlassen, damit ich ihr helf. Sagt, es ist kein Kuchen, wie ich ihn mach, er ist nach einem schicken Rezept aus dem *Gourmet*-Magazin. Sie gibt morgen einen Luncheon für Leute aus ihrer Kirche, und das ganze Esszimmer steht voll mit Partygeschirr. Sie hat sich drei Wärmeplatten von Miss Lou Anne geborgt und acht Garnituren Silberbesteck von Miss Hilly, weil vierzehn Leute kommen und es natürlich ganz unmöglich wär, dass von den Leuten aus ihrer Kirche jemand eine stinknormale Metallgabel benutzen muss.

Li'l Man ist in Mae Mobleys Zimmer und spielt mit ihr. Und Mister Leefolt tigert im Haus rum. Ab und zu bleibt er vor dem Zimmer von der Kleinen stehen, wandert dann weiter auf und ab. Wahrscheinlich denkt er, er müsst mit den Kindern spielen, weil ja Samstag ist, aber er weiß wohl nicht wie.

Also bleiben mir nicht viele Plätze, wo ich hinkann. Es ist erst zwei Uhr, aber ich hab schon das ganze Haus geputzt, die Bäder gemacht, die Wäsche gewaschen. Ich hab alles gebügelt bis auf die Falten in meinem Gesicht. Weil ich ja aus der Küche verbannt bin und nicht will, dass Mister Leefolt denkt, ich mach nichts wie mit den Kindern spielen. Schließlich fang ich auch an rumzuwandern.

Wie Mister Leefolt grad mal im Esszimmer rumtigert, guck ich in Mae Mobleys Zimmer und seh, dass sie ein Blatt Papier in der Hand hat und Ross irgendwas Neues beibringt. Sie spielt gern Schule mit ihrem kleinen Bruder.

Ich geh ins Wohnzimmer und mach mich dran, die Bücher zum zweiten Mal abzustauben. Heut werd ich wohl nicht dazu kommen, mich für alle Fälle von der Kleinen zu verabschieden, bei dem Menschenauflauf im Haus.

»Jetzt machen wir ein Spiel«, hör ich Mae Mobley zu ihrem Bruder sagen. »Du sitzt an der Imbisstheke, du bist nämlich beim Woolworf und du bist farbig. Und du musst da sitzen bleiben, egal, was ich mach, weil du sonst ins Gefängnis kommst.«

Ich geh, so schnell ich kann, zu ihrem Zimmer, aber Mister Leefolt ist schon da und guckt zur Tür rein. Ich stell mich hinter ihn.

Mister Leefolt verschränkt die Arme über seinem weißen Hemd. Legt den Kopf schief. Mein Herz rast wie wild. Noch nie hab ich Mae Mobley über irgendwas aus unseren Geheimgeschichten reden hören, außer zu mir. Und das ist ja immer, wenn ihre Mama nicht daheim ist und niemand außer dem Haus was hören kann. Aber jetzt hat sie vor lauter Spiel gar nicht mitgekriegt, dass ihr Daddy zuhört.

»Okay«, sagt Mae Mobley und hilft dem tapsigen Kleinen

auf den Stuhl. »Ross, du musst hier am Woolworf-Imbiss sitzen bleiben. Nicht aufstehen, verstanden?«

Ich will was sagen, krieg aber nichts raus. Mae Mobley geht auf Zehenspitzen von hinten an Ross ran und kippt eine Schachtel Buntstifte über seinem Kopf aus. Li'l Man verzieht das Gesicht, aber sie guckt ihn streng an und sagt: »Du darfst dich nicht bewegen. Du musst tapfer sein. Und keine Geh-Wald.« Dann streckt sie ihm die Zunge raus und bewirft ihn mit Puppenschuhen, und Li'l Man schaut sie an, wie wenn er sagen will: *Warum mach ich das blöde Spiel mit?* Und er jault und klettert vom Stuhl runter.

»Du hast verloren!«, ruft sie. »Und jetzt spielen wir Hinten-im-Bus, und du bist Rosa Parks.«

»Wer hat dir solche Sachen beigebracht, Mae Mobley?«, fragt Mister Leefolt, und die Kleine fährt rum, mit Augen, wie wenn sie einen Geist sehen würd.

Ich fühl, wie meine Knochen zu Gummi werden. Alles in mir sagt: *Geh da rein. Mach was, dass sie keinen Ärger kriegt,* aber ich kann nicht, weil ich kaum atmen kann. Die Kleine schaut mich an, und Mister Leefolt dreht sich rum, sieht mich hinter sich und dreht sich dann wieder zu ihr.

Mae Mobley starrt jetzt ihren Daddy an. »Ich weiß nicht.« Sie guckt auf ein Brettspiel am Boden, wie wenn sie's weiterspielen wollt. Ich hab sie das schon oft machen sehen, ich weiß, was sie denkt. Sie denkt, wenn sie sich einfach mit was anderem beschäftigt und ihn gar nicht beachtet, geht er vielleicht einfach weg.

»Mae Mobley, dein Daddy hat dich etwas gefragt. Wo hast du solche Sachen gelernt?« Er beugt sich zu ihr runter. Ich kann sein Gesicht nicht sehen, weiß aber, dass er lächelt, weil Mae Mobley jetzt so kokett guckt, ganz das kleine Mädchen, das seinen Daddy liebhat. Und dann sagt sie laut und deutlich:

»Von Miss Taylor.«

Mister Leefolt richtet sich auf. Er geht in die Küche, und ich lauf hinterher. Er dreht Miss Leefolt an den Schultern zu sich rum und sagt: »Gleich morgen gehst du in diese Schule und sorgst dafür, dass Mae Mobley in eine andere Klasse kommt. Schluss mit Miss Taylor.«

»Was? Ich kann doch nicht ...«

Ich halt die Luft an und bet: *Doch, Sie können. Bitte.*

»Tu's einfach.« Und wie Männer so sind, marschiert Mister Leefolt zur Tür raus, wohin, wo er keinem irgendwas erklären muss.

Den ganzen Sonntag dank ich Gott dafür, dass er die Kleine von Miss Taylor wegholt. *Danke, Gott, danke, Gott, danke, Gott,* geht's in einem fort in meinem Kopf. Am Montagmorgen fährt Miss Leefolt voll aufgetakelt los, zu Mae Mobleys Schule, und ich lächel in mich rein, weil ich weiß, was sie vorhat.

Wie Miss Leefolt weg ist, mach ich mich an Miss Hillys Silberbesteck. Miss Leefolt hat es nach dem Luncheon gestern auf dem Küchentisch aufgereiht. Ich spül's ab und bin die ganze nächste Stunde damit beschäftigt, die Sachen zu polieren. Ich frag mich, wie die einarmige Ernestine das hinkriegt. Grand-Baroque-Muster polieren, mit den ganzen vielen Schnörkeln, ist ein Job für zwei Hände.

Wie Miss Leefolt zurückkommt, legt sie ihre Handtasche auf den Tisch und macht *Tsss.* »Ach, ich wollte doch heute Morgen das Silber zurückbringen, aber ich musste ja in Mae Mobleys Schule, und ich weiß genau, sie kriegt eine Erkältung, weil sie den ganzen Morgen geniest hat, und jetzt ist es schon gleich zehn ...«

»Mae Mobley wird krank?«

»Aller Wahrscheinlichkeit nach.« Miss Leefolt verdreht die Augen. »Oh, ich komme noch zu spät zu meinem Friseurtermin. Wenn Sie das Silber geputzt haben, bringen Sie es gleich rüber zu Hilly. Ich bin nach dem Mittagessen wieder da.«

Wie ich fertig bin, wickel ich Miss Hillys ganzes Silberbesteck in das blaue Tuch ein. Ich geh Li'l Man aus seinem Bettchen holen. Er ist grad von seinem Vormittagsschlaf aufgewacht, blinzelt mich an und lacht.

»Komm, Li'l Man, wickeln.« Ich heb ihn auf den Wickeltisch und mach ihm die nasse Windel ab, und da sind doch bei Gott drei Teile vom Steckbaukasten drin und eine Haarklemme von Miss Leefolt. Zum Glück war in der Windel nur Pipi.

»Junge«, sag ich lachend, »du bist das reinste Fort Knox.« Er grinst und lacht. Er zeigt auf sein Gitterbett, und ich geh rüber und such das Bettzeug durch, und prompt sind da ein Lockenwickler, ein Messlöffel und eine Stoffserviette. Gott, da müssen wir wirklich was machen. Aber nicht jetzt. Jetzt muss ich zu Miss Hilly rüber.

Ich schnall Li'l Man im Sportwagen fest und schieb ihn die Straße lang, zu Miss Hillys Haus. Draußen ist es sonnig und still. Wir gehen ihre Einfahrt rauf, und Ernestine macht die Haustür auf. Sie hat einen dünnen, braunen Armstummel, der aus dem linken Ärmel guckt. Ich kenn sie nicht gut, weiß nur, dass sie gern redet. Sie geht in die Methodistenkirche.

»Hey, Aibileen«, sagt sie.

»Hey, Ernestine, Sie haben mich wohl schon kommen sehen.«

Sie nickt und schaut auf Li'l Man runter. Er starrt den Armstummel an, wie wenn er Angst hätt, der würd ihn gleich packen.

»Ich wollt rauskommen, eh sie's tut«, flüstert Ernestine und sagt dann: »Sie haben's ja wahrscheinlich schon gehört.«

»Was?«

Ernestine guckt sich um, beugt sich dann runter. »Die weiße Lady von Flora Lou, Miss Hester? Heut Morgen hat sie's Flora Lou gegeben!«

»Sie hat sie gefeuert?« Flora Lou hatte paar schlimme Geschichten zu erzählen. Sie war wütend. Miss Hester, die alle Leute für so sanft und nett halten – die hat Flora einen speziellen »Händereiniger« gegeben und gesagt, sie soll ihn jeden Morgen benutzen. Wie sich rausgestellt hat, war's reine Chlorbleiche. Flora hat mir die Ätznarben gezeigt.

Ernestine schüttelt den Kopf. »Miss Hester hat das Buch rausgeholt und geschrien: ›Bin ich das? Haben Sie das über mich geschrieben?‹ Und Flora Lou hat gesagt: ›Nein, Ma'am, ich hab kein Buch nicht geschrieben. Ich hab nicht mal die fünfte Klasse fertig gemacht‹, aber Miss Hester ist richtig durchgedreht und hat gebrüllt: ›Ich wusste nicht, dass Clorox die Haut verätzt, ich wusste nicht, dass der Mindestlohn einen Dollar fünfundzwanzig beträgt, und wenn Hilly nicht überall herumerzählen würde, dass es nicht Jackson ist, würde ich Sie schneller feuern, als Sie Piep sagen können‹, und da drauf hat Flory Lou gesagt: ›Heißt das, ich bin nicht gefeuert?‹, und Miss Hester hat gekreischt: ›Gefeuert? Ich kann Sie nicht feuern, weil die Leute sonst *wissen,* dass ich die in Kapitel zehn bin. Sie werden wohl oder übel für den Rest Ihres Lebens hier arbeiten.‹ Und dann hat Miss Hester den Kopf auf den Tisch gelegt und Flora Lou gesagt, sie soll fertig abwaschen.«

»Gott im Himmel«, murmle ich, und mir ist ganz schwindlig. »Ich hoff … es geht bei allen so gut ab.«

Drin im Haus schreit Miss Hilly nach Ernestine. »Ich würd mich nicht drauf verlassen«, flüstert Ernestine. Ich halt Ernestine das schwere Tuch mit dem Silber hin. Sie streckt ihre Hand danach aus und, aus reiner Gewohnheit, schätz ich, auch den Armstummel.

Am Abend gibt's ein Mordsgewitter. Donner kracht, und ich sitz schweißnass an meinem Küchentisch. Ich zitter, während ich meine Gebete zu schreiben versuch. Flora Lou hat Glück gehabt, aber was kommt als Nächstes? Es ist einfach zu viel, nichts zu wissen und die ganze Zeit nur Angst zu haben und …

Poch poch poch. Jemand klopft an meine Vordertür.

Wer ist das? Ich schreck hoch. Auf der Uhr überm Herd ist es fünf nach halb neun. Draußen regnet's und stürmt's. Jeder, der mich gut kennt, wär an die Hintertür gekommen.

Ich schleich nach vorn. Es klopft wieder, und ich fahr zusammen.

»Wer … wer ist da?«, frag ich. Ich guck, ob auch wirklich abgeschlossen ist.

»*Ich* bin's.«

Gott. Ich lass den Atem raus und mach die Haustür auf. Da steht Miss Skeeter, nass und zitternd. Unter ihrem Regenmantel hat sie die rote Büchertasche.

»Heiliger …«

»Ich konnte nicht zur Hintertür. Der Garten ist ein einziger Sumpf.«

Sie ist barfuß und hat ihre matschverklebten Schuh in der Hand. Ich mach schnell die Tür hinter ihr zu. »Es hat sie doch keiner gesehen, oder?«

»Da draußen sieht man die Hand vor Augen nicht. Ich hätte ja angerufen, aber durch das Gewitter ist das Telefon ausgefallen.«

Mir ist klar, dass irgendwas passiert sein muss, aber ich bin so froh, sie noch mal zu sehen, eh sie nach New York geht. Wir haben uns schon ein halbes Jahr nimmer leibhaftig gesehen. Ich drück sie erst mal.

»Jetzt lassen Sie mal Ihr Haar sehen.« Miss Skeeter zieht sich die Kapuze runter und schüttelt ihr langes Haar aus. Es geht ihr bis über die Schultern.

»Schön«, sag ich und mein's ehrlich.

Sie lächelt, wie wenn sie verlegen wär, und stellt die Büchertasche ab. »Mutter findet es scheußlich.«

Ich lach und hol dann tief Luft, versuch mich auf die schlechte Nachricht gefasst zu machen.

»Die Buchhandlungen wollen noch mehr Bücher, Aibileen. Missus Stein hat mich heute Nachmittag angerufen.« Sie fasst meine Hände. »Sie drucken eine zweite Auflage. Weitere *fünf-tausend* Stück.«

Ich guck sie nur an. »Ich ... ich hab gar nicht gewusst, dass das geht«, sag ich und schlag mir die Hand vor den Mund. Unser Buch in fünftausend Häusern, in den Bücherregalen, auf den Nachttischen, auf den Klospülkästen?

»Es gibt noch mal Geld. Mindestens hundert Dollar für jede von Ihnen. Und wer weiß? Vielleicht ist das ja noch nicht alles?«

Ich press mir die Hand aufs Herz. Ich hab noch keinen Cent von den ersten einundsechzig Dollar ausgegeben, und jetzt sagt sie mir, es kommt noch mehr?

»Und noch etwas.« Miss Skeeter guckt auf ihre Bücherta-sche runter. »Ich war am Freitag bei der Zeitung und habe den Miss-Myrna-Job gekündigt.« Sie holt tief Luft. »Und ich habe Mister Golden gesagt, die nächste Miss Myrna sollten Sie sein.«

»*Ich?*«

»Ich habe ihm gestanden, dass ich die Antworten die ganze Zeit von Ihnen hatte. Er hat gesagt, er würde es sich überlegen, und heute hat er mich angerufen und gemeint, er ist einver-standen, solange Sie es niemandem verraten und die Antwor-ten so schreiben wie Miss Myrna.«

Sie zieht ein dickes Notizbuch mit einem blauen Stoffrücken aus ihrer Büchertasche und gibt es mir. »Er sagt, er zahlt Ihnen das Gleiche wie mir, zehn Dollar die Woche.«

Ich? Für eine Weißenzeitung arbeiten? Ich geh zum Sofa, schlag das Notizbuch auf und seh die ganzen Briefe und Arti-kel von früher. Miss Skeeter setzt sich neben mich.

»Danke, Miss Skeeter. Für das hier und für *alles.*«

Sie lächelt und atmet tief durch, wie wenn sie gegen die Tränen kämpft.

»Ich kann gar nicht glauben, dass Sie ab morgen New Yor-kerin sind«, sag ich.

»Ich fliege vorher noch nach Chicago. Nur für eine Nacht. Ich möchte Constantine besuchen, ihr Grab.«

Ich nick. »Das find ich gut.«

»Mutter hat mir die Sterbeanzeige gegeben. Der Friedhof ist gleich außerhalb der Stadt. Und am nächsten Morgen fliege ich dann nach New York.«

»Sagen Sie Constantine einen Gruß von Aibileen.«

Sie lacht. »Ich bin ja so nervös. Ich war noch nie in Chicago oder New York. Ich bin überhaupt noch nie geflogen.«

Wir sitzen einen Moment still da und horchen auf das Gewitter. Ich muss dran denken, wie Miss Skeeter das erste Mal hier bei mir war, wie unsicher wir da beide waren. Jetzt fühlt sich's an, wie wenn sie zu meiner Familie gehört.

»Haben Sie Angst, Aibileen?«, fragt sie. »Was passieren könnte?«

Ich dreh den Kopf so, dass sie meine Augen nicht sieht. »Geht schon.«

»Manchmal weiß ich nicht, ob es das wert war. Wenn Ihnen etwas passiert … wie soll ich damit leben, in dem Wissen, dass es meine Schuld war?« Sie presst sich die Hand auf die Augen, wie wenn sie nicht sehen will, was kommt.

Ich geh in mein Schlafzimmer und hol das Päckchen von Reverend Johnson. Sie wickelt es aus und starrt auf das Buch mit den ganzen Unterschriften drin. »Ich wollt's Ihnen nach New York schicken, aber ich find, Sie müssen es jetzt kriegen.«

»Ich … verstehe gar nichts«, sagt sie. »Das hier ist für mich?«

»Ja, Ma'am.« Dann richt ich ihr aus, was der Reverend gesagt hat, dass sie für uns zur Familie gehört. »Sie müssen immer dran· denken, jede von diesen Unterschriften heißt, es war's wert.« Sie liest die ganzen Dankeschöns, die kleinen Sachen, die sie geschrieben haben, fährt mit den Fingern über die Tinte. Tränen schießen ihr in die Augen.

»Ich denk, Constantine wär richtig stolz auf Sie.«

Miss Skeeter lächelt, und da seh ich plötzlich, wie *jung* sie ist. Vor lauter Schreiben, vor lauter Angst und Müdigkeit, wenn wir all die vielen Stunden zusammengesessen sind, hab ich das Mädchen, das sie immer noch ist, lang nimmer wahrgenommen.

»Sind Sie sicher, dass es okay ist? Wenn ich Sie hier allein lasse, wo alles so ...«

»Gehen Sie nach New York, Miss Skeeter. Finden Sie *Ihr* Leben.«

Sie lächelt, blinzelt die Tränen weg und sagt: *»Danke.«*

In der Nacht lieg ich im Bett und denk, wie froh ich für Miss Skeeter bin. Sie fängt noch mal ganz neu an. Tränen laufen mir über die Schläfen und in die Ohren, wenn ich denk, dass sie jetzt die breiten Avenues langgehen wird, die ich im Fernsehen gesehen hab, mit ihrem wehenden langen Haar. Ein Teil von mir wünscht sich, ich könnt auch noch mal neu anfangen. Die Putzartikel, das ist neu. Aber ich bin nimmer jung. Mein Leben ist schon bald rum.

Je mehr ich mich bemüh, endlich einzuschlafen, umso klarer wird mir, dass ich heut Nacht die meiste Zeit wach sein werd. Es ist, wie wenn ich die Stadt summen hör, von all den Leuten, die über das Buch reden. Wie soll man denn schlafen, mit so vielen Bienen um einen rum? Ich denk an Flora Lou, dass Miss Hester sie gefeuert hätt, wenn Miss Hilly nicht allen Leuten sagen würd, das Buch wär nicht über Jackson. Oh, Minny, denk ich. Das war so eine gute Tat von dir. Du hast für alle gesorgt, nur für dich nicht. Ich wollt, ich könnt dich beschützen.

Es klingt, wie wenn Miss Hilly mit dem Rücken zur Wand kämpft. Jeden Tag sagt wieder jemand, er weiß, wer den Kuchen gegessen hat, und Miss Hilly kämpft umso verbissener. Zum ersten Mal in meinem Leben frag ich mich wirklich, wer diesen Kampf gewinnen wird. Bislang hätt ich immer gesagt,

Miss Hilly, aber jetzt weiß ich's nimmer. Diesmal könnt's sein, dass Miss Hilly verliert.

Ich krieg noch paar Stunden Schlaf, eh's Tag wird. Komisch, aber wie ich um sechs Uhr aufsteh, fühl ich mich gar nicht müd. Ich zieh die Uniform an, die ich gestern Abend in der Badewanne gewaschen hab. In der Küche trink ich ein großes, kühles Glas Leitungswasser. Ich mach die Küchenlampe aus, und wie ich grad zur Tür geh, klingelt mein Telefon. Gott im Himmel, so früh!

Ich nehm ab und hör ein hohes Jammern.

»Minny? Bist du's? Was …«

»Heut Nacht haben sie Leroy gefeuert! Und wie Leroy gefragt hat warum, hat sein Boss gesagt, Mister William *Holbrook* hat ihm gesagt, er soll ihn feuern. Es wär wegen Leroys *Niggerweib,* hat Holbrook gesagt, und dann ist Leroy heimgekommen und hat versucht, mich mit bloßen Händen umzubringen.« Minny keucht und schnauft. »Er hat die Kinder in den Garten rausgeschmissen und mich im Bad eingeschlossen und gesagt, er zündet das Haus an, mit mir drin!«

Gott im Himmel, es geht *los.* Ich schlag mir die Hand vor den Mund, fühl, wie ich in das schwarze Loch fall, das wir uns selbst gegraben haben. Die ganzen Wochen hab ich Minny immer nur zuversichtlich reden hören, und jetzt …

»Die *Hexe!*«, schreit Minny. »Wegen ihr bringt er mich um!«

»Wo bist du jetzt, Minny, wo sind die Kinder?«

»In der Tankstelle, bin barfuß hergerannt! Die Kinder sind zu den Nachbarn …« Sie keucht und stöhnt. »Octavia kommt uns holen. Sagt, sie fährt, so schnell sie kann.«

Octavia wohnt in Canton, zwanzig Minuten nach Norden rauf, in derselben Richtung wie Miss Celia. »Minny, ich komm jetzt sofort zu dir …«

»Nein, nicht einhängen, bitte. Bleib einfach nur dran, bis sie da ist.«

»Ist alles okay mit dir? Bist du verletzt?«

»Ich kann nimmer, Aibileen. Ich kann das nimmer ...« Sie heult ins Telefon.

Es ist das erste Mal, dass ich das von Minny hör. Ich hol tief Luft, weiß, was ich zu tun hab. Die Wörter sind klar und deutlich in meinem Kopf, und *das hier* ist meine einzige Chance, dass sie mich wirklich hört, jetzt, wo sie am Telefon von der Tankstelle steht, barfuß und mit ihren Kräften am End. »Minny, hör zu. Du wirst deinen Job bei Miss Celia nie verlieren. Das hat dir Mister Johnny ja selbst gesagt. Und wir kriegen noch mehr Geld für das Buch, Miss Skeeter hat's gestern erfahren. Minny, hör mir jetzt zu: *Du darfst dich nimmer von Leroy schlagen lassen.*«

Minny schluchzt.

»Es ist Zeit, Minny. Hörst du? Du bist *frei.*«

Ganz langsam legt sich Minnys Heulen. Bis sie ganz still ist. Wenn ihr Atmen nicht wär, würd ich glauben, sie hätt eingehängt. *Bitte, Minny,* denk ich. *Bitte, nutz die Chance, da rauszukommen.*

Sie atmet zittrig ein. Sagt: »Ich hör, was du sagst, Aibileen.«

»Ich kann ja schnell zur Tankstelle laufen und mit dir warten. Ich sag Miss Leefolt, ich komm heut später.«

»Nein«, erwidert sie. »Meine Schwester ... ist gleich da. Wir schlafen heut Nacht bei ihr.«

»Minny, ist das nur für heut Nacht oder ...«

Sie atmet lang und tief aus. »Nein«, sagt sie. »Ich kann nimmer. Ich hab das lang *genug* mitgemacht.« Und ich hör, wie sie langsam wieder die alte Minny Jackson wird. Ihre Stimme zittert, und ich weiß, dass sie Angst hat, aber sie fügt hinzu: »Leroy wird sich umgucken. Der hat ja keine Ahnung, *wo's* jetzt mit Minny Jackson hinkommt.«

Mein Herz macht einen erschrockenen Satz. »Minny, du kannst ihn nicht umbringen. Dann landest du im Gefängnis, genau da, wo dich Miss Hilly haben will.«

Gott, ist die Stille lang und schrecklich.

»Ich bring ihn nicht um, Aibileen. Ich versprech's. Wir bleiben bei Octavia, bis ich was Eigenes für uns gefunden hab.«

Ich lass den Atem raus.

»Sie ist da«, sagt sie. »Ich ruf dich heut Abend an.«

Wie ich zu Miss Leefolt komm, ist es ganz still im Haus. Li'l Man schläft wohl noch. Mae Mobley ist schon zur Schule. Ich stell meine Tasche in der Wäschekammer ab. Die Schwingtür zum Esszimmer ist zu, und die Küche ist ein ruhiges, kühles Viereck.

Ich setz Kaffee auf und sag ein Gebet für Minny. Bei Octavia kann sie eine Weile bleiben. Nach dem, was mir Minny erzählt hat, wohnt Octavia in einem Farmhaus, das nicht grad klein ist. Minny hat's näher zur Arbeit, aber für die Kinder ist es weiter zur Schule. Aber Hauptsache, Minny ist von Leroy weg. Ich hab sie vorher nie sagen hören, sie würd Leroy verlassen, aber Minny ist auch keine, die Sachen öfter wie einmal sagt. Wenn sie was ankündigt, dann setzt sie's in die Tat um.

Ich mach ein Fläschchen für Li'l Man und atme tief durch. Es fühlt sich an, wie wenn mein Arbeitstag schon rum wär, dabei ist es erst acht Uhr morgens. Aber müd bin ich immer noch nicht. Keine Ahnung, warum.

Ich drück die Schwingtür auf. Und da sitzen Miss Leefolt und Miss Hilly am Esszimmertisch, beide auf einer Seite, und gucken mich an.

Ich steh wie angewurzelt da und umklammer das Milchfläschchen. Miss Leefolt hat noch ihre Lockenwickler drin und ihren blauen Steppmorgenmantel an. Aber Miss Hilly ist schon ganz zurechtgemacht und trägt einen blauen Karo-Hosenanzug. An ihrem Mundwinkel ist immer noch die rote Kruste.

»Morgen«, sag ich und will nach hinten durchgehen.

»Ross schläft noch«, sagt Miss Hilly. »Nicht nötig, nach ihm zu sehen.«

Ich bleib stehen und guck Miss Leefolt an, aber sie starrt auf den komischen L-förmigen Riss in ihrem Esszimmertisch.

»Aibileen«, sagt Miss Hilly und fährt sich mit der Zunge über die Lippen. »Als Sie mir gestern das Silber zurückgebracht haben, da haben in der Filzhülle drei Besteckteile gefehlt. Eine Silbergabel und zwei Silberlöffel.«

Ich sag erschrocken: »Ich ... ich müsst in der Küche gucken, vielleicht hab ich da was vergessen.« Ich schau Miss Leefolt an, ob sie will, dass ich's mach, aber sie starrt immer weiter auf den Riss. Ein kaltes Prickeln kriecht mir den Nacken hoch.

»Sie wissen so gut wie ich, dass es nicht in der Küche ist, Aibileen«, sagt Miss Hilly.

»Miss Leefolt, haben Sie schon bei Ross im Gitterbett geguckt? Er nimmt immer heimlich Sachen und steckt sie ...«

Miss Hilly schnaubt laut. »Hast du das gehört, Elizabeth? Sie versucht es auf ein Kleinkind zu schieben.«

In Panik überleg ich, ob ich das Silberbesteck gezählt hab, eh ich's wieder in den Filz gepackt hab. Ich glaub schon. Tu ich doch immer. Gott, mach, dass sie nicht sagt, was ich denk, was sie sagt ...

»Miss Leefolt, haben Sie schon in der Küche geguckt? Oder im Silberschrank? Miss Leefolt?«

Aber sie guckt mich immer noch nicht an, und ich weiß nicht, was tun. Ich weiß ja noch nicht, *wie* schlimm es ist. Vielleicht geht's gar nicht um das Silberbesteck, vielleicht geht's in Wirklichkeit um Miss Leefolt und um *Kapitel zwei* ...

»Aibileen«, sagt Miss Hilly, »entweder, Sie bringen mir die Besteckteile heute noch zurück, oder Elizabeth wird Sie anzeigen.«

Miss Leefolt schaut Miss Hilly an, wie wenn sie überrascht wär. Und ich frag mich, von wem die Idee zu dem Ganzen kam, von beiden oder nur von Miss Hilly.

»Ich hab kein Silber gestohlen, Miss Leefolt«, sag ich, und schon bei den Worten will ich wegrennen.

Miss Leefolt flüstert: »Sie sagt, sie hat es nicht, Hilly.«

Miss Hilly tut, wie wenn sie gar nichts gehört hätt. Sie zieht die Augenbrauen hoch und sagt: »Dann setze ich Sie hiermit davon in Kenntnis, dass Sie gefeuert sind, Aibileen.« Miss Hilly schnaubt wieder. »Ich werde es der Polizei melden. Die kennen mich.«

»Maa-maaaa!«, brüllt Li'l Man aus seinem Zimmer. Miss Leefolt guckt über ihre Schulter und schaut dann Hilly an, wie wenn sie nicht wüsst, was machen. Ich schätz, sie denkt grad, wie's sein wird, wenn sie kein Dienstmädchen mehr hat.

»*Aaai-beee!*«, schreit Li'l Man und fängt an zu weinen.

»Aai-bee«, ruft noch ein Stimmchen, und mir geht auf: *Mae Mobley ist daheim.* Sie ist heut nicht in die Schule. Ich press mir die Hand auf die Brust. *Gott im Himmel, bitte mach, dass sie das nicht mitkriegt. Lass sie nicht hören, was Miss Hilly über mich sagt.* Hinten am Flur geht die Tür auf, und Mae Mobley kommt raus. Sie guckt uns groß an und hustet.

»Aibee, ich hab Halfweh.«

»Ich … ich komm, Baby.«

Mae Mobley hustet wieder, und es klingt bös, wie wenn ein Hund bellt, und ich will zu ihr hin, aber Miss Hilly sagt: »Aibileen, Sie bleiben, wo Sie sind. Elizabeth kann sich um ihre Kinder kümmern.«

Miss Leefolt schaut Miss Hilly an, wie wenn sie sagen wollt: *Muss ich?* Aber dann steht sie auf und trottet den Flur lang. Sie bringt Mae Mobley ins Zimmer von Li'l Man und macht die Tür zu. Jetzt sind wir zwei allein, ich und Miss Hilly.

Miss Hilly lehnt sich auf ihrem Stuhl zurück und sagt: »Ich dulde keine Lügen.«

Mir dreht sich alles, und ich will mich hinsetzen. »Ich hab kein Silber gestohlen, Miss Hilly.«

»Ich spreche nicht von Silber«, sagt sie und beugt sich vor. Sie zischt leis, damit Miss Leefolt nichts hört: »Ich spreche von den Sachen, die Sie über Elizabeth geschrieben haben. Sie hat keine Ahnung, dass Kapitel zwei über sie ist, und ich bin eine zu gute Freundin, um es ihr zu sagen. Und ich kann Sie vielleicht nicht für das ins Gefängnis bringen, was Sie über Elizabeth geschrieben haben, aber wegen Diebstahls kann ich es.«

Ich geh in kein Gefängnis. *Ich geh nicht,* ist alles, was ich denken kann.

»Und Ihre Freundin Minny? Die erwartet auch eine hübsche Überraschung. Ich werde Johnny Foote anrufen und ihm sagen, er soll sie auf der Stelle feuern.«

Das Zimmer verschwimmt. Ich schüttel den Kopf und ball die Fäuste noch fester.

»Ich verstehe mich sehr gut mit Johnny Foote. Er hört auf das, was ich …«

»Miss *Hilly*«, sag ich laut und deutlich. Sie stoppt mitten im Satz. Ich wett, Miss Hilly hat schon zehn Jahre keiner mehr unterbrochen.

Ich sag: »Ich weiß was über Sie, vergessen Sie das nicht.«

Sie guckt mich grimmig an, erwidert aber nichts.

»Und wie ich gehört hab, hat man im Gefängnis eine Menge Zeit zum Briefeschreiben.« Ich zitter. Mein Atem fühlt sich an wie Feuer. »Massig Zeit, jedem in Jackson die Wahrheit über Sie zu erzählen. Alle Zeit der Welt, und das Papier ist kostenlos.«

»Niemand würde glauben, was Sie schreiben – eine Negerdiebin.«

»Ich weiß nicht. Mir ist gesagt worden, ich schreib ziemlich gut.«

Sie fährt sich mit der Zungenspitze an den Herpes. Dann guckt sie weg.

Eh sie noch irgendwas sagen kann, fliegt hinten am Flur die Tür auf. Mae Mobley kommt rausgerannt, in ihrem Nachthemd, und bleibt vor mir stehen. Sie schluchzt, und ihre kleine Nase ist knallrot. Ihre Mama muss ihr gesagt haben, dass ich geh.

Gott, bet ich, *mach, dass sie ihr nicht Miss Hillys Lügen weitererzählt hat.*

Die Kleine packt den Rock von meiner Uniform und lässt nimmer los. Ich fass an ihre Stirn, und die glüht vor Fieber.

»Baby, du musst wieder ins Bett.«

»Neiiin«, heult sie. »Geh nicht weg, Aibee.«

Miss Leefolt kommt mit missmutigem Gesicht aus dem Zimmer. Sie hat Li'l Man auf dem Arm.

»Aibee!«, ruft er und lacht.

»Hey ... Li'l Man«, flüster ich. Bin ich froh, dass er nicht versteht, was los ist. »Miss Leefolt, kann ich sie mit in die Küche nehmen und ihr Medizin geben? Das Fieber ist richtig hoch.«

Miss Leefolt schaut zu Miss Hilly rüber, aber die sitzt nur mit verschränkten Armen da. »Gut, tun Sie's«, sagt Miss Leefolt.

Ich nehm die Kleine an der heißen Hand und führ sie in die Küche. Sie hustet wieder so bellend, dass es einem richtig Angst macht, und ich hol das Baby-Aspirin raus und den Hustensaft. Jetzt, wo sie bei mir ist, beruhigt sie sich bisschen, aber ihr laufen immer noch Tränen übers Gesicht.

Ich heb sie auf die Arbeitsplatte, zerdrück eine von den kleinen rosa Pillen, vermisch sie mit bisschen Apfelmus und geb sie ihr mit dem Löffel. Sie schluckt den Mundvoll runter, und ich weiß, es tut ihr weh. Ich streich ihr übers Haar. Die Ponyfransen, die sie sich mit der Bastelschere abgeschnitten hat, wachsen wieder und stehen in die Gegend. Miss Leefolt kann sie zurzeit kaum angucken.

»Bitte geh nicht weg, Aibee«, bettelt sie und fängt wieder an zu weinen.

»Ich muss gehen, Baby. Tut mir so leid.« Und da heul ich selbst los. Ich will's nicht, es macht's für sie nur schlimmer, aber ich kann nichts dagegen machen.

»Warum? Warum willst du nicht mehr zu mir kommen? Sorgst du jetzt für ein anderes kleines Mädchen?« Ihre Stirn ist gerunzelt, so, wie wenn ihre Mama mit ihr schimpft. Gott im

Himmel, ich hab das Gefühl, mein Herz blutet sich zu Tod. Ich fass ihr Gesicht mit beiden Händen, fühl, wie schrecklich heiß ihre Wangen sind. »Nein, Baby, das ist nicht der Grund. Ich will nicht weg von dir, aber ...« Wie soll ich's ihr erklären? Ich kann ihr nicht sagen, dass ich gefeuert bin, ich will nicht, dass sie ihrer Mama die Schuld gibt und sie noch schlechter miteinander auskommen. »Es ist Zeit, dass ich aufhör mit der Arbeit. Du bist mein letztes kleines Mädchen«, sag ich, weil's wahr ist, es ist nur nicht meine Entscheidung.

Ich lass sie eine Weile an meiner Brust weinen, nehm dann wieder ihr Gesicht zwischen die Hände. Ich mach einen tiefen Atemzug und sag ihr, sie soll's auch tun.

»Baby Girl«, flüster ich. »Ich will, dass du immer an das denkst, was ich dir gesagt hab. Du weißt doch noch, was ich dir gesagt hab?«

Sie weint immer noch, schluchzt aber nimmer so. »Dass ich mir den Po richtig abputzen soll, wenn ich fertig bin?«

»Nein, Baby, das andere. Da drüber, wie du bist.«

Ich guck tief in ihre braunen Augen, und sie guckt in meine. Gott, sie hat die Augen von einer alten Seele, wie wenn sie schon tausend Jahr gelebt hätt. Und ich schwör's, ich seh dort tief drinnen die Frau, die sie mal wird. Ein Stück Zukunft. Sie ist groß und aufrecht. Sie ist stolz. Sie hat einen besseren Haarschnitt. Und sie hat *behalten,* was ich ihr in den Kopf gepflanzt hab. Denkt dran als erwachsene Frau.

Und dann sagt sie's, genau wie ich's mir wünsch. »Du bist lieb«, murmelt sie, »du bist gescheit. Du bist wichtig.«

»Oh, *Baby.*« Ich drück ihren heißen, kleinen Körper an mich. Ich hab das Gefühl, dass sie mir grad ein Geschenk gemacht hat. »Danke, Baby Girl.«

»Bitte«, antwortet sie, wie ich's ihr beigebracht hab. Aber dann legt sie den Kopf an meine Schulter, und wir weinen eine Weile, bis Miss Leefolt in die Küche kommt.

»Aibileen«, sagt Miss Leefolt leis.

»Miss Leefolt, sind Sie … sicher, dass Sie das …« Miss Hilly kommt hinter ihr rein und funkelt mich grimmig an. Miss Leefolt nickt und sieht aus, wie wenn sie ein schlechtes Gewissen hätt.

»Tut mir leid, Aibileen. Hilly, wenn du … Anzeige erstatten willst, ist das dein gutes Recht.«

Miss Hilly schnaubt verächtlich. »Es ist den Zeitaufwand nicht wert.«

Miss Leefolt seufzt, wie wenn sie erleichtert wär. Kurz treffen sich unsere Blicke, und ich seh, dass Miss Hilly recht hat. Miss Leefolt hat keine Ahnung, dass Kapitel zwei über sie ist. Selbst wenn sie einen Verdacht hätt, würd sie's sich nie eingestehen.

Ich schieb Mae Mobley ganz sacht ein Stück von mir weg, und sie guckt mit ihren schläfrigen Fieberaugen erst mich an und dann ihre Mama. Nach dem Gesicht, was sie macht, fürchtet sie die nächsten fünfzehn Jahre von ihrem Leben, aber sie seufzt nur, wie wenn sie zu müd wär, um drüber nachzudenken. Ich stell sie auf die Beine und geb ihr noch einen Kuss auf die Stirn, aber dann reckt sie wieder die Arme nach mir. Ich muss ihr ausweichen.

Also schlüpf ich in die Wäschekammer, meinen Mantel und meine Handtasche holen.

Ich geh zur Hintertür raus, und es ist schrecklich, weil ich Mae Mobley wieder weinen hör. Wie ich die Einfahrt langlauf, wein ich selbst, weil ich weiß, wie sehr mir Mae Mobley fehlen wird, und ich bet zu Gott, dass ihre Mama ihr mehr Liebe zeigen kann. Aber gleichzeitig hab ich so ein Gefühl, dass ich frei bin, genau wie Minny. Freier wie Miss Leefolt, die so in ihrem eigenen Kopf gefangen ist, dass sie nicht mal sich selbst erkennt, wenn sie die Geschichten über sich liest. Und freier wie Miss Hilly. Die Frau wird den Rest ihres Lebens damit zubringen, Leuten einzureden, dass sie nicht die war, die den Kuchen gegessen hat. Ich denk an Yule May im Gefängnis. Miss Hilly sitzt selbst auch im Gefängnis, nur dass sie lebenslänglich hat.

Ich geh um halb neun Uhr morgens den heißen Gehweg entlang und frag mich, was ich mit dem Rest vom Tag machen soll. Mit dem Rest von meinem Leben. Ich zitter und heul, und eine weiße Lady läuft an mir vorbei und guckt mich komisch an. Die Zeitung zahlt mir von jetzt an zehn Dollar die Woche, und ich hab noch das Geld von dem Buch und krieg ja noch mehr. Trotzdem, das reicht nicht für mein restliches Leben. Einen Job als Dienstmädchen krieg ich nicht mehr, nicht wenn Miss Leefolt und Miss Hilly mich überall als Diebin hinstellen. Mae Mobley war mein letztes weißes Baby. Und dabei hab ich mir grad eine neue Uniform gekauft.

Die Sonne ist hell, aber ich hab die Augen weit offen. Ich steh an der Bushaltestelle, wie ich die letzten paarundvierzig Jahre hier gestanden bin. Grad mal eine halbe Stunde, und mein ganzes Leben ist … abgehakt. Vielleicht sollt ich weiterschreiben, nicht nur für die Zeitung, sondern noch was anderes, über all die Leute, die ich kenn, und die Sachen, die ich erlebt und gemacht hab. Vielleicht bin ich ja noch nicht zu alt, um neu anzufangen, denk ich und lach und wein dabei gleichzeitig. Wo ich doch letzte Nacht noch gedacht hab, für mich gäb's nichts Neues mehr.

Dank

Ich danke Amy Einhorn, meiner Verlegerin, ohne die die Klebezettelbranche nicht wäre, was sie heute ist. Amy, Sie sind so klug. Ich hatte wirklich großes Glück, mit Ihnen arbeiten zu dürfen.

Dank auch meiner Agentin Susan Ramer für ihre Risikobereitschaft und ihre Geduld, Alexandra Shelley für ihr gründliches Lektorat und ihre vielen guten Ratschläge, dem Jane Street Workshop für das schriftstellerische Können, das dort versammelt ist, Ruth Stockett, Tate Taylor, Brunson Green, Laura Foote, Octavia Spencer, Nicole Love und Justine Story für das Lesen meines Manuskripts und für ihr Lachen, selbst an den Stellen, die gar nicht *so* lustig waren. Ein Dankeschön Grandaddy, Sam, Barbara und Robert Stockett, die mir geholfen haben, mich an das Jackson von damals zu erinnern. Und ganz besonderen Dank Keith Rogers und meiner lieben Lila, für *alles.*

Dank allen bei Putnam für ihren Enthusiasmus und ihre engagierte Arbeit. Ich habe mir zwei chronologische Freiheiten gestattet, zum einen mit dem Song »The Times They Are A-Changin'«, der erst 1964 erschien, und zum anderen mit Shake 'n Bake, das erst 1965 in die Läden kam. Die Jim-Crow-Gesetze, die im Buch vorkommen, sind gekürzte Versionen realer Gesetze, die zu verschiedenen Zeiten in den Südstaaten galten. Meinen Dank Dorian Hastings und Elizabeth Wagner, den unglaublich sorgfältigen Korrektoren, die mich auf diese Diskrepanzen hingewiesen haben und mir viele andere auszuräumen halfen.

Dank schulde ich auch Susan Tucker, der Autorin von *Telling Memories Among Southern Women*. Die wundervollen mündlichen Berichte von Dienstboten und weißen Arbeitgebern in diesem Buch versetzten mich in eine längst entschwundene Welt.

Und schließlich geht mein verspäteter Dank an Demetrie McLorn, die uns alle, in unsere Babydecken gehüllt, aus dem Krankenhaus trug und ihr Leben damit zubrachte, uns zu bekochen, hinter uns herzuräumen, uns zu lieben und uns Gott sei Dank auch zu verzeihen.

Zu wenig zu spät

Kathryn Stockett über sich selbst

Unser Dienstmädchen Demetrie pflegte immer zu sagen, im Hochsommer in Mississippi Baumwolle zu pflücken sei wohl der übelste Zeitvertreib auf der Welt, mal abgesehen vom Pflücken von Okra, noch so einem stachligen Zeug, nach dem man sich bücken muss. Demetrie erzählte uns alle möglichen Geschichten darüber, wie sie als Kind Baumwolle gepflückt hatte. Sie lachte, schüttelte den Kopf und schwenkte warnend den Zeigefinger, als könnte ein Trio von reichen weißen Kindern dem Übel des Baumwollpflückens verfallen wie dem Rauchen oder dem Schnaps.

»Tagelang hab ich nur gepflückt und gepflückt. Und dann hab ich an mir runtergeguckt, und meine Haut war ganz voll Blasen. Ich hab's meiner Mama gezeigt. Keiner von uns hatte jemals Sonnenbrand bei einem schwarzen Menschen gesehen. Das war nur was für Weiße!«

Ich war noch zu klein, um zu merken, dass das, was sie da erzählte, nicht sonderlich lustig war. Demetrie war in Lampkin, Mississippi, geboren worden, im Jahr 1927. Ein schreckliches Jahr, um auf die Welt zu kommen, kurz vor Beginn der Großen Depression. Gerade der richtige Zeitpunkt, um in allen Einzelheiten zu erfahren, was es hieß, ein armes, schwarzes Kind und noch dazu ein Mädchen auf einer Pächtersfarm zu sein.

Demetrie kam mit achtundzwanzig zum Kochen und Putzen ins Haus meiner Großeltern. Mein Vater war da vierzehn, mein Onkel sieben. Demetrie war kräftig und dunkelhäutig und zu jener Zeit mit einem gewalttätigen Trinker namens Clyde verheiratet. Sie wollte mir nie antworten, wenn ich sie nach ihm fragte. Aber außer über das Thema Clyde sprach sie den ganzen Tag mit uns.

Und ich fand es herrlich, mit Demetrie zu reden. Nach der Schule saß ich bei ihr in der Küche meiner Großmutter, lauschte ihren Geschichten und sah zu, wie sie Kuchenteig machte und Huhn frittierte. Ihre Kochkünste waren herausragend. Essensgäste meiner Großmutter ergingen sich ausgiebig darüber. Man fühlte sich *geliebt,* wenn man Demetries Karamelltorte kostete.

In ihrer Mittagspause allerdings durften meine beiden älteren Geschwister und ich sie nicht stören. Großmutter sagte dann: »Lasst sie jetzt in Ruhe, diese Zeit gehört ihr.« Und ich stand in der offenen Küchentür und konnte es nicht erwarten, wieder zu ihr hinein zu dürfen. Großmutter wollte, dass Demetrie sich ausruhte, damit sie ihre Arbeit zu Ende bringen konnte, mal ganz davon abgesehen, dass Weiße nicht mit am Tisch saßen, wenn eine Schwarze aß.

Das war einfach Teil des täglichen Lebens, die Regeln zwischen Schwarzen und Weißen. Ich weiß noch, dass ich als kleines Mädchen, wenn ich Schwarze in den Farbigenvierteln der Stadt sah, immer Mitleid mit ihnen hatte, auch wenn sie gut gekleidet und vergleichsweise wohlhabend waren. Heute ist es mir sehr peinlich, das zuzugeben.

Aber Demetrie tat mir nicht leid. Mehrere Jahre lang dachte ich, was sie doch für ein Glück hatte, bei uns zu sein. Einen sicheren Job in einem schönen Haus zu haben, bei weißen Christenmenschen. Aber ich dachte es auch, weil Demetrie keine eigenen Kinder hatte und es sich für uns so anfühlte, als füllten wir eine Leerstelle in ihrem Leben. Wenn jemand sie fragte, wie viele Kinder sie habe, hob sie drei Finger. Sie meinte uns: meine Schwester Susan, meinen Bruder Rob und mich.

Meine Geschwister streiten es ab, aber ich stand Demetrie näher als die anderen Kinder. Niemand legte sich mit mir an, wenn Demetrie bei mir war. Sie stellte mich immer vor den Spiegel und sagte: »Du bist schön. Du bist ein schönes Mädel«, obwohl ich es eindeutig nicht war. Ich hatte eine Brille und strähniges braunes Haar, was an meiner hartnäckigen Abneigung gegen die Badewanne lag. Meine Mutter war viel auf Reisen. Susan und Rob hatten keine Lust, sich mit mir abzugeben, und ich fühlte mich überflüssig. Demetrie wusste das, nahm meine Hand und sagte mir, ich sei ein prima Mädchen.

Als ich sechs war, ließen sich meine Eltern scheiden, und Demetrie wurde noch wichtiger für mich. Wenn meine Mutter, wie so häufig, unterwegs war, steckte Daddy uns Kinder in das Motel, das er betrieb, und Demetrie wurde bei uns untergebracht. Ich weinte dann endlos an Demetries Schulter, weil ich meine Mutter so sehr vermisste, dass ich Fieber bekam.

Zu der Zeit waren meine Geschwister Demetries Obhut bereits zu einem gewissen Grad entwachsen. Sie saßen im Penthouse des Motels herum und spielten mit dem Personal Poker, unter Verwendung von Trinkhalmen als Einsatz.

Ich weiß noch, wie ich neidisch zuschaute und wie ich einmal dachte: *Ich bin kein Baby mehr. Ich muss mich nicht mit Demetrie begnügen, während die anderen Poker spielen.*

Also spielte ich mit und verlor natürlich binnen fünf Minuten meine sämtlichen Trinkhalme. Ich landete wieder auf Demetries Schoß und gab mich mürrisch, während ich weiter den anderen beim Pokern zuschaute. Doch schon nach einer Minute lag meine Stirn an Demetries weichem Hals, und sie wiegte mich, als säßen wir beide in einem Boot.

»Hier gehörst du hin. Hierher zu mir«, sagte sie und tätschelte mein heißes Bein. Ihre Hände waren immer kühl. Ich sah den Großen beim Kartenspielen zu, und es machte mir nicht mehr so viel aus, dass Mutter schon wieder weg war. Ich war da, wo ich hingehörte.

Die Flut negativer Darstellungen Mississippis in Filmen, in der Presse und im Fernsehen hat uns Kinder dieses Bundesstaates zu einem misstrauischen, defensiven Häuflein gemacht. Unsere Heimat erfüllt uns mit Stolz und Scham, vor allem aber mit Stolz.

Trotzdem bin ich von dort weggegangen. Mit vierundzwanzig bin ich nach New York gezogen. Ich lernte, dass die erste Frage, die einem an einem solchen Ort permanenter Fluktuation gestellt wird, lautet: »Wo sind Sie her?« Und ich sagte: »Mississippi.« Und wartete.

Leuten, die lächelnd sagten: »Dort unten soll es ja wunderschön sein«, antwortete ich: »Meine Heimatstadt steht auf Platz drei in den USA, was Gang-Morde anbelangt.« Leuten, die sagten: »Gott, müssen Sie froh sein, dass Sie *da* weg sind«, erklärte ich unwirsch: »Was wissen Sie schon? Es ist wunderschön dort unten.«

Einmal, auf einer Dachterrassenparty, fragte mich ein Mann aus einem reichen, weißen Pendlerstädtchen nördlich der Metropole, wo ich her sei, und ich antwortete, aus Mississippi. Er lachte spöttisch und sagte: »Mein Beileid.«

Ich nagelte seinen Fuß mit meinem Stilettoabsatz fest und verbrachte die nächsten zehn Minuten damit, ihn ganz ruhig über die Herkunft von William Faulkner, Eudora Welty, Tennessee Williams, Elvis Presley, B. B. King, Oprah Winfrey, Jim Henson, Faith Hill, James Earl Jones und Craig Claiborne, dem Gastrokritiker der *New York Times*, aufzuklären. Ich setzte ihn davon in Kenntnis, dass die erste Lungen- und die erste Herztransplantation in Mississippi durchgeführt und die Grundlagen des amerikanischen Rechtswesens an der University of Mississippi entwickelt worden waren.

Ich hatte Heimweh und nur auf jemanden wie ihn gewartet.

Ich war nicht sehr wohlerzogen oder ladylike, und der arme Kerl schlich davon und wirkte den ganzen restlichen Abend ziemlich nervös. Aber ich konnte nicht anders.

Mit Mississippi ist es wie mit meiner Mutter. Über die darf ich mich beschweren, so lange ich will, aber wehe, jemand sagt ein schlechtes Wort über sie, es sei denn, sie wäre auch seine/ihre Mutter.

Ich habe *Gute Geister* in New York geschrieben, was meiner Meinung nach leichter war, als es in Mississippi zu tun, Auge in Auge mit allem. Aus der Distanz sieht man mehr. Inmitten einer brummenden, schnelllebigen Metropole war es eine Erholung, meine Gedanken zu verlangsamen und eine Zeitlang in Erinnerungen zu versinken.

Gute Geister ist im Großen und Ganzen fiktiv. Dennoch habe ich mich beim Schreiben immer wieder gefragt, wie meine Familie wohl darüber dächte. Und ich fragte mich auch, was Demetrie wohl davon hielte, obwohl sie längst tot war. Ich hatte über weite Strecken Angst, eine schlimme Grenzüberschreitung zu begehen, indem ich mit der Stimme einer Schwarzen schrieb. Ich hatte Angst, ich würde es nicht schaffen, eine Beziehung darzustellen, die mein Leben so entscheidend beeinflusst hat, die so voller Wärme und Liebe war, eine Art von Beziehung, die im amerikanischen Geschichtsbild und in der amerikanischen Literatur zu einem solchen Klischee geronnen ist.

Daher war ich aufrichtig dankbar, als ich in Howell Raines' pulitzerpreisgekröntem Artikel »Grady's Gift« las:

Für einen Schriftsteller aus dem Süden gibt es kein schwierigeres Thema als die Zuneigung zwischen einem schwarzen und einem weißen Menschen in der Welt der Segregation mit ihrer Ungleichberechtigung. Denn die Unehrlichkeit, auf die eine Gesellschaft

*gegründet ist, macht jede Emotion suspekt, macht es unmöglich zu
wissen, ob das, was zwischen zwei Menschen floss, ein aufrichtiges
Gefühl, Mitleid oder Pragmatismus war.*

Ich las es und dachte: *Wie hat er es geschafft, das so kurz und
bündig auszudrücken?* Dasselbe glitschige Problem, mit dem
ich kämpfte und das ich einfach nicht zu fassen bekam wie
einen nassen Fisch. Und Mr Raines hatte es mit wenigen Sät-
zen dingfest gemacht. Es freute mich sehr, dass ich in meinem
Ringen nicht allein war.

Genau wie zu Mississippi habe ich auch zu *Gute Geister* ein
sehr widersprüchliches Verhältnis. Von den Trennlinien zwischen schwarzen und weißen Frauen ausgehend, fürchte ich,
zu viel erzählt zu haben. Man hat mich gelehrt, nicht über
so heikle Dinge zu sprechen, das sei ungehörig, unhöflich, *sie
könnten uns hören.*

Und ich habe Angst, zu wenig erzählt zu haben. Nicht nur,
weil das Leben für viele Frauen, die in Weißenhaushalten in
Mississippi arbeiteten, noch viel schlimmer war, sondern auch,
weil es viel mehr Zuneigung zwischen weißen Familien und
schwarzen Dienstmädchen gab, als meine Zeit und meine
Mittel mir darzustellen erlaubten.

Sicher bin ich mir nur in einem: Ich maße mir nicht an zu
wissen, wie es sich wirklich anfühlte, eine schwarze Frau im
Mississippi der Sechzigerjahre zu sein. Ich glaube nicht, dass
irgendeine weiße Frau, die am anderen Ende des Arbeitsver-
hältnisses stand, das je wirklich nachfühlen könnte. Aber der
Versuch, es nachzufühlen, ist unerlässlich für unsere Menschlichkeit. In *Gute Geister* gibt es einen Satz, der mir wirklich am
Herzen liegt:

War das nicht der Sinn des Buchs? Dass Frauen erkennen: *Wir
sind einfach nur zwei Menschen. Uns trennt gar nicht so viel.
Nicht annähernd so viel, wie ich dachte.*

Ich bin mir ziemlich sicher, dass niemand in unserer Familie Demetrie je gefragt hat, wie es sich anfühlte, eine schwarze Frau in Mississippi zu sein und für unsere weiße Familie zu arbeiten. Wir wären gar nicht auf die Idee gekommen, eine solche Frage zu stellen. Es war einfach Alltag. Es war nichts, was einen beschäftigte.

Ich habe mir so viele Jahre gewünscht, ich wäre alt und verständig genug gewesen, Demetrie diese Frage zu stellen. Sie starb, als ich sechzehn war. Ich habe mir jahrelang ausgemalt, wie ihre Antwort gelautet hätte. Und deshalb habe ich dieses Buch geschrieben.